TODO VA A MEJORAR

colección andanzas

Obras de Almudena Grandes en Tusquets Editores

ALMUDENA GRANDES
TODO VA A MEJORAR
Nota final de Luis García Montero

TUSQUETS
EDITORES

1.ª edición: octubre de 2022

Diseño de la colección: Guillemot-Navares
Reservados todos los derechos de esta edición para
Tusquets Editores, S.A. – Av. Diagonal, 662-664 – 08034 Barcelona
www.tusquetseditores.com
ISBN: 978-84-1107-173-4
Depósito legal: B. 13.528-2022
Fotocomposición: Moelmo
Impresión y encuadernación: CPI Black Print
Impreso en España

El papel utilizado para la impresión de este libro está calificado como papel ecológico y procede de bosques gestionados de manera sostenible.

Índice

1
Creación

El Gran Capitán comprendió antes que nadie que el coronavirus iba a cambiarlo todo.

Juan Francisco Martínez Sarmiento acababa de estrenar apodo. A los cuarenta y siete años recién cumplidos, había culminado una carrera profesional meteórica con dos nombramientos casi simultáneos. En la tercera semana de 2020 se había convertido en el director ejecutivo de una gran empresa energética, líder nacional en renovables, y en el vicepresidente mejor valorado para suceder al presidente de la CEOE. Tenía motivos para sentirse orgulloso de sus logros porque no sólo destacaba entre los grandes empresarios españoles por su inteligencia, equiparable a una audacia que rayaba con la temeridad. También llamaba la atención por sus orígenes. Más allá de la fortuita eufonía de sus apellidos, no había heredado nada de sus padres. Tercero entre los cinco hijos del propietario de una ferretería del barrio de Tetuán y de una señora dedicada a sus labores, había tenido que luchar como una fiera por cada beca, por cada puesto, por cada ascenso. Hasta ahora. Porque precisamente ahora, cuando ya no tenía la necesidad de apostar, de jugarse la vida en cada movimiento, todo se estaba yendo al carajo.

—¡Qué putada!

Se levantó de la butaca de su despacho, su lugar predilecto para pensar, y fue al salón a ponerse otra copa. Su mujer, uno de sus galardones más valiosos, tal vez el más exquisito, hija única de un banquero de provincias que acertó a vender en el mejor momento a una gran banca nacional, veía la televisión tendida sobre una *chaise longue* estilo Imperio, naturalmente auténtica, tapizada en terciopelo amarillo. El Gran Capitán se detuvo en el umbral de la puerta para admirarla a distancia. Cuca era un emblema viviente de la aristocracia natural que la mejor crianza imprime en unos pocos elegidos. Nadie que la mirara con ojos de chaval de barrio, la avidez plebeya que él se había esforzado en conservar bajo su ceño de águila real hecha a sí misma, podría creer que esa muchacha de piel de melocotón, lánguida y esbelta, admirablemente proporcionada bajo un mono ajustado de seda de color burdeos, tuviera cuarenta y un años, que hubiera parido tres hijos, que no hubiera nacido rubia. Él lo sabía, pero en momentos como aquel, le gustaba complacerse en el equívoco.

—¡Hola! —el ruido de los cubitos de hielo al chocar con las paredes de cristal tallado le llamó la atención, y se incorporó a medias para mirarle con un alboroto de mechas doradas de dos tonos distintos, el secreto de una ficción perfecta—. Corre, ven a ver esto...

El Gran Capitán se acercó a ella y contempló una imagen insólita, otra más. En la puerta de un hospital de Leganés, un policía nacional cantaba con un megáfono el improvisado himno de la resistencia contra el virus ante medio centenar de sanitarios que grababan la escena con sus móviles al otro lado de la calle, en las escaleras de acceso al edificio. El policía tenía buena voz, era alto, apuesto, la ovación fue unánime.

—Es emocionante, ¿verdad? —su mujer le dedicó una sonrisa ingenua, la más auténtica de su repertorio—. Con lo mal que lo estamos pasando...

—Claro —¿tú?, se preguntó mientras la besaba en la cabeza, ¿lo estás pasando mal tú, Cuca?—. Me vuelvo al despacho.

Unos policías municipales usando la megafonía de sus coches patrulla para contarles un cuento distinto cada noche a los niños que estaban encerrados en sus casas. Dos guardias civiles subiéndose en una grúa de los bomberos para llevarle una tarta de cumpleaños y un ramo de flores a una anciana que vivía sola en un séptimo piso. Y ahora, por si faltaba algo, un policía nacional cantando el *Resistiré* delante del Severo Ochoa.

—Pero ¿esto qué coño es? —exclamó después de cerrar la puerta—, ¿el puto ejército soviético?

Eso era, en realidad, la parte más pequeña de un problema inmenso. Durante las últimas décadas, con la connivencia de partidos grandes y pequeños, más o menos corruptos, los pares del Gran Capitán habían logrado convencer a los españoles de que la iniciativa privada era la única receta capaz de crear riqueza y prosperidad. El emprendimiento, esa palabra ridícula, se había puesto de moda hasta el punto de que muchos parados, pobres incautos, habían invertido sus indemnizaciones en montar negocios destinados al fracaso. Pero sobre muchas ruinas diminutas se había edificado un crecimiento económico tan espectacular que ya nadie recordaba a los cenizos que amargaron el ingreso de España en la Unión Europea advirtiendo que el país iba a convertirse en un territorio dependiente, sin industria, sin recursos propios, un gigante con pies de barro, el frágil coloso del ocio y el turismo. El coronavirus les había dado la razón. Los pies se estaban agrietando. El gigante se caía a pedazos. El Gran Capitán mismo había escuchado la intervención de su hijo mayor, trece años, en un debate escolar telemático sólo una semana antes. ¿Qué nos ha enseñado el coronavirus?, era la pregunta. La importancia de la sanidad pública, del estado del bienestar, la necesidad de sostenerlo a toda costa, había sido su respuesta, aplaudida con calor por el resto de sus compañeros, alumnos todos de un colegio privado, carísimo, evidentemente inútil. Pero lo peor estaba por llegar.

El Gran Capitán renunció a un tercer whisky, cenó en silencio, rumió sus inquietudes sin prestar atención a los dos episodios reglamentarios de la serie que su mujer había elegido aquella semana y se metió en la cama para no dormir. Sabía que no iba a pegar ojo porque había comprendido antes que nadie que su historia había terminado. El capitalismo no daba más de sí. El planeta no daba más de sí. El crecimiento no daba más de sí. La sociedad de consumo no daba más de sí. No se habían limitado a matar la gallina de los huevos de oro. La habían degollado, triturado, despedazado para comérsela viva, para beber su sangre y masticar sus huesos. Todo iba mejor que bien, pero el mundo globalizado de las superautopistas de la información y las redes planetarias no había logrado impedir que un chino cocinara un pangolín al que había mordido un murciélago, o al revés. No se había enterado mucho porque le daba lo mismo. Si no hubiera sido un murciélago, habría sido otro bicho. Sería otro bicho la próxima vez.

—Esto se ha acabado, Cuca —ni siquiera se dio cuenta de que estaba hablando en voz alta—. Estamos atrapados, no tenemos salida.

—¡Ay, Juan Francisco! —ella le regañó con una hebra de voz pastosa, más cerca del sueño que de la vigilia—. Cállate y déjame dormir.

La dejó dormir. La dejó incluso roncar mientras daba vueltas y vueltas en la cama, sin encontrar ni un resquicio de luz en su destino. Hasta que sin previo aviso, en un momento cualquiera de una madrugada que se le estaba haciendo eterna, se estremeció de miedo. Su pijama de algodón egipcio era ya un charco de sudor frío cuando reconoció una idea que, como las mejores, había encendido la luz roja del pánico dentro de su cabeza. Intentó pensar en otra cosa y no pudo. Se resignó a desarrollarla y las piezas empezaron a encajar tan perfectamente que llegó a oír el sonido, clac clac clac, que hacían al engranarse en un mecanismo delicado, peligrosísimo. Era una apuesta casi suicida, como todas las que le habían llevado desde una ferretería de Tetuán hasta el dormitorio principal de una mansión de Somosaguas. Era una maravilla, una melodía armónica, y frágil, y brillante, y difícil, y compleja, sublime como una pequeña sinfonía magistral. Mientras la escuchaba, se dejó arrullar por sus acordes y empezó a bostezar. Durmió menos de tres horas, pero se levantó con una energía que le hizo dudar de su verdadera edad.

—¿Qué me dijiste anoche? —Cuca frunció el ceño en el desayuno, y él sonrió—. Creo que era algo importante, pero no me acuerdo.

—Que el capitalismo era un sistema agotado, eso te dije —cogió otra napolitana para celebrarlo—. Que el ciclo se ha acabado y nada volverá a ser como antes.

—¡Qué tonterías dices, Juan Francisco! —ella negó con la cabeza, le apretó un brazo, le habló con la misma dulzura que habría empleado con un niño enfurruñado—. Esto pasará, como todo, ya lo verás. Y antes de lo que crees.

El Gran Capitán besó a su mujer. Sabía que la mayoría de sus colegas, casi todos, le habrían respondido lo mismo que ella, pero no se preocupó.

Dios había creado el mundo en siete días y él iba a necesitar un poco más de tiempo.

2
La evolución de la política

Fueron años.

Cuando se decidió a dar el primer paso, su hija menor se había iniciado ya en el arte de las mechas doradas bajo la experta tutela de su madre. Entretanto, habían pasado muchas cosas y no había pasado ninguna.

Se habían celebrado diversas elecciones, generales, autonómicas, anticipadas, en plazo. El poder había cambiado de manos varias veces, pero la alegría de los sucesivos vencedores duraba cada vez menos. Mientras la polarización ideológica seguía desgarrando las instituciones, la desconfianza de la ciudadanía respecto a la política no había parado de crecer, incentivando el desprestigio de la democracia misma. La nueva normalidad había llegado a convertirse en normalidad a secas para llenar de gente los vagones de metro y los campos de fútbol, pero cuando los españoles creían haber dejado atrás la experiencia del confinamiento, una nueva pandemia volvió a encerrarlos en sus casas. La crisis fue más breve, aunque la economía, que no se había recuperado por completo del primer golpe, se tambaleaba como un boxeador sonado, incapaz de andar en línea recta, cuando todo volvió a empezar. Sin embargo, unos pocos empresarios, los que habían sabido diversificar a tiempo sus inversiones, salieron ganando.

El hombre conocido ya como Gran Capitán hasta en los periódicos, seguía siendo el presidente de la compañía eléctrica líder en renovables, había trepado hasta la cima de la CEOE, había sido invitado a formar parte del consejo directivo de la patronal europea. Pero, además, entre pandemia y pandemia, había comprado una compañía de plásticos especializada en mamparas de metacrilato, otra de material sanitario, y la patente de unos trajes de protección de tejido refrigerante y ultraligero, rematados por unas escafandras transparentes con un sistema de renovación de aire, que sustituyeron muy pronto a los viejos EPIS en los hospitales de varios países. Su mujer le había regañado por gastarse una millonada en tonterías, pero durante la que pasaría a la historia como Segunda Pandemia se forró, y eso era sólo el principio. Cuando su hija decidió que de mayor iba a ser rubia, ya le había echado el ojo a un laboratorio farmacéutico, pero pensó que lo mejor sería empezar por el principio.

—¿Puedo preguntarte qué es lo que quieres hacer exactamente?

—Todavía no —levantó la mano para llamar al camarero y sonrió—. Más adelante...

Ella respondió con una pequeña carcajada y él estuvo seguro de que había acertado.

Cuando la llamó por teléfono para citarla a media tarde en la cafetería de un discreto, tranquilo hotel de lujo, la había visto pocas veces, pero recordaba su nombre. Nunca habría podido olvidarlo, porque se llamaba Megan García. Su físico, a cambio, era intercambiable con el de cualquier otra chica insignificante, más baja que alta, más gorda que delgada, gafas redondas de montura fina, media melena de pelo castaño, ni ondulado ni absolutamente liso, y ningún atractivo particular. Era tan corriente que, al verla por primera vez, le asombró que se comportara como la pareja de Borja Álvarez de Nosequé, el joven campeón de bádminton y aspirante a la presidencia del PP que había convocado a un selecto grupo de empresarios para explicarles su programa. Él parecía tenerlo todo para triunfar. Guapo, alto, atlético, estaba muy bien situado en las encuestas de las primarias, pero el Gran Capitán advirtió a tiempo que jamás abría la boca antes de que Megan le autorizara con la mirada. Porque aquella chica, tan vulgar en todo salvo en su nombre, era la única que sabía qué estaban haciendo allí. Ella se encargaba de todo, desde los discursos del candidato hasta la lista de sus invitados, sus gustos, sus afinidades, al lado de quien convenía o no sentarlos a una mesa. Conocía mucho mejor que Borja las fortalezas y debilidades de sus rivales, los porcentajes a los que cada uno podía aspirar en cada provincia, las estrategias más convenientes para ganarse el favor de los medios de comunicación. El Gran Capitán apostó a que él se pegaría un trastazo irremediable en el instante en que ella le soltara de la mano, y acertó. Después de quedarse en blanco varias veces durante el primer debate, su candidatura se desinfló como un globo pinchado. La última vez que los vio juntos ya no reparó en los centímetros, de altura a favor de él, de anchura a favor de ella, que los separaban. Lo único que le llamaba la atención era que una chica tan lista como Megan García hubiera podido enamorarse de un memo como el campeón de bádminton.

—Una vez te pregunté por qué no te presentabas tú a las primarias, ¿te acuerdas?

Muchos años después, ella repitió su respuesta con una sonrisa.

—Y yo te dije que, para empezar, no soy del PP.

—Sí. Y me dijiste además que no te gustaban los focos, que preferías trabajar en la sombra.

—Exacto —a partir de ese instante le miró de otra manera, como si acabara de adivinar que él iba a proponerle algo que le convendría aceptar—. ¡Qué buena memoria!

En la fase del café con pastas, antes de pasar a los gin-tonics, el Gran Capitán había indagado discretamente en la situación de Megan y había confirmado que la información que poseía sobre ella era buena. Su relación con Álvarez de Nosequé apenas había sobrevivido a la carrera del candidato. Ahora tengo que replantearme mi vida, buscar otro camino, soltar lastre... Lo comprendes, ¿verdad? Lo que ella comprendió fue que era un pedazo de hijo de puta aprovechado y sin escrúpulos. Decírselo a la cara le procuró cierto consuelo, porque la ruptura le estaba doliendo más de lo que a ella misma le parecía admisible. Creía que era demasiado inteligente como para haberse hecho ilusiones, pero cuando estas se rompieron pudo reconocer, uno por uno, cada pedazo. Además, los efectos colaterales del abandono de Borja, empleador antes que novio, representaron una catástrofe de la que no se había recuperado todavía. Por él había dejado un trabajo en el que no la readmitieron, se había mudado a un piso cuyo alquiler no podía pagar, se había visto obligada a volver a casa de sus padres más allá de los treinta años y, mientras intentaba abrirse paso como *coach* sin demasiado éxito, porque todo el sector sabía que había dejado tirada a su empresa de un día para otro cuando le dio la ventolera de enamorarse de un político, iba resistiendo con pequeños encargos y trabajos sueltos. Que el Gran Capitán supiera, sólo tenía un ingreso fijo, quinientos miserables euros que le pagaba cada mes Mónica Hernández, una profesora de Historia para la que su madre trabajaba como asistenta desde hacía décadas, y que la había contratado a tiempo parcial como documentalista para su canal de YouTube. El típico alarde de caridad disfrazada de solidaridad progresista, pensó él. Una mierda.

—Necesito una asesora que sepa moverse y trabajar en la sombra, Megan —el Gran Capitán desplegó sus cartas antes de probar su copa—. Tengo un gran proyecto, cuyo desarrollo necesitará varios años de trabajo, pero no me importa esperar. Tampoco sé si tendrá éxito, pero estoy decidido a invertir en él todo el dinero que haga falta.

—¿Un partido político? —sugirió ella, con una chispa de excitación en los ojos.

—Un partido político, sí —él asintió con la cabeza mientras se felicitaba en silencio por el acierto de haberla elegido—, pero esa es la parte más fácil.

No estaba diciendo toda la verdad. Montar un partido político no era muy difícil, él lo sabía porque había intervenido en la creación de algunos, pero estaba pensando en algo diferente, una organización que desbordaría en muchos aspectos la naturaleza de los partidos convencionales y cuya singularidad sembraría el camino de obstáculos. Después de pensarlo mucho, había llegado a la conclusión de que no le quedaba más remedio que recorrerlo. El Gran Capitán no era el único hombre poderoso dispuesto a tomar las riendas de un país europeo. La mayoría de sus colegas de Bruselas estaban meditando iniciativas que a simple vista se parecían a la suya, pero, hasta aquel momento, ninguno había logrado eludir del todo la fascinación por los totalitarismos clásicos, un charco en el que él no tenía la menor intención de meter los pies. Juan Francisco Martínez Sarmiento no era enemigo de la democracia, al contrario. En su opinión, un sistema estable que facilitara la alternancia en el poder y cultivara la fantasía de la efectiva soberanía popular propiciaba la mejor coyuntura posible para ganar dinero. No pretendía convertirse en un caudillo, mucho menos someterse a otro, y estaba convencido de que el fascismo no representaba una solución, sino una amenaza. El poder no le atraía como proyecto personal. Lo concebía como una simple herramienta para ganar tiempo, un instrumento imprescindible para empezar a curar las heridas del planeta, para salvar lo que merecía la pena de la economía existente, para sentar las bases de una nueva versión del capitalismo que garantizara un crecimiento distinto, duradero. Fundar un partido fascista no supondría una gran dificultad. La creación del que él había planeado desembocaría antes o después en un rompecabezas, pero, pese a sus complejidades, la vertiente política de su proyecto le inquietaba menos que otras.

—También estoy interesado en iniciativas de otra índole, sectores en los que no tengo experiencia y donde necesitaría la ayuda de alguien más joven que yo. Busco una persona inteligente, creativa, permanentemente disponible, que sepa guardar secretos, que esté dispuesta a correr ciertos riesgos y que tenga la ambición suficiente para afrontar grandes responsabilidades a cambio de una compensación que resolvería el futuro de sus hijos... —hizo una pausa para mirarla y sonrió—. Yo diría que incluso el de sus nietos. Y llevo algún tiempo preguntándome si podrías ser tú.

—No lo dudes.

Megan García tampoco dijo toda la verdad, porque comprendió a tiempo que la sinceridad representaba un riesgo superfluo. Aquel hombre sabía tantas cosas sobre ella que ni se le ocurrió sospechar que su alusión a los hijos que aún no tenía hubiera sido gratuita. Le agradeció incluso la elegancia de no mencionar su vida sentimental. Tras su fracaso con Borja, Megan había aceptado la oferta de reconciliación de su novio de toda la vida, una decisión que a ratos le parecía sabia, realista, acertada, a ratos una patética derrota. Más allá de los adjetivos, incluso de los sustantivos, estaba satisfecha del resultado.

El día que escuchó la propuesta del Gran Capitán, Megan García estaba embarazada de tres meses. El día que fue a conocer la oficina donde trabajaría durante varios años, en temas que nadie podría adivinar al leer la placa atornillada en la puerta, ya había comprendido por qué su jefe no le había dado importancia a su estado.

Cuando sus primeras gestiones alcanzaran un éxito completo, su hijo tal vez habría abandonado ya la guardería para empezar a ir andando al colegio.

Paula Tascón Estébanez se preguntaba si volvería a vivir un día tan importante.

Acababa de cumplir veintiún años y, aunque no se había enganchado a ninguna, ya había probado las drogas. El hachís no le gustaba, las pastillas la habían decepcionado casi siempre, la cocaína le encantaba, pero ni siquiera en las noches más luminosas, esas madrugadas del color del acero en las que atravesaba calles desiertas sintiéndose ajena a su cuerpo, sólo piel tierna, sensible, encapsulada en una nube individual de espuma mullida y transparente, sólo ojos capaces de distinguir una pedrería imposible de luces preciosas enjoyando la oscuridad compacta del cielo, sólo boca que deseaba besar o ser besada sin hacer preguntas, nunca, jamás, ni en el momento más intenso del mejor subidón, había experimentado una conmoción comparable con la que acababa de vivir. Sentada en un taburete de un bar cochambroso, mirando por la cristalera con el codo apoyado en la barra, dudaba incluso de su propia identidad. Le parecía mentira que su cabeza, su cuerpo, las manos situadas al final de sus brazos, pertenecieran de verdad a una chica que se llamaba Paula Tascón Estébanez y que había nacido en Villalfeide, una diminuta aldea de la provincia de León donde sólo había pasado una cosa importante desde que ella nació. En tiempos de la Gran Pandemia, un día antes de pasar a la fase 1 de la desescalada y tras no haber registrado ni un solo caso en varias semanas, se contagiaron de golpe seis vecinos y Villalfeide salió en todos los periódicos. Luego resultó que no era cierto, que tres residentes habían dado negativo y los positivos vivían en la capital, y que no se había producido ningún otro acontecimiento relevante relacionado con el pueblo de Paula Tascón hasta que, el martes anterior, su profesor de Seguridad en Redes y Sistemas le pidió que esperara un momento al terminar la clase avanzada que ofrecía tres tardes a la semana en un aula del sótano.

—Vale —ella aceptó su proposición sin pararse a pensarla—. Me gustan mucho los hackatones. Son divertidos.

—Bueno... —Javi inclinó la cabeza, entornó los ojos, le dirigió la clásica mirada de «tú aún no sabes nada, pero yo te enseñaré, pequeña» que Paula encontraba repulsiva en cualquier profesor que no fuera él—. Este hackatón no se parece a los que organizamos aquí, en la facultad. Es una especie de torneo, ¿sabes?, un concurso que organiza un banco que quiere poner a prueba un nuevo *software* de seguridad.

—¿Y hay que romperlo? —se le erizó la piel de emoción, y él sonrió—. ¿En serio?

—En serio —apoyó la mano derecha en el centro de su espalda para invitarla a salir del aula y Paula sintió el calor de las yemas de sus dedos como si fueran cinco sopletes capaces de quemar su piel a través del liviano tejido de la blusa—. Y el equipo que lo rompa antes se lleva seis mil euros, ¿qué te parece? Aunque el dinero, por supuesto, es lo de menos.

Paula Tascón asintió en silencio. Nunca habría llegado a ser una de las discípulas del mejor hacker que conocía si no hubiera comprendido por sí misma su concepto del honor. Por las mañanas, Javier Oliva enseñaba a todos los alumnos de tercer curso del Doble Grado de Matemáticas e Informática a diseñar sistemas de protección. Por las tardes, se reunía con cinco elegidos en un aula del sótano para transmitirles ciertas lecciones no regladas, las más valiosas. Si no sois capaces de destruir lo que han creado los demás, nunca podréis crear nada que merezca la pena. Así había descubierto Paula el orgullo del hacker.

Romper código, sí, pero romperlo a tiempo, antes y más deprisa que los demás. Romperlo mejor, limpiamente, sin dejar huella, ni un solo cabo suelto que se pueda rastrear con facilidad. Y sobre todo romperlo bonito, sin dudas, sin vacilaciones, sin interrupciones, o dejando una diminuta puerta secreta entornada, para aquel que fuera capaz de encontrarla. Porque esto también es un arte, decía el profesor Oliva, Javi para los elegidos, talento y armonía, creatividad, instinto, puro genio.

—¿Y si no lo rompe nadie?

Hasta aquel día, ella sólo había participado en hackatones académicos, maratones de programación concebidos para que los estudiantes adquirieran práctica en grupo ante desafíos concretos, pero el objetivo nunca había sido romper un código. Los organizadores de esos concursos cuyo único premio era la victoria, a lo sumo las cañas que cada equipo se hubiera apostado por su cuenta, siempre habían optado por fomentar destrezas más constructivas. Paula no era muy popular en los pisos altos de su facultad, pero nunca había dejado de participar en un hackatón. Aunque algunos de sus compañeros se referían a ella como «la Cuota», porque en su curso sólo había dos chicas más, ninguna demasiado brillante, todos sabían que era difícil competir con su capacidad. Y hasta quienes iban susurrando por los pasillos que Oliva la había escogido por corrección política, porque de vez en cuando le venía bien incluir a alguna mujer en su grupo del sótano, le rogaban que se apuntara a su equipo en cada convocatoria. Así había ganado varias competiciones en las que no cabía la posibilidad de llegar a la meta sin que se proclamara un ganador. Eso, y no perder el dinero, fue lo que más la inquietó.

—Lo romperemos nosotros, ya lo verás. He convencido a un exalumno mío y... Bueno, un hacker genial.

En aquel momento, Paula Tascón pensó que Javi se refería a dos tipos distintos, uno exalumno, otro hacker genial. Pero cuando se presentó el sábado, a las nueve menos cinco de la mañana, en la cafetería de la calle Alcalá donde iba a reunirse el equipo, no encontró a otro alumno más que a Nacho, su mejor amigo del sótano. Javier Oliva tenía treinta y siete años. El hombre que apareció poco después era mayor que él. Luego llegó una mujer con el pelo teñido de color zanahoria y grandes gafas de sol ahumadas que no aparentaba ser mucho más joven, y nadie más. Durante unos minutos, todo fue normal, saludos cariñosos entre los conocidos, bienvenidas calurosas a los recién llegados, charlas con el camarero, cafés con leche, bollería y tostadas. A las nueve y diez, quienes sabían a quién estaban esperando empezaron a mirar discretamente el reloj. A las nueve y cuarto, se escuchó ya algún bufido. A las nueve y veinte, la pelirroja estalló.

—¿Y el Oso? —la indignación revitalizó su acento porteño—. Siempre igual. He estado a punto de no venir, os juro, porque ya sabía que iba a acabar hinchándome las pelotas...

A las nueve y veintiséis minutos, Paula notó una inexplicable disminución de la luz, como si el cielo acabara de nublarse justo encima de su taza. Levantó la vista hacia la puerta y comprobó que el cristal estaba tapado casi por entero por lo que parecía el último espécimen vivo del hombre de Neandertal, un inmenso ser barbudo, aún más gordo dentro de una gruesa parka acolchada que le quedaba corta, cuya estatura rozaba los dos metros de altura con la capucha puesta. No le resultó difícil adivinar que había descubierto al Oso mientras le veía tocar un par de veces con los nudillos en el cristal, levantarse la manga izquierda para dejar a la vista un reloj muy caro y dar unos golpecitos encima con el dedo. Ahora se cagarán en su padre, calculó, por llegar tarde y meter prisa, encima... Se equivocó. Lo que hicieron fue pagar sin quedarse a esperar el cambio, salir corriendo a la calle y deshacerse en sonrisas mientras el último en llegar andaba por delante, con la autoridad de una gallina acostumbrada a guiar a sus polluelos.

—Un momento —en la puerta del banco se frenó, los miró, frunció el ceño—. Me dijiste que íbamos a ser seis.

—Somos seis —le respondió Javi.

—¡Ah! —el Oso miró a Paula más despacio, se detuvo en sus tetas, como todos, como siempre, y resopló—. Creía que eras la novia de alguien.

Cuando estaba a punto de girar sobre sus talones y marcharse de allí, se dio cuenta de que, por debajo de la barba, de las greñas de la cabeza, era un chico muy joven, que no debía de sacarle más de dos o tres años. Pero no se quedó por eso, sino porque Javi la agarró a tiempo del brazo izquierdo mientras, a sus espaldas, hacía algún gesto destinado a salvar la situación.

—Oye, perdona, ¿eh? No quería ofenderte —exalumno reciente, el Oso seguía respetando a su antiguo profesor—. Es sólo que me ha parecido que estás demasiado buena como para dedicarte a esto.

—Muy amable —apuntó la argentina.

Hasta que se sentó ante un módulo trapezoidal, provisto de pantalla, teclado, ratón y alfombrilla impresa con el logo del banco, que formaba una mesa hexagonal con otros cinco módulos exactamente iguales, Paula Tascón evaluó una vez más las difíciles proporciones de su cuerpo, su compleja relación consigo misma y con el mundo en general. No se consideraba guapa, pero sabía que tenía una cara atractiva de chica rara, los ojos grandes, muy oscuros, los pómulos marcados, las mandíbulas afiladas, el pelo negro, tan liso como la melena de una japonesa, sobre el grotesco perfil de una «p» minúscula, unas tetas descomunales, adheridas como un pegote a un tronco tan esbelto y huesudo como sus brazos, como sus piernas largas, finas, bonitas. ¿De dónde coño habéis salido vosotras?, les preguntaba cada vez que salía de la ducha. Sus tetas no hablaban, pero a veces parecían sugerirle que tenía un problema de vocación. Aunque para triunfar habría necesitado una cara más bonita, de rasgos dulces, redondos, Paula Tascón tenía un cuerpo ideal para bailar sobre tacones altos alrededor de una barra, con la piel brillante de purpurina. Por fortuna, lo olvidaba cada vez que se sentaba delante de una pantalla. Eso fue lo único que olvidó de un día que recordaría siempre.

El Oso le cedió a Javi la facultad de dar órdenes en voz alta, pero nada más. Él era quien mandaba, quien organizaba el trabajo y distribuía las tareas, quien tenía en la cabeza el mapa completo de lo que había que hacer, y en qué orden, de qué manera, a qué ritmo debía completar cada miembro de su equipo las fases del plan que iba diseñando sobre la marcha. No parecía inquieto por los resultados. Comía, bebía, bromeaba con su antiguo profesor como si estuvieran jugando al parchís mientras Paula, absolutamente concentrada en su tarea, sin levantar los dedos del teclado ni apartar la vista de la pantalla, sentía que iba corriendo con la lengua fuera en pos de la suprema inteligencia de un ser superior. El Oso la había zambullido sin piedad en una película de dibujos animados donde sólo él era capaz de dibujar puertas en un muro de piedra, de adornarlas con un picaporte imaginario y accionarlo con los dedos para lograr, con un simple movimiento, que la puerta dibujada se convirtiera en auténtica para consentirle pasar al otro lado del muro. Eso era lo que hacía una y otra vez, con una maestría que abrió de asombro la boca que Paula Tascón no lograría cerrar durante horas. Nunca había conocido a nadie que pudiera compararse con aquel genio de Neandertal. Nunca había aprendido tanto en tan poco tiempo. Nunca se había sentido a la vez tan persona y tan máquina, tan consciente de ser ella misma mientras formaba parte de algo mucho mayor, tan enajenada en los límites de una pequeña pieza que se agigantaba al engranarse a la perfección con otras más grandes, para mover con éxito una maquinaria formidable. Cuando sonó el timbre que señalaba el final de la jornada, tampoco pudo creer que hubieran pasado ocho horas desde que se había sentado en aquella silla. Más raro fue que consiguiera comprender lo incomprensible. Perdonar, incluso, lo imperdonable.

—¡No, no, no! —al oír el timbre, el Oso se levantó, tiró la silla, se agachó a cogerla sólo para estallarla contra el suelo al ritmo de sus gritos—. ¡Esto es una puta mierda!, ¿me oís? ¡Sois unos putos inútiles principiantes de mierda! —en ese instante, lo único que le importó a Paula Tascón fue que el Oso no la estaba mirando a ella—. Media hora, nos ha faltado media hora... Esto ha sido una chapuza y la culpa es mía, me cago...

—¡Ya está bien, Oso! —Javi fue hacia él, sujetó el respaldo de la silla con las dos manos—. Cállate ya. No tienes derecho a hablar así.

—¿Por qué? —él intentó levantarla en vano mientras miraba a Nacho, para transformar en culpa el orgullo que había arrebatado a Paula hacía sólo unos instantes—. ¿Porque hace unos años yo era lo mismo que este...?

—¡Que te calles ya, hostia!

El profesor Oliva era carne de gimnasio, pura fibra muscular. Por eso, aun siendo diez centímetros más bajo, mucho más delgado que él, abrazó a su alumno y lo arrastró fuera de la sala sin gran dificultad. Los demás compartieron un silencio extraño, donde la vergüenza ajena se abría paso lentamente entre el alivio. Antes de que lo consiguiera por completo, un programador de otro equipo se acercó a la pelirroja.

—¿Es verdad que os quedaba media hora?

Ella asintió con la cabeza, él silbó de admiración y Nacho salió corriendo. Paula fue tras él, pero no lo encontró. Tampoco vio a Oliva, ni al Oso, en la puerta del edificio. Recorrió la calle en una dirección, luego en la otra, volvió al banco y subió por las escaleras hasta que la detuvo un guardia de seguridad que le dijo que arriba ya no quedaba nadie. Se apoyó en la fachada, sin saber qué hacer, hasta que oyó el pitido de un mensaje de WhatsApp. Javi acababa de mandarle la ubicación de un bar situado a dos bocacalles de distancia. Cuando llegó, sus cinco compañeros de equipo estaban ya sentados a una me⌐ bebiendo cerveza y comiendo cacahuetes como si no hu⌐ pasado nada. Le ofrecieron una silla, pero escogió un ⌐ de la barra. No había comido en todo el día, acaba⌐ cuenta de que estaba muerta de hambre. Le pidi⌐

un bocata de calamares y se giró para mirar hacia la calle mientras le daba el primer mordisco. Se estaba preguntando si volvería a vivir un día tan importante como aquel, cuando vio llegar a una mujer embarazada que cruzó de acera, entró en el bar y se dirigió directamente al Oso.

—¿Jacinto Perezagua?

—No le conozco.

Paula Tascón pensó que era difícil imaginar a alguien que pudiera desentonar más con el ambiente que aquella oficinista pija, conjuntada a la perfección de la cabeza a los pies, pero eso no le explicó la respuesta del hacker, que ni siquiera se dignó a levantar la vista hacia ella. No sabía que el Oso odiaba que le llamaran por su verdadero nombre y tampoco entendió por qué parecían todos tan incómodos de repente, pero nada le impresionó tanto como el aplomo de aquella mujer, que desmanteló en unos pocos segundos la aparente fragilidad de su imagen de pastorcilla de porcelana cercada por la cochambre.

—Bueno, eres mi primera opción... —le bastó con abrir el bolso, sacar unas cuantas carpetas de cartón, tan finas que no podían contener más de un par de folios, y depositarlas en la mesa, justo delante del Oso—. Pero tengo más candidatos, como puedes ver.

Él abrió una carpeta, luego otra, y otra más, antes de mirarla al fin.

—Estos son más torpes que yo —proclamó con altanería—, pero igual te vale alguno. Todo depende de lo que estemos hablando.

La embarazada, que seguía de pie, a su lado, le miró desde arriba, sonrió.

—Hablamos de un número de siete cifras —lo dijo como si los ceros carecieran de importancia para ella—. Quizás de ocho. Pero no voy a contártelo aquí —movió el dedo índice de su mano derecha en el aire para dibujar una circunferencia que englobó a los demás—, como comprenderás.

Después giró sobre sus talones, empezó a andar hacia la

puerta y no volvió la cabeza ni un instante. El Oso levantó la mano para despedirse de sus compañeros, se levantó y fue tras ella sin decir nada. La gallina se ha convertido en polluelo, pensó Paula. A la mañana siguiente, cuando leyó el mensaje que Javi le había enviado a las cinco menos cuarto de la madrugada: «El Oso no puede ir hoy al banco, lo siento, nos vemos», comprendió que, además, el polluelo había volado.

Paula, que no sabía que la ausencia de un miembro del equipo lo descalificaba automáticamente, abandonó el grupo del hackatón cuando se cansó de leer insultos. Imaginaba que Oliva les contaría qué había pasado, pero nadie le vio por la facultad aquella semana. Unos días más tarde, un desconocido les anunció que iba a hacerse cargo de la asignatura de Seguridad en Redes y Sistemas, y los elegidos no volvieron a pisar el sótano, pero cuando faltaba muy poco para que acabara el curso, Paula Tascón recibió un mensaje de su antiguo profesor desde un número que no conocía. «Tú y yo tenemos algo pendiente, ¿no?» Sin darle margen para responder, la citaba al día siguiente, a las dos de la tarde, en el restaurante de un hotel de la glorieta de Atocha, muy cerca de la estación del AVE. Por la mañana no fue a clase. Se lavó la cabeza, se depiló, se perfumó, y se puso tan nerviosa mientras esperaba en casa, intentando adivinar a cuál de los dos asuntos que tenían pendientes se refería el mensaje, que al final se fue al hotel andando.

—El Oso es mejor que yo, pero yo le enseñé todo lo que podía aprender de otra persona. Lo que tiene entre manos es demasiado trabajo para él solo, y me ha pedido que esté en su equipo.

Durante la comida, le anunció que se marchaba de Madrid. La conversación de la embarazada con el Oso había puesto el mundo boca abajo, la ambición de su encargo había resultado aún más desmedida que el precio que estaba dispuesta a pagar. Su mujer no lo había entendido, pero le daba igual. No estaba dispuesto a renunciar por nada, por nadie, a un proyecto que era un puto sueño, el paraíso terrenal de un hacker.

—Tú sí lo entenderías —añadió mientras esperaban el postre—, pero no puedo contártelo porque acabo de firmar un contrato de confidencialidad.

En aquel momento, ella decidió que había bebido las copas de vino que necesitaba para recurrir a su arma secreta. Sostuvo la mirada de Oliva con los ojos, clavó los codos en la mesa, unió ligeramente los antebrazos, y cuando el canalillo le llegaba aproximadamente a la clavícula, dijo la verdad.

—Me alegro por ti, pero yo creía que lo que teníamos pendiente era otra cosa.

Cuando salió de aquel hotel, Paula Tascón creyó que lo más importante que había aprendido aquella tarde era que el deseo, aun siendo imprescindible, no funciona necesariamente como una garantía de calidad. Desde que se conocieron, Javi y ella habían estirado día tras día, clase a clase, una cuerda que había ido deshaciéndose, perdiendo cabos, adelgazando hasta convertirse en un hilo que les segaba la piel de los dedos, incapaz ya de sostener la tensión que soportaba. Ella no tenía mucha experiencia, pero había visto muchas películas. Podía reconocer la melodía clásica del idilio que se daba por descontado en cada uno de los incontables obstáculos que debían superar sus protagonistas, y no era sólo eso. Su cuerpo también opinaba. Las miradas del profesor Oliva le ponían la piel de gallina, el sonido de su voz le erizaba los pezones, y a pesar de todo, el polvo fue apresurado, mediocre. Paula confió en que mejorara con la repetición, pero no hubo repetición. Al terminar, él se duchó a toda prisa, salió del baño vestido, la besó en los labios y le dijo que podía quedarse en la habitación todo el tiempo que quisiera.

—Yo tengo que irme ya —la besó otra vez—, o voy a perder el avión.

Antes de irse añadió algo más, dos frases que ella, confusa por la decepción, archivó sin darles importancia.

Nunca más volvió a ver a Javier Oliva.

Durante unos meses no pudo recordar aquel episodio sin sonrojarse por dentro, luego se avergonzó de haberse avergonzado, más tarde empezó a darle risa, por fin dejó de pensar en él, pero siguió echando de menos las clases del sótano hasta que acabó la carrera y montó una *startup* con dos compañeros. Pretendían desarrollar un *software* de seguridad muy prometedor, pero antes de que llegaran a la mitad del camino, la crisis económica que sucedió a la Segunda Pandemia se llevó su empresa por delante. Paula se quedó sola con las deudas, pidió dinero prestado a medio Villalfeide, lo devolvió a trancas y barrancas y, unos años más tarde, retomó el proyecto sin ayuda. Renunció a un buen sueldo de desarrolladora de *software* en una multinacional a cambio de tener las mañanas libres, y aceptó un contrato parcial como asesora en una gran tienda de tecnología que, por cuatro horas de trabajo, de lunes a viernes, le daba lo justo para ir tirando. No necesitaba más para estar contenta, pero entonces, justo entonces, se murió internet.

—Esto va a ser la hostia.

Recuperó primero el recuerdo de un brillo feroz, la chispa oscura que incendió sus ojos.

—La Solución Final, ya lo verás.

Después volvió a oír la voz del profesor Oliva mientras pronunciaba estas palabras, las que escogió para despedirse de ella en la puerta de una habitación de hotel, en la glorieta de Atocha.

El Gran Capitán decidió dotar a su futuro imperio de una sede que estuviera a la altura de su ambición.

No era un hombre despilfarrador, tampoco presuntuoso. Antes de que Megan García se lo sugiriera, ya había pensado que podrían empezar con mucho menos. Pero el valor sentimental de aquel piso exterior de doscientos metros, situado en la calle Príncipe de Vergara, entre Ayala y Ramón de la Cruz, era más importante para él que su valor económico. Unos meses antes de casarse, Juan Francisco Martínez Sarmiento había tenido que hipotecarse hasta las cejas para poder pagarlo. Allí había empezado todo, su luna de miel, el nacimiento de su primogénito, su primer pelotazo, el segundo, el tercero... Cuando lo abandonaron para instalarse en un chalé con jardín y piscina, el primero a su vez de una serie de tres, a Cuca se le ocurrió que podrían reformarlo y alquilarlo como oficina. En opinión de su marido, no había vuelto a tener una idea mejor. Su nido de amor no había dejado de ser un negocio redondo ni siquiera después de la Segunda Pandemia, cuando rebajó el importe del alquiler casi a la mitad para poder acortar la duración de los contratos. Si lograba poner su proyecto en marcha, quería empezar en aquella oficina, que llevaba más de un año vacía cuando se la enseñó a su flamante asesora.

El Gran Capitán era un advenedizo, un nuevo rico no sólo consciente, sino incluso orgulloso de su condición. Sin embargo, veinte años de convivencia con la hija única de un banquero de provincias le habían hecho más mella de la que le habría gustado reconocer. Megan García rechazó la ayuda de un interiorista para ocuparse en persona de la reforma de la oficina y todas las decisiones que fue tomando le parecieron alarmantemente baratas. Él conocía a sus pares, otros grandes empresarios españoles sin cuya ayuda no podría seguir adelante. Sabía que tendría que convocar muchas reuniones, que debería hacerlo en un entorno cuidadosamente diseñado para empezar a seducirlos antes de que se dieran cuenta, y en su idea del mundo, la seducción era un concepto incompatible con los muebles de Ikea. Sin embargo renunció a llevarle la contraria a su empleada, porque siempre estaría a tiempo de colocar un bargueño del siglo XVII aquí, pensó, un diván del XIX en aquella esquina. Cuando Megan le preguntó si quería pasar por la oficina para firmar el contrato con los hackers o prefería hacerle un poder para que firmara ella en su nombre, respiró hondo y dijo que le hacía ilusión ir a ver cómo había quedado la reforma. Se temía lo peor. Lo que encontró, provocó en él una disociación tan radical como no recordaba otra en muchos años.

—¡Enhorabuena, Megan! Has dejado esto precioso —el propietario de Somosaguas se preguntó cómo había podido dejarse engañar por la decoradora de su mujer durante tantos años—. Un trabajo espléndido, de verdad —el chico de Tetuán pensó que iba a gastarse dinero en un bargueño por los cojones—. Nunca he visto tan bonita esta oficina —el Gran Capitán comprendió a tiempo que la luminosidad, la limpieza del espacio, la elegancia de los tonos pastel, combinados con maderas exóticas y el dominio del blanco, formulaban un novedoso concepto de eficacia que se ajustaba admirablemente a sus planes.

—Me alegro de que te guste, jefe. Tenemos medio piso vacío, pero si quieres, arreglamos primero lo del contrato y luego te cuento cómo he pensado aprovecharlo.

Por el momento, en aquella oficina trabajaban solamente tres personas más, un chico para todo, una secretaria y un informático que haría el seguimiento del equipo de hackers que iba a instalarse muy lejos de Madrid. Después de reclutar al Oso y justo antes de parir, Megan había encontrado una villa maravillosa, situada en una gran parcela sin ningún vecino a la vista y muy cerca del mar, en la zona de Corralejo, al norte de la isla de Fuerteventura. Las fotos eran tan espectaculares que hablaban solas. Los precios de Fuerteventura habían permitido incluir en el paquete, aparte del personal de servicio, un pequeño barco que estaría disponible algunos días de cada mes para llevarlos a Las Palmas o a dar una vuelta por otras islas. Les iba a hacer falta porque, además de un acuerdo de confidencialidad, los nuevos empleados del Gran Capitán firmarían una cláusula por la que se comprometían a no volver a pisar la península, ni siquiera en Navidad, hasta que terminaran su trabajo. Como el plazo previsible era muy largo, habían insistido en disponer de veinte días de vacaciones anuales, diez en primavera, otros diez en otoño, en los que podrían hacer turismo libremente por cualquier país del mundo que no tuviera fronteras con España, ni el español como lengua oficial. Después de imponer esa doble condición, la señora García se plantó y logró que aceptaran pagar esos viajes de su bolsillo.

Antes de reunirse con ellos, el Gran Capitán los estudió a distancia, a través de la pared de cristal de la sala de reuniones. Eran cinco. El mayor no había cumplido cuarenta años, los otros cuatro ni siquiera treinta, pero su juventud no fue lo que más le llamó la atención. El gordo inmenso, a quien identificó como genio de la operación gracias a la descripción que le había hecho Megan, tenía la frente húmeda de sudor. El dedo índice de su mano derecha barría rítmicamente, de punta a punta, la piel que estaba en contacto con el cuello de su camisa, mientras se tocaba la barba con la otra mano. Uno de sus compañeros botaba en la silla como si tuviera un tic nervioso y los otros no parecían más serenos.

—¿Por qué están tan incómodos? —Megan sonrió y les dio la espalda para mirar de frente a su jefe—. No irán a echarse atrás, ¿verdad?

—No, es por los trajes. Se los han comprado hoy mismo, no están acostumbrados a llevarlos. Uno de ellos ha aparecido con la etiqueta del Corte Inglés colgando de la americana, a otro he tenido que hacerle yo el nudo de la corbata... —el Gran Capitán la miró como si en su vida hubiera escuchado una extravagancia semejante—. Normalmente llevan vaqueros, camisetas y zapatillas deportivas todos los días del año. Podrían haber aparecido así, pero han debido de pensar que van a ser asquerosamente ricos y que merecía la pena esmerarse para la ocasión.

Cuando se sentó frente a ellos advirtió que su presencia les cohibía, pero no se preocupó porque, de cerca, algunos ni siquiera parecían jóvenes, sino niños grandes, adolescentes vestidos para una boda. Después de firmar, fueron estrechando su mano con la misma temblorosa cortesía que habrían desplegado para despedirse del padre de sus novias y salieron en silencio de la sala. Pero unos pasos más allá, uno gritó, los demás se le echaron encima como los jugadores de un equipo de fútbol que felicitaran a un goleador y, antes de llegar a la puerta, ya habían formado una piña que botaba al ritmo de sus jadeos. Sólo entonces el Gran Capitán dio aquella fase de su plan por terminada, y se dispuso a pasar a la siguiente.

La Solución Final, como sus futuros creadores la llamaban entre ellos, cubría solamente la mitad de sus requerimientos previos. Era preciso avanzar al mismo tiempo en otro frente que hasta aquel momento había permanecido oculto incluso para Megan García. Juan Francisco Martínez Sarmiento no necesitaba la ayuda de nadie para rescatar de la quiebra a empresas situadas en sectores estratégicos para sus intereses. De toda la vida, había sabido hacer eso él solo, y sabía hacerlo muy bien.

—Me has salvado la vida, Juan, te estoy muy agradecido —el heredero de un laboratorio farmacéutico al que le había echado el ojo hacía muchos años, le trató con la confianza propia del marido de una prima de Cuca—. Lo que no entiendo... La investigación científica es una inversión delicada, de escasa rentabilidad a corto plazo. No parece muy compatible con tu trayectoria, la verdad.

—¿Sí? Bueno, verás... —acabo de comprarte el ochenta y uno por ciento del negocio, pedazo de gilipollas, no tengo por qué darte explicaciones, bastante he hecho con avisar a mi mujer para que ponga a la tuya en guardia antes de que tengas tiempo de jugártelo todo a la ruleta—. Creo que en estos momentos no existe ningún negocio más prometedor que la biotecnología. Por eso monté hace años una empresa de material sanitario que va muy bien, y me gustaría seguir explorando ese horizonte.

¿Qué nos ha enseñado el coronavirus? El Gran Capitán nunca había olvidado la pregunta a la que contestó su hijo Juanito en una clase online durante la Gran Pandemia. Él había elaborado una respuesta muy distinta, que aún no se había atrevido a compartir con nadie y tal vez nunca llegaría a rebasar la frontera de sus labios. El coronavirus nos ha enseñado que es muy fácil confinar a la población de un país entero. Conseguir que sus ciudadanos renuncien voluntariamente a los derechos y las libertades que sus antepasados conquistaron con sangre en una lucha que duró siglos. Inundarlos de propaganda y noticias falsas en el grado óptimo para restringir su acceso a una información veraz. Desarmarlos, neutralizarlos, inmovilizarlos sin que duden ni por un instante de que su sacrificio es imprescindible para conseguir un bien superior. Eso era lo más importante que el coronavirus le había enseñado al Gran Capitán.

Cuando se quedó a solas con Megan en la sala de reuniones, le dijo que la decoración podía esperar. Quería encargarle otro proyecto, la creación de unas becas para jóvenes investigadores en biotecnología, en las mismas condiciones que iban a disfrutar los hackers que acababan de salir por la puerta con la única excepción del alojamiento. Porque los científicos tendrían que trabajar en el polígono de Torrejón de Ardoz donde estaba la sede de un laboratorio que acababa de comprar.

—Quiero lo mejor, Megan, no importa el precio. Todavía no he tocado las instalaciones porque prefiero esperar a que me digan qué necesitan exactamente. Tampoco he decidido cuántos van a ser, los que hagan falta. Necesito formar un equipo con los mejores, y si alguno se ha ido a trabajar al extranjero, me da igual. Te vas a buscarle a donde esté, le doblas el sueldo y le das lo que te pida, ¿está claro?

—Sí, pero necesitaría saber cuál es la especialidad que te interesa porque, claro, investigadores científicos hay muchos...

—Virólogos.

Al pronunciar esa palabra, el Gran Capitán miró con atención a Megan García y comprobó que, si había llegado a asustarse, ni el más insignificante músculo de su cara la había delatado.

—Muy bien —repitió la palabra mientras la apuntaba en su libreta—, virólogos. En un par de semanas intento decirte algo. ¿Quieres que veamos ahora el resto de la oficina?

Megan García no estaba asustada porque ya se había curado de espanto.

Desde que el Gran Capitán la convocó a una reunión, ella también había meditado seriamente sobre las lecciones del coronavirus, y había llegado a sus propias conclusiones. Si no es este, comprendió a tiempo, será otro, uno igual o hasta peor. Y no tengo ninguna garantía de que a nadie más se le ocurra contratarme.

Eso fue lo que pensó cuando se instaló en aquella oficina para esperar a que los virólogos entraran en escena. Después de los hackers, calculó, pero antes que los políticos.

Mónica Hernández Rodríguez volvió a entrar en su casa antes de sentarse a desayunar en el porche.

Todas sus vacaciones empezaban igual. Terminaba el curso exhausta, agotada de lidiar con adolescentes, de corregir exámenes, de discutir con sus compañeros de departamento en reuniones interminables, horas enteras para decidir si le subían medio punto a Fulanito para que promocionara a Bachillerato o dejaban repetir a Menganita por las faltas de ortografía. Por eso se instalaba en la sierra tan pronto como podía con el único objetivo de dormir, entornar cada noche la ventana de su dormitorio, deslizarse en una cama cubierta con una colcha de algodón sobre la sábana y abandonarse a un sueño constante, casi sólido, una experiencia incompatible con las sofocantes noches de Madrid, que cada veinticuatro horas la obligaban a elegir entre el ruido de los balcones abiertos y la asfixia de las habitaciones cerradas. Cuando prohibieron los aires acondicionados, entre la Primera y la Segunda Pandemia, Mónica apoyó la medida, porque nada era tan importante como frenar el calentamiento global, preservar el futuro del planeta. Pero todos los años, aun sintiéndose culpable de su nostalgia, lo echaba de menos. Para absolverse, recordaba que era lo único que echaba de menos de su matrimonio.

Su abogado no comprendió que prefiriera quedarse con el chalé de Becerril de la Sierra en vez de pelear por el piso de Madrid, pero ella nunca se había arrepentido de esa decisión.

Pagaba un alquiler en la ciudad muy a gusto porque Becerril era su territorio, la memoria de los veranos de su infancia, el patio de juegos de su primera pandilla, todos esos primos y primas con quienes seguía encontrándose por el pueblo de vez en cuando. Aquella casa era la única que podía considerar completamente suya. Había comprado la parcela con la herencia de sus padres, había escogido al arquitecto, había discutido con él hasta el último detalle, había elegido los muebles, había diseñado el jardín. No era muy grande, no era muy lujosa, no valía demasiado dinero, pero no la cambiaría por ninguna otra. Volvió a pensarlo aquel sábado, el primero de agosto, cuando decidió acatar la voluntad de sus ojos, que se habían abierto por su cuenta a las siete y media. Todos los veranos, a aquellas alturas, descubría que su cuerpo ya se había cansado de dormir. Entonces volvía a madrugar, se levantaba antes de que sus vecinos la despertaran con sus niños, con sus motos, con sus máquinas de cortar el césped, para disfrutar del privilegio de estrenar las mañanas recién nacidas en un silencio absoluto, como si fuera la única habitante viva de aquella parte del mundo. Pero aquel día, al salir al porche, descubrió que hacía frío. Por eso volvió a entrar en casa, se puso una chaqueta, cargó con una manta ligera que siempre tenía a mano para esas ocasiones y, de paso, recogió el móvil que había dejado enchufado antes de acostarse.

—No puede ser.

Todavía no había probado el café cuando se le ocurrió encenderlo. Tardó unos instantes en comprobar que algo no iba bien. La pantalla se iluminó, le ofreció una imagen juvenil de sí misma con dos bebés en el regazo, reconoció su huella digital y le dio acceso al escritorio, donde encontró los iconos de las aplicaciones en el mismo sitio donde estaban el día anterior, pero, por más que pulsó una y otra vez, no fue capaz de abrir ninguna. Aunque el aparato funcionaba, porque obedecía al movimiento de su dedo índice para cambiar de pantalla, se había convertido en una carcasa inútil, una caja vacía, semejante a los móviles de juguete con los que juegan los bebés. Podía escribir palabras en la barra del buscador, podía borrarlas y escribir otras, pero ese ejercicio no activaba ningún proceso, no modificaba siquiera el aspecto de la pantalla. Abrió la agenda y volvió a cerrarla. A las ocho y pico de la mañana de un sábado de agosto, pensó, llamar a alguien es casi un delito. Escogió pensar, además, que su móvil se había estropeado.

—Menuda mierda, joder, y lo compré hace tres meses...
—mientras volvía a entrar en casa, alcanzó a darse cuenta de que hablaba sola para animarse a sí misma.

Desde el primer momento, aquella avería le pareció muy rara. En los siguientes meses, luego años, repasaría los acontecimientos de esa mañana muchas veces y nunca sabría explicarse por qué adivinó lo que estaba pasando cuando, en apariencia, aún no estaba pasando casi nada. La semilla de un miedo sin nombre había germinado ya en su interior cuando se sentó ante su mesa y encendió el portátil. Ese miedo hizo brotar un tallo diminuto que creció a una velocidad asombrosa para ramificarse en monstruosos zarcillos, varas erizadas de espinas que se hicieron más y más grandes hasta colonizar su pecho y seguir creciendo, ocupando cada milímetro disponible con la espesura de una vegetación áspera, seca, hasta que la fulminó el sonido de su propia voz.

—Un momento —se regañó a sí misma y volvió a respirar mejor—, a ver si es que me estoy volviendo loca. Esto será un problema de conexión, de mi *router*, de la señal de esta casa, ¿no? No puede ser otra cosa.

Su ordenador también funcionaba. Podía abrir programas, escribir textos, cargar contenidos guardados previamente y nada más, porque internet había dejado de existir. Había desaparecido hasta el punto de que el sistema ni siquiera emitía mensajes de error para informarle de que no podía acceder a la página solicitada. La profesora Hernández Rodríguez pensó en las actas de calificaciones, en las revisiones de exámenes, en los vídeos que ya había grabado para su canal de YouTube, en el texto que estaba escribiendo para la siguiente entrega, en las facturas, en las fotos, en su vida. Pensó en sus hijos y ya no miró el reloj. Abrió la agenda de su móvil, entró en Favoritos, pulsó todos los iconos, incluido el de su exmarido, una, dos, tres, veinte veces, y no encontró señal. No apareció ningún triángulo amarillo que indicara un fallo, no oyó ninguna voz grabada que informara de una avería, no recibió mensaje alguno, nada. Eso fue lo que vio, lo que escuchó, lo que recibió. Absolutamente nada.

—Han sido unos terroristas —Fer señaló la televisión que dominaba el local desde una esquina—. Lo están diciendo.

Sólo entonces Mónica se dio cuenta de que había llegado hasta allí en camisón, una prenda de tirantes de tono amarillo pálido que parecía un vestido, demasiado escotado y corto, eso sí, para una mujer de su edad. En el bar más cercano a su casa había muy poca gente. Casi todos la conocían, nadie se fijó en su aspecto, ese detalle acentuó la sensación de irrealidad que la había atrapado desde que empujó la puerta. Quería preguntar si tenían teléfono fijo, porque, aunque iba casi todos los días, nunca se le había ocurrido fijarse, mucho menos pensar que algún día podría necesitarlo. Pues sí que tenemos, pero tampoco funciona, le respondió el hijo del dueño mientras seguía poniendo cafés, alineando platos con churros recién hechos sobre la barra. Mónica Hernández, que lo había tenido en brazos cuando aún no había cumplido su primera semana, se sentó en un taburete, le pidió uno con leche, unas porras, y anunció que ya se lo pagaría luego porque había salido de casa sin dinero. Antes de terminar de decirlo, se dio cuenta de que, por primera vez en mucho tiempo, estaba dejando a la vista de cualquiera sus brazos colgantes de cincuenta y tres años de edad. Y se asombró al descubrir que le daba igual.

—Pero, unos terroristas... ¿de qué grupo? —preguntó antes de enunciar con poca fe la única hipótesis que se le ocurrió—. ¿Yihadistas?

—No, qué va —Fer subrayó sus palabras con un movimiento de la cabeza—. Esos ya están liquidados. Han dicho otra cosa.

—Antisistemas —Gregoria, que con edad de sobra para haberse jubilado seguía siendo la guardesa de una finca muy grande que lindaba con la presa, dejó un churro a medias para intervenir desde la mesa en la que desayunaba con su marido—. Han sido unos terroristas antisistema, lo acaban de decir.

—Pero... —objetó Mónica con un hilo de voz—. Los terroristas antisistema no existen, Gregoria, yo nunca he oído hablar de ellos.

—¡Anda que no! —y se volvió a mirarla con los ojos muy abiertos, como si nunca hubiera oído una tontería más gorda—. ¿Pues no te estoy contando que son ellos los que se han cargado los móviles? Todas las telecomunicaciones, todas enteritas, lo han dicho bien claro.

—Pero ¿quiénes? Porque tendrán un nombre, habrán reivindicado lo que han hecho, habrán...

—Han sido los comunistas, seguro —opinó Marcial, su marido—. ¿A quién se le habrá ocurrido dejarlos sueltos? En la cárcel es donde deberían encerrarlos a todos. Nuevos comunistas se llaman, ya, ya... ¡Igual que los antiguos, y más malos que la carne de pescuezo es lo que son!

Mónica decidió que no tenía fuerzas, ni ganas de discutir, y sólo volvió a abrir los labios para darle las gracias a Fer cuando le dijo que estaba invitada al desayuno. Después volvió a su casa y se sentó delante del televisor. Se le pasó la hora de comer mientras cambiaba de canal una y otra vez, buscando alguna noticia digna de su nombre sobre lo que había pasado. No la encontró. Por eso había dejado de ver la televisión, por eso ni siquiera se le había ocurrido encenderla antes de ir al bar.

Desde que llegó al poder, el MCSY —Movimiento Ciudadano ¡Soluciones Ya!— había utilizado la televisión como escaparate de una de sus grandes promesas electorales, «libertad ilimitada para elegir». Esa consigna había multiplicado las cadenas en una proporción inaudita, casi cincuenta canales nuevos que emitían en abierto, locutores distintos, logotipos distintos, telediarios distintos y exactamente la misma información en todos ellos. Algunos daban las noticias internacionales antes que las nacionales y otros hacían lo contrario. Había directores que optaban por colocar el tiempo antes que los deportes, directores que le daban más relevancia al fútbol que al clima, directores que preferían ocuparse de ambos en espacios específicos, desgajados del informativo en sí, pero ahí terminaban las diferencias en un medio donde tampoco era fácil distinguir las cadenas públicas de las privadas. El gobierno del MCSY había nacionalizado las grandes empresas españolas por un procedimiento muy extraño, una especie de expropiación gozosa en la que los propietarios habían entregado su patrimonio al Estado por su propia voluntad, como si se estuvieran casando con España por amor. Desde hacía más de un año, la única forma de enterarse de algo era leer los periódicos que acababan de expirar con internet.

Cuando oyó la voz de su cuñada Pilar, que la llamaba desde el jardín, ni siquiera había recogido el desayuno que reposaba, intacto, en la mesa del porche. Eran las cinco de la tarde y todo lo que había conseguido averiguar era que los servicios telefónicos e internet habían colapsado como consecuencia de un atentado tecnológico perpetrado por un grupo terrorista antisistema, que el gobierno trabajaba sin descanso para restablecer las líneas y que todas las comunicaciones por tren y por avión estaban suspendidas de momento.

—¡Hija, qué sexy! —la mujer de su hermano mayor, muy sonriente, señaló su camisón y le dijo que había venido a despedirse—. Me voy a Madrid. Recojo a Esteban y nos largamos a la playa mañana temprano, antes de que lo prohíban.

—¿Y por qué lo van a prohibir?

—No sé, mujer, con lo que está pasando... —su sonrisa se deshizo en un gesto de preocupación que reflejaba la cara de Mónica como un espejo—. ¿Tú qué vas a hacer?

—Yo me quedo a esperar a Camila, no tengo más remedio. Hugo ya está en México, hablé con él antes de ayer, pero su hermana viene pasado mañana, en teoría, claro. Supongo que cuando vuelvan a funcionar los trenes...

Los trenes volvieron a funcionar, pero Camila no llegó. Esteban y Pilar tampoco pudieron irse a la playa, porque aquella noche las pantallas de los televisores se llenaron de imágenes atroces, una truculencia tan incomprensible como todo lo que había pasado aquel sábado de agosto. El relato era unánimemente confuso. En las carreteras de acceso a las grandes ciudades se habían formado largos embotellamientos de vehículos que habían sido asaltados por bandas organizadas. Algunas cámaras habían captado imágenes terribles, disparos, conductores heridos, maletas abiertas con todo su contenido revuelto en el arcén, encapuchados que huían corriendo con su botín como si fueran figurantes en un episodio de una serie norteamericana de policías. Los centros comerciales también habían sido atacados impunemente a la luz del día. Otras cámaras habían registrado alunizajes, escaparates destrozados con bates de béisbol, actos vandálicos que no habían hecho saltar ninguna de las alarmas inutilizadas por el apagón de aquella mañana. Todas las cadenas emitían las mismas imágenes, algo más de una docena, una y otra vez. Todas las interrumpieron diez minutos después de medianoche para retransmitir en directo una rueda de prensa del ministro del Interior, que empezó informando de que ya habían sido detenidos algunos delincuentes y culminó con la noticia de que se implantaba un toque de queda atenuado en todo el territorio nacional. Los ciudadanos que estuvieran pasando las vacaciones fuera de su domicilio no podrían regresar a él, quienes no las hubieran empezado deberían permanecer en su residencia habitual hasta nuevo aviso. Aunque no se decretaba el confinamiento forzoso, las autoridades recomendaban que, por su propia seguridad, todos permanecieran en sus casas, restringiendo las salidas no relacionadas con las actividades esenciales.

Antes de acostarse, Mónica Hernández recapituló todo lo que había aprendido aquel día, la desactivación de los teléfonos móviles, la muerte de internet, la desaparición de la prensa independiente, la existencia de un movimiento terrorista sin nombre, programa ni reivindicación conocida, los actos violentos de delincuentes comunes que habían sembrado el pánico, las misteriosas cámaras que tan oportunamente habían grabado sus fechorías, la comparecencia del ministro del Interior, el toque de queda. Mónica era historiadora, llevaba más de veinte años enseñando Historia en un instituto, tenía un canal de divulgación con más de treinta mil seguidores. Sabía que en España no existe estación más peligrosa que el verano, que las concatenaciones de desdichas casi nunca son fortuitas y que aquel día había vivido el principio de algo a lo que le daba miedo poner nombre. Se preguntó qué más aprendería antes de que llegara septiembre y no logró conciliar el sueño hasta que una tenue claridad blancuzca empezó a librar su primera batalla contra la oscuridad del cielo. Cuando despertó, era casi mediodía, y los lejanos gritos de unos niños que chapoteaban en la piscina, la música y las risas de un clásico domingo de verano, la sorprendieron mucho más que el camino por el que transitó el guion de los acontecimientos.

Cuando se cansó de ver la televisión, salió al jardín. Escuchó motores de coches que iban y venían, el ruido de verjas que se abrían o se cerraban, la banda sonora de la normalidad más vulgar. Comprendió que su prima Emilia no iba a renunciar a su fiesta de cumpleaños y decidió que le vendría bien ir, desconectar, juntarse con más gente. Al atardecer, mientras se arreglaba, el ministro del Interior ofreció otra rueda de prensa para anunciar la creación de una nueva fuerza de seguridad, el Cuerpo Nacional de Vigilantes, que colaboraría con la policía y la Guardia Civil en la denominada Operación Regreso. A partir del 20 de agosto, todas las familias españolas podrían regresar a sus casas escalonadamente, en condiciones óptimas de seguridad. Mientras tanto, concluyó el ministro, disfruten del verano con la certeza de que todo va a mejorar. Aquella fue la primera vez que Mónica escuchó esas palabras.

No tardó ni diez minutos en llegar andando a casa de su prima para encontrar la barbacoa encendida y a un montón de amigos circulando por el jardín con una copa en la mano. En un primer momento le pareció que todo el mundo estaba tranquilo, dispuesto a disfrutar de la fiesta, pero distinguió en un rincón caras más sombrías y decidió unirse a ellas.

—No hay de qué preocuparse —mientras Mili se ocupaba de la carne, su novio levantó una copa en el aire como si quisiera proponer un brindis—. El martes, como muy tarde el miércoles, los móviles volverán a funcionar.

—Él lo sabrá —Manolo, uno de sus muchos primos con ese nombre, le habló al oído mientras los vítores y los aplausos estallaban a su alrededor—. Es de los de Soluciones Ya desde el principio.

Mónica no lo sabía, pero aquel dato le importó mucho menos que la complicidad de Manolo, la confirmación de que no se había vuelto loca, de que existían otras personas con sospechas idénticas a las suyas. El miércoles por la mañana avanzó un paso más en esa dirección. Todas las cadenas de televisión informaban en bucle de una sola noticia. Las líneas de telefonía móvil se habían restablecido. Parejas de locutores guapos, bronceados y extremadamente sonrientes animaban a los espectadores a encender sus dispositivos y descubrir las novedades del sistema 7AP, que había logrado unificar los servicios de todos los usuarios de España.

Mónica encendió su móvil para descubrir una pantalla nueva, con siete aplicaciones que no había visto nunca. «El sistema 7AP es un gran logro de la Corporación Eñe, una nueva plataforma de comunicaciones que integra a todos los operadores previos de telefonía móvil.» La primera aplicación era un canal de noticias que incluía la programación completa de todas las emisoras de radio y cadenas de televisión. «El gobierno de España agradece la generosidad, la creatividad, el talento de quienes han logrado restablecer el servicio en un momento de incertidumbre tecnológica sin precedentes.» La segunda era una aplicación para hacer compras en el Centro Comercial Virtual, un gigantesco catálogo cuyo diseño recordaba poderosamente al de la web de Amazon. «Se trata de una solución transitoria perfectamente idónea para garantizar la continuidad de nuestro modo de vida mientras la red se recupera por completo.» La tercera aplicación funcionaba como una tarjeta sanitaria. «Aunque si quieres saber mi opinión, Sebastián, yo diría que se trata de un sistema que ha llegado para quedarse, porque es mucho más sencillo, eficiente y fácil de usar que cualquier otro que hayamos utilizado antes.» La cuarta aplicación era una tarjeta de crédito que, además de pagar, permitía acceder a los bancos donde el usuario tuviera cuentas abiertas. «Estoy de acuerdo contigo, Vanesa, y por eso animo a nuestros telespectadores a familiarizarse con él de inmediato. Porque el sistema 7AP es un instrumento que llega del futuro, y no va a detenerse aquí. Pronto disfrutaremos del 8AP, del 9AP y, antes de que nos demos cuenta, del 10AP.» La quinta aplicación era una mensajería de pago que reproducía el sistema de los antiguos telegramas, porque había que enviar el texto, esperar a que el sistema lo aceptara y recibir después, junto con el cargo del precio del servicio, la notificación de que el mensaje había sido entregado. «Ahora, gracias a 7AP descubrirán la gran cantidad de aplicaciones obsoletas, redundantes e inútiles que todos hemos pagado directa o indirectamente durante años, para no llegar a utilizarlas en realidad.» La sexta permitía contactar con las diversas instituciones del Estado y denunciar delitos a la policía. «Aplicaciones de empresas que, no hay que olvidarlo, ni siquiera pagaban impuestos en nuestro país.» La séptima y última era una aplicación de búsqueda de personas, que incluía la posibilidad de enviar y recibir un máximo de diez mensajes de texto entre dos usuarios diferentes que se hubieran dado de alta en ese servicio, para que pudieran intercambiar sus teléfonos y relacionarse en el futuro, dado que también había cambiado el formato de los números de línea. «Ahora, con sólo siete aplicaciones, todo está al alcance de todos. Repitan con nosotros, 7AP, ¡ni te acordarás de Google!»

El 22 de agosto, cuando por fin pudo volver a Madrid, Mónica había usado exhaustivamente algunas de estas aplicaciones para cosechar el mismo resultado a través de todas ellas. Camila Alcocer Hernández, estudiante de la Facultad de Ciencias Políticas de la Universidad Complutense, militante del Nuevo Partido Comunista de España, estaba ilocalizable porque no se había dado de alta en el sistema. Cuando intentó denunciar su desaparición a la policía, un agente muy simpático le respondió que no era posible cursar la denuncia porque se trataba de una persona en situación especial. Mientras su madre sentía que se le paraba el corazón, el policía le rogó que no se preocupara. Eso podía significar, simplemente, que se encontraba en algún área de la España interior donde todavía no se había podido restablecer el servicio telefónico.

—Bueno... —balbució Mónica, el corazón todavía en la boca—. Estaba pasando las vacaciones en una casa rural de un pueblo de Segovia, con unos amigos.

—¿Lo ve? —y casi pudo escuchar una sonrisa a través de la línea—. Le está pasando a mucha gente. Cuando vuelva a casa, esté pendiente del buzón. En estos casos, lo que mejor funciona es el correo.

Mónica Hernández encontró su buzón lleno hasta los topes y, en él, tres cartas que le cambiaron la vida.

La primera era una postal del lago Xochimilco, la primera de muchas que su hijo Hugo, el mellizo de Camila, le enviaría cargadas de besos desde México, aunque todas llegarían dentro de un sobre, escrito por otra persona, con matasellos de Madrid.

La segunda era un oficio del Ministerio de Educación que le informaba de que un comité académico había evaluado su expediente y había dictaminado que estaba sobrecualificada para dar clases de Historia de España en Educación Secundaria. Se le reconocía el derecho a cobrar un subsidio de desempleo durante seis meses y se le anunciaba que su candidatura había sido propuesta para otros empleos sin especificar, en el ámbito de la Administración General del Estado, cuya naturaleza y condiciones se le comunicarían próximamente.

La tercera era otra comunicación oficial, en este caso del Ministerio de Ordenación Territorial, que certificaba que Camila Alcocer Hernández había sido seleccionada para ocupar una plaza de voluntaria de Repoblación de la España Vaciada. Después de dejar constancia de la gratitud de todos los españoles hacia quien se había ofrecido a acometer un trabajo tan fundamental para el porvenir de nuestro país, se informaba a su familia de que la nueva voluntaria retomaría el contacto por correo tan pronto como fuera posible.

Todo lo demás era publicidad.

El Gran Capitán reservó su última razón para el final.

Durante la Gran Pandemia, los mensajes que Cuca y sus amigas habían ido publicando en sus redes sociales le habían parecido estúpidos y, al mismo tiempo, tan interesantes que durante una temporada se dedicó a discutirlos con ella. No puedes arremeter contra la ideología en sí misma, cariño, porque no es una propiedad privada de la izquierda. ¿Ah, no?, pues claro que lo es. Pues claro que no lo es, Cuca, porque tú también tienes una ideología, tú eres de derechas igual que los de Podemos son de izquierdas. ¿Yo igual que esos? Ni hablar, ¡tú estás loco, Juan Francisco! Si esos lo hacen todo por su ideología y yo lo único que quiero es que haya trabajo y que nos dejen en paz, ¿cómo vamos a ser iguales? ¡Vamos, hombre! A mí, la política no me interesa. Lo único que quiero es que haya un gobierno honrado y eficaz, que tome decisiones sin tener en cuenta la ideología. Un gobierno que tome las decisiones que a ti te gustarían, ¿no, Cuca? Por supuesto, no voy a querer que tomen las que no me gustan, si te parece. ¿Y no te has parado a pensar por qué algunas decisiones te gustan y otras no? Su mujer pareció acatar el sentido de su pregunta y meditó unos instantes antes de darle una respuesta que le satisfizo y le defraudó a partes iguales. ¡Pues porque las cosas que me gustan son buenas, sensatas y de sentido común! Ya está, y déjame tranquila de una vez.

Aquellas discusiones, tan estériles en apariencia, habían resultado muy enriquecedoras, pero representaban un punto de partida insuficiente. El Gran Capitán sabía de sobra hasta qué punto estaba ideologizada su mujer y conocía perfectamente los hilos de los que debería tirar para manejar a su antojo a gente como ella. Pero sabía igual de bien que su plan nunca llegaría a tener éxito si no lograba arrastrar a votantes de otros sectores, el siempre volátil y gelatinoso centro sociológico, el progresismo tibio de quienes votaban socialista sin considerarse de izquierdas e incluso los izquierdistas desencantados, susceptibles al hechizo de las demostraciones de eficacia y los éxitos de gestión. Esas dos palabras, gestión y eficacia, serían los pilares sobre los que iba a edificar una obra que resultaría mucho más sencilla si en España hubiera más personas como él. El Gran Capitán no era de izquierdas, pero tampoco era de derechas. Los sectores extremos de ambas ideologías le repelían por igual, y sin embargo, tampoco se habría definido como centrista. A diferencia de su mujer, él nunca había ido a una manifestación de signo alguno, jamás había usado una cacerola como instrumento de percusión y la música que producían sus vecinos le irritaba profundamente. Habría sido feliz si hubiera nacido en un mundo sin política. Era consciente de que, en el país donde vivía, esa afirmación bastaba para etiquetarle como un facha, pero sabía que los fachas mentían. A ellos, aunque dijeran lo contrario, les apasionaba la política. A él le traía sinceramente sin cuidado. Ni siquiera le molestaba pagar impuestos mientras cualquier gobierno capaz de garantizar el orden le dejara vivir su vida, trabajar en lo suyo, crear riqueza. Por eso podía ser muy bueno y muy hijo de puta sin dejar de ser él mismo. También se consideraba un patriota a su manera. Megan García lo entendió a la perfección.

—Es mucho más fácil de lo que crees —le advirtió con una sonrisa después de escucharle—. Tenemos centenares, quizás miles de despechados a nuestra disposición.

—¿Despechados?

—Claro, personas que sólo se mueven por despecho. Gente a quien su ideología, si es que algún día tuvo alguna, les importa mucho menos que sus rencores personales —cuando comprobó que su interlocutor aún no había desfruncido el ceño, se explicó mejor—. Cuando sólo había tres partidos, dos grandes y uno pequeño, los fracasos políticos eran definitivos. Tu dirección te expulsaba y tenías que irte a tu casa, pero con la nueva política se multiplicaron las oportunidades. UPyD primero, Ciudadanos después, facilitaron los intercambios en la derecha, Podemos y las Mareas lo hicieron en la izquierda, y también hubo viajes transversales, muchos más de los que crees...

Aquel tema, en el que había empezado a trabajar por su cuenta mucho antes, era la gran especialidad de Megan García. Para demostrarlo, giró su silla hacia atrás, seleccionó unas cuantas carpetas entre las que reposaban en las baldas de la estantería que le cubría la espalda, y seleccionó una para pasársela a su jefe mientras recitaba un currículum de memoria.

—Un ejemplo, José Federico Miralles, Fede para los amigos. Se afilió al PSOE en la universidad por llevarle la contraria a su hermano mayor, que era de Nuevas Generaciones. En 2000 apoyó en las primarias a Rosa Díez, y se fue con ella cuando montó UPyD. Abandonó el barco por los pelos y, justo antes de que se hundiera, se afilió a Ciudadanos. Su momento de gloria llegó con el gobierno de coalición en la Comunidad de Madrid, donde ocupó un alto cargo en la Consejería de Interior. Más adelante, abandonó Ciudadanos e intentó entrar en el PP, pero allí ya no le quisieron. Conclusión —antes de enunciarla, Megan se inclinó hacia delante y miró a su jefe a los ojos—, Fede Miralles odia, con la misma pasión, a sus excompañeros del PSOE, de UPyD y de Ciudadanos, y por supuesto al PP. Si le das una oportunidad de volver a la política para derrotarles y reivindicarse personalmente, será tuyo. Hará lo que le pidamos. Esa es la gran ventaja de los despechados.

—Muy interesante, Megan... —el Gran Capitán terminó de leer el expediente que tenía entre las manos antes de hacer una sola pregunta—. ¿Y este tiene algo que ver con los Miralles de la constructora?

—Claro —su asesora se relajó, cruzó las piernas, volvió a sonreír—. Es el hermano tonto del presidente de la compañía.

—¡Genial! —su jefe dejó la carpeta sobre la mesa y estuvo aplaudiendo un rato—. Aunque también necesitaremos despechados de izquierdas...

A partir de aquel momento, la relación entre el Gran Capitán y su asesora se hizo mucho más estrecha, hasta el punto de que el nuevo partido fue fruto de un esfuerzo común. Ambos estaban de acuerdo en los aspectos esenciales. Los despechados resultarían muy útiles para levantar el proyecto, para edificar la estructura central y fortalecer las regionales, para mantener la cohesión en una organización sin ideología definida más allá del culto ilimitado a la eficacia y la gestión, pero su poder no rebasaría en ningún caso el segundo escalón de la administración del Estado. Los líderes, portavoces y cabezas de lista serían personas sin experiencia política previa, biografías impecables al margen de todas las siglas conocidas, una representación variopinta de la sociedad española integrada a partes iguales por hombres y mujeres de todos los orígenes, profesiones y clases sociales. El Gran Capitán había ido apuntando en un cuaderno perfiles interesantes de activistas independientes, al menos en apariencia, que en los últimos tiempos habían defendido causas con apoyo popular. Representantes de las Kellys, de los repartidores en bicicleta, de los afectados por las viviendas públicas vendidas a fondos buitre, pero también feministas, ecologistas, portavoces de la España vaciada, padres y madres de niños con enfermedades raras, trabajadores de residencias de ancianos castigadas, o no, durante la Gran Pandemia, *influencers* implicadas en causas solidarias y toda una gama de pequeños emprendedores que habían alcanzado más o menos éxito. Esos, y no los despechados, serían quienes, si todo iba bien, llegarían al poder dentro de unos años. Aunque reclutarles para un partido sin ideología no sería fácil.

Tendrían que decirle a cada uno lo que estaba deseando oír, confeccionar un programa de ocasión que recogiera sus reivindicaciones esenciales, renunciar a los portavoces de aquellas que fueran incompatibles entre sí o nocivas para los intereses generales del país. Algunos aceptarían cierto grado de frustración —nos ocuparemos de lo tuyo más adelante, cuando llegue el momento—, pero otros preferirían marcharse antes que aplazar sus reivindicaciones, por muy bien pagada que estuviera la espera. A esos tendrían que identificarlos y descartarlos a tiempo, impedir que ingresaran en un partido inmaculado, inocente como un bebé recién nacido, para dedicarse luego a crucificarlo en periódicos y platós de televisión. Mientras existan, claro está, profetizó el Gran Capitán. Megan García reprimió un escalofrío y se limitó a comentar que no podrían hacerlo todo ellos dos solos.

—Necesitamos un nombre, necesitamos una campaña, necesitamos un logotipo. Si no nos conviene hablar demasiado, ni antes de tiempo... —hizo una pausa, miró a su jefe, levantó las cejas y las devolvió a su sitio cuando le vio asentir con la cabeza—, tendremos que hacer ruido, crear una imagen que sirva para enganchar a la gente al proyecto. Necesitamos a Carlos Alcocer.

—¿Y ese quién es?

—El mejor —Megan cerró los ojos, apretó los párpados, volvió a mirar a su jefe—. Y mira que me cae mal, el tío, que lo conozco porque trabajé para su exmujer una temporada. Pero es el mejor. Y además es la persona que necesitamos en este momento.

Seis meses más tarde, cuando un equipo de jóvenes y brillantes politólogos trabajaba ya en la cuadratura del círculo, elaborando las propuestas políticas de un partido que se situaba deliberadamente al margen de la política, Carlos Alcocer, sociólogo, publicista y promotor, conocido como el Mago en algunas organizaciones de izquierdas y otras tantas de derechas, acudió a la oficina de Príncipe de Vergara con su portátil y una gran carpeta.

—He estado pensando en los nombres que me pasasteis y, no os ofendáis, pero no me gusta ninguno. Os voy a enseñar lo que he creado, a ver qué os parece.

En la carpeta había varias versiones distintas de la misma campaña. En el primer cartel, se sucedían de izquierda a derecha ocho imágenes que se solapaban ligeramente sin dejar de ser reconocibles. Las dos primeras eran un simio cuadrúpedo y una primate que andaba erguida. A continuación aparecían dos ilustraciones, un legionario romano y un guerrero medieval que cualquier par de ojos españoles asociaría con el Cid Campeador. La quinta y la sexta eran cuadros célebres, un cardenal pintado por Rafael y el retrato más famoso que hizo Goya de Fernando VII. Y las dos últimas, fotografías en blanco y negro, Dolores Ibárruri agitando el puño en un mitin, delante de un micrófono, y Francisco Franco caminando por el andén de la estación de Hendaya. La serie culminaba en una imagen más grande, la novena y última, una foto en colores vivos de un balcón soleado, adornado con tiestos de geranios, del que colgaba una pancarta blanca con una leyenda confeccionada en dos tipos distintos de letras. En la primera línea, en mayúsculas azules, se leía MOVIMIENTO CIUDADANO. En la segunda, en minúsculas cursivas rojas, y entre signos de exclamación, *¡Soluciones Ya!* El siguiente cartel reproducía la misma imagen con un eslogan al pie. Había otras versiones, en las que un grupo de cabezas silueteadas y reproducidas en gris simulaban a los candidatos. En algunas propuestas, la serie de imágenes aparecía sobre ellos, en otras sólo se incluía el balcón, pero todas reproducían el mismo eslogan, LA EVOLUCIÓN DE LA POLÍTICA.

El Gran Capitán se quedó con la boca abierta. No fue capaz de decir nada, sólo de pensar que nunca en su vida se había gastado mejor el dinero. Por eso, cuando Alcocer los dejó solos, se atrevió a compartir con Megan García la razón última de su ambición.

Juan Francisco Martínez Sarmiento estaba convencido de que la vida de los españoles sería muchísimo mejor, más próspera, más tranquila, más fecunda, si España funcionara como una gran empresa capaz de satisfacer todos los criterios de excelencia.

Y estaba dispuesto a encargarse de que fuera exactamente así.

Rodrigo Sosa Ramírez también se enteró de su cese por carta. Antes, y en contra de su voluntad, le había tocado trabajar con el nuevo cuerpo de seguridad del Estado en la Operación Regreso. El comisario le dio la noticia y luego le dejó hablar, argumentar que él era un investigador criminal, que no sabía nada de campañas de tráfico, que tenía tanto trabajo acumulado que ni siquiera había pedido los días de vacaciones que le faltaban, que su mujer le iba a matar, que no podía perder tres semanas visitando pueblos de la costa cuando ni siquiera había llevado a sus hijos a la playa, que por más que la intranet del Ministerio del Interior hubiera vuelto a funcionar, el Gran Apagón había comprometido el éxito de algunas operaciones avanzadas que ahora necesitaban el doble de esfuerzo. Cuando terminó de decir todo eso, su jefe señaló al techo con el índice. Órdenes del ministro, respondió. Está empeñado en que confraternicéis con los vigilantes y, sintiéndolo en el alma, porque te juro que lo siento, Rodrigo, este verano toca hacer amigos. El inspector no dijo nada y el comisario remató la conversación por los dos, hay que joderse.

Aquel estúpido viaje tuvo una consecuencia positiva para Rodrigo Sosa. Le enseñó que en España habían cambiado más cosas que los números de los móviles. Los agentes del Cuerpo Nacional de Vigilantes vestían un uniforme de color burdeos, muy parecido al suyo excepto por la gorra de béisbol que cubría sus cabezas. Entre ellos había menos mujeres que en la Policía

Nacional, y la mayoría de los varones tenían un aire característico que no logró identificar en un primer momento. A cambio, reconoció de inmediato la campaña publicitaria montada alrededor de un operativo que, en principio, no tendría por qué haber sido diferente de las campañas que la Guardia Civil de Tráfico organizaba cada verano en la última semana de agosto.

La Operación Regreso se desarrolló en varias etapas sucesivas, que empezaron en la costa y fueron convergiendo hacia el interior. Cuando el inspector Sosa llegó al pueblo de Alicante al que su equipo había sido destinado, los vigilantes ya habían celebrado reuniones informativas en puntos estratégicamente elegidos para llegar a todos los veraneantes. Habían anotado el destino de cada familia, habían asignado un día y un segmento horario a cada una, habían garantizado la seguridad de todos los trayectos, habían respondido a preguntas de los vecinos sobre la grave amenaza que representaban los grupos terroristas antisistema, habían repartido piruletas y globos entre los niños, y habían logrado hacerse populares en todos los grupos de edad. El capitán del destacamento saludó a los recién llegados con mucha cordialidad, pero dejando claro desde el principio que los vigilantes estaban al mando de todas las operaciones.

—¿Qué operaciones? —preguntó el policía—. Supongo que estas familias se montarán en su coche y se volverán a su casa, ¿no?

—Exacto —el capitán le miró de través, le sonrió con una esquina de la boca, y su interlocutor supo por fin con quién estaba hablando—. Esas operaciones.

Rodrigo Sosa Ramírez era policía igual que habría podido ser delincuente. De pequeño destacaba en los estudios, pero no tanto como su hermano mayor, cerebro de una banda de ladrones de joyerías que, la última vez que salió de la cárcel, había tenido el detalle de irse a vivir a Marruecos y dejarle en paz de una puta vez. Los hermanos Sosa se habían criado en la periferia del barrio de Usera, cuando Usera era todavía uno de los extremos de Madrid. Huérfanos de padre desde muy pequeños, su madre los había sacado adelante gracias a jornadas de trabajo extenuantes, más de doce horas limpiando lo que saliera, oficinas, casas, clínicas, desde el lunes de madrugada hasta el sábado a la hora de comer. Al levantarse, todavía de noche, dejaba la ropa y las mochilas preparadas, cada una con su bocadillo. Después, una hermana de su padre que vivía en la misma calle entraba con su llave para despertarlos, vestirlos y llevarlos al colegio. Cuando mamá volvía era de noche otra vez, aunque no se iban a la cama hasta que ella los desnudaba, les ponía el pijama y les daba un beso. De pequeño, Rodrigo Sosa tenía una relación conflictiva con su madre. La quería y la odiaba al mismo tiempo, la echaba tanto de menos que no le perdonaba sus ausencias, y le decía que su verdadera madre era su tía para hacerla sufrir. Cuando se convirtió en un adulto, nada de lo que había hecho o dicho en su vida le avergonzaría más que aquellas pataletas, y tuvo la suerte de convertirse en adulto muy deprisa. La primera vez que detuvieron a su hermano por robar un coche tenía sólo catorce años, pero al ver llorar a su madre, decidió que ya había sufrido bastante. Se prometió que nunca derramaría una lágrima por él y sus colegas, con los que fumaba porros en los descampados y trapicheaba en lo que salía. Le dijeron que era un maricón. Rodrigo jamás olvidaría las seis y veinte de una tarde del mes de abril, la ternura de un sol aún templado nimbando las cabezas de cuatro chavales recostados sobre una tapia, el pelo revuelto de uno, los zapatos sucios de otro, los ojos abiertos de todos clavados en él, mientras les decía que se piraba, que no le esperaran para el palo que tenían pensado dar la semana siguiente. Durante un minuto, tal vez dos, se quedó quieto en el suelo con el cuerpo en escorzo, el pie izquierdo en la posición del que se iba, el derecho en la posición del que se quedaba, mirándolos, escuchando cómo le insultaban. Eran sus amigos, los quería, todavía estaba a tiempo de arreglarlo todo. Eso pensó, que podría ir hacia ellos para abrazarlos, o para pegarles, y que de las dos maneras solucionaría el problema, pero no hizo ni una cosa ni la otra. Les dio la espalda, avanzó un pie, después el otro, y nunca volvió a aquel descampado.

Una vez descartado su futuro como delincuente, Rodrigo Sosa Ramírez valoró sus opciones. Era buen estudiante, pero nunca llegaría a la universidad, porque ni su madre tenía dinero para pagarle una carrera ni él se lo consentiría. Buscó trabajo, lo encontró en un taller de motos, y al cabo de un año, retomó los estudios para hacer el bachillerato. Ya había decidido que sería policía o guardia civil, porque esa era la única formación a la que podía aspirar aparte del Ejército, que le tiraba mucho menos. Las pruebas físicas no le daban miedo, pero le costaron más que las teóricas. Aprobó el ingreso en ambos cuerpos y escogió la Policía Nacional. Algunos de sus compañeros de la academia donde se preparó para los exámenes suspendieron y renunciaron a volver a presentarse. Para ellos existía una tercera vía, la seguridad privada, pruebas más sencillas y una gama de empleos muy amplia, desde las puertas de las salas de conciertos hasta las compañías de transportes blindados. Sosa se había ido encontrando con ellos en casi veinte años de trabajo policial. Cuando le faltaba poco para cumplir cuarenta y dos, los reconoció en el cuerpo y las maneras de aquellos robustos agentes vestidos de color burdeos que pululaban por un pueblo de Alicante.

—¿Os estáis encargando vosotros? —en el primer día de la Operación Regreso, detuvo el coche para charlar con un destacamento de guardias civiles de tráfico apostado en el arcén.

—Claro —uno de ellos se apartó con él, para que no le oyeran los vigilantes incorporados a su grupo—. No sé de dónde habrán sacado a estos, pero no tienen ni puta idea.

—Pues yo diría que los han ido recogiendo por las puertas de las discotecas.

—Ya... —el guardia civil asintió con la cabeza, miró al horizonte y se volvió hacia el policía—. ¡Joder!

Rodrigo Sosa Ramírez habría podido ser delincuente, pero era policía y le gustaba su oficio. Cuando empezó, aún no había olvidado que de pequeño nunca había podido jugar a polis y cacos porque en su barrio ningún niño quería ser poli, pero al salir de la Escuela Nacional de Policía, el trabajo diario no sólo le reconcilió con su elección, sino que a menudo le inspiró un orgullo con el que no contaba, la satisfacción de resolver problemas, de hacer cosas que eran buenas para la gente. Nunca como en la Gran Pandemia.

2020 fue el año más importante de su vida. Cuando se decretó el estado de alarma, acababa de convertirse en el subinspector más joven de la Brigada Central de Investigación de Delitos contra las Personas, pero había empezado en Protección Ciudadana y su antiguo jefe le reclamó. Sosa se integró en el comité de coordinación de la pandemia y se ocupó personalmente de los centros sanitarios del sur de Madrid. Todos los días celebraba reuniones, presenciales o telemáticas, con los equipos directivos de una docena de grandes hospitales públicos, repartidos por una de las áreas más castigadas por el coronavirus. Tomaba decisiones en un grupo conjunto, integrado por sus homólogos de la Unidad Militar de Emergencias, la Guardia Civil y la Policía Municipal, y por jefes sanitarios como la doctora Lola Álvarez, en la que su jefe había delegado la representación del personal de la UCI del Severo Ochoa.

—¿Puede venir un momento conmigo, subinspector? —pronunció su cargo con mucho cuidado, alargando un poco la última erre—. Quiero comentarle una cosa en privado.

—Por supuesto, doctora —y antes de terminar de decirlo, ya se había empalmado.

Llevaban así tres semanas, que en el puto infierno donde se habían conocido se les habían hecho largas como tres meses. A Rodrigo Sosa nunca le había pasado nada parecido. Desde el instante en el que aquella mujer le tendió una mano empapada en gel hidroalcohólico, para que él la tocara con la que acababa de sumergir en la misma solución, sucumbía a una especie de descarga eléctrica cada vez que ella le miraba, le hablaba o caminaba a su lado. En condiciones normales, se habría detenido a analizar ese fenómeno, pero cuando sucedió no tenía tiempo para eso. La tiránica atracción que Lola ejercía sobre él tampoco perjudicaba la calidad de su trabajo. Permanentemente excitado, como un chimpancé preso en una jaula invisible de la que era imposible escapar, Rodrigo Sosa hacía lo que tenía que hacer y su rendimiento en el hospital donde trabajaba la doctora Álvarez no era más bajo que en otros centros donde sabía que no la iba a encontrar.

—¡Ah! —la primera vez lo hicieron vestidos, encima de la camilla de una consulta desocupada que se podía cerrar con llave desde dentro, y no hablaron hasta que ella se quejó al final de lo deprisa que se había corrido—. ¡Qué bien! Pero casi no me he enterado.

Él se echó a reír, se inclinó sobre ella, la besó.

—Pues no puedo quedarme —y dijo algo que les hizo reír a los dos sin motivo—. Me están esperando en Móstoles.

—Otra vez será.

No fue una. Fueron muchas, luego muchísimas veces, por la mañana y por la tarde, de día y de noche, en momentos en los que las agendas de ambos coincidían y en los que no.

—¿Sosa?

—Sí.

—Soy la doctora Álvarez y tengo una emergencia.

Casi siempre llamaba ella y él se limitaba a acudir desde donde estuviera, tan deprisa como podía.

—¿Te vas a ir? —le preguntaba su novia, agente de la Unidad de Lucha Antiterrorista, cuando le veía levantarse de la cama antes de dormirse o inmediatamente después de despertarse—. Joder, el virus este es una pesadilla, a ver si se acaba de una vez...

A veces se daba cuenta de que nunca pensaba en ella y se sentía culpable durante uno o dos segundos. Más no, porque entendía la infidelidad como una actitud y él nunca había pulsado un interruptor que encendiera una luz verde encima de su cabeza. No había elegido lo que le estaba pasando, no lo había buscado, no tenía capacidad para evitarlo. De hecho, si se paraba a pensar, sentía que Lola Álvarez había trazado una raya que había partido su vida en dos mitades para dejar a su novia atrás, en el pasado. Se sentía más infiel a Lola cuando estaba con ella que al revés, pero nunca tenía mucho tiempo para pararse a pensar, porque durante el estado de alarma las calles de Madrid estaban desiertas, porque nunca tardaba mucho más de diez minutos en llegar a Leganés, porque desde que aparcaba el coche delante del Severo Ochoa, su única preocupación era colocarse la polla para que la erección se le notara lo menos posible cuando cruzara el vestíbulo.

—Somos unos irresponsables, lo sabes, ¿no?

Con la ciudad desierta, todos los hoteles cerrados, las visitas a los amigos prohibidas y una pareja en la casa de cada uno, siempre se veían en el hospital.

—Sí, lo sé.

Con suerte pillaban una camilla. Sin ella, lo hacían en un baño, en un despacho, en un almacén de farmacia o de productos de limpieza. Y a veces, cuando todos los planetas se alineaban en el cielo para favorecerles, encontraban una cama vacía en un cuarto de guardias desocupado, y podían quitarse la ropa, verse desnudos, sentirse la piel, celebrar una fiesta con fuegos artificiales que casi nunca duraba más de un cuarto de hora.

—Una médico intensivista y un policía, que lo que tendríamos que estar haciendo es dar ejemplo...

Pero el tiempo nunca había sido tan elástico, tan misteriosamente amable, tan cruel a la vez como entonces, cuando unos pocos minutos eran capaces de condensar una vida entera para estirarse después, creando un recuerdo que permanecía vivo en los labios, en las yemas de las manos, en los ojos cerrados bajo los párpados, hasta que podían volver a verse, a tocarse, a besarse.

—Desde luego.

Aquella conversación duraba lo que uno de los dos tardaba

en empezar a reírse, pero Rodrigo Sosa Ramírez siempre tenía presente otra, el diálogo que sostenía consigo mismo mientras andaba desde el coche hasta el lugar donde le estuviera esperando la doctora Álvarez. ¿Y si me contagio y me muero?, se preguntaba. Pues me muero, se respondía.

Aunque hicieron todo lo que estaba prohibido con una insistencia casi suicida, ninguno de los dos se contagió. Cuando la Comunidad de Madrid pasó a la fase 1, se pusieron de acuerdo para juntar un fin de semana con los días libres que les correspondían y se encerraron en un hotel rural de Buitrago de Lozoya. No fue una decisión fácil. Se habían conocido en una situación excepcional. Se habían enamorado en una burbuja de irrealidad sostenida en el vacío por la extrañeza del mundo que les rodeaba. Ninguno de los dos estaba seguro de que la férrea cadena que rodeaba sus cuellos para mantenerlos uncidos a un deseo que parecía infinito hubiera llegado a unirlos sin una pandemia de por medio, y el futuro les daba más miedo que el virus. Sin embargo, aunque lo único que sabían del otro era su nombre, que tenían la misma edad y que no les importaba que una fuese del Atleti y otro del Madrid, aquella fue su última irresponsabilidad. Cuando volvieron a Madrid, ambos estaban igual de decididos a ser extremadamente responsables. Él dejó a su novia, ella dejó a su marido, se fueron a vivir juntos, tuvieron un hijo, se casaron, tuvieron otro hijo. La pasión volcánica de los primeros tiempos se amortiguó con la crianza, pero nunca desapareció del todo. Años después, cuando volvió a casa después de veinte días de Operación Regreso, Rodrigo Sosa seguía estando tan enamorado de su mujer que ni siquiera miró las cartas que había sacado del buzón antes de meterse en la cama con ella. Los niños estaban en la playa con sus abuelos maternos. La siesta se prolongó en una deliciosa tarde de pereza, y sólo después, cuando el hambre les puso en marcha, se fijó en los dos sobres con membrete del Ministerio del Interior que había dejado en la mesa de la cocina.

—No puede ser.

El primero contenía una comunicación oficial que informaba de la orden ministerial por la que el Cuerpo Nacional de Policía quedaría disuelto en el plazo de diez días. A partir de esa fecha, el Cuerpo Nacional de Vigilantes, sección Policía Nacional, se haría cargo de sus funciones. Se reconocía al inspector Sosa Ramírez el derecho a cobrar un subsidio de desempleo durante el plazo máximo de seis meses y se le indicaba el procedimiento que debería seguir para incorporarse al nuevo cuerpo de seguridad si así lo deseaba.

—¡Pero qué hijos de puta!

El segundo sobre contenía un Saluda del nuevo director general del Cuerpo Nacional de Vigilantes, sección Policía Nacional, don José Federico Miralles García. «Ven a verme, Rodrigo», había escrito de su puño y letra bajo el texto impreso, «te necesito. Un abrazo, Fede.»

Sosa había trabajado a las órdenes de Miralles durante la Gran Pandemia y después, mientras ocupó un cargo semejante a nivel autonómico. Cuando descubrió que era un inepto consciente de sus limitaciones, aprendió a manejarlo muy deprisa y acabaron trabajando bien juntos. Había tenido pocos jefes políticos tan inútiles, aunque los había tenido mucho peores. Pero si corrió para ir a verle, fue para aprovechar la oportunidad de hacer esa visita vestido de azul todavía.

—¿Cómo estás, Rodrigo? —Miralles se detuvo un momento a estudiarle, como si la expresión de su rostro fuera un problema difícil de resolver—. Por lo que veo, enfadado, ¿no?

El flamante director general le había citado en su despacho, una estancia amplia, muy bonita, situada en la planta noble del viejo cuartel del Conde Duque. La jefatura del Cuerpo Nacional de Vigilantes había escogido como sede un espléndido edificio barroco de principios del siglo XVIII, que desde mediados del XX albergaba un centro cultural que había contenido una biblioteca, el archivo de la villa, un museo de arte contemporáneo y la hemeroteca de Madrid. Al traspasar el umbral, Sosa se preguntó qué clase de gente estaría detrás de quienes habían decidido desmantelar todo aquello para instalar despachos, porque estaba seguro de que Fede y los de su tamaño nunca tendrían el poder suficiente para hacer algo así.

—¿Enfadado? —después de sentarse, repitió la pregunta de Miralles y meditó su respuesta unos instantes—. Pues sí, estoy enfadado. Y estoy asustado de la clase de gente a la que le vais a entregar este país. Les tengo miedo porque los conozco, y sé que algunos son más delincuentes que los pobres chorizos que andan por la calle. Podría decirte también que estoy escandalizado, pero, ya que te interesas tanto por mi estado, te diré que sobre todo estoy hasta los cojones. He estado trabajando durante tres semanas a las órdenes del antiguo jefe de porteros del WiZink Center, que alardeaba sin parar de la gran responsabilidad que había tenido que asumir cada vez que treinta mil personas iban a un concierto de Sabina. Y si a eso le sumas que me he quedado en el paro con más de cuarenta años y dos hijos... —dejó de recorrer con los ojos los tapices de caza que colgaban de los muros y fijó la vista en su interlocutor—. Yo diría que estoy mucho más que enfadado. Si pudiera, echaría fuego por la boca, no te digo más.

—Estás exagerando, Sosa.

—¿Que estoy exagerando? —se dio cuenta de que había empezado a gritar y bajó la voz a tiempo—. ¡Vamos, no me jodas, Federico!

Después, durante más de una hora, sólo habló Miralles. Le recordó que el MCSY había ganado las elecciones generales con la mayoría absoluta más apabullante de la historia de la democracia. Puntualizó que en su programa electoral figuraba el compromiso de remodelar el Estado de arriba abajo. Afirmó que nadie podía discutir la legitimidad de sus acciones. Subrayó que todos los españoles sabían que este gobierno desconfiaba de las viejas instituciones públicas, ligadas a los escándalos de corrupción, prevaricación y abuso de poder que habían minado la confianza en el sistema. Reconoció que recurrir a la seguridad privada para garantizar el orden había sido una mala decisión. Reveló que había fracasado en el intento de seleccionar al personal, aunque había conseguido que algunos departamentos, como la policía científica, se incorporaran a los vigilantes en bloque. Celebró poder trabajar mano a mano con José Luis Santisteban, un profesional de gran experiencia que, antes de aceptar el nombramiento de comandante en jefe del nuevo cuerpo, había alcanzado el grado de coronel en la Guardia Civil. Declaró que ambos eran conscientes por igual de los problemas que podrían plantearse en el futuro y de los riesgos que estaban corriendo ya. Expuso que su prioridad esencial consistía en proporcionar a los nuevos agentes la formación teórica y práctica de la que carecían. Anunció que en el área de residencia especial de Los Peñascales, la zona de máxima seguridad a la que se habían mudado los altos cargos de las diversas ramas del cuerpo, estaba casi terminado el edificio de la nueva Academia Nacional de Vigilantes. Confesó que esperaba, por el bien de todos, que el inspector Sosa aceptara encargarse de su dirección. Admitió que sabía que no era profesor. Insistió en que, sin embargo, sabía de sobra que era un policía honesto, brillante, que había trabajado en diversas áreas, que conocía todos los aspectos del trabajo policial, que había salido triunfante de operaciones muy complicadas. Le prometió que tendría las manos libres para hacer lo que quisiera. Le garantizó que podría contratar a quien le pareciera. Le advirtió que no tenía plan B y, si se negaba, no se le ocurría a quién podría acudir. Y terminó suplicando.

—Dime que sí, Rodrigo, por tu madre.

Rodrigo Sosa Ramírez, que habría podido ser delincuente, era policía y le gustaba su trabajo. No tenía edad, ni ganas, para empezar de nuevo. Su única alternativa era optar a alguna plaza que hubiera quedado vacante en la puerta de la discoteca de algún polígono.

Antes de levantarse de la silla ya había aceptado el puesto, pero, por mortificar a Miralles, le pidió unos días para pensarlo.

El Gran Capitán no recordaba ya el aroma del fracaso. Durante los últimos veinte, quizás veinticinco años, había sufrido diversos contratiempos profesionales, inversiones que no habían dado el resultado que esperaba, votaciones cuyo resultado le había sido adverso, subordinados que habían defraudado sus expectativas, empleados que se habían llevado dinero de la caja antes de fugarse, y otros disgustos que ni siquiera habían llegado a bordear las inmediaciones de un fracaso menor. Más allá de las discrepancias que inspiraba su personaje, el único capítulo de su biografía que estarían dispuestos a firmar quienes le conocían se habría titulado «un hombre abonado al éxito». En los círculos empresariales, donde no quedaba bien afirmar en voz alta que debía de haberle vendido el alma al diablo, sus enemigos auguraban desde hacía demasiados años el peor final para su temeridad, la arrogancia de un hombre cuyo método de hacer negocios consistía en avanzar por el borde de los precipicios, sin pararse a mirar adónde iba a parar la gravilla que desprendían los tacones de sus zapatos. Había hecho piruetas sobre la cuerda floja tantas veces y le habían salido siempre tan bien, que sus admiradores contraatacaban alabando su audacia, el ilimitado arrojo que había sido capaz de enamorar a la suerte.

Él escuchaba a unos, a otros, sonreía y callaba. Era consciente de que la costumbre del éxito había moldeado su carácter, convirtiendo sus defectos en virtudes para ayudarle a llegar muy lejos en poco tiempo. Pero, aunque nunca lo decía en público, también sabía que ni sus partidarios ni sus detractores tenían en cuenta dos datos imprescindibles para hacer justicia a su trayectoria. El primero era que el Gran Capitán conocía de cerca la escasez, esa gran desconocida de todos los empresarios de su tamaño. Nunca olvidaba que había empezado con las manos vacías, que había ganado mucho porque no tenía nada que perder. Había dormido en un sofá cama durante muchos años, había comido legumbres todos los días de incontables semanas, había heredado los libros de texto de su hermano mayor y había mirado con tanta envidia ciertos escaparates como a los niños pijos que lucían la ropa de marca que se exhibía en ellos. Antes que a ningún otro abismo, Juan Francisco Martínez Sarmiento se había asomado a los ojos de la pobreza, y lo que aprendió a su sombra le había forjado tanto o más que su experiencia de la riqueza. El segundo dato que nunca pesaba lo suficiente en la opinión que sus iguales tenían de él era su inteligencia, cuyas dimensiones infravaloraban incluso quienes comentaban que era más listo que los ratones colorados. El Gran Capitán había conquistado su apodo porque siempre veía antes, veía mejor, veía más y veía más lejos que los demás. En realidad nunca había sido tan valiente, tan temerario como afirmaba su fama. La verdad era más sencilla y más difícil al mismo tiempo. La verdad era que su capacidad para evaluar correctamente los riesgos y las ventajas de una operación resultaba muy superior a la que demostraban los demás. Por eso solía acertar. Por eso no se equivocaba.

—Tengo miedo, Megan.

—No me digas que eres humano, jefe.

Algunas veces, en determinadas condiciones, Juan Francisco Martínez Sarmiento tenía el don de adivinar el futuro, la habilidad de intuir el camino que tomarían los acontecimientos a partir de indicios mínimos, imperceptibles en apariencia. Esa intuición nunca había sido tan clamorosa, tan deslumbradora e intensa, como cuando le inspiró el proyecto de tomar las riendas de su país. Pero, a diferencia de otras magníficas visiones, instigadoras de auténticos golpes de mano empresariales, la que se apoderó de su mente a lo largo de una noche de insomnio de 2020 le había inspirado una aventura en la que no podía permitirse el lujo de estar solo. Necesitaba convencer a otros, a todos los que no habían visto venir las coyunturas que habían consolidado su poder, a quienes nunca habían entendido por qué él invertía mientras los demás ahorraban, por qué él ahorraba cuando los demás invertían, por qué profetizaba que iba a caerse lo que al final se caía, por qué creía en mercados deleznables que acababan subiendo como la espuma. Ellos, sus previsibles limitaciones para comprender un negocio tan complejo como el que se traía entre manos, eran los que le daban miedo. Había gastado muchísimo dinero, pero eso no le parecía tan grave, porque tenía más.

—Pues no lo entiendo muy bien —Megan García avanzó con cautela entre sus dudas—. Tampoco es la primera vez que el poder económico funda un partido en España, creo yo.

—Ya, pero nunca se nos ha dado demasiado bien, y además... —él también tomó sus precauciones—. Yo no aspiro exactamente a fundar un partido. Mi ambición es mayor, y... digamos que desborda las reglas del juego establecido. No es fácil de explicar.

—No, eso es cierto. Pero ya sabes lo que dicen, la virtud siempre está en el justo medio.

—Exacto. No mentir, pero no decir completamente la verdad —el Gran Capitán aprobó una vez más la sugerencia de su asesora—. Sí, en eso es en lo que estoy pensando.

Y sin embargo hizo su propia encuesta. Unas semanas antes de la primera, la más importante de las reuniones que tendría que convocar, seleccionó a tres personas, las únicas en las que confiaba hasta el punto de contarles toda la verdad. Invitó a comer en primer lugar a su principal mentor, Jaime Riera i Casasús, un empresario poderoso que le había ayudado mucho en sus comienzos y estaba ya a punto de jubilarse.

—Pues ¿qué quieres que te diga? Si sale bien, será la hostia —y sonrió para recuperar casi al instante la seriedad—. Pero si sale mal...

—Si sale mal —el Gran Capitán terminó la frase por él—, habremos fundado un partido político destinado al fracaso, uno más, tampoco será el primero. Yo habré perdido mucho dinero y vosotros un poco cada uno. El peligro no es que salga mal, sino que salga regular, que el proyecto se malogre a medio camino, y en ese caso asumiré toda la responsabilidad. Estoy dispuesto a comprometerme por escrito.

Su segundo invitado, el más joven entre sus pares, había fundado una empresa tecnológica que había revolucionado el mercado para hacerle millonario con poco más de treinta años. En lugar de vender, retirarse e irse a vivir a una isla tropical, como habían hecho otros antes, él había perseverado, había crecido, había seguido amasando dinero. Porque de mayor, le había dicho al Gran Capitán cuando se conocieron, quiero ser como tú.

—¡Joder, Capi! —después de escucharle se echó a reír—. Eres el puto amo, te lo digo en serio.

—O sea —su anfitrión intentó arrancarle una respuesta más convencional, porque cuando hablaba con él, nunca estaba muy seguro de entender lo que decía—, que estás conmigo.

—¿Yo? —vio cómo se golpeaba el pecho dos veces seguidas con el puño cerrado, a la altura del corazón, e interpretó que era un sí—. ¡A muerte, tío!

A ella la dejó para el final. Ana Goicoechea, su primer gran amor, su último gran fracaso, llegó tarde, como de costumbre, y aunque ya no era capaz de atraer todas las miradas a su paso, él disfrutó al verla cruzar el restaurante muy despacio, sin apartar la vista de sus ojos. Era un año mayor que él, más de una década mayor que Cuca, seguía siendo la más atractiva, la más elegante, la más misteriosa. Cuando se conocieron, Juan Sarmiento era un don nadie, un empleado flaco, desgarbado, de cuerpo insignificante y rostro marcado por la avidez de sus ojos, la mirada de intensidad casi insoportable que se extendía bajo unas cejas muy pobladas para anticipar la curva de una gran nariz. Ella, futura heredera del emporio siderúrgico familiar, vestía de amazona, terciopelo azul marino y pantalones blancos, un atuendo que había nacido, pensó él, con el único objeto de resaltar aquel cuerpo adorable. La señorita Goicoechea, que parecía una emperatriz hasta cuando su caballo la tiraba por los suelos, aspiraba a ser campeona de España de hípica. Nunca lo logró. Tampoco quiso casarse con él y sin embargo le buscó después. El Gran Capitán, tan favorecido por la edad como por el poder, se dio cuenta de que aquel movimiento no la sentaba bien, pero fue incapaz de resistirse. A los veinte años habría dado un brazo por acostarse con ella una sola vez. Cerca de los cuarenta, se congratuló de haber conservado los dos mientras buscaba algún residuo de una pasión que parecía haberse disuelto en el tiempo como un azucarillo en un vaso de agua. Ana Goicoechea seguía pareciendo una emperatriz, pero su aspecto dejó de impresionarle cuando él mismo se convirtió en un emperador. Ella había sido la más interesada en prolongar un romance trivial, intermitente, durante muchos años. El día que el Gran Capitán la invitó a comer para contarle sus planes, hacía meses que no contestaba a sus mensajes, pero la grácil amazona de antaño pasó por alto ese detalle con la misma elegancia con la que solía superar los obstáculos en la pista.

—No lo entiendo, Juanito —Ana Goicoechea era la única que se atrevía a llamarle así desde que murió su madre—. Conozco a todos los empresarios de España y diría que ninguno es, ni de lejos, más demócrata que tú. ¿Y ahora me vienes con que te vas a cargar la democracia?

—No es eso, Ana. Se trata de establecer un régimen especial durante un periodo transitorio. Lo que pretendo es ganar tiempo para paliar el cambio climático, refundar el capitalismo...

—Ya, ya, si te he oído —ella le interrumpió con una sonrisa—. No va a ser una dictadura porque no va a haber ningún dictador. Sólo un Consejo de Administración que tome las decisiones que pondrán en práctica sus empleados del Consejo de Ministros. O sea, lo de siempre, pero esta vez en serio.

—Eso es —el Gran Capitán bebió un poco de agua, se inclinó hacia delante y ensayó la frase con la que pensaba rematar su intervención cuarenta y ocho horas más tarde—. No os ofrezco el poder político, no os ofrezco el poder económico. Os ofrezco absolutamente todo el poder.

—Pues mientras dejes claro que no tienes la intención de acapararlo en persona, te irá bien. No creo que en nuestro círculo vaya a llorar nadie por la democracia parlamentaria. El problema vendrá del otro lado, de los que quieren una dictadura de verdad, otro Caudillo de España por la Gracia de Dios. Esos son los peligrosos, porque antes o después querrán quedarse con todo, como siempre, aunque de momento entrarán en el negocio... —la presidenta del consorcio siderometalúrgico más importante de España volvió a sonreír y levantó su copa como si quisiera pronunciar un brindis—. Es un negocio tan bueno que nadie querrá perdérselo.

Ana Goicoechea se equivocó por muy poco.

De los cuarenta empresarios que asistieron a la primera reünión, treinta y ocho votaron sí a mano alzada. Uno de los disidentes se acercó al Gran Capitán durante el cóctel posterior para advertirle que representaba a diversos accionistas a quienes tendría que informar antes de emitir un voto definitivo que, sin duda alguna, sería favorable. El otro, no estoy dispuesto a mezclarme con delincuentes de vuestra calaña, se marchó sin despedirse.

Algún tiempo después, una sociedad fantasma lanzó una OPA hostil que permitió al Gran Capitán hacerse con el control de su empresa y relevarle de la presidencia sin contemplaciones.

Antes de hacer aquella llamada, Yénifer Mejía Flores volvió a pensar que más le habría valido quedarse en Honduras.

Al principio, Madrid le había parecido tan grande que la fascinó y la asustó a partes iguales. Tardó algún tiempo en comprender que aquel conglomerado de cosas inmensas, avenidas anchísimas, calles larguísimas, edificios altísimos, no era más que una ciudad, aunque se parecía tan poco a la suya que no habrían debido compartir ni el nombre. Antes de viajar a España, Yénifer Mejía había vivido siempre en una barriada de El Progreso, un municipio que mejor podría haberse llamado La Pobreza, pese a la hermosura de los paisajes que lo rodeaban. La hermosura no se come y los Mejía Flores eran siete hermanos. El narcotráfico y las maras habían hecho de San Pedro Sula, la gran ciudad del norte del país, un lugar famoso por la violencia de sus calles, las más peligrosas del mundo. En ninguna parte era tan sencillo morir asesinado, tan barato encargar la muerte de cualquiera, como en aquel infierno donde los dos hermanos mayores de Yénifer cargaban pistola, lucían tatuajes en todo el cuerpo y habían decidido que no tenían otra familia que la mara. Desde que ingresaron en la M-13 no habían vuelto ni de visita a casa de sus padres, donde seguían los demás, trabajando en lo que encontraban. Yeni era la pequeña y siempre había sido buenecita, más que la Yaqui, que le sacaba un año. Sin embargo, a la hora de la verdad, también fue con mucho la más tonta de las dos.

Roni se llamaba Salvador, pero no le gustaba su nombre y quería buscarse otro bien chévere, que sonara lindo, gringo. A Yénifer le gustaba Dadi, pero él eligió Roni y con él se quedó. Después la dejó embarazada. Al conocer la noticia, la señora Mejía le dijo que no la golpeaba por no hacerle daño al bebé y se fue derecha a casa de los padres de Roni. Armó tal escándalo de gritos e insultos que vino un fotógrafo del periódico local, grabó la escena en vídeo, lo subió a YouTube y tuvo más de tres mil visitas, pero a la protagonista no le pesó. Quería casar a su hija y lo consiguió antes de que el embarazo se notara demasiado. La novia iba a cumplir diecisiete años. El novio tenía los mismos y nada más, ni estudios, ni trabajo, sólo un huertito que su padre le entregó como regalo de bodas y que no daba ni para que comieran dos personas. La pareja se instaló en casa de los Mejía y ahí la Yaqui empezó a trastornar a su cuñado. Que si El Progreso era un agujero inmundo, que si allí no podían quedarse, que si el futuro estaba en los Yunaites, que si ella conocía a una familia que conocía a unos coyotes que habían pasado a un montón de hondureños a través de Guatemala y México... El señor Mejía nunca decía nada. Trabajaba de sol a sol en cuatro empleos distintos y cuando volvía a casa estaba tan agotado que sólo despegaba los labios para beberse una cerveza, pero doña Soledad dijo que ni hablar. Ni tenía dinero, ni pensaba ahorrarlo, y mucho menos empeñarse para financiar a los coyotes de su hija, a los de su yerno ni digamos. Entonces, la tonta de Yénifer le dijo a la Yaqui que podía emigrar a España, que Rosmeri estaba ganando mucho dinero allí como cuidadora de una persona mayor, que su prima Anyi se había ido antes y le había encontrado trabajo. Su hermana se negó porque ella quería ir a los Yunaites y sólo a los Yunaites, pero Roni utilizó esa información a su favor. ¿Y por qué no se iba Yénifer a España? Allí, en unos pocos meses, ganaría euros de sobra para financiar el viaje de su marido, y cuando él llegara a los Yunaites, y encontrara trabajo, y estuviera instalado, ella podría volver a Honduras, recoger a Beibi y reunirse con él... A la señora Mejía no le pareció mala idea. Así se dará cuenta usted, mijita, de que ese maje que se ha buscado como marido no es más que un holgazán que sólo piensa en andar pijineando por las cantinas. Por Beibi no se preocupe, que se lo cuido yo.

—¿Señorita Mati? —eran las siete de la mañana, pero Yénifer no podía esperar más—. Es por su mamá, venga, por favor, tiene que venir...

Aquella noche se había despertado sola a las cuatro de la mañana y se le había ocurrido pasar a ver a doña Matilde. Era raro que su señora durmiera una noche entera sin reclamarla, pero cuando se asomó a la puerta de su dormitorio la encontró tan tranquila que no la molestó. Doña Matilde tenía noventa y seis años, había sobrevivido a dos pandemias, y cuando se declaró la tercera, Yénifer se conjuró consigo misma para que no la rozara siquiera. Desde que empezó el confinamiento, invertía menos tiempo en hacer la compra que en desinfectar cada bolsa, cada envase, cada bandeja de poliuretano que llegaba de la calle. Limpiaba con una solución especial toda la casa, e insistía con tanto ahínco en cada objeto que tocaba la anciana que acabó costándole un regaño. Las rosas que decoraban las tazas del juego de porcelana inglesa en el que le gustaba merendar se estaban despintando de tanto limpiarlas. Cuando doña Matilde protestó, le sirvió la merienda en una taza de otro juego, cuando volvió a protestar, se resignó a mantener las rosas a salvo de la desinfección, pero no hizo ni una sola excepción más. A pesar de todas sus precauciones, a las cinco de la mañana volvió a levantarse, se acercó a la cama, estudió la planicie inmóvil del pecho de la anciana, le tocó una mano y la encontró helada. Luego se fue al sofá del salón, se echó a llorar y pensó que más le habría valido quedarse en Honduras.

—Lo lamento muchísimo, señorita —la hija mayor de doña Matilde llegó enseguida, mucho más entera que la temblorosa cuidadora que se olvidó de ponerse la mascarilla antes de abrir la puerta—. Lo lamento de corazón, yo... Ha fallecido solita, mientras dormía, no pude hacer nada por ella.

—Ya lo sé, Yénifer, tranquila —la señorita Mati llegó con una escafandra transparente, el último modelo de un medio de protección contra el virus que no estaba al alcance de las cuidadoras hondureñas, y apretó las manos de la empleada con sus guantes impregnados de gel hidroalcohólico—. Sé que la querías mucho, y lo bien que la has cuidado. Ella también te quería mucho a ti. Voy a verla —avanzó un par de pasos y se volvió de pronto, como si se hubiera olvidado de algo—. Tú ponte la mascarilla, ¿quieres?

—¡Ay, qué pena! —Yénifer Mejía salió disparada hacia su habitación—. Qué pena, disculpe, señorita.

Aquel día, Yénifer no se quitó la mascarilla hasta que se quedó sola. Al atardecer, cuando los empleados de la funeraria se llevaron el cadáver de doña Matilde y toda la familia salió detrás, se preguntó qué sería de ella. Durante los tres años en los que había trabajado en aquella casa, había ahorrado dinero suficiente para volver a El Progreso como una triunfadora, pero necesitaría un par de años más para triunfar de verdad. Con Roni ya no contaba. Cuando aún no sabía moverse bien por Madrid le había enviado setecientos euros para pagar a los coyotes y ellos le habían llevado hasta una frontera que los gringos no le dejaron cruzar. Yénifer pidió un adelanto de la paga extra para el viaje de regreso, pero nadie volvió a ver a su marido por El Progreso en mucho tiempo. Había hecho el viaje con un maje que le convenció de que para ellos sólo existían dos caminos, o los Yunaites o la mara. Roni decidió seguir el ejemplo de su pana, y al volver a Honduras ingresó con él en la Barrio 18. Casi dos años después de abandonar la casa de los Mejía, se presentó vestido de marero, con arma, tatuajes y la intención de llevarse a Beibi a San Pedro. Acababa de tener un bebito con su jaina y así, pues los hermanos se crían juntos, le dijo a su suegra. Doña Soledad le respondió que ella tenía dos hijos en la Salvatrucha, con más antigüedad, más mando y más cojones que él. Si quiere, los llamamos ahora mismo, ofreció. Y el Roni salió corriendo, si usted le viera, le contó luego a Yénifer por videoconferencia. Las dos se estuvieron riendo hasta que la señora Mejía reconoció con amargura que era la primera vez que sus dos hijos mayores habían hecho algo bueno por ella. Y sin saberlo, mijita, añadió.

Yénifer Mejía había entrado en casa de doña Matilde cuando España era un país normal. Luego apareció aquel partido, el Movimiento, como lo llamaba la anciana, que abandonó a Vox para votarles por correo, o los Soluciones, como lo llamaba Paco el carnicero, que siempre había votado al PSOE, y todo cambió. Al principio, a Yénifer le caían bien porque regalaban muchas cosas. Cada dos por tres se encontraba con un puesto, o con una caravana electoral, y volvía a casa cargada de camisetas, sudaderas, gorras, viseras, delantales, bolígrafos, libretas, abanicos, imanes, chapas, puzles, muñequitos y folletos, el único regalo que tiraba a la basura. Siempre pedía para su hijo, pero muchas veces le daban también para ella, aunque les advertía que era hondureña y no iba a poder votarles. Tenían tantísimo dinero que eso les daba igual. Nos conformamos con que hables bien de nosotros, le decían, y hasta que ganaron las elecciones, Yénifer no tuvo motivos para no hacerlo. Luego todo fue distinto.

Ella no sabía explicarlo bien, pero desde que los Soluciones llegaron al poder, España había dejado de ser un país normal. Primero fue el Apagón, y esos celulares tan raros con los que no podía llamar a su mamá. Luego el toque de queda y que internet nunca volviera, aunque en Honduras seguía funcionando igual. Yénifer llevaba casi un mes incomunicada cuando se enteró por la televisión de que iban a abrir unos locutorios exclusivos para trabajadores extranjeros, desde los que se podrían hacer llamadas internacionales con cita previa, y le dieron la suya para dos semanas más tarde. Creía que estaba asustada hasta que el temblor que distorsionaba la voz de doña Soledad en su casa de El Progreso la asustó de verdad. Véngase para acá, mijita, véngase usted para Honduras, con su mamá, con su niño, olvídese de la plata y véngase ya... Yénifer pensó que su madre tenía razón. Sintiéndolo mucho por doña Matilde, fue a una agencia de viajes y preguntó por el precio de los boletos. Como no podían consultarse por internet, la señorita que la atendió miró unos impresos y le dio uno aproximado, exorbitantemente caro. Te conviene esperar, le advirtió, ahora está todo muy revuelto, vuelve dentro de un par de meses y lo miramos bien. Pero Yénifer Mejía no había podido volver. Cuando venció ese plazo, la Tercera Pandemia la había sometido ya a un confinamiento al que no se le veía el fin.

—Tú sabes conducir, ¿verdad?

La señorita Mati la llamó por teléfono a primera hora de la mañana siguiente. Yénifer ya sabía que no podría ir al entierro, la apresurada ceremonia en la que sólo podrían estar presentes tres familiares, pero aquella pregunta la desconcertó.

—¿Manejar, dice? Sí que sé, tengo el carné español. ¿No se acuerda usted de aquella vez...?

—Ahora no puedo hablar. No te muevas, en un rato voy a verte.

Aquella tarde, Yénifer Mejía metió en una caja dos tazas de porcelana inglesa con las rosas despintadas. Mientras embalaba las otras diez, que estaban perfectas, la señorita Mati le había dicho que había decidido regalárselas porque ella sabía mejor que nadie que habían sido las favoritas de su madre. Yénifer no le guardó rencor porque acababa de hacerle un favor muy gordo. Tres días después, a primera hora de la mañana, subieron a la casa dos señores. Mientras el chófer que iba a llevarla a Los Peñascales bajaba su equipaje, el otro, que era abogado, le pidió que le enseñara su carné de conducir, lo revisó, se lo devolvió y le hizo firmar un montón de papeles. Ella reconoció algunos, otros no.

—Son acuerdos de confidencialidad —le explicó aquel hombre—. Vas a vivir en un área de residencia especial, una urbanización reservada a los altos cargos y mandos del Cuerpo Nacional de Vigilantes. Allí las cosas no son como aquí. Es un lugar privilegiado, ya lo verás, pero la importancia de los vecinos requiere una confidencialidad absoluta. Por este documento te comprometes a no reproducir por ningún medio ninguna conversación que escuches en tu nueva casa, este otro te obliga a no dar información a nadie sobre las condiciones de vida en Los Peñascales, por el tercero aceptas la prohibición de no salir del recinto sin autorización ni siquiera en tu tiempo libre...

—en ese punto, Yénifer frunció el ceño y él sonrió—. No vas a echar de menos Madrid, no temas. En Los Peñascales hay de todo, un centro comercial inmenso, con cines y un teatro, varios parques, muchos lugares para pasear, rutas para hacer excursiones, un lago, un picadero que alquila caballos, y más cosas que se me estarán olvidando.

—La señorita Mati me contó que su sobrina, doña Rocío, se había ido a vivir a un chalé muy grande con una casita en el jardín para el servicio. Me dijo que tendría un dormitorio con aseo para mí sola y un cuarto de baño a medias con otra chica. ¿Eso lo pone en alguna parte?

—No creo —el abogado volvió a sonreír—, vamos a ver el contrato... Pues sí, mira, aquí lo pone.

—Déjeme ver —leyó la descripción de su alojamiento, el horario, con los domingos libres desde las once de la mañana hasta las diez de la noche y una tarde más en semanas alternas, y un sueldo que multiplicaba por más de dos el que cobraba en casa de doña Matilde—. Perfecto —dijo en voz alta, más para sí misma que para el abogado, al calcular que en un año podría ahorrar lo suficiente para volver a El Progreso como una auténtica triunfadora, dueña de una tiendita y de la casa que estaría encima—. ¿Firmo aquí?

Él asintió con la cabeza y Yénifer Mejía Flores firmó.

Don José Luis Santisteban y su esposa, doña Rocío, la nieta mayor de doña Matilde, acababan de mudarse con sus cinco hijos a un chalé que resultó ser tan grande y tan precioso como la señorita Mati le había anunciado a Yénifer. La casa era enorme y tenía mucho trabajo, pero había servicio suficiente para distribuirlo bien, un chófer, un jardinero, una cocinera, la señorita Montse, que cuidaba de los niños más pequeños y dormía en una habitación adosada al cuarto de juegos, y dos internas para todo lo demás. La compañera de Yénifer se llamaba Olga, tenía veinticinco años y era polaca, aunque hablaba muy bien español.

—¿Adónde vas con mascarilla, chica? —le preguntó después de saludarla en la cocina, donde se habían reunido para darle la bienvenida.

—No, si ya me la quito, es que como acabo de venir de Madrid y estamos en pandemia...

—En Madrid sí, pero aquí no se usa mascarilla. Los Peñascales es lugar sin virus, limpio de pandemia. Todo ionizado, el aire puro, nosotros nunca ponemos mascarilla.

Yénifer Mejía había dejado de ir a la escuela a los once años. No había llegado a estudiar ciencias naturales, mucho menos física, pero aquello le pareció rarísimo. Estaba a punto de preguntar qué clase de máquinas podían hacer el milagro de ionizar absolutamente todo el aire de una urbanización tan grande, y por qué no las instalaban en otros lugares para proteger del virus a todo el mundo, cuando vio a Asunción, la cocinera, poner los ojos en blanco mientras movía la cabeza de un lado a otro. No supo cómo interpretar aquel gesto, pero se fijó en que por la noche, cuando se despidió para irse a dormir al pueblo de Torrelodones, donde tenía su casa, se metía en el bolsillo una bolsa de plástico con una mascarilla quirúrgica dentro.

—Yo tampoco lo entiendo —le explicó en un susurro—. A mí me parece que todo es un cuento chino, pero, por si acaso, cuando salgo de aquí me la pongo, y al llegar por la mañana me la quito, ¿sabes, no?

Asunción estaba casada con Juan Antonio, el chófer que la había traído desde Madrid. Ambos eran españoles y a él no le gustaba hablar, pero ella no callaba. Yénifer lo descubrió enseguida porque Olga le aplicó la jerarquía habitual en las casas de ese tamaño y, como empleada de más antigüedad, se reservó la limpieza del salón para asignar la cocina a la hondureña. A ella no le importó porque se llevaba peor con su compañera que con Asunción, una mujer apacible, cotilla y maternal, que tenía la misma edad que doña Soledad Flores.

—Pues el señor ahora es comandante en jefe, porque desde que existen los vigilantes han cambiado todos los nombres, sabes, ¿no?, pero antes era coronel de la Guardia Civil. Claro que tuvo que salirse porque... —cuando iba a decir alguna maldad, la cocinera miraba rápidamente a su alrededor y hasta bizqueaba un poco, aunque no necesitaba bajar la voz porque nunca la elevaba por encima del volumen de un susurro—. Tuvo problemas, con la corrupción y eso, pero no porque él metiera la mano en la caja, que yo creo que no pero igual sí la metía, no lo sé, sino sobre todo por ayudar a unos corruptos de un partido mangando no sé qué papeles de un juzgado, o escondiéndolos, o yo qué sé. El caso es que se hizo famoso y salía bastante por la tele, cuando el juicio, digo, luego ya no, pero yo, al verle la primera vez, me dije ¡toma!, si a este le conozco... Y Juan Antonio, mi marido, sabes, ¿no?, pues me contó que le echaron, o se fue él, yo qué sé. Luego montó una empresa de seguridad privada, con la que ganó un porrón de dinero, y ahora... Ahí está, con un mando que no veas, porque aunque se llame comandante es el jefe de todos, por lo militar, digo, porque luego hay otro jefe como por lo político, que mandará más que él, o no, no lo sé, pero es el Miralles ese que vive en la casa que está justo dos más arriba de esta, sabes, ¿no?, la de las tejas rojas que mira también al lago. Y ese Miralles es justamente el padre de Blanquita, que es compañera de colegio del señorito Santiago...

Asunción repetía todo el tiempo que no sabía esto, ni aquello, ni lo otro, pero cuando se acostumbró a su manera de hablar, Yénifer aprendió muchas cosas de la mujer que llevaba más de cinco años haciendo la comida de los Santisteban. Que el señor no daba guerra en general pero le gustaba mucho dar fiestas que ponían la casa boca abajo una semana, que a la señora no le gustaban las fiestas de su marido aunque era de las que iban pasando el dedo por todos los muebles, que la señorita Montse se creía que descendía del sobaco de Cristo cuando no era más que otra empleada, por mucho inglés que supiera, que los niños estaban muy maleducados y le ponían motes al servicio, y que tuviera mucho ojo con el ayudante del jardinero porque intentaría meterle mano a la primera ocasión. En eso se equivocó, porque a ese chico la que le gustaba era Olga, rubia, alta y maciza como una valquiria. Yénifer, bajita, gordita, con ojos dulces en una cara de torta y el pelo oscuro, tan crespo que siempre lo llevaba recogido en un moño, nunca le interesó. Por el ayudante de jardinero supo que el señorito Santiago y el señorito Miguel la llamaban la Chincheta, pero, a pesar de lo ofensivo del mote, se convirtió enseguida en la favorita de doña Rocío.

La señora no podía vivir sin Yénifer, porque no conducía, aunque tuviera un coche a su disposición. Diez años antes, mientras volvía a Madrid después de las vacaciones con sus tres hijos mayores, se había quedado dormida al volante. Fue sólo un segundo, decía, pero ese segundo había sido suficiente para que el Audi se empotrara contra los matorrales de una mediana de la autovía. Más allá de algunos arañazos y contusiones, el único que sufrió daños graves fue el coche, pero doña Rocío se asustó y no quiso volver a conducir. En aquella urbanización inmensa, no se podía hacer nada sin un coche, y a Yénifer le gustaba manejarlo. Todos los días repartía a los niños en dos colegios, se acercaba al centro comercial para comprar lo que hiciera falta y volvía a hacer una ronda para devolver a los escolares a casa, pero, además, a menudo trabajaba como la conductora particular de la señora. A veces la llevaba a Madrid o de compras por la sierra. Otros días, sin salir de Los Peñascales, la dejaba en casa de alguna amiga y volvía a recogerla después. Aquel ajetreo constante aligeraba la rutinaria monotonía de la limpieza, y aunque a veces alargaba sus jornadas, también las hacía mucho más agradables. Yénifer Mejía Flores se adaptó muy deprisa a la vida en el área de residencia especial. Le gustaba mucho el lugar, los árboles, el lago, la distancia que los grandes jardines marcaban entre las casas, pero, además, por primera vez desde que vino a España, hizo allí buenas amigas.

Casi todos los chalés de la urbanización tenían personal de servicio residente. Todos los domingos, Yénifer y Olga subían juntas al mismo autobús, pero no volvían a encontrarse hasta que tomaban el de vuelta, y no siempre. El Centro Comercial de Los Peñascales era un espacio inmenso, recubierto por una cúpula transparente fabricada con el mismo material mágico, aislante, transpirable, isotérmico, que creaba una ilusión de espacio abierto en los centros comerciales, aún mayores, que Yénifer había visto en Madrid. Era un lugar muy hermoso, con plazas, parques, fuentes y jardines, donde no faltaba nada de lo que le había prometido el abogado de los Santisteban.

—Usted es de Honduras, ¿sí? —una chica algo mayor que ella la abordó el primer día, mientras paseaba con Olga y sus amigas—. Pues véngase con nosotras a comer patacones y arroz con fríjoles.

—¡Ay! —Yénifer abrió la boca y los ojos al mismo tiempo—. ¿Acá hay patacones?

—¿Acá? ¡Hasta baleadas hay, mijita!

Cristal era salvadoreña, aunque había llegado desde Honduras.

—Emigramos a su país para huir de las maras, pero las maras habían llegado antes que nosotros. Intentaron rentear a mi marido, él se puso bravo, dijo que no pagaba, y pensamos marcharnos de Tegus para otro lugar, pero no nos dio tiempo. Cuando me lo ultimaron, me vine para acá.

A través de Cristal, Yénifer conoció a muchas chicas latinas. En Los Peñascales había un poco de todo, muchas hondureñas, bastantes ecuatorianas, colombianas, paraguayas, peruanas, y algunas dominicanas. Todas iban a comer los domingos al restaurante Pachamama, cuyo dueño, un hondureño casado con una quiteña, procuraba tener en la carta platos capaces de satisfacer la nostalgia de toda su clientela. Yénifer se llevaba bien con casi todas las chicas, aunque su mejor amiga era Cristal. Con ella y otras cinco, iba siempre a bailar a media tarde, después de dar un paseo. Su local favorito se llamaba Música Caliente y allí, entre la salsa, la bachata y el reguetón, se les pasaban las horas sin sentir.

A las diez de la noche, cuando se subía en un autobús abarrotado de chicas para volver a la casa de los Santisteban, Yénifer tenía dolor de pies y una vaga sensación de felicidad que la hacía sentirse casi culpable.

Mientras se encargaba de las últimas gestiones importantes, el Gran Capitán dejó la organización del partido en manos de Megan García.

El hombre abonado al éxito procuraba no perder nunca de vista la perspectiva del fracaso y desconfiaba por principio de la facilidad. La campaña diseñada por Carlos Alcocer le había parecido original, brillante y efectiva, pero la agresividad populista del nombre de la organización, donde el descontento ciudadano se fundía con los conceptos de eficacia y gestión que cimentaban su proyecto, necesitaba con urgencia un barniz de glamour. Los votos de los cinturones industriales de las grandes ciudades resultarían tan insuficientes como el apoyo de las amigas de Cuca si no lograban llegar a una clase media, más o menos culta, que respondía a otro tipo de estímulos. El Gran Capitán había realizado algunas modestas inversiones en medios de comunicación, pero no pasaba del pintoresco grado de accionista muy muy muy minoritario en sus respectivos consejos de administración. Por eso, mientras su red de alianzas se extendía entre los círculos empresariales de todo el país, se había dedicado a cortejar con el mismo empeño a quienes cortaban el bacalao en determinados canales de información audiovisual y a los propietarios de los periódicos más antiguos y prestigiosos, aquellos que habían sostenido su edición impresa durante más tiempo. Su apoyo, o al menos su neutralidad, resultaría fundamental hasta el momento en que el MCSY llegara al poder. Con los digitales, posicionados en ambos extremos del espectro ideológico, ni se molestó. En primer lugar, porque entre sus lectores apenas había votos que rascar. Después, y fundamentalmente, porque muy pronto, ni antes ni después que sus hermanos mayores, todos iban a dejar de existir, aunque las únicas personas en el mundo que sabían eso eran él y un grupo de hackers que estaba disfrutando de lo lindo en una villa del norte de Fuerteventura.

El Gran Capitán pretendía mantener en el anonimato más estricto a todos los inversores de su proyecto hasta que llegara el momento indicado para que unos cuantos escogidos, los más famosos, hicieran una breve aparición estelar, pero eso no significaba que tuviera tiempo que perder. Para inyectar a su partido la primera dosis del glamour que necesitaba, puso sobre una nueva varilla otro plato que giraría en su propia dirección, pero al mismo ritmo que los demás. Los miembros del consejo asesor del Movimiento Ciudadano ¡Soluciones Ya! no tendrían que hacer absolutamente nada más que cobrar y hablar bien del MCSY cada vez que les preguntaran. Con la ayuda de Megan, seleccionó a diversas vacas sagradas que habían conservado su prestigio al retirarse de la vida pública, indagó en qué restaurantes les gustaba comer, qué clase de halagos estimulaban con más eficacia su vanidad, y se revistió de la humildad que nunca había tenido para reclutarlos. Logró el apoyo de un par de expresidentes del gobierno central, varios expresidentes autonómicos, exalcaldes, exministros y altos cargos retirados de los grandes partidos, un exsecretario general de una central sindical, varios exlíderes de la patronal, media docena de exestrellas deportivas y ciertos líderes de opinión jubilados. Procuró contar con tantas mujeres como fuera posible, adaptó su discurso a las afinidades de cada cual, incluyó gallegos, vascos, catalanes, en la proporción adecuada y triunfó como de costumbre.

—Pero ¿tú qué te has creído, que soy imbécil?

José Luis Rodríguez Zapatero fue la gran excepción.

—Es que ha sido una imprudencia, jefe —su asesora le regañó—. Te lo dije. Y ni siquiera habría servido de mucho, porque la derecha le sigue odiando igual que cuando vivía en la Moncloa.

—Lo sé, Megan, pero la izquierda me obsesiona, ya lo sabes. A los más recientes no puedo ni acercarme, y sin embargo me pareció que este hombre, que lleva tantos años retirado...

—¿Y por qué no pruebas más a la izquierda? —el Gran Capitán levantó las cejas y abrió tanto los ojos como si nunca hubiera sospechado que dicho territorio pudiera existir para él—. No me mires así. Históricamente los más radicales acaban siendo los más volátiles. Acuérdate de los líderes del Mayo francés, por ejemplo. Y los de aquí tendrán menos dinero, eso seguro.

A aquellas alturas de la conspiración, y con tantos platos girando simultáneamente sobre las varillas que sostenía con sus dos manos, Juan Francisco Martínez Sarmiento delegaba cada vez más en su asesora. Megan no sólo coordinaba a los tres equipos, hackers, virólogos y politólogos, que trabajaban en las diversas fases del plan de su jefe. También se entrevistó con los despechados más prometedores de la lista que ella misma había confeccionado y tanteó a los activistas más brillantes de la que le proporcionó el Gran Capitán hasta que estuvo completamente desbordada. Entonces formó su propio equipo de asesores y les encargó que, por un lado, cribaran a los candidatos ya existentes y, por otro, buscaran perfiles que pudieran habérsele pasado por alto. No sólo optó por un procedimiento semejante al que usaban los cazatalentos. Estudió a fondo a los empleados de las dos empresas del ramo que la habían ayudado a buscar hackers, virólogos y politólogos, y fichó a los más brillantes, doblándoles un sueldo que le pareció ofensivamente bajo en comparación con sus capacidades.

—¡Qué deprisa aprendes, Megan! —le reprochó el más perjudicado por su atraco—. Ya dicen que todo se pega.

—Pues sí, menos la hermosura. —Le respondió en un tono risueño mientras valoraba la posibilidad de añadir que él era el único culpable. Si hubieras pagado mejor a tus trabajadores después de forrarte gracias a mí, me habría resultado mucho más difícil quitártelos... Pero, aunque llegó a elaborar esa frase completa en su cabeza, se conformó con formular una misteriosa advertencia—. No estés demasiado tiempo enfadado conmigo, hazme caso. Te aseguro que no te conviene.

Era verdad que Megan García estaba aprendiendo mucho, y muy deprisa, de Juan Francisco Martínez Sarmiento, pero conservaba intacta su alma de empleada. Cuando se desvelaba por las noches, y daba vueltas y más vueltas en la cama sin poder dormir, procuraba tranquilizarse pensando que ella no era más que una asalariada, una trabajadora que no podía vivir de las rentas que aún no tenía, un simple peón en un tablero donde otro jugaba la partida. Era cierto que cobraba un sueldo por cumplir una función y la desempeñaba lo mejor posible, pero esa certeza no evitaba que a ratos sucumbiera al vértigo de su propia responsabilidad en la construcción de un futuro que le daba miedo. En ciertas ocasiones, ese vértigo se transformaba en un sonrojo incómodo, porque el proyecto estaba ya tan avanzado que no pudo contratar a sus sucesivos colaboradores sin contarles una versión peligrosamente fiel a la verdad.

—Estamos fundando un nuevo partido político. No es nuevo sólo porque no haya existido antes. Es nuevo porque no se parece a ninguno de los partidos que hemos conocido hasta ahora.

Hacía una pausa para recorrer a su auditorio con los ojos y no registraba signos de inquietud en los jóvenes, o muy jóvenes, de ambos sexos que iban a trabajar a sus órdenes.

—Es un partido nuevo porque, a diferencia de todos los demás, no está inspirado por ninguna ideología, ni de izquierdas, ni de derechas, ni de centro. Aspiramos al poder con la convicción de que es posible hacer otra política, gestionar España con los criterios de eficacia, creatividad y rentabilidad que definen la gestión de las empresas excelentes.

Hacía otra pausa, volvía a mirarlos y, cuando esperaba que alguno se levantara para llamarla fascista a grito pelado, sólo distinguía rostros atentos, gestos interesados, la cabeza inclinada de los más aplicados mientras escribían en su móvil o tecleaban en sus tabletas.

—No se trata de que no amemos a España, todo lo contrario. La amamos tanto que ponemos su desarrollo, la riqueza y el bienestar de sus gentes por encima de todo lo demás. Por eso vamos a luchar por la igualdad, por la justicia social, por las condiciones de vida de los más desamparados, sin las recetas decimonónicas, definitivamente caducas, que tantas veces han demostrado su ineficacia. El progreso de todos los españoles es el progreso de España, la pobreza de un solo español es el fracaso de todos nosotros.

Cuando terminaba, la mayoría solía aplaudir con tanto calor como si de verdad estuviera de acuerdo con el popurrí de ideas que la señora García improvisaba sobre la marcha, picando siempre un poco de aquí y de allá para incorporar términos y conceptos propios de los partidos políticos clásicos. Y aunque al terminar la sesión alguno retiraba discretamente su candidatura, eran más los que se acercaban a Megan para solicitar su ingreso en el MCSY. Ella sonreía y apuntaba sus nombres en un cuaderno, porque el Gran Capitán había pensado en todo menos en eso.

—¿Afiliados? —la primera vez que escuchó esa palabra, la miró como si le hubiera hablado en una lengua muerta—. ¿Y para qué queremos afiliados?

—¿Para parecer un partido político? —propuso ella—. ¿Para no llamar la atención? ¿Para conseguir un canal gratuito de propaganda? ¿Para tener gente con la que llenar los mítines sin que parezca el público pagado de un programa de televisión?

—Vale —ese último argumento le convenció—. La campaña electoral será clave. Pero lo malo de los afiliados es que luego quieren opinar. Ya ves tú la que se lía cada dos por tres con las dichosas primarias.

—Bueno, tendremos eso en cuenta al redactar los estatutos.

—¿Estatutos? —esa palabra tampoco le gustó—. ¿Es que también vamos a tener que hacer unos estatutos? ¡Joder!

Se quedó un rato callado, como si necesitara tiempo para digerir aquellas diminutas novedades, tan insignificantes en comparación con los objetivos que había ido cumpliendo hasta entonces. A Megan García le pareció mentira que un hombre tan poderoso, tan inteligente, pudiera ahogarse con tanta facilidad en un vaso de agua. Pero ni el Gran Capitán estaba ahogándose en vaso alguno, ni su asesora había aprendido a leerle el pensamiento. Más bien al contrario.

—Voy a decirte una cosa, Megan —la miró directamente a los ojos mientras la señalaba con el dedo índice—. Si estás pensando en volver a quedarte embarazada, que yo sé que sí, porque te conozco, quédate ya, lo antes posible. Calculo que en un par de años, quizás un poco más, volverá a haber elecciones, y esas van a ser las nuestras. Tenemos que ganarlas, vete haciéndote a la idea.

—Claro que sí, jefe —a Juan Francisco Martínez Sarmiento nadie le robaría jamás un empleado que fuera esencial para sus intereses, pero, además, sus palabras emocionaron a Megan García más de lo que se habría atrevido a imaginar—. Y muchas gracias.

—No hay de qué. Mi mujer ha tenido tres y supongo que son todos míos —se rio con ganas de su propia ocurrencia—. Volviendo al trabajo, quiero pedirte una cosa más. Encárgate tú de los estatutos, ¿quieres? Y de los carnés de los afiliados o... Bueno, de lo que haga falta.

Ocho meses más tarde, el Movimiento Ciudadano ¡Soluciones Ya! celebró su acto de presentación en una sala repleta de militantes que recibieron a los asistentes ondeando sus banderas blancas con la pasión de los hinchas de un equipo de fútbol.

Las fotos salieron muy bonitas, pero no aparecieron en ninguna portada. Lo que vieron al día siguiente los españoles fue una imagen distinta, una selección de los empresarios más poderosos del país aplaudiendo con fervor a los oradores del MCSY, desde la primera fila del teatro Fernando de Rojas, en el Círculo de Bellas Artes de Madrid.

Enrique Duarte García desafiaba a los drones todas las tardes. Cuando tenía ocho años, los Reyes Magos le trajeron un xilófono. Era un objeto doble, pequeño y precioso, una hilera de láminas metálicas de colores brillantes y dos baquetas de madera rematadas por una bolita del mismo material. No le gustó. Él había pedido un camión de bomberos como el de su primo Richi, que tenía luces intermitentes de dos colores distintos y una escalera que subía y bajaba dándole a una manivela. Nunca tuvo un camión como aquel, pero una lluviosa tarde de sábado, seguramente ya en febrero, cuando creía que iba a morirse de aburrimiento, se acordó del xilófono. Lo bajó del estante al que lo había desterrado, lo sacó de la caja, decidió investigar qué se podía hacer con él y aquella decisión le cambió la vida. El sonido que las baquetas arrancaban de las láminas de colores le fascinó como un hechizo benéfico, un milagro inmerecido. Reconocer la escala básica, *do* rojo, *re* naranja, *mi* amarillo, *fa* verde, *sol* azul, *la* morado, *si* rosa y *do* rojo otra vez, le maravilló menos que las infinitas combinaciones que ofrecía un mecanismo tan sencillo en apariencia. Antes de darse cuenta, estaba tocando melodías de oído sin llegar a saber cómo lo hacía. Si hubiera necesitado explicarlo, habría dicho que esa música siempre había estado escondida en su interior, dentro de su cabeza y en las puntas de sus dedos, esperando a que pasara algo que la liberara, que la dejara salir de Enrique Duarte para conocer el mundo. Al cabo de dos o tres meses, su madre le ofreció un camión de bomberos teledirigido de dos pisos a cambio de que dejara el xilófono en paz, pero él no aceptó. Le pidió un piano de juguete y ella, creyéndolo más prudente, le regaló un acordeón pequeñito. Muy pronto dejaría de distinguir entre la prudencia y la imprudencia a la hora de escoger regalos para su hijo.

A Enrique Duarte le habría encantado estudiar música, pero su padre tenía otros planes para él. Unos meses antes de que descubriera el código de colores de su xilófono, le había apuntado a una escuela de fútbol. El niño tenía instinto y era muy habilidoso con los pies, aunque no podía competir en velocidad con otros críos de su edad. Cuando dio el primer estirón, su entrenador fue capaz de adivinar el cuerpo que tendría de mayor y convenció al señor Duarte de que abandonara. Su hijo tenía doce años, y a esa edad, perseguir un imposible sólo le traería frustración, inseguridad, una amargura que arruinaría su autoestima y le haría infeliz, tal vez durante muchos años. Aquel hombre, que llevaba décadas estudiando el crecimiento de los niños, acertó de lleno al pronosticar que Enrique sería bastante alto, pero, aunque nunca llegaría a traspasar el límite de la obesidad, siempre le sobrarían demasiados kilos como para dedicarse a correr la banda.

—Escúchame, hijo mío... —él no entendió por qué su padre le llevó a tomar una coca-cola después del entrenamiento de aquella tarde, ni el brillo sucio que temblaba en sus ojos mientras se dirigía a él con una solemnidad desconocida—. Ha pasado una cosa que... Te vas a llevar un disgusto, Enrique, pero eres muy pequeño todavía, la vida es muy larga y...

—¿Te vas a morir? —el señor Duarte negó con la cabeza—. ¿Se va a morir mamá? ¿Os vais a divorciar? ¿Se van a morir las niñas?

—¡No, hombre! —y durante un instante pareció, con mucho, el más asustado de los dos—. No se va a morir nadie. ¿Por qué dices eso?

—Porque os quiero mucho a todos —Enrique Duarte tenía

mucha imaginación, pero además, aunque su aspecto le protegería de cualquier sospecha de fragilidad cuando llegara a adulto, era muy sensible, muy sentimental—. Y porque, si no os vais a morir, lo que pasa no puede ser muy malo.

—Lo que pasa... He estado hablando con el entrenador y creemos que... —a la tercera logró decirlo—. Vas a dejar el fútbol, Enrique.

—¡Ah, bueno!

En aquel momento comprendió muchas cosas. Que a su padre le gustaba la idea de tener un hijo futbolista más que a él la de llegar a serlo. Que si se había entusiasmado tanto al principio, era porque su tío había llevado a Richi a las mismas pruebas y le habían rechazado. Que entrenar tres tardes a la semana era muy cansado, y madrugar los sábados para jugar un partido todavía peor. Que cuando dejara el fútbol iba a tener mucho más tiempo para tocar el xilófono, el acordeón y la flauta travesera que le había regalado la abuela por su cumpleaños. Y que si no aprovechaba esa oportunidad, nunca encontraría otra mejor.

—No te preocupes, papá. La verdad es que es un disgusto muy gordo —mintió—, pero no pasa nada. Lo único, que ahora me va a sobrar mucho tiempo.

—Ya lo sé, hijo.

—Por eso, si pudiera pedirle a los Reyes un teclado electrónico... —no se atrevió a mirar a su padre mientras lo decía—. No tiene por qué ser uno caro. Los baratos también tienen una toma para auriculares, y podría ponérmelos y no hacer ruido. Como mamá se queja tanto...

Enrique Duarte, que crecería hasta los ciento ochenta y seis centímetros para rozar los cien kilos de peso sin llegar nunca a parecer gordo, más bien un prototipo de guardaespaldas de gánster de película, era muy sensible, muy sentimental, y tardaría muchos años en perdonarse a sí mismo por haber abusado de su padre hasta el punto de sacarle un piano Yamaha mientras se lamía las heridas que él mismo había abierto sin querer. Por eso reservó el tiempo que le había ganado a los entrenamientos para tocar el piano con, o preferiblemente sin, cascos, pero empezó a acompañarle al obrador de la pastelería familiar los sábados por la mañana. No era exactamente un sacrificio. Su bisabuelo había fundado aquel negocio que había sostenido sin lujos, pero con holgura, a tres generaciones de la familia Duarte. La tienda conservaba gran parte de la decoración original, espejos biselados, delicadísimas vitrinas de madera y cristal, zócalos de mármol rosa con veteados grises, arañas y apliques dorados con lágrimas transparentes, pero a Enrique le gustaba más el obrador, sobre todo desde que, a los catorce años, su padre empezó a enseñarle el oficio sin presionarle, como si mezclar, amasar, hornear y decorar fuera un juego más. Un juego divertido, pensaba Enrique, incluso interesante, pero incomparablemente inferior a la música.

Cuando empezó segundo de bachillerato, ya tenía un grupo en el que tocaba lo que hiciera falta, el piano, la marimba, la flauta o el clarinete. Estaba locamente enamorado de una compañera de curso que tocaba el violín, simultaneaba el instituto con el conservatorio y estaba locamente enamorada, a su vez, de un saxofonista bastante mediocre que tenía un amigo percusionista. Hacían vieja música *new age* y sonaban bastante bien, lo suficiente para que les dejaran tocar gratis de vez en cuando en algún bar de Malasaña, siempre entre martes y jueves. Su madre y sus hermanas no se perdían un concierto y consumían sin parar, para que les invitaran a actuar más veces, pero a su padre le costaba trabajo asistir. Enrique se daba cuenta, y se sentía tan culpable por romper una y otra vez sus ilusiones que, después de aprobar la Selectividad, no encontró fuerzas para darle otro disgusto.

—¿Cómo vas a ser tú pastelero, Enrique, con el talento que tienes? —Elena, que ya era novia formal del saxofonista, negó con la cabeza al enterarse—. Tu obligación es luchar por tu sueño.

—Ya, pero... —si hubieras querido ser mi novia todo sería

distinto, pensó él, aunque no lo dijo—. Es muy complicado, no lo entenderías.

Enrique Duarte García nunca fue a la universidad, tampoco a un conservatorio. A los dieciocho años empezó un curso de repostería en la mejor escuela de cocina de Madrid y volvieron a pasarle cosas que no esperaba. Aquel chico enorme, que tocaba el piano con una delicadeza que nadie se habría atrevido a imaginar al ver la tosca anchura de sus dedos, descubrió que el talento es una sola cosa, que la creatividad, la imaginación, la audacia, podían obedecer a las mismas reglas en una cocina y en una sala de conciertos. Aquella epifanía tuvo una consecuencia dolorosa para él. Quince años después de empezar a tocar el xilófono, Enrique Duarte descubrió que estaba más dotado para emular a su bisabuelo, el único pastelero genial de la familia, que para convertirse en un músico que no fuera del montón. Después de terminar ese curso hizo muchos otros, que lo llevaron a San Sebastián, a París, a Ginebra, a Viena, siempre con sus instrumentos a cuestas, en un baúl metálico cuyo interior había diseñado él mismo. Aquel periplo trazó las líneas maestras de lo que sería su vida y le regaló un instrumento más, el violín, que ya nunca le recordaría a Elena, sino a la profesora de música israelí que le enseñó a tocarlo en Salzburgo mientras ambos mantenían una breve, efímera y templada historia de amor. Cualquier hombre medianamente seductor habría olvidado pronto ese episodio, pero Enrique Duarte, tan habilidoso delante de un horno como con un instrumento musical entre las manos, era un desastre con las mujeres. Hasta que conoció a Laura. Antes, al regresar del último de sus viajes, discutió con su padre por primera vez.

—Oye, papá, lo que antes era el almacén de la pastelería, ¿sigue alquilado?

Se refería a un espacio inmenso, que un siglo atrás estaba dividido en dos áreas distintas. Una mitad había formado parte del obrador antes de que la maquinaria se modernizara en una dirección que fue reduciendo el tamaño mientras aumentaba la eficiencia de los aparatos. La otra había sido el almacén de su bisabuelo cuando la costumbre era comprar trigo y azúcar directamente a los productores, para acumular una cantidad de materia prima que los nuevos canales de distribución hicieron innecesaria a mediados del siglo XX. Desde que Enrique empezó a ir por allí los sábados por la mañana, su padre había alquilado el almacén varias veces para instalar talleres mecánicos.

—No, se quedó libre a finales del año pasado. Acabo de pintar para alquilarlo otra vez, ya tengo a varias personas interesadas, no creas.

—Pues diles que no. Lo necesito yo.

—¿Tú? —el señor Duarte frunció el ceño—. ¿Para qué?

Quería montar su propio taller, un segundo obrador que cumpliría dos funciones diferentes. Había meditado mucho para llegar a la conclusión de que el negocio no podría sobrevivir sin un replanteamiento radical. Le parecía un milagro que la combinación del acoso de la bollería industrial con la moda de la repostería gourmet no hubiera arrasado todavía con la producción de su padre, que era buena, pero nunca excelente. Algo tenía que cambiar antes de que alguna celebridad de la pastelería nacional montara una tienda en la misma calle. Para eso necesitaba el almacén, para hacer postres especiales, sofisticados, deliciosos y bellos como obras de arte, además de instalar un departamento de catering de la misma calidad. Tenía muchísimas ideas, estaba seguro de que sería un éxito, su padre le dijo que no lo veía.

—Mira, papá... —aunque estaba hirviendo por dentro, su voz apenas superó la temperatura de una conversación normal—. A mí no me gustaba jugar al fútbol y tú me apuntaste en una escuela de fútbol. Quería ser músico y tú no me dejaste ser músico. Yo soy pastelero porque tú quisiste, porque me pagaste cursos en escuelas de media Europa. Ahora que he aprendido el oficio, ahora que me gusta, no puedes decirme que no, ¿entiendes? —hizo una pausa y miró a su padre a los ojos—.

O sí, puedes decírmelo, pero te juro que mañana estaré tocando en el metro.

Aquel día, padre e hijo quedaron en paz. Tres meses después, ni un solo transeúnte dejaba de pararse ante el escaparate de la pastelería Duarte. Enrique empezó haciendo unos huevos de Pascua tan espectaculares como si fueran miniaturas de fallas valencianas de chocolate, con la parte delantera abierta, con ventanas, con figuras, con columpios, en jardines imposibles de árboles blancos y flores de azúcar. Eran tan disparatadamente caros que su padre pronosticó que no se vendería ninguno. Se equivocó. Al principio sólo producía dos al día, pero tenía tantos encargos que colocaba en el escaparate huevos que estaban vendidos para exhibirlos hasta que sus dueños fueran a recogerlos, y ese plazo bastaba para generar nuevos encargos. Eso fue sólo el principio. Cuando la Segunda Pandemia les obligó a cerrar la tienda, salieron adelante gracias al trabajo de Enrique. Los vecinos del barrio siguieron llamándole para encargar su especialidad, tartas de cumpleaños con volumen, con formas y colores, sorprendentes revestimientos tan exquisitos como su interior, y el catering funcionó mejor de lo que él mismo había calculado. Mientras tanto, el ocioso señor Duarte miraba a su hijo con la boca un poco más abierta cada día. Dejó de recorrer la tienda de punta a punta con las manos unidas detrás de la espalda para visitar el taller a diario, hasta que se convirtió en el discípulo más inesperado del maestro que había aprendido por su cuenta mucho más de lo que él había sabido enseñarle. Un buen día descubrió que estaba muy orgulloso de Enrique. Al día siguiente se lo dijo. Y él le respondió que no aspiraba a nada más.

A los veintinueve años recién cumplidos, poco después de que el MCSY llegara al poder, Enrique Duarte se fue a vivir por su cuenta. Su nueva casa tenía una azotea muy grande que parecía desprovista de cualquier utilidad más allá de la de ofrecer unas vistas espectaculares y tentar al nuevo inquilino, que la vigiló discretamente durante algunos meses. Al atardecer, cuando volvía del trabajo, subía hasta allí y nunca se encontraba con nadie, ni registraba cambios respecto a lo que había visto veinticuatro horas antes. Hasta que un día, en la hora de la última luz, mientras la tarde se fundía con la noche, subió con su acordeón y tocó para él, para el aire, para nadie, para el cielo que acataba con pereza la dulce agonía del sol. Y se sintió tan libre, fue tan feliz, que desde entonces no dejó de hacerlo.

El día que descubrió la cabeza de una chica asomada al borde de la azotea del edificio de al lado, tenía el violín entre las manos y creyó que se moría de vergüenza.

—No, no, por favor, no pares —ella se inclinó sobre el muro de la azotea de un edificio que tenía un piso más que el de Enrique y le miró desde arriba—. Es una maravilla, llevo casi un mes subiendo a escucharte todas las tardes.

—¿De verdad? —él la miró con la boca abierta, el violín en una mano, el arco en la otra—. No te había visto nunca.

—Porque soy mucho más alta que tú —ella se echó a reír—. Desde aquí, claro. En el suelo soy más bajita.

Se llamaba Laura, vivía con su abuelo paterno y era muy mona, demasiado para mí, pensó él. Y sin embargo tocó para ella, el violín, el acordeón, la flauta, sin intentar acercarse hasta que Laura se lo pidió.

—Oye, mira lo que he encontrado... —antes de terminar de decirlo, enganchó en el borde de su azotea una escalera como las de las piscinas, que parecía vieja pero sólida—. ¿Por qué no subes?

Enrique estuvo a punto de salir corriendo por segunda vez, pero tanteó el primer peldaño con el pie, subió el segundo y le pasó primero el violín, después el arco, antes de impulsarse para reunirse con ella. Laura le estaba esperando, muy sonriente. No era tan bajita como le había advertido, pero sí esbelta, grácil, porque la historia de su vida se parecía mucho a la del músico de la azotea de al lado. Había estudiado ballet durante muchos años, se había pasado a la danza contemporánea cuando suspendió las pruebas del conservatorio para especializarse en ballet clásico, lo había dejado del todo al comprender que en la contemporánea tampoco llegaría muy lejos.

—¿Y qué hiciste? —cuando se lo contó, los dos estaban sentados en el suelo, con la espalda apoyada en la pared que separaba sus respectivos edificios.

—Estudié un grado superior de Integración Social. Tenía veinte años, pero me parecía que era demasiado mayor para empezar en la universidad, fíjate qué tontería... —giró la cabeza para mirarle y él pensó que le estaba pidiendo sin palabras que la besara, pero no se atrevió—. Encontré trabajo enseguida, eso sí, en un centro juvenil del Ayuntamiento, con menores inmigrantes, chicos con adicciones y esas cosas... No gano mucho, pero me gusta.

—Es un trabajo bonito.

—No tanto como el tuyo —se echó a reír—. Paso por delante de tu pastelería dos veces todos los días, al ir y al volver del centro. Te tengo fichado, ¿qué te crees?

Se calló, giró la cabeza, volvió a mirarle, Enrique la besó y ya no dejó de besarla. Lo demás fue inevitable, placentero, tan fácil como dejarse caer por un tobogán acolchado en una piscina de espuma perfumada. Cuando se declaró la Tercera Pandemia, Enrique Duarte pasaba por el mejor momento que podía recordar. Laura Caballero le había cambiado la vida más que el xilófono que le regalaron a los ocho años.

—¡Joder, chavalote! —cuando entró en el cuartel se quitó la escafandra, y su primo Richi tuvo que estirar los brazos para ponerle las manos en los hombros—. Ya me ha contado tu madre que has ligado... —le miró con atención—. Pero no esperaba encontrarte tan guapo, la verdad.

Richi, que con la misma edad que Enrique ya llevaba siete años casado y tenía dos niños, había pasado de la Guardia Civil a los Vigilantes y parecía entusiasmado con el cambio. Su primo lo notó cuando le llamó por teléfono a la pastelería para reclamarle con mucha urgencia. Su jefe, el comandante Santisteban, al que le gustaba que le siguieran llamando coronel, como antes de que le echaran de la Guardia Civil, necesitaba hablar con él.

—Lo que quiere es quedar bien porque, claro, como todo esto lo han fundado hace menos de un año —le explicó Richi de camino al despacho del comandante—, pues no hemos podido inaugurar la sede todavía. Estamos acostumbrándonos a trabajar juntos, en un edificio nuevo, con gente nueva, normas nuevas, y como mi coronel tuvo algunos problemillas políticos... Que luego no pasó nada, ¿eh?, porque cuando llegó a juicio los delitos ya habían prescrito, así que le absolvieron, pero el hombre quiere empezar con buen pie, y si tú le impresionas, pues yo saldré ganando de paso, así que... Todos contentos.

Santisteban, a quien su visitante no olvidó llamar coronel en ninguna ocasión, le explicó que, una vez completado el organigrama del cuerpo, querían hacer una inauguración con el ministro, para la prensa, en el instante en el que comenzara el desconfinamiento, a mediados del mes que viene, calculó.

—Tu primo me ha dicho que tienes una empresa de catering que funciona muy bien, pero que tu especialidad son las tartas.

—Bueno —Enrique sacó un muestrario de su mochila y se lo tendió—. En realidad hago de todo, pero mis tartas tienen mucho éxito, sí. Puedo hacerlas de muchas clases distintas, desde las más sencillas, rectangulares con una imagen impresa encima en una cobertura de chocolate blanco, por ejemplo, hasta las más complicadas, trabajos con volumen que reproduzcan una figura o un edificio, incluso. Aunque son mucho más caras, eso sí.

—¿Podrías hacer una tarta con la forma de este cuartel?

—Claro que podría —Enrique sonrió—. Del mismo color y con las mismas ventanas. No podré reproducir la portada con detalle, pero se reconocerá.

Santisteban le pidió un precio y él calculó sobre la marcha uno aproximado, ofreciéndose a hacer una rebaja si el coronel le encargaba el catering de la recepción. Regatearon un poco, muy poco para lo que esperaba el visitante, antes de ponerse de acuerdo, y cuando se despidieron, Enrique tuvo la impresión de que ambos estaban igual de satisfechos.

—Te acompaño a la puerta —se ofreció su primo—. ¿Has aparcado donde te dije?

—No, he encontrado sitio en la calle.

Al pasar por la consigna, Enrique recogió su escafandra, pero no se la puso, porque estaba absorto en un problema que le daba más miedo que el virus.

—Oye, Richi, favor por favor... Cuando empiecen a llegarme multas, ¿puedo traértelas para que me las quites?

—¿Multas? —el vigilante frunció el ceño—. ¿Qué multas?

Salieron del cuartel y anduvieron unos pasos por la acera hasta llegar a la altura de la moto de Enrique. Mientras tanto, él le contó cómo había conocido a Laura, y que casi todas las tardes seguía subiendo a la azotea a tocar para ella, aunque estuvieran confinados y durmieran juntos muchas noches.

—Pues muy bien, muy bonito, muy romántico, me alegro por ti, chaval —remató su respuesta con una clásica palmada de machote en el centro de la espalda—. Pero sigo sin entender lo de las multas.

—Los drones, Richi. Los he visto la mitad de los días, han tenido que grabarme decenas de veces, no entiendo cómo no me ha llegado ninguna multa todavía. Subo hasta arriba con la escafandra puesta, eso sí, pero salir a tomar el aire en las azoteas está prohibido. Tocar música al aire libre no es una actividad esencial, y por eso...

Enrique Duarte se calló al comprobar que su primo no podía seguir escuchándole.

—¡Ay, Dios mío, qué inocente eres! Hay que ver, el más listo y el más tonto al mismo tiempo, siempre igual, toda la vida —y seguía riéndose—. Tú toca en tu azotea, tío, toca lo que te dé la gana... —volvió la cabeza hacia Enrique, constató su estupor y fue más explícito—. ¿Se te ha ocurrido pensar en la cantidad de gente que haría falta para revisar las cámaras de todos los drones de Madrid? —después dejó de reírse, se puso serio, levantó en el aire el índice de las advertencias—. Ni se te ocurra contarle a nadie lo que acabo de decirte, ¿eh? Pero tú tranquilo, hazme caso y no te preocupes por eso.

Se despidió con otra palmada, y en ese momento Enrique Duarte se dio cuenta de dos cosas. La primera fue que llevaba diez minutos respirando el aire de la calle sin protección. La segunda, que su primo había abandonado la cúpula transparente que protegía el cuartel en las mismas condiciones que él. Respirar el aire de la calle es muy peligroso, había escuchado un millón de veces en la televisión, unos pocos segundos pueden ser fatales...

Se puso la escafandra despacio, levantó la vista y contempló un cartel de la nueva campaña del gobierno. LA SEGURIDAD ES SALUD, leyó, LA SALUD ES VIDA, LA VIDA ES SEGURIDAD.

Y vosotros sois unos hijos de puta, completó por su cuenta.

El Gran Capitán se empeñó en dirigir personalmente la campaña electoral del Movimiento Ciudadano ¡Soluciones Ya!

Megan no lo veía. El plan de su jefe le parecía demasiado agresivo, demasiado directo, muy exhibicionista, y tan obsceno que convocó a Carlos Alcocer para que lo rechazara con argumentos técnicos. A él, sin embargo, no le pareció mal. Es un gran capital político, dictaminó, pero tenemos que encontrar la mejor manera de presentarlo... El jefe de ambos insistió en que esa idea era el motor que le había hecho llegar tan lejos. Otros partidos pueden presumir de historia, de coherencia ideológica, de logros sociales, de las leyes que han promulgado desde el gobierno, pero ninguno puede exhibir el poderío que tenemos nosotros.

—Eso es cierto —el Mago le dio la razón—, pero si no acertamos con el relato, se nos volverá en contra. No podemos hacer carteles con fotos de empresarios y las cifras de sus donaciones millonarias. Nos llamarían demagogos, ventajistas, abusones... Y no queremos eso, ¿verdad? —el Gran Capitán negó con la cabeza—. Entonces debemos ser muy sutiles, comenzar a hacer campaña ya mismo, antes de que empiece la campaña oficial, pero hacerlo sin que se note. Si lo planificamos bien, una entrevista aquí, un acto académico allá, una declaración puntual ante un micrófono al salir de un desayuno, por ejemplo, prepararemos el terreno para la presencia sistemática de empresarios en los mítines electorales. Alguno podría hacer alguna intervención incluso, si fuera una mujer mejor, pero sin abusar. Y desde luego, sin hacerle sombra a los candidatos.

—En ese caso —Megan desprendió a la niña de su pecho izquierdo y se la puso en el derecho—, podría comprarlo. Pero habrá que tener mucho cuidado, jefe, no podemos hacerlo como tú quieres.

—Muy bien —aceptó él—. Lo hacemos de otra manera, pero lo hacemos.

Él lo veía clarísimo desde antes de empezar. Durante la Gran Pandemia, muchas empresas españolas habían hecho donaciones de material sanitario o habían cambiado su línea de producción para fabricar los suministros que el país necesitaba. En la Segunda Pandemia, con él mismo a la cabeza, el fenómeno se había intensificado. El Gran Capitán nunca había regalado tanto para ganar a la vez tanto dinero. Pero, aunque algunos empresarios se habían hecho populares y habían cosechado millones de aplausos en las redes, los ciudadanos no los percibían aún como actores políticos, una fuerza cohesionada que podría intervenir de forma decisiva en el destino del país. Eso era lo que él pretendía cambiar y la razón de ser de su nuevo partido. Quería que los españoles identificaran las soluciones que prometía su nombre con la trayectoria de esos grandes benefactores, nuevos padres de la patria dispuestos a declarar que «con estos sí», a estos sí les apoyo, con un gobierno de este partido sí estoy dispuesto a invertir mi dinero en mi país, con estos voy a muerte, hasta el final, para crear riqueza en España como la he creado en mi empresa. Después de la reunión, se paró a pensarlo y tuvo que reconocer ante sí mismo que esa formulación no era demasiado sofisticada. Sin embargo, al final se salió con la suya.

Todo sucedió como Alcocer había previsto, una entrevista por aquí, una declaración por allí, un discurso del Gran Capitán en unas jornadas organizadas por la CEOE en cuyo final aludió al momento ilusionante que, pese a todas las dificultades del presente, España estaba viviendo. Y yo, personalmente, también, añadió. No dijo nada más, no hizo falta. En el primer mitin de la campaña electoral, Cecilia Toledano, actriz aficionada, repartidora en bicicleta, madre soltera de un hijo biológico y otro adoptado, número 3 del MCSY por Madrid, interpretó a las mil maravillas el texto que Megan García habían escrito expresamente para ella.

—Ilusión, sí, esa es la palabra, Juan Francisco...

En ese momento, todas las cámaras de televisión registraron la sonrisa beatífica del Gran Capitán, que una vez más asistía al acto en primera fila, entre Ana Goicoechea y el joven empresario tecnológico que de mayor quería ser como él y le había prometido no meterse ni media raya hasta que acabara el mitin.

—Porque este es un gran país —continuó la candidata en un tono impregnado de sinceridad, que evolucionaría a lo largo de su discurso para oscilar sabiamente entre la fe y la indignación—. Todos lo sabemos. España es grande por su gente, por su belleza, por su riqueza. Sí, no os extrañéis, voy a decirlo otra vez, por su riqueza. Porque la riqueza es mucho más que el dinero. El talento, la creatividad, el ingenio, las calles por las que caminamos, la belleza que contemplamos, la lengua en la que hablamos, son pura riqueza. Entonces, ¿qué falla en España? Eso también lo sabemos todos. Hace décadas que la sociedad civil avanza muy por delante de la clase política en nuestro país. La ciudadanía es mejor, más madura, más consciente, más responsable que sus representantes en el Parlamento. Hasta ahora, los españoles hemos ido por un camino y nuestros políticos han ido por otro, pero eso no tiene por qué seguir siendo así. Porque aquí estoy yo, una trabajadora precaria, de las que compran marcas blancas para poder llegar a fin de mes, despertando la ilusión de unos pocos, pero muy grandes, empresarios españoles. Unos pocos de los buenos, de los nuestros, no los explotadores, los egoístas, los avariciosos, sino aquellos que han arrimado el hombro y han luchado codo con codo con los demás cuando España los necesitaba. ¿Qué habría sido de nosotros sin su solidaridad en esta era de pandemias, desempleo y sufrimiento? Esta es una ilusión compartida, porque a mí también me ilusiona verlos ahí, apoyando el proyecto de la gente. Eso es lo que somos nosotros, gente y a mucha honra, personas corrientes que tienen problemas y necesitan soluciones. ¡Españoles que ya no pueden confiar en lo que nos ofrecen los viejos partidos, ni esos nuevos partidos envejecidos que nos han decepcionado tantas veces!

Mientras estallaba una ovación atronadora, Megan García, que se había quedado de pie en un lateral, el bebé sujeto contra su pecho, miró a su jefe y comprobó que él también la estaba mirando. El Gran Capitán sonrió, asintiendo con la cabeza, porque Cecilia Toledano era un fichaje de su asesora. Megan estaba de acuerdo en que era una mujer insoportable, inestable, caprichosa e incapaz, que de ninguna manera podría llegar a formar parte de un gobierno. Pero para la campaña no vamos a encontrar a nadie mejor, había advertido y, una vez más, había tenido razón.

Las listas electorales del Movimiento Ciudadano ¡Soluciones Ya! estaban cuidadosamente calibradas para equilibrar a los fenómenos mediáticos, como Cecilia, con candidatos más sobrios, más serios, capaces de transmitir una fiable impresión de solvencia en entrevistas largas con periodistas exigentes. No todos eran una simple fachada pintada de colores. El equipo económico, que el Gran Capitán había seleccionado en persona, era bastante solvente. El principal argumento de su discurso, que el ciclo económico del capitalismo, tal como el mundo lo había conocido, había terminado para no volver jamás, había inspirado a muchos economistas de ideologías diversas en los últimos años. La necesidad de superar la lucha de clases en favor de un nuevo sistema de alianza de clases tenía un tufo nacionalsindicalista que supieron disolver en la incertidumbre de la nueva realidad, un mundo que había cambiado tanto, en tan poco tiempo, que no se podía analizar desde posturas forjadas en una realidad caducada, radicalmente distinta a la que la había sucedido. Y acertaron al insistir en la idea de la transitoriedad. No podemos quedarnos de brazos cruzados, tenemos que probar fórmulas nuevas, atrevernos a hacer cosas que no se han hecho nunca hasta ahora, y ver qué pasa. Estamos en una etapa de transición, una época que no se parece al pasado, pero tampoco tiene por qué parecerse al futuro. No lo sabemos todo, así que es probable que fallemos en algunas decisiones, pero tal vez nuestros aciertos puedan conducirnos a soluciones más duraderas. Intentamos crear un nuevo modelo económico y social que se adapte a las condiciones de vida tan duras, tan adversas, a las que nos han abocado dos pandemias seguidas. Nunca nos perdonaríamos no haberlo intentado.

Los españoles estaban muy acostumbrados al lenguaje de los epidemiólogos, una fuente que se había tenido muy en cuenta a la hora de elaborar el argumentario del MCSY. Sin embargo, a medida que avanzaba la campaña, Megan García empezó a tener miedo. No se atrevió a hablarlo con el Gran Capitán, pero lo comentó con Alcocer, que, desde que tripulaba la embarcación en la que ella naufragaría o se salvaría, ya no le caía tan mal.

—¿Tú no crees que se nos está viendo demasiado el plumero?

Él se tomó su tiempo antes de contestar.

—Se nos está viendo, sí, pero tampoco mucho. La altura de las plumas en sí misma no importa demasiado, lo importante es medirla con el estado de ánimo de los votantes. La gente no es tonta, Megan, pero está exhausta. Está cansada de estar cansada. Harta de sustos, harta de miedos, harta también de la bronca perpetua entre la izquierda y la derecha. En un estado de agotamiento tan brutal, los seres humanos podemos llegar a preferir que nos ilusionen, aunque nos engañen, a que nos entierren con honestidad en nuestro propio aburrimiento. Estamos viviendo en un mundo raro. Un mundo tan raro que cualquier cosa nueva, por rara que sea, resulta más atractiva que las cosas normales que ya se sabe que nunca funcionan tan bien como al principio parece que van a funcionar. Nadie prefiere ya lo malo conocido a lo bueno por conocer —hizo una pausa, la miró, cruzó los dedos—. O eso espero, por lo menos. Cuando empezaron a publicarse encuestas, el miedo de la señora García se deshizo como una nube de verano.

—¿Esta la hemos encargado nosotros?

Una semana después de que se atreviera a hacer públicas sus inquietudes, el Gran Capitán irrumpió en su despacho con una tableta en la mano y una sonrisa de oreja a oreja.

—¿A ver? —la portada de un periódico digital muy conservador reproducía la expresión gráfica de una encuesta en la que el color blanco acaparaba más de la mitad del hemiciclo—. No —le devolvió la tableta a su jefe y se echó a reír—. Esta la ha encargado el enemigo.

En la segunda semana de campaña, todas las encuestas de todos los medios otorgaban al Movimiento Ciudadano ¡Soluciones Ya! una mayoría absoluta de las que habían dejado de verse cuando se terminó el bipartidismo, pero ninguna acertó.

El resultado del MCSY pulverizó el récord establecido por Felipe González en 1982.

El Gran Capitán había tardado muchos años en emular la creación de Dios, pero no emprendió su tarea con las manos vacías. Disponía de una mayoría absoluta de doscientos treinta y cuatro diputados en un parlamento de trescientos cincuenta escaños.

Elisa Llorente Frías era muy joven cuando descubrió que a veces la verdad no basta para cambiar las cosas.

Todo empezó en una pantalla de televisión, como casi cualquier cosa desde que murió internet. A partir de entonces, la realidad se había ido degradando en etapas sucesivas, cada cual más dura, más cruel que la anterior, para acabar reemplazando la vida cotidiana de los españoles con una pesadilla alucinante envuelta en un tranquilizador plástico gris, un simulacro que por fuera reproducía fielmente lo que conocían para desnudarles poco a poco por dentro. Todos, cada día más débiles, más mansos, más cobardes, habían perdido algo, Elisa mucho. Ya no podía entrar en Twitter para enterarse de qué opinaba la gente, pero estaba segura de que no era la única que se había dado cuenta. Desde que los enemigos mortales de su padre llegaron al poder, los acontecimientos se habían engranado en una cadena frenética y funesta, encabalgándose unos sobre otros en plazos que parecían cronometrados para impedir que los españoles reaccionaran, porque cada nuevo golpe llegaba cuando apenas habían empezado a levantarse del anterior.

Primero fue el Gran Apagón. Seis meses después, la Tercera Pandemia. Durante cincuenta días, las autoridades impusieron un confinamiento tan riguroso que ni siquiera se podía salir al balcón, mucho menos a la calle a comprar comida o a pasear al perro. Vigilantes vestidos como los astronautas de las películas, para protegerse del aire envenenado que transmitía la enfermedad, se encargaban de todo. La televisión recomendaba hacer la compra desde los móviles 7AP, aunque en cada edificio había un buzón para recoger pedidos especiales, productos de ciertas tiendas que estaban tan cerradas como las demás, pero contaban con la autorización imprescindible para servir por encargo. Las personas que tenían roto el teléfono o no sabían usarlo, podían dejar también allí sus listas de la compra. En un plazo inferior a veinticuatro horas, los vigilantes dejaban todas las cajas en el portal y el jefe de casa, una nueva autoridad obligatoria en los inmuebles de más de dos vecinos, iba avisándoles, piso por piso, para que bajaran a recoger las compras que, por norma general, provenían del Centro Comercial Virtual, donde se podía conseguir cualquier cosa a precios más bajos que los habituales en el comercio tradicional.

Los vigilantes también se encargaban de sacar a los perros de paseo dos veces al día, por la mañana temprano y al caer la tarde. Luego la televisión empezó a difundir que la nueva cepa del covid era tan dañina que afectaba también a las mascotas. Muchos perros morían en plena calle. Otros lograban volver con sus dueños para morir unas pocas horas después. Elisa no se creía ni una cosa ni la otra. Estaba segura de que los vigilantes los envenenaban. Cuando empezó la segunda etapa del confinamiento, en la que se permitía salir a la calle con escafandra o mascarilla para dar paseos diarios de media hora, los únicos supervivientes eran los perros más pequeños, a los que sus amos habían logrado esconder. Los jefes de casa tenían la obligación de denunciarlos porque se consideraban un vector de contagio muy peligroso, y las multas eran tan elevadas que muchos los entregaron voluntariamente para no volver a verlos jamás. En la tele aparecían a diario legiones de epidemiólogos que explicaban que la tasa de letalidad del cien por cien era normal, porque el sistema inmunológico de los perros no estaba preparado para combatir un virus que hasta aquel momento sólo había infectado a humanos, pero ella sabía que se trataba de un golpe más, una nueva maniobra dirigida a aterrorizar incluso a familias que, como la suya, no tenían mascota. Elisa Llorente miraba a su alrededor, pensaba, argumentaba, llegaba a conclusiones y se las guardaba para sí misma. No tenía cerca a nadie con quien compartir sus temores porque vivía sola con su madre. Las dos sabían que elaboraba todas sus teorías a partir de los artículos que había escrito su padre, azote supremo del MCSY, antes de desaparecer. Sabían también que, aunque hablara como la campeona mundial de la pedantería, en la primera semana del desconfinamiento había cumplido dieciocho años, y ni uno más.

—¡Mamá, mamá, ven, corre!

Había soplado las velas de su mayoría de edad en una tarta pequeña, que parecía bonita en la pantalla del móvil y no resultó serlo tanto cuando salió de su envoltorio. Tampoco estaba demasiado buena. La crema pastelera del relleno sabía a natillas ultraprocesadas, el chocolate de la cobertura, a esas palmeras grasientas que antes se vendían en los supermercados de tres en tres, y las mariposas de oblea con alas teñidas de colores, directamente a nada, pero no protestó, porque era lo que había.

A su madre no le gustaba cocinar, pero su padre siempre le había comprado tartas espectaculares. Empezaba a buscarlas en internet un mes antes de su cumpleaños, se recorría Madrid de punta a punta para estudiarlas, y si no le convencía lo que encontraba, volvía a empezar. Elisa había soplado velas en tartas como muñecas, como jardines, como naves espaciales, y Javier Llorente había grabado, año tras año, la sonrisa de felicidad que se dibujaba en su cara al sacarlas del envoltorio. Pero lo que estaba viendo en la televisión parecía llegado de otro planeta.

—Fíjate qué pasada de tarta —las cámaras le prestaron tanta atención que su madre llegó a tiempo de verla—. Es el cuartel del Conde Duque, ¿ves?, con su patio y todo. Nunca he visto una tarta tan preciosa, ni siquiera...

Ni siquiera aquella de la Guerra de las Galaxias que me compró papá, iba a decir, pero se calló para ahorrarse la respuesta de su madre, ya está bien, Elisa, tienes que superarlo, pensar a todas horas en la muerte de tu padre no te hará bien, eres muy joven, tienes toda la vida por delante, y bla, bla, bla. Pero aquella vez, Cristina Frías ni siquiera se acordó de que el padre de su hija había existido.

—Ese es Víctor Lafitte, ¿no? —su madre se acercó a la pantalla, señaló con el dedo la cabeza de un calvo trajeado situado justo detrás de la tarta y posó el dedo sobre ella un instante, como si quisiera acariciarla.

—¿Lo conoces? —al hacer esa pregunta, Elisa se dio cuenta de que también lo conocía, pero no fue capaz de recordar dónde se habían visto antes.

—Sí, es amigo mío.

—¡Claro! Ya sé quién es... —la clave fue la cara de su madre, esa expresión de boba ilusionada que la iluminó al declarar que el calvo y ella eran amigos—. Este es el que nos contó lo de papá, ¿no?

Estaban pasando las vacaciones en Cudillero, en la casa que alquilaban todos los veranos, cuando Javier Llorente descubrió que su teléfono no tenía acceso a la red. Ya está, dijo en voz alta, ya lo han hecho. Dejó el desayuno sin acabar, se levantó, subió al dormitorio y su mujer lo siguió enseguida. ¿Adónde vas? Él le explicó que se volvía a Madrid, que tenía que estar en el periódico, que ya le habían llegado rumores de que podía pasar algo así, que había que contárselo a la gente. ¿Y cómo? Cuando Elisa se reunió con ellos en el piso de arriba, su madre estaba apoyada en la jamba de la puerta, con los brazos cruzados debajo del pecho y cara de cabreo. ¿Cómo vas a contárselo a la gente, si no hay internet? Él se quedó quieto, callado, se volvió a mirarla con los dedos congelados en el tirador de la cremallera de la maleta que usaba para los viajes cortos y Elisa contempló en sus ojos un desconcierto absoluto, la sensación de desamparo que asociaría para siempre con la última vez que miró a su padre, porque luego las lágrimas ya no la dejaron verle bien.

Javier Llorente cerró la maleta, la agarró por el asa, pasó al lado de su mujer sin mirarla y bajó las escaleras, pero cuando llegó abajo, gritó el nombre de su hija tres veces desde la puerta de la calle. Ella acudió corriendo, encontró a su padre con los brazos abiertos y se pegó a su cuerpo como si pudiera incrustarse en él, lograr que los dos permanecieran unidos para siempre. En algún momento de aquel abrazo largo, tan intenso que jamás se borraría de su memoria, Cristina Frías se unió a ellos. Su incorporación provocó un desorden de besos y caricias repartidos casi al azar, todos con todos y para todos, como si los tres compartieran un único y macabro presentimiento. Cuidaos mucho, dijo el padre cuando se separaron. Cuídate sobre todo tú, le dijo la mujer al marido. Te quiero mucho, papá, dijo la hija con una voz pastosa de lágrimas y mocos. Después, Javier Llorente se montó en su coche y se marchó. Nunca volvieron a verle.

—Ni vivo ni muerto —solía puntualizar Elisa cada vez que hablaba de lo que para ella seguía siendo la desaparición de su padre.

Tres semanas después los vigilantes les adjudicaron dos plazas en un tren a Madrid. No habían vuelto a tener noticias suyas. Javier Llorente no se había dado de alta en el servicio de búsqueda de personas, no se había puesto en contacto ni con su madre, ni con sus hermanos, ni con sus compañeros del periódico, pero tampoco habían mencionado su nombre en la televisión. Elisa se aferraba a ese dato para conservar la esperanza, porque era hija de un hombre conocido, no exactamente famoso, pero sí conocido, director de un periódico digital, colaborador esporádico en programas y tertulias. Ella sabía que las cosas no iban muy bien entre sus padres, había percibido un fondo turbio en la escena de su despedida, pero también había visto con su madre los informativos en los que habían ido apareciendo las fotografías, los nombres de las víctimas de los altercados, para comprobar que las dos estaban igual de asustadas y que sentían el mismo alivio cada noche, cuando se iban a la cama sin haberle reconocido en la pantalla.

—Tengo miedo —decía Cristina Frías de vez en cuando—, miedo por papá. No tendría que haberse pasado tanto, no tendría que haber escrito...

—Porque es muy valiente.

—¿Valiente? A lo mejor, pero está obsesionado con esa gente y no sabe medir, dosificar las críticas. Están pasando cosas muy raras, para el gobierno también tiene que ser muy difícil gestionar esto, ¿no?

Al principio, Elisa discutía, pero se sentía muy sola, tenía mucho miedo, necesitaba el cariño de su madre y no quería derrochar sus fuerzas en broncas estériles que sólo servían para hundirla un poco más. Por eso, al final se limitaba a decir que no estaba de acuerdo y repetía para sí misma, como un mantra, son unos hijos de puta, unos hijos de puta, unos hijos de puta. Encontró la confirmación definitiva en el buzón de su casa de Madrid, en un sobre remitido por el portavoz del Cuerpo Nacional de Vigilantes.

Fueron juntas al cuartel del Conde Duque, pero el calvo trajeado, extremadamente amable, sugirió a Cristina Frías que sería más apropiado que entrara sola. Cuando la aparcaron en la antesala del despacho, una tétrica habitación de techo altísimo donde no entró nadie en más de media hora, Elisa comprendió que su padre había muerto, que la silla que acababan de ofrecerle representaba un rasgo de compasión por su orfandad y que ella ni huérfana quería compasión de aquella gente.

—Tengo malas noticias —su madre salió del despacho de Lafitte con las gafas de sol puestas, pero Elisa acertó a ver un brillo de humedad sobre sus pómulos—. Papá ha muerto. Asaltaron su coche en el kilómetro doce de la carretera de La Coruña, él intentó resistirse, lo acuchillaron para robarle, la ambulancia no llegó a tiempo... No informaron a las televisiones para preservar nuestra intimidad, porque era un hombre muy conocido —se quitó las gafas para mirar a su hija y su voz tembló—. Estamos solas, cariño. Nos hemos quedado solas.

En ese momento, Elisa tuvo que echar mano de todas sus fuerzas para no desplomarse. Pensó, porque no sabía vivir sin pensar, que la viuda de Javier Llorente no le había querido tanto como ella y, sin embargo, era la que parecía necesitar más consuelo. Pensó que tenía que ocuparse de su madre, empujarla hacia delante, convencerla de que todo iría bien. Ella fue la que paró un taxi, la que se arrastró para situarse detrás del conductor, la que abrazó, besó y consoló a Cristina Frías durante todo el trayecto como si fuera una niña pequeña, su propia hija y no al revés. Cuando llegaron a casa, hizo té para las dos, se sentó junto a ella en un sofá, la cogió de la mano y lloraron juntas, pero el verdadero duelo de Elisa Llorente empezó después, cuando se encerró en su cuarto y lloró a solas hasta que no pudo más.

—No me creo nada —proclamó en el desayuno al día siguiente, en un tono que sugería que había recobrado la serenidad, aunque seguía teniendo los ojos hinchados, rojizos, los párpados blandos como dos ciruelas pasadas—. A esa gente le trae sin cuidado nuestra intimidad. No han querido que se sepa la muerte de papá para que nadie piense que se han cargado a un enemigo político.

Cristina levantó la cara de su taza de café, la miró e hizo una mueca con los labios que su hija no supo interpretar.

—No sabes lo que dices.

Podría haberle pedido que se lo explicara, que le ayudara a entender la razón de ese gesto tan feo, la indignación que se había asociado en su boca con la sorpresa e, incluso, con unas gotas de desprecio para las que no encontraba explicación, pero no se atrevió. Su madre, funcionaria del Ministerio de Exteriores, se fue a trabajar, y durante más de un año escuchó en silencio las elucubraciones de su hija.

—Yo no sé si mi padre está muerto porque no he visto su cadáver, no sé si lo incineraron o si lo enterraron, no sé dónde están sus restos. Nadie me ha enseñado una fotografía de su tumba. No sé nada, sólo que la última vez que lo vi, estaba vivo.

Antes de que se declarara la Tercera Pandemia, Cristina Frías volvió a salir. Quedaba por las noches con sus amigas, decía, y pasaba fuera un par de fines de semana al mes. Durante el confinamiento riguroso, aunque en teoría estaba prohibido, también salía. Había recibido un EPI de última generación y un vigilante subía a buscarla para acompañarla a un coche oficial que la llevaría después de vuelta, para que otro vigilante subiera con ella en el ascensor y la dejara en el recibidor, sana y salva. Aunque podía teletrabajar, porque disponía de un ordenador legal, como se llamaba a los que tenían acceso a la intranet de la Administración del Estado, el único segmento de la red que se había recuperado, tenía que asistir a reuniones y sesiones de trabajo que requerían su presencia. Eso le decía a Elisa, que se consideraba a sí misma más lista que el hambre, pero no se mosqueó hasta que vio cómo el dedo de su madre se posaba en la pantalla, con qué ternura acariciaba la cabeza del calvo sin prestar apenas atención a una tarta maravillosa. En ese momento, lo entendió todo.

—¿Estás saliendo con ese?

Cristina Frías tomó aire, meditó un par de segundos, dijo la verdad.

—Sí. Salimos juntos desde hace más de seis meses.

—¡Mamá! Pero ¿cómo has podido hacer una cosa así? Salir con ese cabrón, uno de los asesinos de tu marido, un pez gordo de este gobierno de mierda, una dictadura, por más... —en ese momento Cristina se levantó y salió del salón sin volver la cabeza—. ¿Adónde vas?

Creyó que había huido para encerrarse en el baño, o en su dormitorio, pero tampoco aquella vez acertó. Cristina volvió a entrar en el salón muy tranquila. Levantó en el aire el papel que llevaba en la mano, se sentó en una butaca, miró a los ojos de su hija y habló por fin.

—Tu padre iba a dejarme, Elisa. Estaba liado con otra mujer. El día que se fue de Cudillero vino a Madrid, pero no por el camino más corto. Se desvió un montón de kilómetros para recogerla en un pueblo de Burgos, donde estaba de vacaciones. Si no lo hubiera hecho, habría llegado aquí de día y no habría pasado nada, pero quería estar con ella, se les hizo de noche, los asaltaron. Él murió en el acto, ella no. La ingresaron en el Clínico y, como estaba consciente, le preguntaron qué quería que hicieran. Internet se había caído, los teléfonos no funcionaban, tu padre estaba muerto, las temperaturas máximas rondaban los treinta y cinco grados, había que hacer algo con el cadáver. La novia de tu padre sabía que estábamos en Asturias, pero no se atrevió a pedir que fuera alguien a avisarnos, o no quiso hacerlo, y decidió que lo mejor era incinerarlo. Dejaron las cenizas en el depósito de la Almudena, y el día que fuimos a ver a Víctor Lafitte, cuando me contó todo esto, decidí yo, por una vez, que lo mejor sería enterrarlas en la tumba del abuelo Llorente, así que ya lo sabes. El portavoz de los vigilantes no informó a las televisiones para que no se conocieran los detalles de la muerte. Pensó en mí, y pensó en ti, y por eso tampoco quiso que escucharas esta historia. Yo no habría querido tener que contártela, porque sé que serías más feliz si pudieras seguir siendo la hija de un superhéroe, pero me he enamorado de Víctor, voy a irme a vivir con él, tengo derecho a ser feliz, creo yo. Mira... —se levantó de la butaca, se acercó a su hija, le tendió el papel que llevaba en la mano—. Aquí tienes el nombre y el teléfono de la novia de tu padre. Seguro que la conoces de la tele. Llámala, si quieres. Habla con ella y que te cuente lo que pasó. Yo no lo he hecho, no tengo ganas de saber... —Cristina Frías dejó de hablar cuando su hija se aplastó contra su cuerpo con la misma furia, la misma desesperación con la que se había abrazado a su padre por última vez.

—Lo siento mucho, mamá —aunque aquella vez no lloró—. Tú no te merecías esto, no te lo mereces. Perdóname, perdóname... Te quiero mucho.

—Y yo te quiero más a ti, cariño.

Pero a veces la verdad no basta para cambiar las cosas.

Al día siguiente, Elisa le pidió dinero a su madre para ir y volver en taxi del cementerio de la Almudena. Había planeado que la visita coincidiera con su media hora diaria de paseo, pero tardó mucho más en volver. La tumba de su familia paterna siempre había sido muy fácil de encontrar, pero aquel día estaba tan alterada que pasó un par de veces por delante sin reconocerla, tan nerviosa que no se dio cuenta de que estaba estrujando más de la cuenta los claveles rojos que apretaba contra su pecho, hasta que los dejó sobre la lápida y comprobó que muchos se habían tronchado. Al volver a casa, le preguntó a su madre si podían poner el nombre de su padre sobre la tumba y ella le dijo que sí, que por supuesto, y le pidió perdón por no haberlo hecho antes. La viuda pagó la inscripción, pero la hija se encargó de todo. El día que volvió a la Almudena para leer el nombre de Javier Llorente grabado para siempre en una placa de granito, volvió a llorar.

Le pareció increíble que unas simples letras en la piedra pudieran contener el amor que había sentido siempre por su padre, increíble que ese amor no se hubiera resentido de la verdad que lo había derribado del heroico pedestal en el que ella lo había encaramado, increíble comprobar que seguía queriéndole, admirándole, necesitándole incluso después de conocer el nombre de su amante, una periodista que presentaba un magacín a duras penas, porque llevaba tanto bótox en los labios que le costaba trabajo abrir la boca. Un hombre capaz de abandonar a su familia por una mujer tan trivial, tan artificial, no merece nada, se decía, ni siquiera piedad. Eso era cierto, y sin embargo ella seguía queriendo a su padre como siempre y hasta más, y no podía evitarlo. Le daba mucha rabia, se sentía muy culpable, pero comprendió a tiempo que se hacía más daño intentando arrancarse ese amor que conservándolo.

Cuando se mudó con su madre al chalé de Lafitte, en el área de residencia especial de Los Peñascales, Elisa Llorente Frías se había clasificado a sí misma entre los materiales resilientes, porque el sufrimiento, lejos de debilitarla, la había hecho más fuerte. El calvo trajeado, que nunca dejaría de ser extremadamente amable con ella, la instaló en un cuarto abuhardillado, muy grande, muy bonito, y la dejó elegir todos los muebles, pero no tardó en descubrir que el lugar donde se encontraba más a gusto era la cocina.

—¡Ay, gringuita! —Cristal la llamaba así porque Elisa era delgada, escurrida de caderas y bastante más alta que ella, porque tenía la piel blanca y una melena castaña en la que el sol dibujaba mechas rubias en verano—. Pero ¿ya quiere venirse usted otra vez conmigo? ¡Ande a buscarse amigos de su edad para pasarla bien de verdad!

Pero Elisa se lo pasaba bien con Cristal, y aún mejor cuando se reunía con sus amigas, Yénifer, Dayana, Peguisú, Eipril, hondureñas, dominicanas, colombianas que escribían sus nombres como los pronunciaban, que hablaban como en las letras de los reguetones, que se reían mucho, y muy alto, cuando se juntaban en el parque los jueves por la tarde. Y lo que más le gustaba, aunque sólo se atrevía a hacerlo cuando Víctor y su madre no estaban en casa, era irse con ellas los domingos al centro comercial y bailar en el Música Caliente hasta que no podía más. Todas las chicas querían mucho a Elisa, todas sabían que necesitaba tener sus propios amigos. Y se confabularon a sus espaldas para lograrlo.

—Véngase conmigo, gringuita.

Un jueves, Yénifer la cogió del brazo y la llevó a una zona del parque donde había mesas y bancos para hacer pícnic.

—Santiago —se dirigió a un chico alto, moreno, que se había apresurado a esconder un porro cuando la vio llegar—, mire usted acá. Esta —la agarró del brazo para empujarla hacia delante— es Elisa, la hija de la esposa del señor Lafitte. Acaba de llegar, no conoce a nadie y pues, he pensado que podría ser amiga suya y de Blanca —se dirigió a la chica sentada en el banco de enfrente—, ¿les parece? Ustedes le enseñan todo esto, la llevan al centro comercial... ¿Sí?

Al principio, Elisa echó de menos a las chicas. Luego Santiago empezó a coquetear con ella, Blanca empezó a llamarla para proponerle ir de compras, se acostumbraron a estar los tres juntos y acabaron haciéndose muy amigos.

Pero cuando descubrió que ambos se tragaban sin masticar cualquier cosa que hubiera contado la televisión, la hija de Javier Llorente comprendió que no podía confiar en ellos. Y nunca les contó que todo, hasta su vida, era mentira.

Después de la victoria, el Gran Capitán se instaló en el ático de la sede nacional del MCSY.

En aquel partido que no era un partido, aunque aún lo parecía, el ocupante del último piso se convirtió muy pronto en una figura legendaria, enigmática y fantasmal a partes iguales. Juan Francisco Martínez Sarmiento, que subía a su despacho desde el garaje en un ascensor privado que no utilizaba nadie más, oficialmente nunca había estado allí. Sólo dos personas estaban autorizadas a penetrar en sus dominios. Una era la presidenta nacional del Movimiento Ciudadano ¡Soluciones Ya!, doña Megan García Silvestre. El otro era un mayordomo personal que atendía las necesidades del Gran Capitán a través de una brigada de camareros y recaderos que nunca pasaban de la puerta. Por no haber, en el ático ni siquiera había una secretaria y, sin embargo, todas las semanas, los hombres y mujeres más poderosos del país ingresaban en la sede del MCSY por una puerta lateral, para tomar el único ascensor del edificio que llegaba al séptimo piso. Todo estaba perfectamente planificado para que nadie los viera entrar ni salir, pero ninguna de las dos recepcionistas que los recibían era de piedra. Las dos tenían lengua y les gustaba usarla de vez en cuando.

—Tampoco se la vamos a arrancar, ¿no? —el Gran Capitán sonreía a las quejas de su asesora—. Déjalas que hablen, ya se acostumbrarán.

Megan tenía razones para quejarse, porque su posición era muy incómoda. Incluso los miembros peor informados del aparato del partido estaban al tanto de que, a pesar de su cargo, la máxima autoridad nacional del MCSY no daba un paso sin consultarlo antes con el misterioso inquilino del ático. Quienes habían sido seleccionados por ella sabían algo más. La habían conocido como asesora del gran hombre que ahora prefería permanecer en la sombra. Y también tenían lengua.

—Ahí es donde tendría que haberme quedado yo, jefe, en la sombra. Nunca debería haberte hecho caso. Tengo la sensación de que no me toman en serio, y nunca me ha importado ser una empleada, al contrario, tú lo sabes, pero como se me suban a las barbas...

—Megan, Megan, Megan —el Gran Capitán levantaba una mano en el aire para hacerla callar—. ¿Quién se te va a subir a las barbas a ti, con lo que mandas? Vamos, que no me entere yo —se reía y hacía reír a la presidenta nacional de su partido—. Ahora tenemos que estar muy concentrados en lo que hay que hacer, ¿no?, ocuparnos de lo importante. Y después, cuando todo esté encarrilado, yo me iré a mi casa y tú podrás hacer lo que prefieras. Quedarte aquí, como una reina, o irte a vivir a una isla tropical para aburrirte de tomar el sol y hacer surf con tus niños. Te lo prometo.

Megan García sabía que su jefe jamás había dejado de cumplir una promesa. Con la misma exigencia fue cumpliendo, punto por punto, el programa que había mantenido oculto para quienes tendrían la misión de ponerlo en práctica. Durante muchas semanas, las verdaderas sesiones del Consejo de Ministros del gobierno de España se celebraron los jueves en la sala de reuniones contigua a su despacho. Allí, los ministros seleccionados para cada ocasión apuntaban en sus agendas lo que tenían que hacer o decir al día siguiente en la Moncloa. A las reuniones de los jueves asistían también los secretarios de Estado, la auténtica guardia pretoriana del Gran Capitán.

No solo los había escogido en persona, uno por uno, entre los nombres de la última selección, el casting final de políticos despechados que constituía la obra maestra de la señora García. Además se había tomado el trabajo de seducirlos. Los había agrupado por sectores para convocarlos a comidas íntimas en reservados de restaurantes caros pero discretos, mucho más exclusivos, más elegantes que los locales donde les había presentado a quienes podrían llegar a ser sus respectivos ministros. Les había halagado exagerando su importancia, su capacidad, en la misma medida en la que expresaba su desconfianza por los hombres y mujeres que integrarían el nuevo gobierno. Les había dicho que para él representaban el eslabón más valioso de la cadena, que estaría perdido sin su lealtad, que el verdadero poder quedaría en sus manos y no en las de las marionetas con cartera que posarían ante las cámaras. Confiaba mucho más en ellos, en ellas, que en los candidatos que habían dado la cara, y por eso iba a pagarles muchísimo mejor.

—Ya sabéis que no hay nada más peligroso que los tontos útiles —les confesó en un tono de amistosa complicidad, antes de empezar a dar instrucciones—. De entrada, porque el poder puede persuadirles de que no son tan tontos. Algunos, incluso, se atreverán a creer que si han llegado tan lejos es porque son listos, y empezarán a tener ideas. Luego considerarán que sus ideas no tienen por qué ser peores que las de los demás y en ese momento, no sólo dejarán de ser útiles. Se convertirán en un problema, porque intentarán aferrarse al poder para desarrollar su propio proyecto y no el nuestro —después de dejar caer un pronombre posesivo perfectamente calculado, solía hacer una pausa dramática para mirarlos—. Y eso es lo último que nos conviene, creo yo. ¿Está claro?

—Transparente —respondió José Federico Miralles en la comida de los secretarios de Estado de Interior—. Creo que hablo en nombre de todos —y nadie le desmintió.

—Pues en ese caso, ya sabéis lo que tenéis que hacer. Espero que os peguéis a vuestro ministro, que os encarguéis de que no se salga ni un milímetro del guion. Y que me aviséis ante el menor contratiempo, por supuesto.

—Amén —remachó Fede, que era el más pelota de todos.

Las primeras decisiones que tomó el gobierno del MCSY fueron tan espectaculares como incoherentes entre sí. Nunca en la historia habían coexistido medidas tan antagónicas como la implantación de un salario social digno de la época más próspera de la socialdemocracia escandinava y una sustancial bajada de impuestos directos. La cuantía de las becas académicas, las ayudas familiares y los subsidios de desempleo aumentó al mismo ritmo que los fondos destinados a rentabilizar el cierre de comercios y pequeñas empresas, unas subvenciones tan absurdas que jamás habían existido previamente. La popularidad del gobierno creció como la espuma. Las sospechas de que tenía que haber gato encerrado también. El Gran Capitán no se preocupó y siguió adelante con la construcción de su nuevo estado. La disolución por decreto de las oenegés se vio compensada por el anuncio de una institución nueva, el Cuerpo Nacional de Voluntarios para la Repoblación de la España Vaciada, que en una fecha próxima, aún sin determinar, reclutaría a hombres y mujeres jóvenes interesados en resucitar las zonas rurales y devolver la vitalidad a los pueblos abandonados. El endurecimiento de las condiciones de entrada de los trabajadores inmigrantes coincidió en el tiempo con las primeras nacionalizaciones, insólitos acuerdos entre el gobierno y las grandes empresas, cuyos dueños cedían al Estado el control de su producción, para ponerla al servicio del país durante un periodo prorrogable de quince años sin renunciar a la propiedad, una medida que, según la propaganda del MCSY, optimizaría los recursos, abarataría los costes y redundaría en beneficio de todos los españoles. Muchos analistas alertaron del carácter fascista de esa iniciativa, pero se equivocaron. El Estado español no se estaba convirtiendo en un organismo fascista sino en una empresa privada, aunque nadie estaba en condiciones de afirmarlo porque los términos de las nacionalizaciones que pusieron la nación al servicio de los dueños de las grandes compañías, y no al revés, nunca se hicieron públicos. Pese al secreto, la oposición al nuevo gobierno obró el milagro de reunir en una sola trinchera a los grandes partidos tradicionales de izquierda y de derecha. Y las visitas al ático de la sede del MCSY cambiaron de sentido.

—Los sindicatos nos están jodiendo —el secretario de Estado de Industria fue de los primeros en quejarse.

—Las sesiones de control son un infierno —el presidente del Gobierno tenía muy mala cara—. No sé cuánto tiempo podremos aguantar así.

—Ese Javier Llorente es un hijo de la gran puta —Ana Goicoechea estaba muy guapa cuando se indignaba—. Tenemos que hacer algo, Juanito.

—Esperar —él daba la misma respuesta a todas las quejas—. Hay que esperar, aguantar seis meses, no más. Tenemos que conservar la calma hasta primeros de agosto. En ese momento, todo se arreglará.

—¿Y cómo lo sabes?

—Porque lo sé —el Gran Capitán sonreía a modo de despedida—. Yo lo sé todo.

La situación llegó a ser tan peliaguda que Megan García le propuso que adelantara los plazos, pero su jefe se negó. Tenía doscientos treinta y cuatro diputados, a sus votantes entregados y mucho que hacer todavía. Antes de agosto debía completar un proceso que resultaría vital para la correcta marcha de los futuros acontecimientos.

En el mismo instante en el que llegó al poder, el gobierno del Movimiento Ciudadano ¡Soluciones Ya! puso en marcha una gigantesca oferta de empleo público a la que no se dio publicidad. El Gran Capitán optó por un procedimiento semejante al que Megan García había empleado previamente para reclutar a hackers, virólogos, politólogos, despechados y candidatos electorales. La presidenta nacional del MCSY volvió a activar a su equipo de cazatalentos y los dirigió hacia dos sectores específicos, la seguridad privada y la psicoterapia. Lo primero lo entendió. Lo segundo no, pero su jefe sólo le dijo que los españoles lo iban a necesitar.

—Es muy arriesgado —José Luis Santisteban, antiguo coronel de la Guardia Civil reciclado en próspero emprendedor del sector privado, frunció el ceño—. Mi personal está formado, son personas responsables, profesionales, pero no llegan ni de lejos al nivel de la Benemérita o de la Policía Nacional.

—Estamos construyendo un estado nuevo —Megan García, que estaba de acuerdo con él, recitó como una cinta grabada los argumentos de su jefe— y no podemos conservar las instituciones que han estado al servicio de la vieja democracia corrupta. No se trata de reemplazar a todo el personal, sino de formar jefes, mandos capaces de instruir a los actuales miembros de las Fuerzas y Cuerpos de Seguridad del Estado que se incorporen en el futuro a la nueva institución.

—A eso voy —insistió Santisteban—. Es muy difícil que los que no saben enseñen a los que saben.

—Pues usted verá. Lo toma o lo deja.

Y Santisteban lo tomó.

En el mes de junio, la oposición al gobierno habría sido clamorosa si los abucheos de ciento dieciséis diputados hubieran podido tapar los aplausos de doscientos treinta y cuatro.

En el mes de julio, los medios de comunicación independientes, periódicos y radios digitales, se aliaron con las centrales sindicales y los partidos tradicionales para prometer un otoño caliente.

El primer sábado de agosto murió internet y se hizo un silencio absoluto.

—Os lo dije.

El Gran Capitán, tumbado en una hamaca junto a la piscina, desde la terraza de su mansión de Mallorca, levantó una copa de champán para brindar primero con el mar, luego con el cielo.

—¿O no os lo dije?

Jonás González Vergara estaba preparado para enfrentarse con su terapeuta.

Antes de recibir un mensaje con la fecha y la hora de su cita a través de un móvil 7AP comprado expresamente para la ocasión, había sacado todos los edredones, sábanas y toallas que guardaba en el arcón de su cama. Allí había ido depositando, con menos mimo que amor verdadero, los que estaban a punto de convertirse en sus dos portátiles ilegales, un par de discos externos, tres pantallas, dos *smartphones* antiguos y el que había utilizado hasta el Gran Apagón, altavoces, ratones y otros artilugios que, en apariencia, ya no le iban a servir de nada. Los había cubierto muy bien con dos edredones antes de bajar la cama, y había amontonado un montón de ropa encima. Después llevó al recibidor lo que había desechado, un *smartphone* con la pantalla hecha pedazos, una impresora que no funcionaba desde hacía diez años, un ratón, dos altavoces destripados y el portátil de Lucía. Eso le jodió, porque estaba nuevo. Nadie había llegado a encender siquiera aquel equipo desde que se lo llevó de la tienda envuelto para regalo, pero no era verosímil que un hombre como él no tuviera un portátil, y los que acababa de esconder eran mejores.

Hasta que todo se fue a la mierda, Jonás, que había cambiado el orden de sus apellidos para que no pareciera el nombre de una peluquería o de un modisto de señoras, tenía un trabajo que le encantaba en una productora que se dedicaba exclusivamente a la animación audiovisual. Había creado animaciones para publicidad, para cine y para televisión, se había encargado de los efectos especiales digitales de muchas películas, había intervenido en seis largometrajes de animación y había dirigido dos cortos del mismo género. Le habían nominado dos veces a los Goya y había ganado uno antes de cumplir los treinta. Era, en general, un hombre feliz y, quizás por eso, el mejor amigo de su atribulado jefe.

—Hazme un favor, Woody.

Cuando le contrató, Jesús le dijo que se daba un aire a Woody Allen y Jonás estuvo a punto de despedirse antes de empezar a trabajar. Hacía muchos años que no soportaba el cine de Allen, pero sobre todo odiaba que le dijeran que se parecían, y su jefe no había sido el primero. Jonás era más alto que Woody y ligeramente más corpulento. Tenía el pelo castaño claro, no pelirrojo, desde luego rizado, pero tan abundante que se lo recogía en una coleta. Jamás había llevado gafas de pasta. Y andaba erguido. En su opinión, eso debería haber sido suficiente para terminar con la bromita.

—La próxima vez que me llames Woody te meto una hostia.

—Vale, pues Jonás —su jefe, que más allá de los cuarenta seguía teniendo cuerpo de campeón de lucha libre, sonrió—, pero hazme un favor...

Jesús estaba casado con la socia mayoritaria del estudio. Jesús estaba enamorado de Lucía, empleada de la consultoría que se encargaba de la empresa. La mujer de Jesús estaba tan segura de que su marido le ponía los cuernos que se levantaba de madrugada para revisar su móvil, su correo y hasta el estado de su tarjeta de crédito. Jesús no la soportaba, pero no la dejaba, Lucía le daba un ultimátum detrás de otro, su mujer le llamaba gilipollas a diario y Jonás estaba hasta los cojones de estar en medio. Y sin embargo le hizo el favor.

En sus últimas visitas a la gran tienda de informática de la plaza del Carmen donde solía comprar, a Jonás le habían ofrecido los servicios de una asesora personal nueva, listísima y supereficaz, para que los declinara una y otra vez. A él le gustaba configurar sus propios equipos y no toleraba que los tocaran unos dedos que no fueran los suyos, pero después de pagar con su tarjeta de crédito el regalo de la amante de su jefe, se dio cuenta de que no tenía ni idea de la configuración básica que preferían las personas normales. Cuando se lo explicó con estas mismas palabras a la chica morena, demasiado joven para su reputación, que llevaba prendida en la blusa una tarjeta que la identificaba como Paula Tascón, ella se echó a reír con muchas ganas.

—¿Tú no eres una persona normal?

—No —respondió Jonás—. Yo soy un sabelotodo.

—Así me llaman aquí —Paula sonrió—, sabelotodo.

Si Jonás no fuera amigo de Jesús, si no tuviera información de primera mano sobre las amargas contrapartidas que podían llegar a generar las infidelidades, si no viviera con Susana, si Susana no tuviera tan mal carácter, al salir de la tienda habría reconocido que esa chica le gustaba. Cuando volvió a recoger el portátil, y ella se ofreció a enseñarle lo que había instalado, y se sentó a su lado para vigilar con el rabillo del ojo el armonioso vaivén que su respiración imprimía a dos tetas monumentales, no le quedó más remedio que preguntarse si serían tan duras, tan elásticas como parecían, y se perdió la mitad de la explicación. Al final, ella le preguntó si estaba satisfecho y él respondió que estaba encantado. Pulsó la carita más sonriente que había en el dispositivo de valoración de la atención al cliente y ella le premió con la sonrisa más prometedora que recordaba haber contemplado en su vida. Qué pena, pensó mientras se despedían. Y no volvió a ver a aquella chica, pero tampoco la olvidó.

Jesús le pagó el portátil en metálico y en varias entregas, con el dinero que iba ahorrando en sus visitas a los cajeros automáticos, pero nunca llegó a entregarle el regalo a Lucía. Su amante le había dado tantos ultimátums que no acertó a distinguir el definitivo. Ella le dejó dos semanas antes de su cumpleaños y él se deprimió tanto que ni siquiera recogió el portátil. Después del verano hablamos, le dijo a Jonás cuando se fueron de vacaciones. Pero aquel verano fue el del Gran Apagón, que arrasó con todo y con la palabra *después*.

—Buenas tardes —al sonreír, le enseñó dos hileras de dientes irregulares pero blanquísimos, antes de estrechar su mano con más fuerza de la que él había calculado—. Jonás González, ¿verdad? —y sonrió de nuevo, con tanto empeño que sus labios se deformaron en una mueca casi dolorosa—. Yo me llamo Leticia y soy tu terapeuta personal. He venido a anunciarte que —levantó una mano en el aire para dibujar la V de la victoria con dos dedos— todo va a mejorar.

El gobierno del MCSY había anunciado profusamente que el desconfinamiento de la Tercera Pandemia traería dos grandes novedades. La primera había sido la inauguración de unos gigantescos centros comerciales, estratégicamente situados para abastecer a todos los barrios y protegidos por las cúpulas transparentes que poco a poco se habían ido apoderando del horizonte. En esos segmentos de ciudad, donde toda clase de comercios y servicios se habían instalado en los edificios preexistentes, se podía pasear como antes, con toda libertad y ningún dispositivo de protección, gracias a unos enigmáticos sistemas que garantizaban la perpetua desinfección del aire y lo blindaban frente a los virus. La segunda novedad, denominada Gran Terapia, había llevado hasta la casa de Jonás a aquella cuarentona teñida de rubio, maquillaje subido, manicura estridente, cascada de rizos hasta la cintura, cuyos tacones altísimos no lograban equilibrar su menudencia. Si tuviera que dibujarla, pensó Jonás mientras la veía pasear por su salón, sería un gorrión hormonado, travestido de *drag queen*.

—Oye, qué piso más ideal. ¿Es tuyo?

—Sí —Jonás recordó que le convenía comportarse con naturalidad y le devolvió una sonrisa tímida—. Lo compré hace unos años, cuando esta zona de Lavapiés todavía era asequible... —e hizo una pausa para advertirse a sí mismo que la fortuna ayuda a los audaces—. ¿Quieres que te lo enseñe?

—¡Ah! Pues claro —el entusiasmo no le estorbó para sacar del bolso una libreta y un bolígrafo que no había mostrado hasta entonces—. ¡Qué buena idea!

El piso de Jonás tenía un salón, una cocina, tres dormitorios, un baño y un aseo. Temió que Leticia comentara que era demasiado grande para una sola persona, pero no dijo nada. Tampoco comentó la pila de ropa que cubría el edredón de la cama de matrimonio, ni siquiera cuando él le dijo que le había pillado ordenándola, pero al entrar en el estudio señaló con el dedo el ordenador.

—Esto me lo llevo, ¿no?

—Nonononooo —Jonás tuvo que pararse a respirar—. No puedes llevártelo porque es legal, es decir, es mi herramienta de trabajo, y ni siquiera es mío, es de la televisión pública, yo soy...

—¡Ah! Ya —ella consultó sus papeles y apuntó algo en su libreta—. Sí, consta en la documentación, lo que pasa... —después de dos o tres segundos de ceño enfurruñado, volvió a sonreír—. Tienes un trabajo muy raro, ¿no? ¿A qué te dedicas exactamente?

El Gran Apagón se había llevado la productora por delante, pero la situación se había reconducido tan deprisa como si todo estuviera calculado previamente. Jonás apenas cobró dos meses de paro. Después, poco antes de la Tercera Pandemia, Jesús fue a verle para contarle que la televisión pública, que llevaba años cortejándole en vano para que desarrollara proyectos de animación infantil, le había hecho una extraña oferta por la empresa. Él no habría querido vender, pero las condiciones eran muy buenas. Jesús y su mujer conservarían el cuarenta y nueve por ciento de la propiedad, cobrarían más dinero de lo que valía el cincuenta y uno por ciento restante y se dedicarían en exclusiva, durante cinco años renovables, a producir cine y series de animación infantil para la tele. No es lo ideal, reconoció, pero tal como están las cosas, no me quejo. A Jonás González Vergara no le interesaba mucho la animación infantil. Su jefe lo sabía, pero no quería renunciar a él, y le ofreció una solución que le habría parecido aceptable incluso si hubiera tenido otra opción.

—Soy creador de animaciones digitales —explicó—. O sea, hago dibujos animados, para que me entiendas. Trabajo para la tele haciendo animaciones en dos canales distintos, uno infantil, a través de mi antigua productora, y otro dedicado a producir documentales sobre la Historia de España.

—¡Ah! —la terapeuta le miró con interés por primera vez—. ¿Tú eres el que hace que los retratos de los reyes hablen y los ejércitos de los cuadros se muevan?

—Exactamente —y sonrió sin esfuerzo, porque esa era la parte de su trabajo que más le gustaba.

—¡Ah, me encanta! —escribió algo en su libreta y giró sobre sus talones—. Pues entonces todo esto lo dejamos aquí, por supuesto.

Miró por encima el cuarto de invitados, una cama de matrimonio y una mesa vacía que muy pronto se convertiría en la pieza más importante de la casa, y volvieron al salón. Jonás le ofreció un café, ella lo aceptó y, al verle llegar con una bandeja entre las manos, le señaló con el índice el lugar donde debía sentarse. Él escogió la otra punta del sofá sin decir nada y ella se levantó para ocupar la plaza que su paciente había desdeñado.

—Bueno, vamos a lo importante —proclamó—. El objetivo de la Gran Terapia es favorecer la felicidad de todos los españoles en esta época tan dura, en la que lo estamos pasando tan mal. Por eso, nuestro lema es «Todo va a mejorar». Te he traído... —volvió a abrir el bolso y sacó un envoltorio de plástico con una camiseta, un imán para la nevera, algunas pegatinas y un par de chapas de metal, todo rotulado con la misma frase—. Esto es para que no olvides que tenemos un gran futuro por delante y que vamos a salir de esta, ¿de acuerdo?

—Sí —Jonás sacó una de las chapas blancas, con letras azules y rojas que había en el paquete y se la tendió—, pero me gusta más la tuya. Cámbiamela.

—No puede ser —ella tapó con la mano la chapa roja, con letras blancas y azules, que llevaba prendida en la solapa, y se apresuró a corregir una expresión de alarma que no pasó desapercibida para su interlocutor—. Estas son sólo para los terapeutas, es como una insignia profesional, ¿comprendes? No puedo dársela a nadie.

—Ya, ya... —después de comprobar que un micrófono oculto en la chapa de la terapeuta debía de estar grabando la conversación, enganchó una de las chapas blancas en su camisa—. No pasa nada.

—Muy bien, pues entonces... —se paró a apuntar unas palabras en su libreta, levantó la cabeza, le miró a los ojos—. Dime una cosa, Jonás. ¿Eres feliz?

—Sí.

Y una mierda, se dijo a sí mismo mientras sostenía la mirada de aquella mujer con la expresión más bobalicona de su repertorio. A aquellas alturas ya no echaba de menos a Susana y hasta le parecía mentira haber sufrido tanto por no haber podido localizarla. Su novia estaba de vacaciones en un pueblo de Levante y no tenía previsto volver a Madrid. Eso le dijo cuando logró encontrarla, que iba a quedarse en Valencia, con sus padres, porque había perdido el trabajo. Él intentó convencerla de que los asesores fiscales ya existían antes de internet, pero ella le respondió que no sabía hacer nada sin un ordenador entre las manos, que tenía que replantearse su vida, empezar otra vez, y Jonás acabó distinguiendo un eco preciso en sus enrevesadas explicaciones. Susana había llegado a Madrid huyendo de un novio que la había dejado por otra, y en más de tres años no había llegado a olvidarle por más que afirmara lo contrario, pero, después del Gran Apagón, lo reconoció todo muy deprisa. Sí, Jimmy la había buscado. Sí, le había pedido perdón. Sí, estaban juntos y por eso no iba a volver a Madrid. Jonás González Vergara se abandonó durante dos días y medio a una furia rojiza, sorda y ciega. Luego volvió en sí y comprendió que no era para tanto.

Susana no había sido el factor decisivo de su felicidad perdida, porque no la añoraba tanto como otras cosas. Trabajar en una empresa independiente. Hacer sus propios cortos de animación. Los atracones de series de Netflix y HBO que se pegaba a solas, de madrugada, los fines de semana. Los memes animados con los que triunfaba con seudónimo en Twitter. Las escapadas con Jesús para emborracharse juntos al ritmo de sus quejas amorosas. La emoción de publicar en YouTube anticipos de su trabajo para coleccionar me gustas. Y andar por la calle, cojones, andar simplemente, sin escafandra, sin mascarilla, sin miedo y sin dar miedo a los demás. Esas eran las carencias que le hacían infeliz, aunque tenía que reconocer que, entre unas cosas y otras, también había dejado de follar, y en eso sí que echaba de menos a Susana. Sin embargo, cuando respondió a la terapeuta no mentía del todo. Desde hacía algunas semanas tenía un plan, un proyecto ambicioso, excitante, que estaba deseando desarrollar, aunque sólo podría abordarlo cuando aquel gorrión hormonado y disfrazado de *drag queen* saliera por la puerta de su casa de una puta vez.

—Está muy bien que te sientas feliz, Jonás —Leticia suavizó el tono para proseguir con un acento casi compasivo—, pero me preocupa que estés tan solo. Tienes... —miró sus papeles— treinta y tres años, ¿no? —Jonás asintió, acababa de cumplirlos—. Tus padres viven en un pueblo de Guadalajara, tu hermana en Londres. ¿Te llevas bien con tu familia?

—Muy bien —al fin pudo decir la verdad dos veces seguidas.

—Pero os veis poco, claro, y además antes tenías pareja, Susana Puig, ¿verdad? —y encadenó una tercera mientras la terapeuta consultaba su documentación—, pero por lo que veo, se ha casado en Valencia con otro hombre.

—Sí, lo sé —hasta que volvió a mentir—. Nos llevamos muy bien.

—De acuerdo —ella anotó algo más y cerró la carpeta—. Pero vuelvo a insistir en que vivimos tiempos difíciles, y es importante que seamos proactivos, que trabajemos a favor de nuestra propia felicidad y eliminemos todo aquello que nos cause tristeza. Por eso requisamos los equipos informáticos, los teléfonos móviles que no sirven para nada, excepto para crearnos frustración, angustia. La red volverá algún día, pero será tan distinta que nada de lo que hemos conocido hasta ahora servirá. Vamos a ver tus equipos, ¿quieres? Los valoraré y te daré un vale para el Día de Compras sin fecha de caducidad —hizo una pausa para mirarle y volvió a sonreír—. Me has caído muy bien, Jonás. Seré generosa.

—¡Qué bien! —había estado a punto de contestar ¡yupiii!, pero se mordió la lengua en el último instante—. Muchas gracias.

Al entrar, había dejado en el recibidor un contenedor de plástico negro con ruedas en el que arrojó el portátil de Lucía y el resto de los aparatos que Jonás había apartado para ella. Después sacó un talonario, arrancó un vale de mil quinientos euros y se lo tendió con una nueva y radiante sonrisa.

—Aquí tienes. Tardaremos algún tiempo en volver a vernos, porque la Gran Terapia acaba de empezar. Tenemos que llegar a todos los españoles y españolas, así que se me acumulan las visitas, pero en la próxima sesión te hablaré de una iniciativa que te conviene mucho y tal vez habremos podido poner ya en marcha, los Encuentros para Mejorar.

—¡Todo para mejorar! Qué barbaridad.

—Pues claro que sí —la terapeuta no dio señales de haber captado la ironía—. Para eso estamos.

Después de despedirla, el dueño de la casa cerró la puerta, se apoyó en ella y descansó un par de segundos. Luego se puso en marcha.

Cuando firmó un contrato con la televisión pública, Jonás González Vergara se convirtió en uno de los escasos privilegiados que podían teletrabajar desde un ordenador con acceso legal a la red, y eso sólo podía significar que la red seguía existiendo. Le habían explicado que la intranet de la Administración del Estado era una frágil, milagrosa superviviente del ataque terrorista que había tumbado internet en España, pero no se lo creyó. Le habían facilitado un equipo muy potente, con las últimas actualizaciones de las herramientas imprescindibles para su trabajo, alegando que no existía ninguna clave de acceso que él pudiera activar desde sus propios equipos. Y le habían advertido que cualquier intento de alterar la configuración de seguridad del aparato que estaba a punto de recibir en depósito, sería detectado de inmediato y castigado con quince años de cárcel. Pero nadie había dicho nada acerca de la posibilidad de curiosear un poco conectándose desde otro ordenador, y después de deshacerse de Leticia, Jonás seguía teniendo dos. Tenía además dos memorias externas que le permitirían crear una red de ordenadores virtuales que podría tejer y destejer todas las veces que quisiera ante el menor indicio de detección.

No sabía muy bien qué iba a hacer, ni cómo iba a hacerlo, porque su extensa sabiduría estaba limitada a la animación digital, pero tampoco estaba dispuesto a desanimarse. Antes de que terminara aquel día, la persiana del cuarto de invitados ya estaba bajada casi por completo, una posición en la que permanecería durante más de dos meses, hasta que la inminencia de su segunda sesión de terapia le animara a volver a subirla. Mientras tanto, los vecinos con quienes compartía patio le vieron trabajar en su estudio, con su ordenador legal, pero nunca descubrieron la mesa que sostenía el emporio informático ilegal que le devolvió a un estado muy parecido a la felicidad. Hasta que Leticia volvió a llamar al timbre con un formulario en la mano.

—¿Y si no quiero ir? —le preguntó después de rellenarlo.

—¿Y por qué no ibas a querer? —la terapeuta fabricó una risa forzada que le salió regular—. No seas problemático, Jonás, lo que te ofrezco son sólo encuentros, fiestas a las que, en tu caso, invitamos a hombres y mujeres heterosexuales que están solos, que perdieron a sus parejas en el Gran Apagón o después, y que no tienen fácil empezar otras relaciones, porque entre la pandemia, el confinamiento riguroso, el confinamiento normal, el desconfinamiento... No es fácil, Jonás, eso tienes que reconocerlo, ¿o no? —a él le habría encantado oponerse, pero no encontró motivos para hacerlo—. Claro que sí. Y nosotros no intervenimos en nada. Nos limitamos a hacer una lista de invitados con personas que están solas y que tienen intereses y aficiones compatibles, por eso te he dicho que te convenía ser muy sincero al rellenar el formulario, pero ligar no es obligatorio, como comprenderás. Cuando recibas la invitación, te acercas al hotel, te tomas una copa gratis, paseas entre la gente... Si me permites que te lo diga, físicamente no estás nada mal. Para modelo no valdrías, pero te das un aire a Woody Allen y hay mujeres a las que les encanta, ya lo sabes. No eres bajo, eres flaco, eres joven... Me parece imposible que no haya en la fiesta ninguna mujer que se fije en ti. Y si a ti no te gusta ninguna, te vuelves a casa y ya está.

—Pero ¿puedo escoger no ir? —insistió él, mientras una ansiedad desconocida se apoderaba de repente de su estómago.

—Podrías —ella se puso seria para que él tuviera que resistirse al oscuro impulso de meterle una hostia en aquel mismo instante—, pero me decepcionarías muchísimo, y mi decepción constaría en tu expediente. Sería un punto negativo, y eres un empleado público, con un buen trabajo, un buen sueldo... Te conviene ir, hazme caso.

Cuando Jonás González Vergara empezó a frecuentar los Encuentros para Mejorar, estaba convencido de que el asesino de internet era un virus o, mejor dicho, una familia de virus, un mecanismo tan perfecto, tan sofisticado, que mutaba cada pocas horas, generando un antivirus específico en cada mutación. No sabía cómo meterle mano a eso, pero tenía mucho tiempo libre y los Encuentros no le quitaron mucho.

En los tres primeros, se deshizo sin demasiado esfuerzo de las mujeres que se le acercaron. En el cuarto ligó con una mujer mayor que él y subieron a una habitación. Echar un polvo le sentó muy bien, pero ninguno de los dos encontró después ningún tema del que hablar. En el quinto tenía esperanzas de repetir, pero no hubo suerte. Y en el sexto, de repente, la encontró.

Estaba acodada en la barra, con sus piernas larguísimas, su melena corta, negra, de chica japonesa, y una camiseta oscura que resaltaba el vertiginoso perfil de sus tetas. Cuando le vio acercarse, sonrió. Él recuperó en un instante la promesa que había adivinado en sus labios y se puso tan nervioso que olvidó cómo se llamaba.

—Hola, sabelotodo.

—¡Hombre! —Paula, se llamaba Paula, recordó a destiempo—. Sabelotodo y más, me alegro de verte.

—No tanto como me alegro yo de verte a ti, seguro. ¿Una copa?

—Por favor.

Y así empezó mucho más que una historia de amor.

En el desconfinamiento de la Tercera Pandemia, cuando ya tenía España bajo control, el Gran Capitán se instaló en Bruselas.

Durante los largos años que había necesitado para poner en marcha su plan, se había reunido muchas veces con sus homólogos europeos, inspiradores de otros regímenes políticos que compartían el mismo fin, aunque habían usado medios muy diferentes para lograrlo. No todos se habían tomado el trabajo de fundar un partido y ganar unas elecciones. Entre quienes habían optado por la vía democrática para asaltar el poder, abundaban las opciones ideológicamente definidas, ligadas sobre todo a la tradición fascista, tan atractiva para los votantes de países que un siglo atrás habían sido satélites del imperio de Moscú. Al Gran Capitán no le gustaban, pero se entendía mejor con ellos, personas de orden con un pensamiento sólidamente estructurado, que con los líderes de movimientos populistas, piratas, neohippies y verdes radicales, que habían impulsado ciertos empresarios escandinavos y de otros países del norte de Europa. El caso es que estos últimos le caían más simpáticos, pero no soportaba su costumbre de empezar a hablar sin haberse parado previamente a pensar en lo que iban a decir. El Movimiento Ciudadano ¡Soluciones Ya! no se parecía demasiado a ninguna otra formación política europea, pero su camino hacia el poder le emparentaba con los populistas antes que con los fascistas. El presidente del Gobierno de España, al que Juan

Francisco Martínez Sarmiento llevaba a Bruselas de vez en cuando, como los ventrílocuos que viajan con sus muñecos en una maleta, solía sentarse entre su colega italiano, tan fascista como populista, y su colega sueco, tan populista como pirata, en las reuniones de jefes de gobierno. A las otras, las importantes, el Gran Capitán iba solo.

Habían fijado un calendario y lo habían cumplido. Habían completado una travesía muy larga y con rachas de muy mala mar, un viaje erizado de peligros, hundido en simas y escarpado de montañas en las que, por momentos, temieron perder a algún miembro de la expedición, pero habían logrado conquistar el objetivo todos juntos, para enarbolar por última vez la bandera de la Unión Europea en el pico más alto. La liquidación del espacio común tuvo lugar en un acto formal, sin periodistas, sin fotógrafos, sin discursos, pero con todos los Estados miembros representados por hombres y mujeres que no eran precisamente sus jefes de gobierno. En 1991, tres borrachos habían disuelto la Unión Soviética mientras sudaban vodka en una sauna. El Gran Capitán y sus colegas se comportaron con más seriedad, pero el resultado fue el mismo.

—¿Y cómo voy a explicar yo esto?

Al día siguiente, Martínez Sarmiento hizo una excepción y, después de tomarse un café en su apartamento, fue a desayunar al hotel donde se alojaba, con su correspondiente séquito de atentos despechados, el presidente del Gobierno de España.

—Esto va a ser un lío de cojones —el pobre hombre estaba aterrado—. La gente está convencida de que la Unión Europea es buena, de que es bueno el euro, y la economía, pues... —buscó algo que decir, pero no lo encontró porque no tenía ni puta idea de economía—. No sé, tengo miedo, jefe.

—Tú tranquilo, Antonio —el Gran Capitán siguió untando mantequilla en el pan como si tal cosa—. De momento no tienes nada que explicar. A las once vendrá un coche a buscarte para llevarte a la sede del Consejo. Tú entras, te pones con los demás donde te digan, y ya está. La presidencia de turno la tiene Francia. El presidente del Gobierno francés leerá un comunicado conjunto y... ¡hala!, a casita.

Antonio Menéndez López era un hombre muy guapo. Carlos Alcocer había insistido en ponerle de número uno por Madrid porque parecía un actor de cine, y la belleza masculina siempre había dado buenos resultados electorales en España. Tenía, además, una voz grave, varonil, muy bonita, y no era nada torpe, aunque ni siquiera hubiera terminado el bachiller. Durante la campaña electoral se había vendido como un hombre hecho a sí mismo y no le faltaban argumentos para sustentar esa afirmación. A los diecisiete años había empezado a trabajar a media jornada en el taxi de su padre y antes de cumplir cuarenta ya tenía una pequeña flota de vehículos sin haber despedido jamás a un conductor. Había liderado con un éxito considerable la lucha de sus compañeros contra Uber y Cabify, nunca se había visto implicado en un asunto ni remotamente turbio, había pagado impuestos año tras año como un campeón y se había defendido muy bien en debates y entrevistas, porque era mucho más inteligente que inculto. Sin embargo, estaba a punto de meterse contra su voluntad en un traje que le venía demasiado grande. El Gran Capitán no esperaba el súbito acceso de ternura que le inspiró su desamparo, la mirada de un náufrago que se mantenía a flote a duras penas en el océano de su confusión, pero se dejó llevar por aquel benéfico y no tan desacostumbrado impulso.

—No te pongas nervioso, Antonio —se inclinó hacia él, puso una mano sobre el brazo que el presidente del Gobierno tenía apoyado en la mesa, lo apretó—. No te vamos a dejar solo nunca, en ningún momento. Esto va a salir bien porque no puede salir mal de ninguna manera. Te lo prometo.

Después volvió a su apartamento y vio el acto por televisión. Su presidente hizo un buen papel. Sereno, erguido, con una expresión grave y confiada al mismo tiempo, se limitó a asentir levemente con la cabeza en algunos momentos antes de salir de plano sin hacer aspavientos. Eso era justo lo que se esperaba de él.

El Gran Capitán había sido muy generoso con sus socios al compartir desinteresadamente con ellos el tesoro de Fuerteventura. Gracias a él, y a otros audaces emprendedores europeos que aportaron su propia tecnología, internet había dejado de existir en todo el continente. Pero, pese al apagón general, y aunque la oposición se limitara a una insignificante minoría parlamentaria en los pocos países donde seguía existiendo un parlamento, habían decidido que en el entierro de la Unión Europea no habría aplausos, ni lágrimas, ni abrazos, ni canciones, ningún signo que pudiera interpretarse como la escenificación de un fracaso.

—Porque no es un fracaso.

Tres días más tarde, Antonio Menéndez López recibió a tres periodistas en su despacho de la Moncloa, para conceder una entrevista que estaría a disposición de todas las cadenas de radio y televisión que quisieran emitirla.

—No es un fracaso, sino el comienzo de una nueva etapa de colaboración entre los antiguos socios comunitarios. No necesitamos órganos comunes para entendernos, se lo aseguro. Las relaciones comerciales y los empeños colectivos beneficiosos para todos seguirán funcionando como antes, pero no igual, sino mejor. Porque la Unión Europea jamás llegó a cumplir las expectativas con las que fue fundada. Hace mucho tiempo que se convirtió en un descomunal aparato burocrático, sostenido por un parlamento tan gigantesco como ineficaz, cuyas funciones representaban un misterio para los ciudadanos de a pie y cuyos debates no interesaban a nadie. ¿Qué sabíamos los europeos del Parlamento de Estrasburgo? Que quienes tenían la suerte de ser elegidos eurodiputados se forraban, desde el instante en el que tomaban posesión de su escaño hasta que morían, después de haber cobrado durante muchos años una jubilación escandalosamente millonaria. Todo lo demás era un enigma, un misterio carísimo, eso sí, para los países miembros.

No hace falta que yo les cuente a ustedes cómo ha cambiado el mundo desde la Gran Pandemia. Ahí reside el empeño del gobierno que presido por arrumbar las viejas instituciones de la caducada democracia corrupta, para avanzar hacia una nueva realidad por caminos igual de nuevos. La Unión Europea era un residuo fósil de un pasado que no volverá. No tenía sentido mantenerla con vida cuando todos los gobernantes europeos estábamos convencidos de que no servía de nada.

El presidente del Gobierno de España se había aprendido muy bien el papel, y lo interpretó con sobriedad y convicción, reservando energías para el bombazo final.

—Desaparecerá el euro, sí, pero la peseta no volverá tal como la conocieron nuestros padres y nuestros abuelos, porque el dinero físico también va a desaparecer. En una próxima comparecencia, la vicepresidenta de Asuntos Económicos les informará de un plan tan innovador como ventajoso, que incluye una nueva divisa, una especie de euro virtual, para que me entiendan, que garantizará la solvencia y la solidez de las nuevas economías europeas en los mercados americanos y asiáticos —en ese punto hizo una pausa, se colocó la corbata, ofreció a la cámara una sonrisa encantadora—. Prefiero dejarle a ella los detalles, porque me enorgullece reconocer que trabajo con una mujer que sabe de economía mucho más que yo.

Eso fue casi todo. Al día siguiente, todos los telediarios abrieron con las estremecedoras imágenes del incendio que había arrasado una planta química en la provincia de Cuenca. Ninguna cadena contó que la planta se había abandonado hacía unos meses y que la fecha de su desmantelamiento coincidía con la del atentado, pero todas ofrecieron imágenes de un vigilante de seguridad, que había sufrido quemaduras leves y una intoxicación por humo de pronóstico reservado, mientras lo metían en camilla en una ambulancia. Todas reprodujeron también, una y otra vez, la llamada telefónica en la que una mujer, que había utilizado un dispositivo de distorsión de voz para evitar ser identificada, pronunciaba una vieja frase de un viejo escritor uruguayo, Eduardo Galeano, que el viejo 15-M había convertido en uno de sus viejos lemas. Si no nos dejáis soñar, no os dejaremos dormir. Después de lanzar esa advertencia, había reivindicado el incendio en nombre del Ejército Guerrillero del Pueblo Español, la más audaz y mejor organizada entre las organizaciones terroristas antisistema que constaban en los archivos del Cuerpo Nacional de Vigilantes, según aseguraron todos los locutores con idéntico y compungido gesto.

—Tú sabes que antes o después tendrá que morir alguien, ¿verdad?

Megan García entró sigilosamente en el despacho de su jefe el día que volvió a la sede tras su viaje a Bruselas, y habló en un murmullo, aunque en el ático nunca entraba nadie que pudiera escuchar sus conversaciones.

—Una asociación de organizaciones terroristas que sólo atenta contra intereses económicos y deja heridos leves... A este paso, van a acabar cayendo simpáticos.

—Ya veremos —el Gran Capitán tampoco levantó la voz—, pero de momento no quiero más cadáveres. Después del Gran Apagón ya murió demasiada gente, en mi opinión. Aquellos altercados se nos fueron de las manos.

—Sí —reconoció su asesora—, eso es verdad. No lo planificamos bien, pero ¿quién iba a pensar que todos los delincuentes de España aprovecharían la oportunidad de sumarse a la fiesta? La mayoría de aquellos asaltos fueron espontáneos, nunca los controlamos. Esto es distinto.

—De todas formas, no es lo que me preocupa ahora.

Desde la liquidación de la Unión Europea, el Gran Capitán recibía a diario una unánime avalancha de peticiones. Sus socios, los dirigentes del MCSY, los miembros del gobierno y los secretarios de Estado de su guardia pretoriana, se habían puesto de acuerdo en que no encontrarían un momento mejor para disolver el Congreso. La deslealtad de la oposición había llegado a su cota máxima, la cámara se había convertido en un cubil de fieras, la crispación era tan intensa que el trabajo parlamentario estaba paralizado. No había tiempo que perder, decían.

Pero Juan Francisco Martínez Sarmiento se había ganado el apodo de Gran Capitán porque siempre veía antes, veía mejor, veía más y veía más lejos que los demás.

Y lo que había visto ya, en España y en Europa, le había convencido de que, mientras él estuviera a la cabeza de todo aquello, el Parlamento español seguiría existiendo. Porque el fascismo era una amenaza, no una solución.

Cuando Camila Alcocer Hernández presintió que podría llegar a ser feliz viviendo en Caballar, comprendió que había ganado la batalla.

El día que su vida cambió para siempre se despertó tarde, y con resaca, en la casa rural de las afueras de Turégano donde pasaba unos días de vacaciones con su novio y otros compañeros de la facultad. Todavía estaba apreciando las dimensiones de su dolor de cabeza cuando escuchó los gritos que venían de la cocina, ¡no!, joder, pero ¿qué pasa?, ¡esto es increíble!, ya os dije que tendríamos que habernos ido a Ibiza en lugar de venir a esta puta mierda de pueblo, coño... Tardaron algún tiempo en enterarse de que Turégano no tenía la culpa de nada. En aquella preciosa casa de piedra, rodeada por un terreno verde y descuidado, que no merecía el nombre de jardín, pero caía en un suave declive hacia un riachuelo defendido por una hilera de chopos altos, frondosos, no había televisión. Tampoco tenían previsto volver al pueblo, porque la víspera habían comprado todo lo necesario para hacer una barbacoa, pero a las dos de la tarde ninguno tenía ganas de comer. Decidieron acercarse al bar de la plaza para preguntar si alguien sabía lo que había pasado y no tardaron en descubrir que los únicos que no lo sabían eran ellos.

Durante veinte días todos compartieron la misma angustia mientras aquella casa tan bonita, aquella ribera tan idílica, aquel cielo tan limpio que parecía estrenarse a sí mismo en cada amanecer, se agarraba a sus gargantas como un grumo espeso y sucio. Su pequeño paraíso se había convertido en una cárcel de la que no podían escapar, una celda de aislamiento donde no se permitían llamadas, ni visitas. Estaban en una de las varias zonas rurales de la provincia de Segovia donde la cobertura no se había recuperado, aunque los móviles estuvieran ya operativos en la capital. Cuando intentaron llegar en coche hasta algún lugar donde los suyos funcionaran, una patrulla les cortó el paso. El toque de queda les mantuvo recluidos entre la casa y el pueblo hasta que comenzó la Operación Regreso.

Los vigilantes les hicieron una visita el 23 de agosto. El jefe llevaba una lista en la mano y fue tachando nombres con un lápiz mientras identificaba a los siete inquilinos de la casa rural que podrían volver a Madrid aquel mismo día. Los otros tres deberían permanecer allí hasta recibir nuevas instrucciones y ellos no estaban autorizados a anticiparlas, ni a dar detalles, ni a contestar preguntas. Eso fue todo lo que les dijeron antes de meterse en el *jeep* y desaparecer.

—¿De verdad te vas a ir? —Camila gritó al reconocer a su novio en la sombra que subía corriendo las escaleras.

No tardó ni diez minutos en bajarlas llevando su mochila abierta entre los brazos, como si cerrarla hubiera implicado una pérdida de tiempo que no estaba en condiciones de asumir.

—¿Me vas a dejar aquí tirada, sin más? —increpó al perfil que pasó a su lado con los ojos clavados en la puerta, sin girar la cabeza ni un milímetro.

—Lo siento, Cami —y sólo logró escucharle cuando ya tenía la llave del coche en la mano—. Lo siento, pero... Lo siento.

—¿Y no puedes esperar por lo menos hasta que sepamos qué va a...?

Antes de terminar la pregunta ya había obtenido tres respuestas, el ruido de la puerta del coche al cerrarse, el estruendo del motor que arrancaba y el chasquido de la gravilla que saltaba bajo las ruedas, una secuencia que se repitió casi inmediatamente, cuando el segundo y último de los coches que había en la casa siguió el mismo camino.

Se marcharon tan deprisa que ni siquiera acertaron a recoger todas sus cosas. Camila encontró sobre la cama el jersey que su novio se había quitado el día anterior y salió al jardín con él en la mano para tirarlo encima de la barbacoa. Aquella noche, sus compañeros de infortunio, uno de sus camaradas del Nuevo Partido Comunista de España y un estudiante de filosofía que trabajaba como voluntario en un albergue de inmigrantes durante el curso, encendieron la barbacoa para sentarse a su lado y ver arder el jersey. Camila entrelazó sus dedos con los de uno y otro, se echó a llorar y, aunque no le preguntaron nada, declaró que lloraba por su madre, que estaría en Becerril de la Sierra sola, esperándola, muerta de angustia. Así logró angustiar a sus compañeros, que también tenían madre, y prometerse a cambio que nunca más volvería a llorar por ese cabrón. Los tres siguieron juntos, aislados e incomunicados durante un par de días, hasta que los vigilantes regresaron. Pero esta vez no llegaron solos.

Los visitantes formaban una extraña pareja. Vestidos igual, con pantalones grises, un chaleco de explorador con muchos bolsillos sobre una camiseta blanca, una chapa verde con la leyenda TODO VA A MEJORAR en letras negras la de él, blancas la de ella, prendida a la altura del corazón, la ropa no les uniformaba tanto como la sonrisa, tan amplia, tan tenaz, tan incomprensible que en una película de terror, pensó Camila, les habría hecho aullar de miedo. El hombre no llegaría a los cuarenta años. La mujer debía de pasar de los cincuenta, aunque tenía un cuerpo esbelto, juvenil, que de lejos la hacía parecer más joven. De cerca, las arrugas de la cara revelaban su verdadera edad, y acabarían envejeciéndola si seguía practicando aquella sonrisa de psicópata. Los dos se presentaron como funcionarios del Cuerpo Nacional de Voluntarios de Repoblación de la España Vaciada y les preguntaron dónde podrían celebrar una pequeña reunión. Después soltaron al alimón un discurso en el que todo, el ritmo, las pausas, la alternancia en el uso de la palabra, parecía perfectamente planificado.

—Perdón, no entiendo... —Pedro, el camarada de Camila, planteó la primera objeción—. ¿No dicen ustedes que representan a un cuerpo de voluntarios? —la mujer asintió con la cabeza y una sonrisa atenuada, levemente más natural que las que les había ofrecido hasta ese momento—. Pues entonces tendríamos que presentarnos voluntarios nosotros, ¿no? Pero no nos están dando esa opción.

Ella suspiró, como si estuviera cansada de repetir obviedades, y volvió a decir que les había tocado vivir tiempos muy difíciles. Que la Gran Pandemia lo había cambiado todo. Que los españoles sólo podrían salir adelante si permanecían unidos. Que nunca lo lograrían si no curaban al país de la gangrena que lo estaba consumiendo. Que la despoblación estaba matando a la España interior. Que el futuro del país sería inviable si no se equilibraba el crecimiento de todo el territorio. Que se estaban jugando la desertización de la península. Que ellos tres y muchos otros jóvenes de todas las regiones del país habían sido seleccionados expresamente por su generosidad, su compromiso y su militancia en causas sociales, virtudes tan raras entre sus coetáneos. Que les esperaba una gran tarea. Que otras veces habían sido voluntarios, pero ahora eran imprescindibles. Que no podían darles la espalda a los más desamparados, los más frágiles de sus compatriotas, en un momento como aquel. Que su país los necesitaba. Que su sociedad los necesitaba. Que su gente los necesitaba.

—Por eso ni siquiera nos hemos planteado que se os ocurra decir que no —concluyó—. Eso nos decepcionaría muchísimo y tendría consecuencias negativas sobre vuestro futuro.

—Pues yo, lo que necesito es irme a ver a mi madre —respondió Camila—. Luego voy a donde tenga que ir, me presento donde tenga que presentarme, pero tengo que ir a verla, porque está sola, y me está esperando, y mi hermano se ha marchado a México, y no tiene a nadie más —se paró un momento a pensar y decidió que merecía la pena ser indiscreta—. En el desconfinamiento de la Segunda Pandemia, mi padre la dejó por una más joven, y aunque ella dice que no le importa, que está bien, yo sé que no, sé que lo está pasando mal, y...

El hombre aprovechó el puchero que interrumpió aquella confesión para consultar una de las carpetas que había traído consigo.

—Pero tú te llevas fatal con tu madre, Camila —y hasta ella se dio cuenta de que aquellos dos lo sabían absolutamente todo—. Te independizaste hace unos meses porque decías que no podíais seguir viviendo juntas.

—Sí, ¿y qué? —se levantó, apretó los puños, volvió a sentarse—. ¿Usted no sabe cómo se llevan las hijas con las madres? Eso no significa nada, porque yo la quiero, la quiero muchísimo, yo...

La mujer tomó el relevo, ignoró a Camila y siguió hablando con sus dos compañeros en un tono risueño, confiado. Les anunció que los Voluntarios de Repoblación tenían asignada una remuneración del Estado. El primer año cobrarían mil setecientos euros netos, el segundo año mil, quinientos a partir del tercero durante diez años o hasta el momento en que decidieran dejar el programa. Si alguna vez cambiara la moneda, añadió para estupefacción de su auditorio, recibirían una cantidad equivalente o ligeramente superior, porque su salario se redondearía hacia arriba. Además, al cabo de un año, obtendrían de forma automática la propiedad de las casas que hubieran restaurado, las tierras que hubieran labrado, los huertos que hubieran cultivado o los locales donde hubieran montado un negocio. El programa de Repoblación de la España Vaciada aspiraba, tal como indicaba su nombre, a devolver la vida para siempre a las áreas devastadas por la despoblación, pero si no se adaptaban a la vida en el campo, podrían solicitar la vuelta a su ciudad en el plazo de un año.

—¿Y conservaríamos las casas? —a Miguel, voluntario del centro de inmigrantes, le brillaron los ojos.

—Claro, después de vivir y trabajar un año en el pueblo podríais conservarlas —la mujer los miró de uno en uno, también a Camila—. Mirad, voy a ser muy sincera con vosotros. Sé que los tres estáis estudiando, pero dudo mucho de que las universidades puedan reabrir este curso, después del apagón. Además, y aunque no debería decirlo, existen indicios de que se aproxima una nueva pandemia. En el caso de que se confirme, os convertiríais en unos privilegiados. Pensadlo bien.

—Nosotros nos vamos —anunció su compañero—. Os damos veinticuatro horas para pensarlo. El pueblo donde viviríais está muy cerca, a unos siete kilómetros de aquí. Se llama Caballar y es precioso. Sólo tiene ochenta habitantes, pero no estaréis solos. Os acompañarán cerca de sesenta voluntarios, hombres y mujeres de vuestra edad, y de toda España. Será una aventura apasionante.

—¿Y si alguno de nosotros se niega? —Camila Alcocer Hernández era terca como una mula y estaba orgullosa de la comparación.

—Eso no puede ser. Tenéis que negaros o aceptar los tres juntos. Sois un equipo, no os podéis separar. Si dijerais que no, os quedaríais en esta casa, aislados, sin dinero, hasta que se pueda gestionar vuestro destino. Pero con la pandemia que viene... Yo creo que deberíais aceptar, os lo digo de verdad.

Caballar dejaba muy corta la definición de pueblo precioso. Cuando Camila lo vio de lejos por primera vez, aquel caserío acostado entre montañas en un valle dulce, jugoso de puro verde, le pareció un decorado, una reproducción viviente de esos pueblecitos que habitan solamente en los belenes de Navidad. Aprendería enseguida que por dentro era más bonito aún. Una iglesia románica del siglo XIII, limpia, armoniosa, tan bien conservada que parecía una réplica, dominaba una red de callejuelas empinadas en las que sobrevivían derrumbadas casas de piedra que no habían perdido su belleza con el techo o las paredes. Hasta las ruinas eran hermosas en aquel lugar festoneado de sotos, arboledas plácidas y fuentes antiguas, que contaba con su propio milagro.

—En el siglo VIII —a Nieves, la anciana que ejercía de alcaldesa, le encantaba esa historia—, unos moros degollaron a dos hermanos cristianos y tiraron sus cabezas a una fuente. Los vecinos las recogieron y las guardaron en un relicario muy precioso que sigue estando en la iglesia. Total, que cuando aprieta la sequía, llevamos los cráneos en procesión a la Fuente Santa, los metemos en el agua... Y se lía a llover que es una bendición del cielo, pero enseguida, no creáis, y venga a llover, y venga a llover, hasta que se empapa la tierra y se desbordan los regatos que da gloria verlos...

El segundo milagro de Caballar fue devolverle el ánimo a Camila Alcocer Hernández, que pasó sus últimas horas en Turégano sin hablar y sin llorar, tirada igual que un trapo en una esquina del sofá.

Ni Pedro ni Miguel entendieron lo que le pasaba. Cuando creyeron que tendrían que pelear para convencerla, después de haberse puesto de acuerdo entre ellos, les dijo a la primera que sí y luego que la dejaran en paz. Habría podido contarles muchas cosas. Que los habían seleccionado porque los tres eran políticamente activos, porque estaban comprometidos y les parecían peligrosos. Que habían dejado volver a los demás porque ninguno representaba un peligro para ellos. Que querían comprarlos para quitarlos de en medio. Que no pretendían repoblar España sino eliminar cualquier oposición posible a su gobierno. Que sus argumentos no habían logrado enmascarar un chantaje asqueroso. Que sabían de antemano que ninguno de los dos chicos rechazaría un salario de mil setecientos euros al mes, porque venían de familias donde no sobraba el dinero. Que sabían en cambio que la chica quizás habría podido permitírselo. Que el rollo ese de que eran un equipo y sólo podrían aceptar o negarse los tres juntos, sólo era una forma de obligarla a decir que sí. Que lo que se les venía encima, en el campo o en la ciudad, era una dictadura con todas las de la ley. Que el plazo obligatorio de permanencia en el pueblo y el cierre de las universidades sólo buscaba que esa dictadura se asentara. Que la pandemia que estaba en marcha favorecería seguramente ese asentamiento. Que habían calculado que, entre unas cosas y otras, un año bastaría para desactivarlos. Camila Alcocer Hernández podría haberles contado todo esto y sin embargo no dijo nada. Pero no calló por no tener nada interesante que decir, ni porque estuviera segura de que sus compañeros ya habrían llegado por su cuenta a las mismas conclusiones. Calló por no decir la verdad.

Ni siquiera sabía por qué lo había hecho. Porque era una cobarde, se dijo, una hija de papá, una traidora despreciable. Estaba tan avergonzada que ni siquiera fue capaz de invocar los atenuantes que la habrían beneficiado. Sólo tenía veintiún años, se sentía culpable de haber dejado sola a su madre unos meses atrás, nunca había podido creer que ella estuviera tan bien como decía después de haberse divorciado de su padre, sabía que Mónica la estaba esperando, que no habría dejado de pensar en ella ni un instante, que se estaría muriendo de angustia por no saber su paradero. Todo eso era verdad, pero la vergüenza creció demasiado deprisa, cubrió el mundo en un instante con su manto opaco, ardiente, rojizo, le quemó los ojos y pudo más que el amor, más que el dolor y el miedo, más que la misma verdad.

—Espere un momento —no sabía por qué lo había hecho, pero sabía que había salido corriendo detrás de los funcionarios para alcanzarlos cuando ya estaban entrando en el coche—. Escúcheme —y sabía que había retenido a la mujer por el brazo—. Yo soy hija de Carlos Alcocer. Mi padre es muy importante. Fue el jefe de la campaña electoral de los Soluciones y no debe de tener ni idea de que estoy aquí —y sabía lo que le estaba pidiendo—. Dígaselo, por favor, dígale que venga a buscarme.

La mujer dio un tirón para recuperar el control de su brazo, avanzó un paso hacia ella y le dedicó una sonrisa distinta, como si estuviera relamiéndose sólo de pensar en lo que iba a decir.

—¿De verdad, Camila? —eso fue lo que dijo—. ¿De verdad quieres que llame a tu papá, para que venga a rescatarte como a una doncella indefensa y puedas dejar tirados a tus compañeros? ¿Me estás pidiendo eso tú, la líder juvenil, la militante comunista, la revolucionaria ejemplar? ¿Me lo estás diciendo ahora, cuando tienes la oportunidad de transformar una pequeña parcela de la realidad, de crear una comunidad en un lugar donde no hay nada, de trabajar seriamente por tus semejantes? Qué decepción. Nadie habría esperado eso de ti, la verdad.

Camila Alcocer Hernández había heredado la estatura, los hombros anchos, las rotundas curvas del cuerpo de su madre. Como ella, tenía la tez tostada, los ojos grandes y muy buen pelo, una larga melena oscura que solía llevar recogida en una trenza para completar un exótico aspecto de guerrera apache que armonizaba con los colores de su corazón. Iba por el mundo con la cabeza alta y aparentaba más años de los que había cumplido, pero era muy joven. Sola, abocada a un destino que no había elegido, exhausta por la incertidumbre de muchos días, muerta de miedo ante un futuro impuesto por unos desconocidos, no encontró la manera de no derrumbarse. Después, a lo largo de su vida, elaboró un centenar de posibles respuestas que habría merecido aquella bruja, desde que tenía la certeza de que, si su padre intervenía, sus compañeros podrían volver a sus casas al mismo tiempo que ella, hasta que le traía sin cuidado lo que el Cuerpo Nacional de Voluntarios de Blablablá esperara o dejara de esperar. Pero no pronunció la primera, ni la segunda, ni las noventa y ocho posibilidades intermedias. Se quedó muda, quieta, mientras la vergüenza descendía sobre su cuerpo para mancharla, de la cabeza a los pies, con una tinta indeleble que ningún detergente, creyó entonces, podría lavar jamás. Luego volvió a correr, entró en la casa, se tiró en el sofá, se hizo un ovillo, y no volvió a hacer ni a decir nada hasta que, al día siguiente, una nueva pareja de funcionarios, mucho más sobrios en todo, les hizo otra visita.

—Estamos muy contentos de que hayáis aceptado, por nosotros, pero sobre todo por vosotros —en aquella ocasión el hombre era el mayor, y el que llevaba la voz cantante—. Aquí tenéis vuestros contratos. Leedlos con detenimiento antes de firmar y comprobaréis que todo lo que os anunciaron nuestros compañeros es verdad.

—Y otra cosa —la mujer tenía aspecto aniñado, una voz plastificadamente dulce—. Sé que estáis preocupados por vuestras familias —miró a Camila, sonrió—. No debéis inquietaros por eso. Vuestros padres ya han recibido una carta anunciando que habéis sido seleccionados para el programa, y estarán muy orgullosos de vosotros. Además, muy pronto podréis escribirles y, cuando la situación se estabilice, podrán llamaros, e incluso visitaros.

En Caballar ya no había tiendas. Una brigada de vigilantes se encargaba de aprovisionar a nativos y colonos de todo lo que necesitaban. Cada semana recogían una lista con las peticiones que les servirían la semana siguiente, y los repobladores sólo pagaban la comida. El Estado les suministraba gratuitamente los materiales que necesitaban para levantar el pueblo, siempre que la petición fuera firmada por uno de los dos arquitectos, el aparejador o la ingeniera agrónoma que había aportado el Cuerpo Nacional de Voluntarios. Ellos, igual que la médico, la enfermera y el veterinario, estaban allí a la fuerza, como los demás, pero después de un periodo de inactividad, en el que todos oscilaron entre la perplejidad y la furia, decidieron poner en práctica sus conocimientos. Y Caballar empezó a resurgir de sus cenizas.

Cuando llevaba allí casi dos meses, los vigilantes recogieron la primera, larguísima carta que Camila Alcocer Hernández había ido escribiendo para su madre desde que llegó al pueblo. No se atrevió a contarle toda la verdad porque temía que los vigilantes la leyeran antes de enviarla, pero al revisarla comprendió que Mónica detectaría sin esfuerzo el entusiasmo sincero que había reemplazado al voluntarioso optimismo de los primeros párrafos. Estoy muy bien aquí, mamá. Yo creía que no, pero la verdad es que me gusta mucho lo que hago. Nos hemos organizado muy bien, en turnos rotatorios, consultando siempre a los viejos del pueblo, que son los que más saben de vivir aquí. Unos días trabajo en el huerto, otros días hago pan, y siempre soy la bibliotecaria. Estoy muy fuerte, muy delgada, muy morena (para que diga yo eso comprenderás que ya parezco casi negra) y he hecho un montón de amigos, pero hay más. Desde que se me ocurrió aprovechar los baldosines de las casas en ruinas para hacer *collages* en los suelos de las que vamos arreglando, Ander, el arquitecto, que es un tío muy majo, de Bilbao, ha decidido convertirme en decoradora, y no se termina una habitación sin que yo dé mi opinión, ¿qué te parece? Ojalá pudieras venir pronto a verme, a ver este pueblo tan bonito que está cada día más precioso. Lo único que me duele es echarte tanto de menos, mamá. Te quiero muchísimo, como siempre y más que nunca, todo a la vez.

Ni siquiera el invierno, con sus hielos, pudo con los colonos de Caballar, para quienes la primavera llegó como un baúl repleto de regalos, un día brotes en los frutales, al siguiente las cebollas rompiendo la tierra, al otro doce diminutos lechones blancos mamando de una cerda que habían encontrado suelta, famélica y enferma, cuando llegaron allí. El sol bendecía a las flores que se abrían, a los animales que criaban, y los bendijo también a ellos, porque apenas media docena de colonos llegaron al verano sin pareja. Entonces, a principios de septiembre, conocieron la gran noticia.

Al cumplir un año en el pueblo, los voluntarios que se quedaron en Caballar no sólo se convirtieron en propietarios de sus casas y tierras. También se emanciparon de los vigilantes, que les entregaron dos furgonetas usadas para que pudieran moverse con libertad por toda la provincia. Era lo que querían, pero cuando lo consiguieron no les hizo ilusión. A aquellas alturas, ir de compras les parecía un coñazo, y la mayoría ni siquiera se acordó de sus teléfonos. Ander sí. El día que salió del pueblo para encargar en persona materiales de construcción, su novia fue con él hasta Segovia y entraron juntos en un gigantesco centro comercial, cubierto por una cúpula transparente fabricada con un material desconocido. Mientras se adentraban en aquella luminosa gruta con cohibidos pasos de pueblerinos, el bolsillo de Ander les devolvió una melodía que parecía llegar de otro mundo, de otra época.

—No me digas que funciona el teléfono —lo sacó, lo miró, tecleó su clave y lo levantó en el aire como si fuera un prodigio incomprensible—. ¡Mira! Lo cargué anoche... ¡Y funciona!

Aquel día, Camila Alcocer Hernández, que se había aprendido de memoria el número que Mónica le había enviado en su primera carta, logró por fin hablar con su madre, aunque apenas pudo decir nada, sólo que la quería, que la quería, que la quería, antes de echarse a llorar.

Después se dio cuenta de que había pasado más de un año desde la última vez que lloró, pero no logró explicarse su propio llanto, ni el malestar que la atenazó por dentro hasta que salieron de aquel lugar horrible y volvieron a toda prisa a su casa, a Caballar.

El Gran Capitán estaba muy cansado.

Cuando miraba hacia atrás, le parecía que había pasado mucho, demasiado tiempo, desde aquella noche de insomnio del mes de abril de 2020 a la que debía la inspiración más brillante de su vida. Pero al mirar a su alrededor comprendía la magnitud de aquel efecto óptico, y que el plazo había sido muy corto en relación con los resultados obtenidos. Ningún revolucionario español de ningún signo, en ninguna época, habría alcanzado a imaginar siquiera una transformación tan radical como la que el país había experimentado entre sus manos en poco más de una década. A veces recordaba aquella frase que Alfonso Guerra dijo en 1982, vamos a dejar este país que no lo va a reconocer ni la madre que lo parió, y se reía él solo, a carcajadas.

Al estrenar la nueva normalidad que puso fin al ciclo de la Tercera Pandemia, recogió la mesa del despacho que había instalado en el ático de la sede del MCSY. Cada una de las etapas de su plan se había desarrollado en el plazo previsto y sin contratiempos graves, aunque había requerido una inversión tan monstruosa que había estado a punto de arruinarle. Si unos meses antes, cuando estaba ya en quiebra técnica, sus colegas de Bruselas no hubieran comprendido que tenían que disolver la Unión Europea a tiempo de reflotar con sus fondos a los bancos que ya no tenían más dinero que prestar, sus socios se habrían arruinado con él. Una vez salvado ese peligro, mientras el dinero volvía a entrar en sus cuentas más deprisa de lo que había salido antes, tenía que reconocer que sus inversiones le habían salido baratas.

—Si quieres que te diga la verdad —la única persona que le había acompañado durante todo el proceso esperó a aquel momento para expresar sus dudas—, no me imaginaba que esto fuera a salir tan bien. En algunos momentos he estado muy, pero que muy acojonada.

—Ya me lo imagino —el Gran Capitán miró a Megan García, asintió con la cabeza y sonrió—. ¡Estaba acojonado yo!

Los hackers de la villa de Corralejo habían sido muy felices, se habían puesto muy morenos y hasta habían aprendido a navegar mientras creaban toda una genealogía de virus mutantes, con su correspondiente contrapartida de antivirus específicos para cada mutación. Su trabajo había convertido internet en un jardín privado, un privilegiado recinto al que sólo podían acceder los ordenadores dotados del *software* antiviral que era propiedad exclusiva de Juan Francisco Martínez Sarmiento. El equipo no se había desarticulado todavía. El Oso y Javier Oliva seguían cobrando una millonada por estar disponibles para responder a cualquier ataque, aunque ahora uno vivía en un yate que solía estar atracado en alguna isla del mar Egeo, el otro en Nueva York.

Los virólogos de Torrejón de Ardoz también habían cumplido su parte con creces, aunque habían dado más problemas. La Tercera Pandemia, su tratamiento y su vacuna habían sido fruto de su trabajo, un éxito rotundo que había pesado demasiado en la conciencia de algunos de sus creadores. El Gran Capitán habría preferido no hacerlo, pero no le quedó más remedio que aplicar a los más sensibles un arresto domiciliario del que todos, menos una, habían salido ya gracias a ingentes cantidades de dinero, muchas horas de terapia y las eficaces entrevistas personales que él mismo había sostenido con sus parejas, sus hijos y, llegado el caso, con los propios científicos. La irreductible seguía encerrada en su casa con una pareja de vigilantes en la puerta. Era soltera, huérfana, heterosexual, atea y aficionada a masturbarse, así que nadie había encontrado todavía una tecla eficaz para presionarla, pero el Gran Capitán no perdía la esperanza de lograrlo algún día.

En apariencia, su gran éxito había sido crear un partido para llevarlo al poder en las primeras elecciones generales a las que se presentó, pero él sabía que eso había sido fácil. Estaba mucho más orgulloso del encaje de bolillos, más diplomático que empresarial, que le había permitido montar en su barco a las grandes y medianas fortunas del país. Les había prometido todo el poder y eso era exactamente lo que había conseguido para ellos, pero, sobre todo, para sí mismo. España se había convertido en un gigantesco, disciplinado y fecundo hormiguero donde todo lo que se producía y lo que se exportaba, lo que se compraba y lo que se vendía, cada hora trabajada y cada sueldo cobrado, redundaba en beneficio de los mismos, unos pocos. Mientras tanto, todos los demás, lo que en otra época se habría llamado el pueblo español, tenían la sensación de vivir mejor, felizmente encadenados al consumo perpetuo, un ciclo infinito de compras de bienes y servicios en las que invertían el dinero que les pagaban cada mes los dueños de los bienes y servicios que consumían, en una España feliz donde no existía el desempleo, el Estado cubría todas las necesidades y no tenía sentido ahorrar.

—Yo me voy a mi casa, Megan. Estoy agotado —el Gran Capitán cerró la tapa de la última caja y se levantó de su silla—. Me merezco dos años de vacaciones, por lo menos.

—Desde luego —ella asintió con la cabeza, muy sonriente—. Es lo mínimo.

El nuevo estado había creado sus propias instituciones, de naturaleza muy distinta a las vigentes en la etapa democrática. El Parlamento se había convertido en un simulacro, un teatrillo al que nadie prestaba atención porque apenas se mencionaba en las radios y las televisiones. La misma suerte había corrido el Tribunal Supremo, mientras que el Constitucional se había autodisuelto cuando más de dos tercios del Congreso, los doscientos treinta y cuatro diputados del MCSY y treinta y tres más comprados para la ocasión, derogaron la Constitución de 1978 para promulgar unas nuevas leyes esenciales del Estado español que no contemplaban la existencia de ningún tribunal destinado a velar por su cumplimiento. El viejo Estado de las Autonomías había desaparecido en favor de una nueva estructura regional con moderna apariencia, aunque sólo apariencia, de Estado federal. Después, la fuga de diputados de todos los partidos hacia el MCSY se fue acelerando, y de eso sí informaron las televisiones. El día que el Gran Capitán se despidió de la sede, todos los españoles sabían que la oposición parlamentaria había adelgazado hasta quedar por debajo de los ochenta escaños. Era un simple aunque bonito adorno para un gobierno que había ido acumulando funciones hasta acaparar toda la representatividad del Estado.

El gobierno del MCSY había reinstaurado el aplauso de las ocho de la tarde para estimular la cohesión social y la fortaleza de los españoles frente a las pandemias que caracterizarían su vida en las próximas décadas. La seguridad es salud, repetían machaconamente sus portavoces, y los drones que sobrevolaban sin cesar los cielos de todo el país no eran más que un nuevo servicio público, destinado a garantizar el cumplimiento de una máxima fundamental para el bienestar y el porvenir de todos. El Aplauso para Mejorar no era obligatorio ni estaba regulado por ley alguna, aunque reforzaba eficazmente la vigilancia epidemiológica y la moral colectiva. La publicidad afirmaba que las imágenes de los drones permitían a los vigilantes identificar a los ciudadanos ausentes de sus balcones en periodos de confinamiento forzoso, aunque la solidaridad de los vecinos, que debían reportar cualquier ausencia a su jefe de casa, era igualmente imprescindible. Quienes eludían el aplauso por pereza o indiferencia se exponían a ser multados por haber tensionado sin motivo el Sistema Público de Salud.

Las instituciones del nuevo estado pretendían ajustarse escrupulosamente al lema «Libertad ilimitada para elegir», que había presidido los actos electorales del Movimiento Ciudadano ¡Soluciones Ya! La Gran Terapia era universal y forzosa, pero, tras la primera sesión, cualquiera podía cambiar de terapeuta tantas veces como necesitara hasta encontrar al que más le conviniera. En los nuevos centros comerciales, los españoles encontraban una variedad de productos donde elegir tan ilimitada como su libertad para comprarlos. Cada barrio tenía asignado un día de la semana, el Día de Compras, de acceso gratuito, pero, en los periodos de nueva normalidad, cualquiera podía pagar un suplemento para ir de compras un día distinto al que tuviera asignado y, pagando un poco más, incluso frecuentar un centro de otro distrito. Aunque la oferta comercial era idéntica en todos, la de ocio iba cambiando. El precio de las entradas para ver una obra de teatro, por ejemplo, en un centro comercial distinto al propio, era superior al que pagaban los espectadores que acudían en su propio Día de Compras, pero a mucha gente le merecía la pena correr con ese gasto. Y aunque el horario establecido permitía permanecer gratuitamente en los centros comerciales durante nueve horas como máximo, desde las once de la mañana hasta las ocho de la tarde, existían diversos suplementos para quienes preferían quedarse a cenar en un restaurante, para quienes optaban por prolongar la sobremesa en un bar de copas, y para quienes elegían acabar la velada en una discoteca. Existía un bono nocturno que permitía prolongar la estancia hasta las tres de la mañana con un treinta y cinco por ciento de descuento sobre el precio de los tres suplementos acumulados.

—La situación del turismo todavía me preocupa, no creas —el Gran Capitán frunció el ceño un instante—. Aunque la vuelta del Imserso le va a dar un buen empujón en temporada baja, en la alta... Habrá que echar el resto para restablecer las rutas turísticas internacionales, en Europa al menos, pero estoy agotado, no puedo ocuparme también de eso.

—No te preocupes —Megan García sonrió—. La ministra es bastante espabilada, pero estaré encima de ella hasta que Benidorm vuelva a estar lleno de británicos borrachos y rojos como cangrejos.

El Gran Capitán se levantó, dio un par de pasos hacia su asesora, le puso las manos en los hombros y la miró a los ojos.

—O sea, que te quedas... —procuró dejar flotando en su voz una sombra de la duda que jamás había tenido.

—Sí —Megan le conocía tan bien que, aun sabiéndolo, percibió que su alivio era sincero—, me quedo aquí una temporada.

—Muchas gracias, querida —su jefe la abrazó, tomó su cabeza entre las manos, la besó en la frente—. Ahora sí que me voy tranquilo.

Cuando volvió a su despacho, Megan García se examinó una vez más por dentro. Ya lo había hecho aquella mañana, antes de levantarse, y el día anterior, y al otro, llevaba mucho tiempo escudriñando en su interior, poniendo y quitando pesas en la invisible balanza que la acompañaba a todas partes, intentando definirse, averiguar cómo se sentía, sin haber logrado llegar a una conclusión definitiva. Lo único que sabía era que su identidad había encogido, que se había ido empequeñeciendo hasta transformarla en una simple sombra, la que Juan Francisco Martínez Sarmiento llevaba cosida al talón de sus zapatos. Nunca había sido tan insignificante, nunca tan poderosa, pero eso no le importaba. Tampoco se habría atrevido a decir que aquel hombre la hubiera poseído, que la había secuestrado para absorber su alma y convertirla en un apéndice de sí mismo, y sin embargo así era como se sentía algunas veces. El Gran Capitán, con sus deslumbrantes luces y sus siniestras tinieblas, había sembrado en ella una adicción desconocida, una dependencia de naturaleza inefable que no tenía que ver con el amor, que no tenía que ver con el poder, pero sí con la esencia de su propia vida, aunque ni siquiera ella supiera muy bien qué significaba eso. Seguramente, que ya no podía concebirse lejos de él. Cuando llegaba a esa conclusión, Megan García estudiaba el contenido de su mesa, escogía una carpeta y se obligaba a dejar de pensar.

Mientras tanto, Juan Francisco Martínez Sarmiento, el Gran Capitán, cerró los ojos en el asiento trasero del coche que le llevaba de vuelta a Somosaguas.

Dios creó el mundo en seis días y el séptimo descansó.

Él había tardado mucho más tiempo, pero se había ganado el mismo descanso.

Domingo Caballero Pérez se había quedado solo.

Intentó explicarle a aquella señorita lo que significaba la soledad para él, pero a ella no le interesaba lo que pudiera contarle. Lo único que sabía hacer era sentarse a su lado como un maniquí, las piernas muy juntas, la espalda muy recta, los ojos muy abiertos, y prometerle que todo iba a mejorar.

—Pues precisamente porque estás solo, Domingo, ¿no lo comprendes? El Plan Nacional de Vacaciones para Personas Mayores representa una oportunidad ideal para que conozcas gente, para que te oxigenes y te diviertas. ¡Y deja de hacerte el anciano, por favor! En nuestra época, un hombre de setenta años es muy joven todavía.

—Dentro de dos semanas cumplo setenta y cuatro.

—¿Lo ves? —él no dudaba de que fuera una mujer, una persona, pero cada vez que la veía sonreír, le sobrecogía la sospecha de que una mano invisible acababa de darle cuerda—. ¡Una edad perfecta para echarse novia! Vivimos en el siglo XXI, entérate de una vez...

Domingo Caballero Pérez sabía perfectamente en qué siglo vivía, pero no quería echarse novia. No quería conocer gente. No quería irse de vacaciones. Y no quería pasarlo bien. Se había quedado solo y lo único que quería era seguir estando solo en aquel piso que se le caía encima desde que Laura se marchó.

No había movido un dedo para retenerla, no habría sido justo porque su nieta nunca había tenido suerte. Domingo recordaba el día de su nacimiento como si hubiera sucedido en otra vida, la de un hombre afortunado donde cada cosa estaba en su sitio, todo en orden, su único hijo con un bebé en brazos, su nuera joven y sana sonriendo desde la cama, Maruja a su lado, compartiendo aquella alegría que parecía destinada a durar más que los flamantes abuelos, felices de haberlo sido tan pronto y tan a tiempo, antes de cumplir cincuenta. Nadie había invitado a la muerte para presentarle a la recién nacida, pero ya debía de estar revoloteando por allí, como las brujas en los bautizos de los cuentos. Laura todavía no tenía un año cuando un fulminante, irremediable cáncer de páncreas le arrebató a su madre. A su padre lo perdió poco después, de otra manera. José Luis se fue a trabajar a Panamá con un contrato estupendo, dos años, papá, dos años como mucho, y si todo va bien, vendré a buscar a la niña y me la llevaré el año que viene, y si va mejor, habré podido ahorrar y me quedaré aquí con ella... Aquel viaje situó a Domingo ante una encrucijada muy difícil de resolver. Recordaba a su propia madre, nunca había podido olvidarla, y temía por ese hijo que estaba tan mal, enfermo de tristeza, contagiado de desgracia, aplastado por la anacrónica crueldad de haberse quedado viudo con un bebé y menos de treinta años. Después de convivir durante toda su vida con el temor de heredar la dolencia de su madre, tuvo que afrontar el pánico de habérsela transmitido a José Luis sin querer, pero ni siquiera aquel miedo espeso, doble, le impidió albergar un mal presentimiento. A este ya no volvemos a verle el pelo, le dijo a su mujer. Maruja había tenido una madre sana, una infancia feliz, y antes de ponerse de parte de su hijo, se echó a reír. ¡Qué va, hombre! No seas cenizo, déjale que se vaya, le sentará bien cambiar de aires... Demasiado bien le sentó, pero eso tampoco fue culpa de nadie.

José Luis volvió a Madrid a ver a Laura dos veces el primer año, una el segundo, ninguna el tercero. La niña estaba a punto de cumplir siete cuando fue con sus abuelos a Panamá para asistir a la boda de su padre, que ya tenía un bebé de pocos meses con su segunda mujer. Domingo y Maruja pensaron que era la ocasión ideal para que Laura se incorporara a la familia, pero su hijo les pidió un poco más de tiempo. Después, un día de verano como cualquier otro, Maruja no se levantó de la cama. Un ictus la mató mientras dormía, para sembrar tanto dolor en sus vidas que abuelo y nieta vivieron más de un año desorientados, sin atreverse a mencionar su muerte. Hasta que aprendieron a estar solos, siempre hablaban de la abuela en presente, como si hubiera salido a la compra o estuviera pasando unos días en casa de alguna de sus hermanas. Domingo y Laura nunca dejaron de sufrir por su ausencia, pero lograron dominar su sufrimiento, se acostumbraron a estar juntos y consiguieron ser felices a su manera, hasta que José Luis volvió a mandar un solo billete de avión, para la niña. No quiero irme a Panamá, abuelo, le dijo Laura en el último abrazo, mientras la asistente encargada de subirla al avión miraba el reloj con impaciencia, quiero vivir aquí, contigo... Esa fue la primera vez que Domingo Caballero se quedó solo, pero entonces era trece años más joven, iba a trabajar todos los días, presentía que acabaría recuperando a su nieta y acertó. Laura no llevaba ni un mes en Panamá cuando le llamó por teléfono, me vuelvo a Madrid, abuelo, no quiero quedarme aquí, quiero volver a casa. El día de su regreso, mientras la abrazaba en Barajas, sintió que estaba viviendo el mejor momento de su vida. Desde entonces habían pasado doce años, mucho tiempo. Habían sido felices doce años más hasta que Laura volvió a marcharse y Domingo supo que se iba para siempre.

—Pero ¿por qué dices que me voy, si me mudo al edificio de al lado? Pienso venir a comer contigo todos los días, ¿qué te crees?, no vas a librarte de mí tan fácilmente.

No intentó retenerla, porque aquella vez la fortuna había cambiado sus cartas. Laura por fin había tenido suerte, y era justo que la suya se esfumara. Aparte de eso, Domingo había intentado por todos los medios aborrecer a Enrique Duarte, el músico pastelero que había enamorado a su nieta tocando el violín, pero no lo había conseguido. Cuando Laura se lo presentó, lo estudió con tanta atención como si su supervivencia dependiera de encontrarle algún defecto, va a ser gordo de mayor, es demasiado tímido, parece que tiene poco carácter, no sé yo si su pastelería tendrá futuro con tantos centros comerciales como están abriendo, no tocará muy bien el piano, con esos dedos de boxeador que tiene... Las objeciones que fue capaz de formular para sí mismo eran tan nimias que no se atrevió a compartirlas con nadie más. Y descubrió que Enrique estaba enamorado de Laura, que Laura estaba enamorada de Enrique, que seguir dudando de su futuro representaba una mezquindad indigna de su propio amor.

Así, y aunque su nieta se había saltado literalmente, a través de la azotea, la segunda etapa del confinamiento para dormir en casa de su novio muchas noches, la principal consecuencia que la nueva normalidad aportó a la vida de Domingo Caballero Pérez fue la soledad. Se propuso seducirla, domarla, convertirla en su compañera, y recuperó algunos hábitos a los que había renunciado sin pesar cuando el cuidado de la niña se convirtió en el centro de su vida. Lo estaba consiguiendo. Iba todas las tardes al Casino Militar, volvió a jugar al ajedrez con su amigo Nicolás, tuvo la suerte de encontrar debajo de un coche un gatito callejero, tan raros, tan caros desde que desaparecieron los perros, que le devolvió la necesidad de cuidar de alguien, esa preocupación que echaba tanto de menos. Y entonces, justo entonces, tuvo que aparecer aquella pesada que estaba obsesionada por mandarle quince días de vacaciones.

No era la primera vez que el Movimiento Ciudadano ¡Soluciones Ya! se inmiscuía en su vida. Al día siguiente de que se declarara la Tercera Pandemia, un vigilante llamó a su puerta y se dirigió a él como «mi teniente coronel». Eso le gustó poco, pero el contenido del oficio que le leyó en voz alta para comunicarle su nueva responsabilidad le gustó todavía menos.

—Mire usted —intentó explicarle con muy poco éxito—, yo sólo soy un jurídico militar. Estudié Derecho cuando ya estaba en el Ejército, con la intención de volver a la vida civil en la primera oportunidad, pero mi padre se puso tan pesado que hice las oposiciones por no oírle. Y aunque puede estar usted seguro de que habría preferido suspenderlas, las aprobé, mire por dónde, y con buena nota. Luego me casé, tuve un hijo, y entre unas cosas y otras...

—Llegó a teniente coronel del Cuerpo Jurídico Militar —completó su visitante.

—Pues sí, pero que no tengo ninguna vocación, es lo que quiero decirle.

—Eso da igual —el vigilante sonrió, como si todos los que llevaban aquella dichosa chapa prendida en el pecho cobraran por su capacidad de sonreír sin parar—. La mayoría de los jefes de casa son civiles. Nosotros seleccionamos entre los vecinos de cada edificio a la persona que nos parece más idónea para el cargo y creemos que en esta comunidad nadie reúne más cualidades que usted. Estamos seguros de que no nos decepcionará —se cuadró, tocó con la punta de los dedos de la mano derecha la ridícula gorra de béisbol color burdeos que cubría su cabeza y se despidió mientras andaba ya de espaldas hacia la escalera—. Hasta la vista, mi teniente coronel.

La jefatura de casa le mantuvo entretenido durante el confinamiento riguroso y, según Laura, que se partía de risa al decirlo, resultó muy beneficiosa para su salud, porque le obligó a subir y bajar escaleras sin parar durante más de dos meses. Él era el encargado de transmitir los pedidos de los vecinos a los vigilantes, de recibir las mercancías que traían y de avisar en cada piso que la compra había llegado. Lo demás, denunciar a los perros escondidos y chivarse de los vecinos que no salían a aplaudir al balcón, no quiso hacerlo nunca.

Domingo Caballero Pérez se hizo militar para darle una alegría a su padre, un hombre más solo y con peor suerte que él. Nadie lo habría pensado cuando se casó con una señorita tan joven, tan guapa, tan rica que sus amistades de Pontevedra no entendieron que se hubiera conformado con un simple teniente, que tenía muy buena planta, eso sí, pero ni un palmo de tierra donde caerse muerto. Su primogénito suponía que fueron felices durante algún tiempo, quizás cuatro o cinco años, pero ni siquiera podía estar seguro de eso. Por más que forzaba su memoria en busca de buenos recuerdos, las imágenes de su infancia giraban alrededor de una joven muy pálida, tan delgada que la piel de su cara se pegaba a los huesos como el envoltorio de su calavera y el relieve de su clavícula parecía a punto de romper la tela blanca, frágil, de su camisón. Aquella chica, que habría parecido un espectro si no hubiera respirado con tanta dificultad, se pasaba los días quieta como un cadáver, aunque sus ojos abiertos, que sólo sabían mirar al techo, dejaban escapar de vez en cuando alguna lágrima perdida, que cruzaba su rostro para secarse al borde de las mandíbulas sin que ella moviera un dedo para atajarla. Tampoco hablaba, apenas abría los labios para quejarse de seguir estando viva, y mientras los niños se atrevieron a visitarla a hurtadillas, los echaba de la cama sin contemplaciones. Esa mujer, que sólo quería morirse y nunca le había besado, era la madre de Domingo, pero la única madre que tuvieron él y sus hermanos fue su padre.

El capitán, después comandante Caballero, cuidó de los niños como pudo, al principio mal, aunque fue mejorando con el tiempo y acabó dominando el oficio. A temporadas, miraba a su alrededor y empezaba a beber. A temporadas, volvía a echar un vistazo y se conformaba con el agua del grifo. No podía perder el tiempo en compadecerse de sí mismo. Uno, al menos, de los padres de sus tres hijos tenía que estar de pie, y a él no le había tocado en suerte el lujo de hundirse. Domingo nunca conoció el diagnóstico exacto de su madre. Depresión profunda, decía piadosamente su marido. A él le parecía una definición demasiado leve, insuficiente para describir el particular infierno de una enferma que empezó a alternar la muerte en vida con episodios de violencia en los que se hería a sí misma y atacaba a los demás, hasta que primero la ataron y después, cuando su marido se negó a recluirla en un sanatorio, la sedaron por completo. Así, atada y dormida, murió por fin en la misma cama donde había vivido, cuando él era ya cadete. Si su tortura no hubiera durado tantos años, su hijo mayor jamás habría entrado en el Ejército. Y no se arrepentía de haber labrado uno de los escasos días de felicidad que conoció su padre, pero, al cabo de los años, tampoco mintió al confesar que no tenía vocación militar. Se sentía mucho más cómodo en el papel de abogado, y ejerciéndolo consiguió desactivar a todos los perezosos del edificio con la única excepción de su nieta, que le juraba que ella también aplaudía cada tarde desde la azotea.

—Pero, hombre de Dios, ¿a usted qué más le da? Sale al balcón, aplaude un minuto y solucionamos dos problemas. El suyo, porque si sigue negándose le va a caer un pedazo de multa, y el mío, porque cuando le multen a usted, me multarán a mí por no haberlo denunciado. El riesgo que corremos es desproporcionado en relación con el esfuerzo que le supone salir al balcón y dar cuatro palmas...

Eso lo resolvió bien, pero no logró ahorrarse quince días de vacaciones en noviembre, aunque un par de meses antes, al entrar en el Casino Militar se topó en el vestíbulo con un gran cartel, encabezado por un eslogan destinado a cumplirse por una vez.

—Pues claro que sí, mi teniente coronel —porque todo mejoró un poco a partir de esa entrevista—, sin problemas.

La funcionaria del Plan Nacional de Vacaciones para Personas Mayores que le visitaba en casa sólo le había ofrecido la posibilidad de irse a la playa en otoño con jubilados y jubiladas de su distrito. Nadie le había hablado del programa para pensionistas del Ejército que estaba a cargo de un jovencito igual de robotizado, pero que le cayó mucho más simpático desde que le confirmó que podría irse de viaje con Nicolás y otros conocidos del Casino.

—Y así —añadió su mejor amigo, el teniente coronel de Artillería más tacaño que nadie había conocido jamás—, como los dos somos viudos, podemos compartir habitación y nos sale más barato.

—Me temo que eso no va a poder ser —su interlocutor aliñó su negativa con una de esas sonrisas mecánicas que sacaban a Domingo de quicio—. En su caso, cada uno de ustedes debería ocupar una habitación doble de uso individual, pero les aseguro que la diferencia de precio es inferior a la comodidad que les ofrece esta fórmula. Podría gestionarles una rebaja, tal vez un veinte por ciento, pero nuestro objetivo es garantizar la alta ocupación hotelera, para ayudar al sector turístico a recuperarse. Ya saben que estamos viviendo en tiempos muy difíciles. Sólo saldremos unidos de esta crisis, y todos tenemos que arrimar...

—Ya, ya —el teniente coronel Caballero asumió que su colega también se había aprendido esa cantinela de memoria—. Lo sabemos, ¿verdad, Nicolás? —el aludido resopló mientras asentía con la cabeza—. Entre todos tenemos que levantar la economía, el turismo, el ocio y eso, ¿no? —entonces le llegó el turno de asentir al funcionario—. Pues muy bien, habitaciones dobles de uso individual y que cada uno ronque lo que quiera. Yo lo único que le pido es que avise usted a su compañera de que ya no tiene que volver a mi casa nunca más porque prefiero irme de vacaciones con mis compañeros de aquí.

—No se preocupe por eso, yo me encargo. Ahora —abrió el primer catálogo de la pila que había sobre la mesa y lo empujó en su dirección— sólo necesito que escojan un destino, un medio de transporte y un hotel.

Les costó tanto trabajo ponerse de acuerdo que por momentos parecieron un matrimonio con muchas décadas de convivencia a sus espaldas. A Domingo no le entusiasmaba demasiado la playa y a Nicolás le parecía absurdo ir de vacaciones a una ciudad. Si uno no estaba dispuesto a subirse en un avión de ninguna manera, el otro no entendía por qué había que escoger un hotel de cinco estrellas pudiendo ir a uno de cuatro tan ricamente. Las comidas generaron un nuevo conflicto, pero al final hallaron un punto intermedio entre el alojamiento más desayuno y la pensión completa. Fueron en tren a un hotel de playa en la ciudad de Málaga, cuatro estrellas superior y media pensión, ni para ti ni para mí, y se lo pasaron mucho mejor de lo que cualquiera de los dos habría esperado. Sin embargo, desde el primer día en que se levantó en la habitación del hotel, Domingo Caballero Pérez sintió una presión inesperada en su estómago, como si se le hubiera abierto un agujero diminuto, del tamaño de una avellana, que no logró rellenar en el bufé del desayuno.

Aquel día fijaron la rutina a la que se atendrían sus vacaciones. Por la mañana daban un paseo y visitaban algún museo, un barrio pintoresco o un monumento. Volvían a comer al hotel y, si el día era soleado, se iban a la playa y alquilaban dos tumbonas. Si estaba nublado, cada uno echaba la siesta en su habitación y dejaban el paseo por la playa para más tarde, pero nunca volvían después de las siete y media, porque Nicolás era un fanático del dos por uno de la *happy hour*. Luego salían otra vez para picar algo por ahí, solos o con las chicas, porque contra todos los pronósticos, en aquel viaje también hubo chicas. Una noche, tres señoras recién jubiladas les preguntaron con risitas adolescentes si les importaba que se sentaran a su mesa, que era bastante grande, en una taberna abarrotada donde no quedaba ningún sitio libre. Eran madrileñas, igual que ellos, se alojaban en un hotel situado en la misma calle donde estaba el suyo y los invitaron a la fiesta que se celebraba cada noche en la terraza del último piso. Fueron, hablaron, bailaron, bebieron y el agujero de Domingo creció de golpe desde el tamaño de una nuez hasta el de un albaricoque.

¿Me lo he pasado bien?, se preguntó al volver a su hotel. Me lo he pasado bien, se respondió. ¿Me ha gustado esa loca de Amelia? Cerró los ojos para volver a verla, redondita, apretada, con el pelo corto teñido de rubio, un flequillo audazmente degradado que tal vez no habría debido permitirse a su edad, pero que la hacía parecer más joven, y una cara, tan redondeada como su cuerpo, de rasgos pequeños, pero muy bien equilibrados. Había ido derecha a por él, como si no le importaran su calva, ni su barriga, ni el espantoso efecto que la ley de la gravedad había empezado a ejercer sobre sus hombros, que ya no sabían estar derechos y se encorvaban por su cuenta como si el suelo los llamara por su nombre. Se había sentado a su lado, le había sacado a bailar, y sí, le gustaba, le había gustado, aunque su estómago protestara, él sabría por qué. Domingo lo descubrió mucho más tarde.

—Es que me jode una barbaridad todo esto.

Las chicas volvieron a Madrid un día antes y la última noche la pasaron los dos solos, sin fiesta, sin baile, sin risas, dos militares jubilados y mustios, abandonados a una melancolía tan lastimera como impropia de su edad, del breve plazo de aquellas vacaciones cuyo final les dolió a traición, con la misma intensidad que dejaban tras de sí los larguísimos veranos de su infancia remota.

—¿Que se hayan marchado las chicas? —su amigo aventuró esa hipótesis después de haber buscado infructuosamente una mejor—. Pero nos han dado sus teléfonos, ¿no? Ya las veremos en Madrid.

—No, no es eso. Lo que me jode... —el albaricoque recuperó el tamaño de una nuez—. A ver, ni tú ni yo queríamos venir aquí —la nuez encogió hasta convertirse en una avellana—. Ha salido bien, vale, nos lo hemos pasado muy bien, vale, lo reconozco, pero no lo habíamos pedido, ¿verdad? —el tamaño de la avellana disminuyó como si acabara de perder la cáscara—. Nos han traído aquí a la fuerza —el fruto se evaporó—. Nosotros habríamos preferido quedarnos en Madrid, aunque nos aburriéramos, ¿te das cuenta? —y Domingo Caballero Pérez logró firmar al fin la paz con su estómago—. Pero no nos han dejado. Eso es lo que me jode.

—Ya, pero el turismo está tan pachucho que...

Nicolás no acabó la frase. Se quedó un rato pensando, miró a su amigo y asintió despacio con la cabeza.

—Tienes razón. No se me había ocurrido pensarlo así, pero ahora veo que tienes razón. Aunque no me arrepiento de haber venido, ¿eh?

Entonces fue Domingo el que tuvo que pararse a pensar.

—Yo tampoco.

Aquella noche no bebieron más. Domingo se acostó pronto, pero tardó varias horas en quedarse dormido. Pensaba en Amelia, aunque no exactamente en ella, en su cara, en su cuerpo, en su forma de hablar, de reírse, tampoco en los besos de la última noche, que habrían encerrado una promesa madura, todavía sabrosa, para un hombre veinte o quince, tal vez sólo diez años más joven que él. Los dos sabían que habrían podido acabar en la cama, pero ninguno de los dos lo propuso y ambos callaron por el mismo pudor, la misma pereza, el miedo a exhibir un cuerpo desentrenado, viejo. Domingo no tenía muchas esperanzas de volver a ver a Amelia en Madrid. Ni siquiera estaba muy seguro de que le apeteciera quedar con ella, pero si eso llegara a pasar, si aquella tontería acabara desembocando en algo parecido al último amor de su vida, se lo debería al Movimiento Ciudadano ¡Soluciones Ya! y a su aborrecible Plan Nacional de Vacaciones para Personas Mayores. Eso era lo que no le dejaba dormir.

Domingo Caballero Pérez no estaba dispuesto a deberle ni el más ínfimo ápice de nada bueno a aquella siniestra cofradía de pequeños dictadores sonrientes.

3
Accidente

La señora decidió ponerse el biquini a la una de la tarde. Cuando el señor volvió a Madrid a toda prisa, en un helicóptero proporcionado por el Cuerpo Nacional de Vigilantes, el servicio no atinó a explicarle muy bien qué había pasado. En realidad, nadie lo había visto. En ese momento, el jardinero estaba podando los rosales del jardín trasero, la cocinera terminaba la comida, una doncella ponía la mesa, la otra estaba de palique en el patio con el mozo de comedor y el chófer debía de estar tomándose una cerveza en su habitación. A la señora no le gustaba ver a nadie cerca de la piscina mientras tomaba el sol porque se quitaba la parte de arriba del biquini de vez en cuando, todos lo sabían. En la mesita baja situada junto a su tumbona había una campanilla con la que los llamaba si necesitaba algo, pero aquel día no la usó. Aquel día sólo gritó.

No era la primera vez que las alimañas del monte del Pardo se acercaban a una casa de la Ciudad Puerta de Hierro. Todas las semanas, los guardas forestales batían el terreno, ponían trampas, seguían huellas, pero casi nunca cazaban a ninguna de aquellas bestias sobre las que circulaban extrañas historias. La más popular afirmaba que eran el resultado de una mutación del virus de la Tercera Pandemia, y que seguían transmitiendo una cepa de la enfermedad resistente a la vacuna. Esa versión era muy útil para mantener a los niños lo más lejos posible del monte limítrofe con una urbanización de lujo, pero la verdad era mucho más simple. Las feroces criaturas del Pardo sólo eran supervivientes del exterminio de perros domésticos que los vigilantes habían emprendido durante la etapa de confinamiento riguroso. La razón de aquella campaña, como la de casi todas las promovidas por el gobierno del MCSY, había sido de naturaleza económica. Era demasiado caro, demasiado engorroso, ridículo, que los agentes de una fuerza concebida para imponer el nuevo orden se dedicaran a pasear perros por la calle y recoger sus cacas en una bolsita dos veces al día. Eliminar a las mascotas no sólo solucionó ese problema. También contribuyó eficazmente a extender entre la población el pánico incondicional que más convenía a los intereses del gobierno. Pero aquella campaña, exitosa en general, no logró acabar con todos los perros de la ciudad.

Los caniches, los terriers, los schnauzers, los chihuahuas, todos los perros mansos de pequeño tamaño, se extinguieron sin dificultad, pero otros lograron escapar. Los vigilantes los llevaban en grupos de veinte o treinta al lugar donde iban a ponerles la inyección, y más de uno tiró de su correa hasta desprenderla de la mano de su verdugo y salir corriendo con ella detrás. Algunos de los más grandes, los más fuertes, sobrevivieron incluso a la acción del veneno, dosis universales que no estaban calibradas para su peso, y se sumaron a la nómina de los fugitivos. Las autoridades no se preocuparon demasiado. Eran perros domésticos, no sabían cazar, estaban acostumbrados a comer pienso, no iban a durar mucho. Pero los guardas de la Casa de Campo, del monte del Pardo, del parque del Oeste, vieron cómo se multiplicaban los cadáveres de ardillas, liebres y conejos a medio comer, muertos a dentelladas y devorados mal, deprisa, en el mismo lugar donde habían caído. Y enseguida dejaron de encontrarlos con tanta facilidad. Los perros asilvestrados habían perfeccionado su técnica y, como los cazadores salvajes, aprendieron que era mejor recoger su presa y llevársela a un escondite donde pudieran disfrutarla tranquilamente. Hasta que la caza empezó a escasear. Desde entonces se mataban entre ellos, pero cuando los supervivientes descubrieron que ni así quedaban conejos para todos, se atrevieron a cruzar la carretera para entrar en los jardines de las casas en busca de comida.

Eso fue lo que pasó en la mansión que don Jaime Riera i Casasús, el maduro empresario catalán que había guiado los primeros pasos de Juan Francisco Martínez Sarmiento en el ámbito empresarial, compartía con su tercera esposa y el pequeño hijo de ambos, que estaba en el colegio cuando su madre fue atacada. Al oírla gritar, el servicio acudió a toda prisa a la piscina y la encontró parapetada detrás de una tumbona, un escudo demasiado frágil para defenderla de la furia de los dos famélicos mastines que la acosaban. A las doncellas no se les ocurrió otra cosa que chillar más fuerte que doña Marina, pero el mozo de comedor empuñó la barra de un toldo e intentó golpear con ella al perro que tenía más cerca. Fue un error. El animal, enfurecido, se abalanzó sobre él y la señora acudió en su ayuda golpeándolo a su vez con la tumbona. Fue otro error. Cuando el chófer llegó con una escopeta y acertó por fin, matando primero a un perro, después al otro, el mozo de comedor sólo tenía un par de rasguños, pero en el antebrazo de doña Marina sangraba una herida doble y profunda de forma perfectamente semicircular, un molde de la dentadura del perro que había logrado meter la cabeza entre la tumbona y su cuerpo para morderla en el antebrazo con todas sus fuerzas. Cuando cesó la alarma, la cocinera llegó a toda prisa con un pareo para envolver a su señora, que estaba con las tetas al aire. Casi al mismo tiempo apareció en el jardín el señorito Hugo, el hijo mayor del vecino de al lado, que se había asustado al oír los tiros.

Doña Marina intentó quitarle importancia a la herida. Estoy bien, estoy bien, decía, mientras el color abandonaba su rostro, un instante pálido, al siguiente del blanco amarillento de un velón de iglesia. Hugo Alcocer se ofreció a llevarla al dispensario y ella se desmayó mientras negaba con la cabeza. El chófer no tardó ni diez minutos en trasladarlos al Centro

Médico de la Ciudad Puerta de Hierro, un pequeño hospital que, como los que atendían a los habitantes de todas las áreas de residencia especial, contaba con las instalaciones precisas para resolver pequeños problemas de salud.

—Pero aquí tenemos un problema muy grave —después de examinar a la víctima, el director médico salió con Hugo de la sala de curas—. Esos animales... No sabemos en qué situación están, qué enfermedades pueden transmitir. Voy a limpiar la herida, voy a vendársela y a ponerle una vía con un antibiótico de amplio espectro, pero estoy seguro de que no será suficiente. Nos guste o no, tenemos que llevarla a un hospital. De lo contrario, se arriesga a perder el brazo.

—Ya, pero en un hospital... ¿Y no podríamos traer a un especialista para que la viera aquí?

—No. Al menos, yo no estoy dispuesto a asumir esa responsabilidad, sería demasiado peligroso —se acercó al chico, le puso las manos sobre los hombros, le miró a los ojos—. Hazme caso, Hugo. Llama a una ambulancia, por favor. Llámala ahora mismo. Ya.

Cuando el MCSY llegó al poder, Hugo Alcocer Hernández se vio forzado a elegir entre sus padres. En aquella coyuntura le resultó imposible alimentar ambos amores por igual. Él se llevaba mucho mejor con su madre que su hermana, pero no tenía la menor duda de que Camila se quedaría con Mónica porque, como suele suceder con los mellizos, cada uno se había autoasignado un papel que interpretaba con estricta fidelidad. Camila sólo sabía identificarse con los perdedores, Hugo siempre escogía al ganador. Esta vez, esa tradición no contribuyó a que se sintiera satisfecho de sí mismo, pero se consolaba pensando que su hermana estaba muy bien, muy contenta, en el pueblo donde le mandó a la mierda cuando fue a visitarla, el día del último cumpleaños de ambos. También procuraba pensar que, antes o después, la situación mejoraría lo suficiente como para que pudiera retomar la relación con su madre. Mientras tanto, aprendió a comportarse como un soldado leal del MCSY y, por eso, antes de llamar a una ambulancia, llamó a su padre.

Alejandro Fernández, especialista en enfermedades infecciosas de la Clínica de la Concepción de Madrid, redactó dos informes distintos sobre Marina Martín.

En el primero, destinado a los archivos del hospital, consignó el nombre, la edad y el buen estado de salud de la mujer que había ingresado por Urgencias, antes de describir el motivo del ingreso de forma sucinta. Herida incisa en antebrazo izquierdo, escribió apenas, antes de describir el tratamiento que le había aplicado. Cualquier médico, no necesariamente de su especialidad, habría deducido sin gran dificultad que uno de los orígenes más probables de aquella combinación de antibióticos con la vacuna del tétanos habría sido la mordedura de un animal, pero él no hizo alusión a la causa de la herida. Tampoco adjuntó al informe las fotografías que había tomado mientras la paciente estaba sedada. Se limitó a añadir que había respondido bien al tratamiento y la fecha en la que había procedido a darle el alta, prescribiendo la medicación que seguiría tomando en su domicilio y el calendario de las curas que recibiría en el centro médico del área de residencia especial de la Ciudad Puerta de Hierro. Cuando lo terminó, fue a llevarle el informe a la directora del hospital.

—Te va a sonar muy raro —le advirtió antes de que empezara a leerlo.

—Es verdad que es muy raro, pero no podíamos hacer otra cosa —sentenció ella cuando lo terminó.

Después desprendió los resultados de la analítica, se levantó y encendió la trituradora de papel para introducir en su interior, folio a folio, todos los misterios de Marina Martín, orina, bioquímica, hemograma y heces, antes de volverse a mirar a su subordinado.

—Buen trabajo, Álex —le premió con una sonrisa—. Muchas gracias.

Él se limitó a inclinar la cabeza para agradecer el comentario, recogió el solitario impreso al que se había visto reducido su informe e intentó salir lo antes posible de aquel despacho, pero su dueña le detuvo antes de que lo consiguiera.

—Una cosa más, cierra la puerta, por favor —movió una mano en el aire para pedirle que se acercara y bajó la voz—. Lo que acabo de leer es la única documentación que existe sobre este caso, ¿verdad?

—Por supuesto —y él mismo se asombró de la maestría con la que estaba mintiendo—. Soy consciente de que...

—Ya, ya —pero a su jefa le traía sin cuidado su conciencia—. Eso es todo, gracias otra vez.

El doctor Fernández siempre se había llevado bien con la directora de su hospital, una mujer ambiciosa, mucho más brillante como gestora que como médico internista, pero no se fiaba de ella. Por eso, el segundo informe sobre Marina Martín no llegó a estar nunca dentro de las paredes de la Clínica de la Concepción. Lo redactó en su casa, después de pedirle al hermano de su mujer, que había trabajado como fotógrafo de prensa mientras había existido la prensa en España, que revelara artesanalmente las imágenes que había tomado con la cámara que él mismo le había prestado, instantáneas de la herida y de los resultados de las pruebas que su jefa había destruido. Cuando recopiló toda la documentación, dedicó un fin de semana casi completo a redactar un texto que se parecía más a un testimonio personal que a un informe médico.

Lo primero que pensó al verla fue que estaba contemplando un error. Después se frotó los ojos, se quitó las gafas, limpió los cristales con cuidadosa parsimonia, y al mirarla con detenimiento pudo concretar un poco más. Tenía delante a una mujer de otra época. Un fogonazo de incredulidad, el asombro hormigueando en las yemas de sus dedos, dio paso muy pronto a una imprecisa sensación de peligro. Álex Fernández no creía que existieran los viajes en el tiempo y sin embargo, aquel bronceado, aquella piel, aquel cuerpo, parecían provenir de un pasado cercano, anterior a la Tercera Pandemia. Todo eso escribió, omitiendo sólo un detalle. Marina Martín le había impresionado además porque estaba buenísima, pero, aunque todavía no sabía quiénes iban a ser los destinatarios de aquel texto, decidió que la lujuria de su autor no les ayudaría a comprenderlo mejor.

El día que aquella paciente ingresó en el hospital, ya había pasado un año y medio desde que las mascarillas y escafandras habían dejado de ser obligatorias, pero en la nueva normalidad la gente seguía teniendo demasiado miedo y las autoridades no se cansaban de recomendar prudencia. Al parecer, el tratamiento contra el virus disminuía la tolerancia de la piel frente a los rayos solares, o eso al menos afirmaban los prospectos. Las piscinas públicas y parques acuáticos, cubiertos por grandes cúpulas transparentes que neutralizaban el efecto nocivo de los rayos UVA, y las zonas de playa seguras, serían la mejor opción en el plazo de tres meses, pero Marina Martín había llegado a sus manos a finales de abril. En el hospital, donde veía a diario a gente de todas clases, nunca se había tropezado con nadie tan bronceado a aquellas alturas del año, y eso era lo de menos.

En su segundo informe, el doctor Fernández explicó que aquella mujer había ingresado tras una llamada del ministro de Sanidad en persona. La directora del hospital había bloqueado todas las habitaciones de un ala de la segunda planta para asegurarse de que nadie supiera que estaba allí. Él y dos enfermeras que se alternaban en turnos de doce horas eran las únicas personas que la habían visto. No necesitaba más información para estar seguro de que su paciente era una mujer muy rica, que vivía en una casa con piscina y se consideraba por encima de cualquier recomendación, porque tomaba el sol sin la parte de arriba del biquini en cualquier época del año. Pero ni siquiera eso explicaba la ausencia de la señal que, en teoría, absolutamente todos los españoles lucían en la zona superior del brazo izquierdo. Marina Martín no había sido vacunada contra el virus y, a juzgar por lo que decía su analítica, tampoco había recibido tratamiento alguno contra la enfermedad. Como era imposible que hubiera viajado en el tiempo desde una época anterior, al doctor Fernández no le quedó más remedio que concluir que vivía en un lugar aparte, dentro de una burbuja de irrealidad donde la vida cotidiana se había seguido desarrollando como si la Tercera Pandemia nunca hubiera llegado a existir.

Aquel virus había representado toda una exhibición de la eficacia con la que un gobierno podía gestionar una epidemia. Una gran red de hospitales especiales, surgidos como por ensalmo, en muy poco tiempo y en todo el país, se había abarrotado inmediatamente de enfermos más y menos graves, que habían logrado sobrevivir en una proporción muy superior a las cifras arrojadas por las dos primeras pandemias. O eso, al menos, decía la televisión, que incidía en la peligrosidad de un virus de transmisión aérea para ensalzar el rápido desarrollo de un tratamiento que culminaría un par de meses después con la aparición de la vacuna. El doctor Fernández no podía asegurar qué parte de esa historia era cierta, porque los grandes hospitales, en los que la tasa de letalidad superaba a la registrada en los hospitales especiales, habían recibido muy pocos pacientes. Algunos de sus colegas comentaban entre susurros que nunca habían visto una enfermedad tan rara, y él mismo se había asombrado de la facilidad con la que había cundido el pánico en relación con el bajo número de muertes publicadas. Alguna vez había llegado a pensar que la Tercera Pandemia era una especie de ficción siniestra, y al redactar el único informe que contaba la verdad sobre Marina Martín, incluyó esa teoría, muy reforzada por la naturaleza de la herida que la había llevado hasta él.

Cuando retiró el vendaje con toda la delicadeza de la que sus dedos eran capaces, encontró una mordedura de perro tan paradigmática que habría servido para ilustrar un manual. Él, como todos los vecinos de las que habían pasado a denominarse áreas de residencia común —todos los barrios de todas las ciudades con la excepción de unas cuantas urbanizaciones de lujo—, ignoraba que en las zonas verdes que rodeaban la capital siguieran existiendo perros. A juzgar por las bacterias que habían infectado la herida, el que había mordido a la señora Martín vivía en estado salvaje, pero sus dientes no habían transmitido el virus a una paciente que no estaba vacunada. Era un dato incomprensible, pero le impresionó más la intuición de que se había tropezado con la punta de un iceberg, apenas un par de cosas entre las muchas que la gente corriente no sabía. Entonces tuvo que tomar una decisión. Y decidió que no podía quedarse callado.

Al poner el punto final en su informe secreto, Alejandro Fernández sintió un escalofrío. Lo que había contado le daba mucho miedo, tanto que estuvo a punto de romper lo que había escrito en pedazos muy pequeños y tirarlos a la basura, pero no lo hizo.

Lo metió en un sobre junto con las fotos, lo cerró y le puso una nota encima. Luego lo guardó en el cajón de los papeles importantes, entre las escrituras de propiedad de su casa y el contrato de su seguro de vida.

Su viuda tardó más de un mes en encontrarlo.

La última vez que le vio vivo, se había vestido como para ir a una boda, pero tenía el aspecto de un invitado a su propio entierro. Ella no lo entendió. Álex le había contado por encima que el ministro de Sanidad iba a recibirle aquella mañana para entregarle un reconocimiento por su actuación en un caso muy complicado.

—Pero eso es una cosa buena, ¿no?

Él sonrió y no quiso contestar. Se acercó a su mujer, la abrazó y la besó hasta que ella se liberó de su cariño con risueños aspavientos.

—¡Ay, qué pegajoso estás! —aquellas palabras acudirían puntualmente a sus pesadillas durante el resto de su vida.

No vio el atentado en directo. Aquel día ella ni siquiera bajó al comedor de la empresa. Tenía tanto trabajo que salió a la calle para comprarse un bocadillo de jamón y se lo comió en su mesa. En varios momentos oyó comentarios de voces alteradas, qué horror, qué miedo, qué hijos de puta, asesinos sin escrúpulos, ¿y qué hace el gobierno?, ¿y qué va a hacer?, son terroristas, no se puede hacer nada contra esa gente... No estuvo pendiente de las conversaciones del pasillo porque tenía que acabar a tiempo de recoger a su hijo a las cinco y media. Había llamado varias veces a Álex por si podía acercarse él, pero no había conseguido localizarle. Llegó al colegio siete minutos tarde y se encontró con un inesperado comité de recepción. La tutora de su hijo, un par de profesores, algunos padres y madres de los mejores amigos del niño la fueron abrazando de uno en uno, qué espanto, qué tragedia, cuenta con nosotros para lo que necesites, ahora tienes que ser fuerte. Le dio vergüenza preguntar qué había pasado, pero al entrar en el coche llamó a su hermano. Él, que la estaba esperando ya en la puerta de su casa, se lo contó todo. Al menos, todo lo que le habían contado a él las imágenes que había visto por televisión.

Una cámara de seguridad había filmado el asalto. Un coche oscuro avanzaba por un lateral del paseo de Recoletos cuando un furgón, que salió de una bocacalle en dirección contraria, se cruzó en la calzada para cortarle el paso. Una docena de encapuchados, armados con metralletas, saltaron por la puerta trasera y mientras la mitad disparaba al aire, para dispersar a los transeúntes, la otra mitad fue hacia el coche, obligó a salir a sus ocupantes y apoyó contra el vehículo a dos de ellos, un hombre y una mujer, para ejecutarlos inmediatamente con sendos disparos a la cabeza. El chófer, que se había tirado al suelo, murió poco después, de la misma manera, antes de que uno de los asaltantes disparara contra la cámara que lo había grabado todo. Los locutores añadieron que el atentado había sido reivindicado por el Frente Popular Antisistema, y los dos únicos testigos que se prestaron a declarar ante los reporteros confirmaron que habían gritado el nombre de su organización allí mismo antes de darse a la fuga. Después, habían aparecido en pantalla las fotografías de las víctimas. Una de ellas correspondía al doctor Alejandro Fernández, especialista en enfermedades infecciosas de la Clínica de la Concepción de Madrid, que se dirigía al Ministerio de Sanidad para participar en una reunión junto con una enfermera de su equipo que también perdió la vida en el asalto.

La viuda no quiso ver el asesinato de su marido en directo. Más tarde se arrepintió, porque cuando agotó todas las etapas del rito social de la muerte, la capilla ardiente, el pésame de la cúpula del Ministerio, las lágrimas de la directora del hospital, el entierro, la agobiante presencia de familiares propios y políticos, recibió una extraña visita. Dos enviados del ministro se presentaron en su casa para transmitirle una vez más la consternación del gobierno por su pérdida, para entregarle una medalla a título póstumo, para explicarle que se trataba de una condecoración pensionada, por la que los herederos del doctor Fernández recibirían una remuneración mensual mientras vivieran, y para pedirle un gran favor.

—No nos explicamos las razones de la muerte de Alejandro —le dijo con voz suave el que parecía estar al mando—. Un médico joven pero prestigioso, sin enemigos conocidos, que gozaba de la mejor consideración entre sus compañeros... Los terroristas fueron a por él, como habrá visto en las imágenes.

—No he visto las imágenes —ya había descubierto que estaba en peligro, aunque aún desconocía la naturaleza del riesgo que afrontaba.

—Y no hace falta que las vea —intervino por primera vez su compañero, con un aplomo que hizo dudar a su interlocutora sobre cuál de los dos detentaba en realidad el poder—. Su actitud es muy comprensible, pero nosotros tenemos que detener a los culpables para que no sigan matando, como comprenderá.

—Lo comprendo —la sensación de alarma se intensificó para rodear su garganta con una tenaza imaginaria, de la que sólo se liberó al obligarse a pensar.

—Por eso, si no le importa, nos gustaría revisar los documentos del doctor, para ver si encontramos en sus archivos algo que nos pueda ayudar en la investigación. Tal vez, hace años no pudo salvar a un paciente emparentado con un clan criminal, o desafió de alguna manera a personas que se obsesionaron con la idea de vengarse. No sabemos lo que buscamos, pero le prometo que no tardaremos mucho. ¿Su marido tenía un despacho en casa?

—Sí —sentía que su cabeza estaba echando humo, de tanto sumar, restar, multiplicar y dividir todo lo que era capaz de recordar sobre los últimos días de la vida de Álex—. Bueno, no es un despacho, pero cuando se traía trabajo a casa, lo hacía en un escritorio que tenemos en el dormitorio. Vengan conmigo, se lo enseño... —e inmediatamente después, mientras ya habían empezado a abrir cajones, se acarició su tripa de embarazada de siete meses—. Voy un momento al baño, si me disculpan. En mi estado...

Ellos ni siquiera se volvieron a mirarla. No la vieron cerrar la puerta del dormitorio, ir hacia la cocina, dirigirse al aparador donde guardaba la vajilla, abrir el tercer cajón, el único lugar donde Álex y ella habían guardado siempre los papeles importantes. Revisó su contenido con los dedos y, al tacto, se dio cuenta de que el montón había crecido. Los Fernández no tenían mucho dinero, ni más propiedades que aquel piso, así que encontró enseguida un sobre que no había visto nunca, vio que tenía una nota adhesiva pegada encima, reconoció la letra de su marido, leyó las cuatro primeras palabras y miró a su alrededor. La rejilla decorativa que remataba la parte superior del horno estaba suelta. La sacó, metió el sobre en el hueco, volvió a colocarla y regresó a su dormitorio andando despacio mientras su corazón latía con tanta fuerza como si aspirara a reventarle el pecho.

—¿Han encontrado algo? —preguntó en un tono que aparentaba interés, sin dejar de acariciarse la tripa.

—Sí —aunque sus caras revelaban que no era lo que habían ido a buscar—. Nos vamos a llevar estos documentos, si no le importa. ¿Su marido no tenía otros papeles? Hemos visto que guardaba aquí las copias de sus declaraciones del IRPF, pero no hemos encontrado documentos oficiales, yo qué sé, escrituras, seguros...

Los llevó a la cocina. Por el camino, iba pidiéndole perdón a su bebé, que estaría percibiendo sin duda su agitación, su miedo. Sólo dejó de acariciarse la tripa con las manos cuando abrió el tercer cajón del aparador para sacar su contenido y dejarlo sobre la mesa. Ella había vivido durante más de diez años con la persona más ordenada que había conocido. Álex le había legado un sobre con una nota que empezaba diciendo «si me pasa algo», y eso sólo podía significar que no habría dejado fuera ni un indicio, el menor cabo suelto de aquello que contuviera. Su viuda no lo dudaba, pero contuvo la respiración hasta que aquellos hombres desplegaron media docena de carpetas conocidas, la escritura de la casa, la de la hipoteca, el contrato del seguro de hogar, el de la alarma, el testamento, el seguro de vida y nada más.

Cuando los visitantes se marcharon, la dueña del secreto se sentó en una silla, respiró acompasadamente durante unos minutos y cerró un instante los ojos antes de levantarse. Luego desprendió la rejilla con facilidad, rescató aquel sobre y leyó por fin la nota manuscrita.

«Si me pasa algo, no hagas nada que os ponga en peligro a ti o a los niños. Dale este sobre a Ángela Echevarría. Ella sabrá qué hacer.»

Francisco Segarra siempre había tenido muy buena salud y un físico difícil, que le prestaba una apariencia dudosa entre el aspecto de un mendigo heroinómano y el de un inminente moribundo. Estaba acostumbrado a no causar buena impresión, pero sabía corregirla y, cuando le interesaba, podía llegar a ser un hombre muy simpático. Aquel día no se tomó la molestia.

—Este documento llegó a mis manos por una carambola. Soy psicólogo y pertenezco al Cuerpo Nacional de Terapeutas desde su fundación. Mi mujer, María Antonia Gómez, que es psiquiatra, se incorporó más tarde, en una convocatoria extraordinaria posterior al principio de la Gran Terapia. Ella es discípula de Miguel Echevarría, referente de la psiquiatría progresista española en las primeras décadas del siglo XXI, que ejerció como catedrático en la Complutense hasta que un comité de idoneidad le relevó del cargo para facilitar su incorporación al CNT. Fue uno de los directores de nuestro programa durante unos meses, hasta que renunció al puesto. No comparte nuestra visión sobre las terapias destinadas a facilitar la adaptación de los españoles al nuevo modo de vida surgido después del Gran Apagón, y no le importó aceptar un trabajo rutinario y mal pagado en la Sanidad Pública, concretamente en el hospital infantil del Niño Jesús. Su sobrina, la doctora Ángela Echevarría, trabaja como cardióloga en el mismo centro. ¿Me sigue?

—Perfectamente —la titular del despacho donde tenía lugar la entrevista le miró por encima de las gafas, sin soltar el bolígrafo con el que tomaba notas—. Puede continuar.

—Correcto. Ángela Echevarría era la mejor amiga de Alejandro Fernández, y la destinataria del informe que acabo de entregarle. Cuando lo leyó, no supo qué hacer con él. Fue su mujer, porque Ángela es lesbiana y está casada con una ingeniera que se llama Manuela, quien pensó que para difundir el documento lo mejor era ponerse en contacto con un terapeuta. Le dijo que nosotros vemos a mucha gente, que entramos en todas las casas, y tenía razón. Lo único que necesitaban era encontrar a una persona de confianza. La doctora Echevarría pidió ayuda a su tío Miguel y él se acordó de María Antonia, que fue la única de sus alumnos que protestó cuando le obligaron a abandonar la universidad. Pero Ángela no podía reclamarla para hacer terapia, porque tenemos la norma de no tratar nunca a personas de nuestro mismo género. Hemos comprobado que resulta más eficaz que los hombres hagan terapia con mujeres y las mujeres con hombres. Así me convertí yo en el terapeuta titular de Ángela Echevarría hace seis meses.

—Mucho tiempo, ¿no? —ella consultó sus notas, miró el informe, después a aquel hombre tan desagradable—. El doctor Fernández murió hace más de dos años.

—Correcto, pero eso no es responsabilidad mía. De entrada, me ha costado mucho trabajo llegar hasta este despacho. Sus subordinados han estado jugando al ping pong conmigo durante meses, de la primera planta a la tercera, de la tercera a la segunda y otra vez a la primera. Cuando decidí ponerme en contacto con ustedes procuré mantener en secreto, por razones obvias, el motivo de mi interés, pero no me ha sido posible. Tuve que divulgar parcialmente el informe para que alguien me hiciera caso.

—Lo sé —él tuvo la impresión de que estaba siendo sincera—. Y lo siento, créame.

—Correcto. Pero ese fue sólo el último de muchos retrasos. En primer lugar, cuando la viuda del doctor descubrió el informe, se tomó su tiempo para decidir si iba a dárselo a Ángela o no. Por lo visto siempre ha tenido celos de ella, aunque sea lesbiana, por la íntima amistad que la unía con Alejandro. Fueron novios durante años. Él descubrió que le gustaban las mujeres antes que ella y sin embargo nunca le guardó rencor. Su viuda todavía no puede soportarlo y le costó lo suyo acatar su voluntad. Después, la doctora Echevarría tardó aún más tiempo en encontrarme, y tampoco se confió a mí con facilidad. Yo sabía que no era una paciente normal. Su tío le había advertido a mi mujer que estaba muy deprimida por la muerte de su amigo y angustiada por una especie de misión que le había dejado en herencia. Por lo visto, Miguel sí había leído el informe, quizás incluso María Antonia, aunque no estoy seguro porque... Bueno, últimamente no nos llevamos muy bien. De hecho, hace unos meses que no vivimos juntos. El caso es que mi mujer, o mi exmujer, me explicó por encima la situación de Ángela y yo creí que se trataría de un duelo complicado, nada más. Pero hace algún tiempo, cuando nos despedimos me pasó una nota, citándome para el domingo siguiente en el estanque del Retiro. «Sin micrófonos», ponía al final. Supongo que están ustedes al corriente de que se ha extendido el rumor de que los terapeutas grabamos todas las sesiones. Yo he renunciado al micrófono, de hecho. Llevo la chapa prendida en la americana y me la quito antes de empezar. Después, al salir de cada sesión, grabo sobre la marcha mis propias impresiones. Tal vez el resultado no sea tan exacto, pero me ayuda a atraerme la confianza de los pacientes, que es lo que importa.

En la pausa que se abrió a continuación, la mujer que hacía las preguntas volvió a estudiar al hombre que tenía delante. Paco Segarra rondaba los cuarenta años. Era muy alto, pero, incluso sentado, sus hombros estaban tan encorvados que resultaba imposible precisar su estatura exacta. A pesar de que intentaba disimularlo con ropa de tejidos gruesos y tonos oscuros, el rasgo más llamativo en él era una delgadez tan extrema que planteaba su propio enigma. Resultaba difícil averiguar si daba más lástima que grima, más asco que pena. Lo que se veía de su cara era sólo piel tirante, pegada al hueso, y unos ojos aguados, hundidos en sus cuencas como los de un pájaro. El resto lo cubría una barba cuidadosamente recortada para aparentar siempre tres días de antigüedad y ocultar los huecos que se adivinaban donde deberían haber estado las mejillas. Su interlocutora se preguntó cómo era posible que aquel hombre ejerciera un oficio cuyo requisito principal consistía en ganarse a los demás. Lo descubriría enseguida.

—¿Está esperando a que le aplauda?

—No.

En ese momento, Paco Segarra sonrió y se convirtió en otra persona. La sonrisa rellenó su cara, encendió sus ojos con una chispa dorada, brillante, acercó todo lo que estaba lejos, coloreó su piel y aplomó su cuerpo antes de que ella pudiera aceptar que lo que estaba viendo no era una trampa de sus sentidos. Porque una vez rota la barrera de la desconfianza, las precauciones inevitables en una situación como la que compartían, Segarra, que era cualquier cosa menos un hombre guapo, se convertía en algo, tal vez más que en alguien, misteriosamente seductor.

—No espero que me aplauda —hasta su voz cambió al intuir que la opinión de aquella mujer había mudado a su favor—, sólo pretendía contarle algo que suponía que podría interesarle.

—¿Lo de los micrófonos? —él asintió sin dejar de sonreír—. Pues sí, es un error. Estamos cometiendo muchos, últimamente. De lo contrario no estaríamos hablando aquí, usted y yo.

—Correcto.

Ella tomó aire, le sostuvo la mirada y se preguntó qué buscaría exactamente aquel hombre, poder, influencia, dinero, o una mezcla de las tres cosas.

—¿Por qué ha venido a verme, señor Segarra?

Pero él no se lo puso fácil.

—¿A usted qué le parece?

Megan García convocó a quien nunca había dejado de ser su jefe en la oficina de la calle Príncipe de Vergara donde seguían viéndose para tratar de los asuntos verdaderamente graves, los que no se atrevían a compartir con nadie más.

El Gran Capitán estudió el informe despacio, en silencio, sin otra reacción que la profundidad creciente de la arruga que marcaba su ceño. Y al terminar, hizo solamente una pregunta.

—¿Cuántas personas han leído esto?

—No estoy segura —aunque lo había calculado muchas veces—. Yo diría que, con toda seguridad, unas doce. La viuda de Fernández, su hermano, que fue quien hizo las fotos, tal vez su mujer, los padres de ambos... Eso harían cinco. Después sabemos que lo leyeron Ángela Echevarría, su pareja, su tío Miguel, la mujer de Segarra... y el propio Segarra, claro. Por último, y por desgracia, lo leyeron el secretario general del partido en Madrid y un par de personas de mi despacho.

—Eso hacen trece. Y cada una de esas trece personas, ¿a cuántas más se lo habrá contado?

—No lo sé, jefe —reconoció Megan—. Lo siento mucho.

—No tienes por qué, no ha sido culpa tuya.

Juan Francisco Martínez Sarmiento se encerró en un despacho para pensar, y se negó a recordar lo fácil, y feliz, y eficiente que había sido todo mientras Megan y él tomaban las decisiones en exclusiva, mano a mano y sin darle cuentas a nadie. También se prohibió a sí mismo preguntar quién había sido el gilipollas al que se le había ocurrido exonerar a los habitantes de la Ciudad Puerta de Hierro de la señal de la vacuna que él mismo, y su mujer, y sus tres hijos, lucían en el brazo izquierdo. Ya habría tiempo para ajustar cuentas con los imbéciles, pero en aquel momento lo único importante era parar el golpe, reducir a magnitudes manejables el volumen de un daño que ya no tenía remedio. Para lograrlo, sólo podía contar con Megan. Tendrían que hacerlo de nuevo los dos juntos, los dos solos, para prevenir nuevas escenificaciones de atentados terroristas y accidentes mortales, la siniestra especialidad de Dimas Romero, el hombre al que el ala ultraderechista del MCSY había impuesto como secretario de Estado de Seguridad, el único funcionario de ese rango que él no había admitido en su guardia pretoriana.

Romero había impuesto en el equipo del doctor Fernández a una de sus confidentes, la enfermera que le había tenido al corriente de la evolución de Marina Martín. Cuando la paciente recibió el alta, diseñó un desenlace sangriento sin consultarlo con sus superiores, y se amparó en la necesidad de crear un escenario verosímil para decretar la muerte del chófer, un hombre inocente que no conocía de nada a los pasajeros a quienes creía llevar al ministerio. El Gran Capitán nunca había contado con tantos cadáveres. Había sido una ingenuidad por su parte, pero tampoco tenía remedio. Desde el principio había sido consciente de que no podría hacer nada solo, pero aquel día matizó esa convicción. Había llegado el momento de anticiparse a los acontecimientos, aunque eso le convirtiera en un infiltrado, un francotirador clandestino en el seno de una organización concebida, diseñada y financiada por él mismo.

—Vamos a ver, Megan —después de dos horas, salió del despacho y la encontró en su mesa, con una libreta abierta y un bolígrafo preparado, como en los viejos tiempos—. La doctora esa para la que Fernández escribió el informe, ¿de dónde es?

—De un pueblo de Guipúzcoa —en los nuevos tiempos, ella seguía sabiéndolo todo—, pero su familia se instaló en Moratalaz cuando tenía dos años, así que, en la práctica, es de Madrid.

—Mal. ¿Y está casada? —su interlocutora asintió con la cabeza—. ¿A qué se dedica su marido?

—Su mujer.

—Vale, ¿a qué se dedica?

—Es ingeniera civil —y enseguida demostró que ella también sabía anticiparse—, gallega, de un pueblo de la provincia de La Coruña.

—Eso ya me gusta más —el Gran Capitán sonrió—. Vamos a hacerle una oferta de trabajo irresistible, en el puerto de Coruña, por ejemplo, o por allí cerca, a ver qué encuentras. Que la empresa que la contrate se ofrezca a buscar algo para su mujer y se asombren de encontrar vacante un puesto cojonudo al lado de la ciudad donde trabaje la ingeniera, ¿de acuerdo? —Megan asintió sin dejar de tomar notas—. Con su tío Miguel, lo mismo. Supongo que él viviría más tiempo en Guipúzcoa, a ver si le encontramos un sanatorio que dirigir por allí, para que se prejubile lo antes posible. ¿La viuda de Fernández?

—La viuda de Fernández es más difícil. Madrileña, con dos hijos pequeños, trabaja en una agencia de publicidad.

—Pues llama a Alcocer y que la contrate. Que la pague mucho, la haga trabajar poco y la tenga contenta. Vamos a dejarla en paz, pobrecilla, pero que haga amigos, para que sepamos qué cuenta y cómo lo cuenta, a ver si podemos desactivarla sin hacerle más daño, poco a poco. De momento, nos paramos aquí, pero necesito saber una cosa más. ¿Qué te ha pedido Segarra?

—No te lo vas a creer...

Megan García hizo una pausa para evocar aquel momento memorable y dejó escapar la risita que tuvo que tragarse entonces.

—Segarra me dijo, literalmente, que quiere ser uno de los nuestros.

—¡Hostia! —el Gran Capitán abrió mucho los ojos antes de echarse también a reír—. ¿En serio?

—Y tan en serio.

—Pues arréglame una cita con él para mañana mismo. De ese me ocupo yo.

Le recibió allí mismo, en el despacho principal de aquella oficina misteriosa, tan inmaculadamente limpia como vacía, más allá de la recepcionista que le abrió la puerta. La entrevista fue tan breve que les dio tiempo a comer juntos en una marisquería cercana. Paco Segarra ingresó ante una fabulosa centolla en el círculo de colaboradores íntimos del Gran Capitán, con el cargo de supervisor especial del Cuerpo Nacional de Terapeutas, un puesto diseñado sobre la marcha antes de que llegaran al postre. Aparte de formar un equipo de subordinados de confianza a quienes se encomendaría la tarea de rastrear la difusión del informe sobre Marina Martín, Segarra se ocuparía en persona de coordinar la terapia de colectivos concretos y potencialmente peligrosos, como el Colegio de Periodistas, el personal de los grupos audiovisuales, los órganos directivos del Cuerpo Nacional de Vigilantes, la Sanidad Pública y el Casino Militar, entre otros.

—¿Hasta dónde crees que habrá llegado el impacto del informe? —le preguntó Martínez Sarmiento a la hora del café, tuteándole como a todos sus elegidos—. ¿Cuántas personas pueden haber oído hablar de él, en tu opinión?

—Pues... Siendo optimistas, es fácil que sean más de veinte mil, aunque muy bien podrían ser el doble. Yo me excluyo, porque no se lo he contado a nadie, pero multiplicando doce personas por cinco contactos cinco veces, y así sucesivamente, llegarían casi a los cuarenta mil.

Una putada, concluyó el Gran Capitán para sí mismo.

Sólo habían pasado cuatro años y dos meses desde el final de la Tercera Pandemia, y no le quedaba más remedio que ir pensando en provocar la Cuarta.

4
El monte no es un lugar

Mónica Hernández se preparó para subir a la azotea.

Antes de ponerse el traje de protección escurrió el pijama que había puesto a remojar un rato antes. No lo había lavado porque estaba limpio. Después de retorcerlo bien, lo metió en un barreño de plástico que dejó en la entrada, para embutirse a continuación en una especie de malla de ciclista sobre la que ajustó una escafandra de metacrilato. Activó el mecanismo que la sellaba herméticamente y metió el brazo izquierdo en un guante que se prolongaba en una manga larga. La ajustó con corchetes a la malla a la altura del hombro y repitió la misma operación con el brazo derecho. Luego se quitó las zapatillas e introdujo los pies en una especie de botas altas de apreski, provistas de un dispositivo que infló simultáneamente las dos cámaras de goma que las remataban para que se ajustaran a sus pantalones justo debajo de la rodilla. Cuando sus piernas se habían convertido ya en dos cámaras selladas, miró el reloj.

Lo había conseguido en dieciséis minutos, no estaba mal. La primera vez que se puso aquel equipo, mucho más avanzado y seguro que el mono de plástico que había usado durante la pandemia anterior, había tardado cuarenta en conectarlo todo. Aunque había reducido el tiempo en más de la mitad, dieciséis minutos le seguían pareciendo demasiados para una travesura, la pequeña gamberrada que se disponía a llevar a cabo, y sin embargo no lo dudó. Agarró el barreño, cruzó el recibidor sin mirarse en el espejo para no darse pena a sí misma con aquella pinta de astronauta tercermundista, cerró la puerta, salió al descansillo y llamó al ascensor.

Mónica Hernández no sabía cómo estaba. No sabía qué pensaba. No habría sido capaz de describir con palabras su estado de ánimo, tal vez porque tampoco tenía la oportunidad de hablar con mucha gente. Vivía y teletrabajaba en un piso, en la tercera planta de un edificio situado en lo que siempre había sido una cuadrícula de bullicio constante, el barrio de Universidad, tradicionalmente conocido como Malasaña, y estruendoso de risas, de gritos, de cánticos y música, tan silencioso ahora como si sus aceras, sus fachadas, sus árboles tampoco supieran explicar qué les había pasado. Una apisonadora por encima. Una enfermedad del alma. La apasionada maldición del aprendiz de un dios que nunca había existido.

A veces sentía que todo estaba muerto, que la vida continuaba, los corazones latían, la sangre circulaba en cuerpos condenados a seguir existiendo, trabajando, consumiendo, después de una muerte pequeña, extraña, tal vez transitoria, que renunciaba a matarlos del todo para perpetuarse como la única especie de vida posible. A veces intentaba convencerse de que todo era fruto del cambio climático, de la destrucción de los ecosistemas naturales, de la extinción de los depredadores de los animales salvajes, que castigaban a los humanos por haberles alargado tontamente la existencia mediante el procedimiento de contagiarles un virus detrás de otro. Intentaba creerlo, pero ya no lo conseguía. Prefería concentrarse en recordar cómo era su vida antes del Gran Apagón. Necesitaba recobrar la memoria de la mujer que había sido una vez, mucho más auténtica, y alegre, también más desgraciada que ahora. Había llegado a echar de menos hasta los disgustos, las enemistades profesionales, las broncas con sus hijos, su divorcio, la soledad libremente escogida de muchas noches en las que cenaba lágrimas saladas y vino tinto.

Cuando enseñaba Historia de España en un instituto de educación secundaria, intentaba analizar los efectos del franquismo sobre la vida cotidiana de los españoles explicando a sus alumnos que, en una dictadura, la expresión estar en libertad no significa lo mismo que ser libre. Los cachorros de una democracia cansada, hastiada de su imperfección y sus insolubles contradicciones, la miraban como si les estuviera hablando en un idioma impenetrable, pero ella nunca se cansaba de repetir que, durante la dictadura de Franco, muchas personas que estaban en libertad, porque nunca habían sido detenidas, porque vivían en sus casas, con sus familias, porque todos los días iban y venían del trabajo, no eran libres para tomar sus propias decisiones. Sin embargo, añadía, otros hombres, otras mujeres que no estaban en libertad, sino en la cárcel, se sentían libres porque habían escogido por su propia voluntad el camino que los había llevado a una celda de la que no podrían salir en muchos años. En aquella época, sus alumnos no la entendían. Mónica estaba segura de que los más listos habrían empezado a acordarse de ella el día del Gran Apagón y no habrían dejado de hacerlo, pero eso no la consolaba.

Por eso necesitaba subir de vez en cuando a la azotea, a fingir que tendía la ropa, o que la recogía. En el estado de confinamiento al que la Cuarta Pandemia les había reducido hacía seis semanas, las azoteas habían vuelto a estar prohibidas con esa única excepción. Mónica Hernández vivía sola, no ensuciaba mucho, pero tampoco podía dejar pasar más de tres o cuatro días sin ver el horizonte, la ilimitada majestad del cielo que seguía estando ahí arriba, inmenso, limpio, un lienzo radicalmente azul sobre el que había ido pintando los días de su vida. Aquella tarde, cuando empujó la puerta de metal, también la estaba esperando. Salió a la azotea, miró hacia arriba, miró a los lados y vio azul, sólo azul sobre el festón rojizo de los tejados de las casas de Madrid. Pero también oyó algo.

El sistema de sonido de su escafandra estaba abierto. Debía de haber pulsado la tecla sin querer, porque le gustaba celebrar a solas su cita con el cielo, aunque los melancólicos acordes de violín que la recibieron mejoraron el silencio, acrecentando la emoción de aquel instante como una banda sonora insuperable. Era la música perfecta, tanto que se paró a revisar el sistema de reproducción de su equipo por si alguna vez hubiera grabado sin darse cuenta aquella melodía lenta, triste, célebre, que muy pronto se haría alegre, velocísima y más famosa todavía. Pero la pantalla de su móvil 12AP, que usaba como control remoto del traje, le indicó que no se estaba reproduciendo ningún archivo en aquel momento, y cuando apagó los auriculares, no dejó de oír la música. Aquel violín estaba allí, bajo el mismo cielo que la abrazaba, aunque en la azotea de su edificio no hubiera nadie más. Avanzó unos pasos y el volumen de la música se incrementó. Siguiendo el sonido, se fue acercando al muro que la separaba de la azotea del edificio contiguo y, al llegar al pretil, miró hacia abajo.

Un hombre joven, muy alto y tan corpulento como nadie habría esperado de la sutil delicadeza de sus dedos velocísimos, tocaba el violín y sonreía, girando sobre sí mismo para mirar a la mujer que se movía a su alrededor. Ella, más joven aún, esbelta y sinuosa como una cinta impulsada por el viento, bailaba descalza. Llevaba el pelo suelto, una camiseta de tirantes y una falda larga de algodón multicolor que dibujaba arabescos en el aire. Él, pantalones de pijama y camiseta blanca, parecía dirigir sus movimientos a través de un hilo invisible que la conectara con su instrumento. Ninguno de los dos llevaba mascarilla, ni escafandra, ni equipo de protección personal, ni calzado de seguridad, pero eso no fue lo que erizó el vello del cuerpo de Mónica Hernández bajo su malla isotérmica y estanca. Los dos eran jóvenes e indiscutiblemente hermosos, aunque en la distancia desde la que los miraba no pudiera distinguir bien los rasgos de su cara. Los dos estaban en libertad, pero, además, mientras representaban una escena errónea, que parecía provenir de otra época, de otro lugar, no sólo eran libres, sino también felices. La casualidad la había invitado a presenciar un milagro del pasado, un hechizo pequeño y jubiloso que no estaba destinado a ella por más que sucediera ante sus ojos.

No había hecho nada para merecerlo, y sin embargo, sentía que aquella pareja la llamaba por su nombre. La llamaba su música, la llamaba su danza y, sobre todo, aquella bendita explosión de alegría física, pegada a la piel, la emoción más simple, la más sofisticada, la que apenas era capaz de recordar. Fue el descubrimiento de que esa clase de felicidad podía seguir existiendo lo que hizo un nudo en su garganta y sembró el presentimiento de un llanto antiguo, caliente, en la frontera de sus párpados.

—¡Bravo! —cuando la pieza terminó, la bailarina aplaudió con el estruendoso regocijo de una niña pequeña—. ¡Bravísimo!

Él se inclinó un instante y aplaudió a su vez, dando golpecitos con el arco en el violín.

—¡Brava! —y mientras un dron sobrevolaba sus cabezas, se acercó a ella, la rodeó con los brazos sin dejar de sostener el instrumento y la besó en la boca.

Durante un segundo que se hizo interminable, Mónica experimentó la misma sensación que la asaltaba cuando, de niña, su madre aparecía para recogerla en una fiesta de cumpleaños donde creía que aún le quedaba mucho por disfrutar. No quiero irme de aquí, no quiero, no, todavía no, volvió a pensar mientras el dron se movía en círculos, ensuciando el azul perfecto del cielo con una amenaza oscura, sigilosa. No quería renunciar al violinista y la bailarina que seguían besándose como si fuera de sus bocas, más allá de sus párpados cerrados, no pudiera existir peligro alguno. No se atrevió a avisarles de que un dron los estaba grabando, porque cualquier interrupción habría echado su beso a perder, y el valor de un beso, se dijo, siempre es incalculable, ahora mucho más. Un instante después reparó en que ella tampoco estaba a salvo, porque no había colgado el pijama, porque no tenía ropa que recoger.

Mónica Hernández, que no sabía cómo estaba, ni qué pensaba, tampoco supo qué hacer durante aquel segundo. Después, sin que ella fuera consciente de habérselo ordenado, sus piernas se pusieron en marcha, desanduvieron sus pasos, hicieron una parada en el lugar donde había dejado el barreño, la sacaron de la azotea, esperaron frente al ascensor y la pusieron a salvo. Al entrar en su casa, sintió un regusto amargo dentro de la boca, como si el azúcar de aquella tarde hubiera ardido hasta quemarse contra su paladar. Luego, antes de quitarse la escafandra, escuchó los primeros aplausos, clap, clap, clap...

—¡Mónica! —Sonia, su vecina, la miró muy sonriente desde el balcón situado a su derecha—. ¿De dónde vienes? Ya creía que hoy ibas a fallar.

—Pues no, ya ves —todavía llevaba puesta la malla, no le había dado tiempo a desabrocharse las mangas—. He tenido que salir a hacer un recado y se me ha ido el santo al cielo, pero aquí estoy.

Todos los días, a las ocho en punto, los españoles salían a aplaudir a sus balcones. Durante la Tercera Pandemia, aquel aplauso había ido destinado a agradecer el esfuerzo de los sanitarios, los científicos, los trabajadores esenciales en la lucha contra el virus, pero a diferencia de lo que había ocurrido en crisis anteriores, aquella vez la cita no se desconvocó. En la nueva normalidad, los ciudadanos empezaron a aplaudirse a sí mismos, para animarse los unos a los otros, decía la televisión, para unirse en la celebración de la vida, explicaban los portavoces del gobierno, para convencerse de que todo iba a mejorar. Mientras no supo cómo estaba, ni qué pensaba, Mónica Hernández participó cada tarde en el Aplauso para Mejorar por una sola razón. Unos tres años antes, apenas estrenada la nueva normalidad que sucedió a la Tercera Pandemia, el jefe de su casa había llamado a su puerta un lunes por la tarde. Y cuando le invitó a pasar, la señora Hernández estaba borracha.

El día anterior por fin había podido ir a Caballar, a ver a su hija, y aquella visita la había sacudido como un terremoto que aún replicaba. Había encontrado a Camila muy bien en todos los aspectos. Nunca la había visto tan guapa, ni tan ilusionada con nada como con la reconstrucción de aquel pueblo cuya belleza parecía encender chispas en sus ojos mientras se lo enseñaba, ni tan enamorada de nadie como de Ander, ese arquitecto de Bilbao que la cuidaba tanto, que le cayó tan bien. Había planeado invitarlos a comer en Segovia, pero no la dejaron. La invitaron ellos en el asador que habían rehabilitado, un restaurante pequeño y coqueto que atraía, incluso en días laborables, a clientes de toda la provincia, porque servía un cordero exquisito y un cochinillo aún mejor. Mónica pasó en Caballar el mejor día que recordaba haber vivido en mucho tiempo, pero, a media tarde, tras una larga, placentera sobremesa que rematar con una siesta de sofá, su hija se ofreció a llevarla a ver la fuente y Ander no se ofreció a acompañarlas. Allí, junto a un manantial milagroso que sólo necesitaba dos cráneos para desatar diluvios, le contó la verdad.

—Mira, mamá —entrelazó sus dedos con los de Mónica como si fueran dos novias haciendo manitas—, yo he pensado mucho en si debería contarte esto o no, le he dado muchas vueltas, te lo prometo, porque sé que voy a hacerte polvo, pero creo que tienes que saberlo...

Hugo nunca se había marchado a México. Hugo estaba en Madrid, viviendo con su padre, y con la segunda mujer de su padre, y con los dos niños pequeños que habían tenido juntos, en un chaletazo de la Ciudad Puerta de Hierro. Hugo trabajaba con Carlos Alcocer, ganaba mucho dinero y estaba pensando en independizarse.

—Pero está hecho una mierda, te lo juro. Te lo digo yo, que le conozco. Cuando vino a verme, el día de nuestro cumpleaños... Sí, tiene un cochazo, una novia nueva, un pastón para gastar, pero está fatal. Por eso vino. De hecho fue la única persona de fuera a la que vimos por aquí antes de que os dieran permiso a los demás para visitarnos. Quería convencerme de que me fuera a vivir con él, ¿sabes? —Mónica sintió los dedos de Camila apretando los suyos, el brazo de su hija rodeando sus hombros, una cabeza morena encajada en su cuello y, sólo después, se dio cuenta de que había empezado a llorar—. Supongo que pensó que si me convencía se sentiría mejor, menos culpable de habernos abandonado, de haberte tenido engañada a ti durante tanto tiempo. Pero lo mandé a tomar por culo, eso hice. Me parece muy bien que se sienta culpable. Que se joda, porque es lo que se merece después de haberse portado como un pedazo de cabrón.

Esa boca, Camila... Lo pensó, pero no lo dijo. No despegó los labios mientras la abrazaba, mientras se prohibía a sí misma venirse abajo, allí no, delante de ella no, porque tenía que encontrar una manera de seguir estando a su lado, las palabras justas para agradecerle todo lo que había hecho aquel día, en lo bueno y en lo malo, en la alegría que habían compartido y en la tristeza que la estaba aplastando después de escucharla. Había sufrido tanto por Camila, sola, desamparada, en lo que parecía un pueblo perdido de la mano de Dios, que no podía concebir un desenlace más injusto que aquel, la semilla del sufrimiento que había brotado en el centro exacto de la paz, como si estuviera condenada a sufrir siempre por sus hijos, por una o por otro, aunque los dolores que le causaban fueran tan diferentes entre sí como ellos mismos. Pero en Hugo pensaré después, decidió mientras emprendían el camino de vuelta al pueblo. Tendría mucho tiempo para pensar en Hugo después de marcharse de Caballar, de hacer planes con Camila para su próxima visita, de besarla muchísimo, de volver a decirle lo guapa que estaba, lo bien que la veía, la inmensa alegría que había supuesto para ella el día que habían pasado juntas. Eso era lo justo, lo que las dos se merecían, y eso fue lo que hizo. Después de despedirse con un abrazo interminable y una sola sonrisa, la misma en dos bocas idénticas, Mónica Hernández aguantó el tipo hasta que llegó a Madrid, sólo hasta ese momento y ni un minuto más.

Aquella noche lloró sola y durmió mal. Al día siguiente se despertó tarde, no desayunó y, a la hora de comer, se recalentó unas lentejas para descubrir que su sabor le daba arcadas. No necesitaba otro pretexto para abrir una botella de vino tinto, su viejo camarada de todas las tristezas, el compañero más cálido, el más comprensivo, un amigo leal hasta la última gota. Sólo en su compañía logró dejar de llorar y pensar en Hugo, recordar la semana que habían pasado juntos en Becerril antes del Gran Apagón, evocar la fragilidad de un niño hipersensible que nunca había llegado a encontrar su sitio en ninguna parte, y afirmarse en su amor por él, un amor tan grande, tan sólido que ninguna traición lograría arañarlo siquiera. Mónica Hernández sabía que el vino era peligroso para ella, pero estaba sola, y en los momentos malos de verdad, en los peores, no tenía otra lanza que enarbolar, ningún otro escudo tras el que protegerse. Por eso, cuando se terminó la botella, abrió otra para seguir abrazando a su hijo en la distancia. Era la última que tenía en la despensa, y sería la última, se prometió a sí misma poco antes de que sonara el timbre.

El jefe de su casa, un señor jubilado que se llamaba Domingo Caballero, le dio las buenas tardes con una sonrisa. Mónica sólo le conocía de cruzarse con él por la escalera y siempre le había parecido un hombre amable. Aquella tarde fue algo más, ceremonioso de puro educadísimo, mientras explicaba que la había visitado con la esperanza de convencerla de que participara en el Aplauso para Mejorar de las ocho de la tarde. No intentó presionarla, ni siquiera le preguntó por sus motivos para quedarse en su casa, con los balcones cerrados, mientras los demás aplaudían, pero Mónica Hernández se los explicó de todos modos porque estaba borracha.

—El aplauso ese me parece una mamarrachada —dijo con voz pastosa, tropezándose con las aes de la palabra que había escogido—. Es como un teatrillo, ¿no?, la representación de una fe que no tiene nadie, como una misa inventada en una agencia de publicidad. Nada va a mejorar porque salgamos todos a aplaudir al balcón como gilipollas, créame.

Sólo cuando terminó de hablar se dio cuenta de lo que acababa de decir. Empezó a negar con la cabeza, buscando una imposible manera de desmentirse, cuando aquel hombre, en teoría representante del MCSY, puesto que ejercía un cargo representativo del nuevo estado, le puso una mano en el brazo y señaló hacia la cocina con el índice de la otra. Mónica le siguió hasta allí, le vio abrir la ventana, sacar la cabeza para estudiar el patio y acodarse en el alféizar.

—Usted tiene un ordenador legal, ¿verdad? —preguntó en un susurro.

—Sí, yo... —Mónica vio algo en sus ojos que la espabiló con la eficacia de un algodón empapado en amoniaco—. Trabajo como documentalista en un canal de historia de la televisión pública y tengo un ordenador, sí. Está en el cuarto de mi hijo —aunque no evitó que los ojos se le llenaran de unas lágrimas que no habían sido invitadas—. Bueno, lo que quiero decir... —y sacudió la cabeza como si pudiera sacudirse por dentro—. Él ya es mayor, no vive conmigo, o sea... He montado un despacho en lo que era su cuarto, el dormitorio que está aquí al lado.

—¿Y está encendido?

—No —Mónica se paró a pensar lo que ya sabía—. No, está apagado. Lo uso sólo para trabajar y hoy no lo he tocado porque... Hoy no estoy para nada.

—Pues cuando vuelva a sentir usted la necesidad de decirle a alguien lo que acaba de decirme a mí, asegúrese de tenerlo apagado. A veces, los ordenadores legales vienen con un micrófono incorporado.

—¿Sí? No lo sabía —tampoco supo qué añadir—. Muchas gracias.

—No me dé las gracias, pero a partir de ahora salga a aplaudir por las tardes, por favor. Si me guarda el secreto, le diré que estoy de acuerdo con usted. Yo también creo que el aplauso es una mamarrachada, pero no ganamos nada con que nos detengan a los dos, a usted por no aplaudir y a mí por no denunciarla. Lo comprende, ¿verdad?

Cuando Domingo Caballero se fue, Mónica Hernández vació la botella de vino en el fregadero. Media hora después, salió a aplaudir. Ningún día de los últimos tres años había dejado de hacerlo, aunque no estaba muy segura del motivo que la impulsaba. La perspectiva de ser multada o detenida por aquella gilipollez no le hacía ninguna gracia, aunque temía más otras cosas. Le habría encantado creer que Domingo Caballero le había dicho la verdad, pero no podía estar segura de sus verdaderas intenciones. Tal vez pretendía ayudarla, tal vez sólo buscaba tirarle de la lengua para ganarse su confianza y denunciarla después como subversiva. Mónica trabajaba en una empresa pública, tenía un buen sueldo, una hija en situación delicada. Nunca había hecho nada ilegal, más allá de maldecir entre dientes al MCSY cuando estaba sola, pero en los informativos de la televisión entrevistaban de vez en cuando a jefes de casa que habían denunciado a algún vecino sospechoso de formar parte de una organización terrorista. El Estado les consideraba héroes, benefactores de la sociedad que se habían hecho acreedores de premios y reconocimientos. Domingo lo habría tenido muy fácil para encaramarse en aquel altar, pero no había movido un dedo para conseguirlo. En su edificio nunca se había denunciado a nadie, y por eso, aunque desconfiara de él, Mónica salía a aplaudir por las tardes. Porque si resultaba que era de fiar, jamás se perdonaría por haberle perjudicado.

Así había llegado la profesora Hernández, la misma que una vez había estado tan interesada en explicar a sus alumnos los efectos de una dictadura sobre la vida cotidiana de la gente corriente, a no saber cómo estaba, qué pensaba, hasta que un violín, una bailarina y un beso la despertaron del confortable letargo de su ignorancia.

—Esta noche hay vermú de mujeres a las nueve —Sonia parecía tan entusiasmada como de costumbre—. Vamos a salir todas al balcón para brindar por nosotras, porque si las mujeres no construimos el futuro, no habrá futuro. Hemos hecho hasta una pancarta con ese lema, ¿por qué no te apuntas?

—¡Uy, no, Sonia, lo siento! Me voy a meter en la cama porque no me encuentro muy bien.

En eso no mintió. Ni se encontraba bien, ni entendía cómo había podido tardar tanto tiempo en darse cuenta.

El miércoles se levantó temprano y llegó antes que nadie a la parada del autobús del Centro Comercial Callao. Durante las épocas de confinamiento no existía otro transporte disponible para participar en el Día de Compras que aquel autobús gratuito que desembarcaba directamente a los pasajeros en la dársena de desinfección. Desde la parada fue viendo llegar a sus vecinos, Domingo entre los primeros. Sonia se saltó la cola para colocarse a su lado, pero su saludo no la estorbó para distinguir a la bailarina, que cargó al jefe de casa con su bebé mientras doblaba el cochecito, antes de que el violinista se uniera a ellos en el último instante. Aunque estaba segura de que no los habían detenido, porque ya habían pasado cuatro días y una noticia como esa habría corrido como la pólvora de balcón en balcón, Mónica se alegró mucho de verlos.

—¡Anda! Y tú... —tanto que su reacción llamó la atención de Sonia—. ¿Por qué estás tan contenta de repente?

—Es que me apetece mucho el Día de Compras —improvisó sobre la marcha, mientras palpaba su pecho izquierdo con la mano derecha para percibir el relieve de la nota que había escondido en su sujetador—. El confinamiento se me está haciendo muy largo.

—A mí también, la verdad —asintió vigorosamente con la cabeza—. Si no fuera por los miércoles nos volveríamos locas, ¿verdad?

Su vecina no era su amiga. Aunque aprovechara cualquier oportunidad para afirmarlo, aunque se sentara a su lado en el autobús todos los miércoles, aunque nunca se cansara de proponer planes que Mónica aceptaba de vez en cuando por no levantar sospechas, su relación era un trabajo forzoso, una ficción de amistad decretada por el terapeuta que ambas compartían. Entre los objetivos prioritarios de la Gran Terapia destacaba el exterminio de la soledad, una situación indeseable, decían, vinculada a la depresión, a la apatía, al desánimo que los españoles no podían permitirse en los difíciles tiempos que les había tocado vivir. Los Encuentros para Mejorar constituían un escenario idóneo para recobrar la ilusión a cualquier edad, pero no eran obligatorios para personas solas mayores de cincuenta años. Sonia se apuntó desde el principio. Mónica se negó en redondo.

Es que yo no quiero conocer gente, había intentado explicarle al hombre de la sonrisa perpetua, a mí me gusta estar sola, vivir sola, ese hombre que ni siquiera dejaba de sonreír mientras negaba con la cabeza, lo único que quiero es que me dejen en paz. Pero yo no puedo consentir eso, señora Hernández, fue su sonriente respuesta, porque no es bueno para usted, aunque se me ha ocurrido una idea... La mejor amiga de Mónica vivía en Alicante, su cuñada Pilar en la otra punta de Madrid. Hablamos por teléfono todos los días, insistió ella, también hablo mucho con mi hija y ahora puedo ir a verla un domingo de cada mes al pueblo de Segovia donde vive, así que no me siento sola, de verdad, le aseguro que no necesito más. Ni el terapeuta estuvo dispuesto a tener en cuenta las relaciones telefónicas, ni su paciente a escuchar por enésima vez el discurso sobre los tiempos duros de los que sólo saldremos unidos. Mónica acabó aceptando a Sonia como mal menor. Se comprometió a merendar con ella de vez en cuando, a acompañarla durante el Día de Compras, a traerle lo que necesitara cada vez que iba al mercado. Así logró librarse de las discotecas para jubilados donde su vecina afirmaba divertirse tanto, aunque algunos días su compañía le resultaba insoportable. Aquel miércoles fue uno de esos días.

Entraron juntas en la dársena donde las sometieron al Procedimiento Ultrarrápido de Desinfección. Antes de penetrar en el túnel de vapor, les tomaron la temperatura y una muestra de saliva cuyo análisis estaría disponible en diez minutos. Al otro lado del túnel recogieron la llave de la taquilla donde guardaron su Equipo de Protección Personal para salir a un gran vestíbulo presidido por un lema grabado sobre el portal que daba acceso al centro comercial.

LA SEGURIDAD ES SALUD

LA SALUD ES VIDA

LA VIDA ES SEGURIDAD

Tres minutos más tarde, comprobaron que sus nombres no estaban en las pantallas de los contagiados y salieron a la calle.

El Centro Comercial Callao constituía un gigantesco triángulo con tres vértices, la Puerta del Sol, la plaza de Callao y la esquina de la Gran Vía con el antiguo edificio de Telefónica. Nadie vivía ya en ese inmenso espacio, reservado exclusivamente al comercio y los locales de oficinas, y protegido a gran altura por una cubierta del milagroso material protector que constituía uno de los mayores logros de la industria española posterior a la Gran Pandemia. Allí, como en todos los grandes centros comerciales del país, tiendas de todas las cadenas conocidas ofrecían un catálogo de productos ilimitado, capaz de cubrir las necesidades del ciudadano más exigente. Eso, por lo menos, afirmaba la publicidad.

La primera vez que volvió a pisar las calles por las que había paseado tantas veces sin llevar escafandra ni mascarilla, con la misma ropa que se habría puesto para estar en casa, Mónica se emocionó. Se le saltaron las lágrimas en la Puerta del Sol, cuando se miró los brazos y vio su propia piel, y levantó la vista para descubrir que Carlos III seguía montado en su caballo. Aquel día se limitó a caminar hasta que le dolieron los pies y apenas compró nada, pero su ilusión se fue desvaneciendo de miércoles en miércoles, como la de una niña que descubre el armazón de madera que sostiene a los títeres que parecían estar vivos.

—¿Qué vas a comprar?

—Pues... una tostadora, porque la que tengo se me ha estropeado, gel de baño y algún libro, supongo.

—¡Mira! —Sonia chilló mientras señalaba hacia las grandes pantallas publicitarias que recubrían las fachadas de todos los edificios de Callao—. Melania Carvajal está firmando ejemplares de su última novela. ¡Y la ofrecen en un pack con un nuevo modelo de Satisfyer! —se tapó la boca con las dos manos como si temiera que el corazón se le fuera a escapar por la boca—. ¡Ay! Yo no me lo pierdo. ¿Y tú?

—A mí es que no me gusta mucho Melania —aunque nunca podré agradecerle esto, pensó Mónica después de calcular la cifra de anhelantes compradoras que esperaban su turno para hacerse con el producto estrella de la semana—, pero tú ponte en la cola, corre. Voy a dar una vuelta, me compro la tostadora y vengo a buscarte en una hora, ¿vale? Antes no vas a llegar...

Tras la muerte de internet, la industria editorial española vivía un momento de esplendor inusitado y su periodo de máxima pobreza. Se publicaban, y se vendían, más libros que nunca, pero la ilimitada oferta para elegir en ese sector se circunscribía a tres géneros narrativos, dos poéticos y uno de no ficción. En las librerías era posible encontrar una gran variedad de historias de amor que se dividían en dos subgéneros, la inocente novela rosa de toda la vida y la novela romántica con sexo más o menos calenturiento, graduado en una escala de audacia en cuya cúspide estaba Melania Carvajal, indiscutible bestseller nacional. El segundo género existente era la novela histórica situada en pasados remotos, de la época clásica a la caída del Muro de Berlín, desde biografías noveladas de personajes célebres hasta multitudinarias sagas familiares que recorrían los infortunios de tres o cuatro generaciones de desgraciados, que casi siempre acababan arruinándose. El tercer género disponible, y el único que consumía Mónica Hernández, era la novela negra, policías, detectives, psicópatas, asesinos y algún espía, que la entretenían y le proporcionaban una misteriosa paz, cuanta más sangre, más consuelo. Las librerías grandes contaban también con una sección de poesía, tan peculiar como su oferta narrativa. Los poemas de amor, con más o menos sexo, acaparaban la mayor parte de los estantes, aunque últimamente se había puesto de moda cierta poesía presuntamente rebelde y de pésima calidad, obra de adolescentes, reales o ficticios, que dominaban la admirable técnica de posicionarse contra todo, la vida, el amor, los padres, la familia, los estudios, el trabajo y el mundo en general, sin decir nada en absoluto. Aparte de eso, sólo se publicaban manuales de autoayuda. Todo lo demás había desaparecido. La única posibilidad de encontrar una edición de *Don Quijote de la Mancha* o las *Obras completas* de Antonio Machado, pasaba por perderse entre las estanterías de alguna librería de viejo del Centro Comercial el Rastro, un recinto especial que sólo se podía recorrer tras pagar una tasa de ingreso bastante elevada. Las obras contemporáneas previas al Gran Apagón no se encontraban, al menos a la vista, ni siquiera allí.

A Mónica Hernández le convenía comprarse una tostadora porque desde que el MCSY llegó al poder, la obsolescencia programada se había elevado a la categoría de arte. Ningún aparato llegaba a durar un año y, cuando se estropeaba, resultaba imposible reemplazarlo por el mismo modelo. Ya lo habían retirado del mercado porque había aparecido uno mejor, más moderno, más bonito y con mejores prestaciones, que se rompería sin falta al cabo de unos meses. A Mónica le gustaba el pan tostado en el desayuno casi tanto como leer, pero aquel día, lo único que necesitaba de verdad era encontrar a la bailarina y al violinista, juntos o por separado. Cuando empezó a recorrer el Centro Comercial Callao, le pareció una tarea imposible y, sin embargo, como si el destino quisiera guiñarle un ojo, al desembocar en la Puerta del Sol se tropezó con ellos en la cola de una heladería.

—¡Hola! —se dirigió a ella porque le pareció más fácil que la conociera de vista, aunque las palmeras de chocolate de la Pastelería Duarte eran uno de los recursos a los que acudía en momentos de máxima desesperanza—. ¡Qué niño tan mono! —el crío, sentado en su cochecito, era demasiado pequeño para hablar, pero la miró como si la hubiera entendido—. Yo soy vecina de tu abuelo.

—Claro —la bailarina miró con extrañeza a aquella señora que se estaba metiendo la mano abierta por el escote para sacarla cerrada un instante después—. Sí, te conozco.

—Ya, pues nada —Mónica le tendió la mano, sujetando la nota con el pulgar contra la palma—, que no sabía que tuvierais un hijo tan precioso.

Al estrechar su mano, la nieta de Domingo se dio cuenta de que acababa de pasarle un papel, pero fue él quien respondió.

—Si te gusta, te lo mandamos a casa una tarde de estas...

—Pues claro —y los tres se rieron a la vez—. ¡Cuando queráis!

«Os vi el otro día en la azotea. Me gustaría hablar con vosotros.»

Después de entregar este mensaje, Mónica Hernández subió por la calle Preciados y entró en una perfumería, luego se compró una tostadora, por fin volvió a Callao y encontró a Sonia todavía en la cola. Tuvo tiempo de sobra para entrar en la librería, seleccionar en la mesa de novedades una novela policiaca y otra de un psicólogo asesino que le hacía mucha gracia, pagarlas y salir a tiempo de contemplar a su vecina posando al lado de Melania Carvajal, ante la dependienta que se ofrecía a hacer fotos con los móviles que tenían cámara, sólo 9AP y superiores, de los clientes.

—¡Qué ilusión! —su vecina estaba exultante—. ¿Me acompañas a imprimirla?

—Claro, pero vamos a comer primero, ¿no?

Mónica no entendía por qué su vecina se había gastado el dinero en comprar sucesivos modelos de móviles con cámara en lugar de comprarse una cámara de fotos, si al final tenía que ir a una tienda de fotografía a revelarlas de todos modos, pero no hizo ningún comentario. Incluso cedió a la propuesta de Sonia y comió con ella en un restaurante italiano, aunque lo que le apetecía de verdad era una taberna castiza donde servían unos callos maravillosos. Se conformó con una pizza, acompañó a su vecina a donde quiso llevarla y se volvió a casa sola en el primer autobús gratuito, que salía de la dársena de desinfección a las ocho en punto, porque Sonia había quedado con un nuevo pretendiente para cenar y tomar unas copas.

—Guárdame esto, ¿quieres? —antes de despedirse le pasó la bolsa que contenía el pack de la novela y el Satisfyer—. A ver si va a pensarse lo que no es...

—No te preocupes —habría hecho mucho más con tal de perderla de vista—. Mañana te lo paso por el balcón.

Tenía mucha prisa por volver a casa, pero aquella noche no sucedió nada, como no sucedería el jueves, ni el viernes. Mónica ya estaba resignada a que su mensaje no obtuviera respuesta cuando el sábado por la mañana, al volver de la compra, encontró en el recibidor una nota que alguien había pasado por debajo de su puerta.

Aquella noche, a las nueve en punto, llamó con los nudillos en la de Domingo para ingresar en una desconcertante cofradía compuesta por dos ancianos, una señora de su misma edad, una pareja de padres jóvenes con su bebé y un par de chavales que rozaban los veinte años.

—Vamos a contarte lo que sabemos —le explicó Enrique Duarte, con una sonrisa destinada a compensar su previsible decepción—, aunque no es gran cosa. Pero antes de seguir, tienes que saber que sólo somos nosotros, nada más, nosotros siete.

Mónica Hernández le devolvió la sonrisa mientras pensaba que, al menos, su terapeuta estaría contento.

—Pues enhorabuena —porque por fin, gracias al MCSY, iba a conocer gente nueva—. Conmigo ya sois ocho.

Enrique Duarte hacía dos inventarios todas las tardes.

Antes de marcharse a casa, revisaba la despensa y el trabajo programado para el día siguiente, calculaba lo que tenía y lo que necesitaba, borraba la pizarra de plástico blanco con un trapo especial y volvía a rellenarla con un rotulador y su letra menuda, pulcra, regular hasta en las mayúsculas. Al terminar, se sentaba en una silla para repasar lo que había escrito, las tareas preasignadas a cada trabajador, los encargos con plazo de entrega antes del mediodía, los problemas que podrían presentarse a lo largo de la jornada. Subrayaba lo más importante y después se quitaba la chaqueta, el gorro blanco, se lavaba las manos y cerraba el obrador para salir a la calle a través del local de la pastelería. En ese trayecto, empezaba a elaborar mentalmente su segundo inventario.

Enrique Duarte medía cada tarde las dimensiones del agujero que palpitaba en el centro de su estómago, un hueco ávido, doloroso e insaciable, que nunca se dejaba rellenar del todo. Apenas disponía de quince minutos para hacer balance de su patrimonio, contraponiendo las cifras de su buena y mala suerte en dos columnas con las que no sabía operar. La certeza de que era un hombre afortunado en muchos aspectos no admitía la resta de su infortunio, la úlcera imaginaria que amargaba la dulzura de sus éxitos, pero sin la que estos nunca habrían llegado a existir. El día que su estómago dejara de atormentarle, habría comenzado su ruina. Enrique lo sabía, lo pensaba cada tarde durante un cuarto de hora, el tiempo que tardaba en cubrir a pie la distancia entre la tienda y su casa. Más allá de la puerta estaba Laura, después también su hijo Mateo, estaba la música, la azotea, la copa de vino con la que su mujer y él se contaban cómo les había ido en el trabajo, estaban la noche y la calma. En su casa, mientras el agujero de su estómago se afilaba los dientes en silencio para volver a clavarlos al día siguiente en el centro exacto de su insatisfacción, Enrique Duarte estaba en paz.

Todo, lo bueno y lo malo, había empezado con su primo Richi, el gran antagonista de su infancia y su adolescencia, de su primera juventud y su incipiente madurez. Richi, afortunado propietario de un camión de bomberos de dos pisos, con luces y sonido, el mismo año que los Reyes trajeron a su primo un triste xilófono, nunca se había enterado de que aquel objeto pequeño y absurdo le había abierto las puertas de la música de par en par, pero si lo hubiera sabido, no habría dejado de reírse de él. Eres el más listo y el más tonto, le decía siempre, con una arrogancia voluntariosa que no escondía del todo una incómoda sospecha de inferioridad. Enrique era incapaz de arrancarle un rabo a una lagartija, y eso era para reírse, pero tampoco sabía mirar el cielo sin hacerse preguntas sobre las estrellas, por qué existen, por qué brillan, por qué la luz de la luna es blanca y la del sol anaranjada, y esas preguntas le ponían muy nervioso porque a él nunca se le habían ocurrido. Llegó un momento en que estar juntos les molestaba a los dos por igual, y, sin embargo, por muy divergente que hubiera resultado el rumbo de sus vidas, Richi siempre había estado ahí. Ni se había alejado demasiado, ni Enrique había sabido distanciarse de él. Así, en poco más de una hora, labró su fortuna y su desgracia.

La primera había comenzado con una tarta, la reproducción del cuartel del Conde Duque en bizcocho, nata y trufa, con un revestimiento de ladrillos de mermelada de cereza y detalles de merengue blanco y chocolate negro. La segunda, con una confidencia. Cuando el dulce símbolo de la inauguración de la sede central del Cuerpo Nacional de Vigilantes apareció en todos los informativos de todas las cadenas de televisión, su autor ya sabía que había cooperado en la celebración de un fraude. Qué exagerado soy, se reprochó a sí mismo en aquel momento. Qué exagerado eres, Laura estuvo de acuerdo cuando le contó que nadie revisaba las imágenes de las cámaras de los drones, que eso le inducía a sospechar que tal vez los drones ni siquiera llevaran cámaras, que si estaba sospechando bien, su única utilidad consistiría en aterrorizar a la gente.

—A ver, Enrique, no te pases —su mujer se acercó a él, le sujetó la cara con las manos, le obligó a mirarla a los ojos—. Lo único que has hecho tú es una tarta, ¿comprendes?

Eso era verdad. Él sólo había hecho una tarta, pero nunca había sido capaz de cortarle el rabo a una lagartija. De niño, ya era demasiado sensible como para maltratar a un animal, incluso a aquel, que le daba mucho asco. De adulto, seguiría siéndolo para administrar un éxito tan rotundo como conflictivo.

Los periodistas que cubrían los eventos organizados por la dirección del Cuerpo Nacional de Vigilantes informaban sobre su trabajo como si fuera un ingrediente más de la noticia. ¿Con qué nos va a sorprender hoy el comandante en jefe?, preguntaban los locutores, para que las cámaras se acercaran a las mesas y mostraran el contenido de las bandejas, bocados dulces o salados de apariencia espectacular y sabor aún más delicioso, como corroboraban los reporteros con la boca llena. Santisteban estaba tan contento que le puso en contacto con otros mandos del cuerpo, como el secretario de Estado Miralles, quien le presentó a su vez a algunos miembros del gobierno, hasta que la todopoderosa Megan García empezó a encargarle el catering de las recepciones del MCSY. Y ante la misteriosa sonrisa de aquella mujer, cuyo aparente entusiasmo no lograba taponar todos los resquicios de una emoción más oscura, el estómago de Enrique Duarte se convirtió en un órgano autónomo, el brazo armado de su conciencia.

Tal vez, la flamante estrella de la pastelería española en la nueva normalidad que sucedió a la Tercera Pandemia no hubiera sido nunca el más listo, pero desde luego no era el más tonto. Mientras rechazaba cualquier propuesta de entrevista y ponía mucho cuidado en que su cara jamás apareciera en las pantallas, Enrique contaba los pasos que medía la celda de su fama y elaboraba planes de fuga condenados de antemano a fracasar, porque tenía demasiado que perder. Sin contar con que el favor de los dirigentes del Movimiento Ciudadano ¡Soluciones Ya! le estaba haciendo rico, era consciente del privilegio que suponía seguir siendo el propietario de un negocio familiar, cuando casi todos los comercios de su tamaño habían sido absorbidos por los grandes centros comerciales impulsados por un gobierno que había dejado de parecer nuevo para empezar a hacerse eterno. Y, sin embargo, cuando se miraba en el espejo no le gustaba lo que veía. Sentía que se estaba convirtiendo en un cínico o algo peor, un calculador taimado, mezquino, un hombrecillo tan despreciable como los colaboracionistas de las películas de nazis. Por más que cavilaba, no encontraba una fórmula aceptable para seguir ganando dinero sin perderse el respeto a sí mismo, y el destino en el que no creía tampoco le puso las cosas fáciles. Laura se quedó embarazada, su padre se jubiló, el propietario del único local del patio que no pertenecía a su familia decidió ponerlo en venta. La tentación fue demasiado fuerte. Unos meses después del nacimiento de su hijo, Enrique Duarte multiplicó por dos el espacio del segundo obrador, su taller personal, y comentó con su mujer que pronto necesitaría contratar a gente nueva para exprimir todas las posibilidades que ofrecía la ampliación. Había pensado en personas con formación y experiencia, pero ella tenía otros planes.

—Los van a echar, y es una putada que ni te imaginas. Juan cumple dieciocho años la semana que viene y Juanito acaba de cumplirlos...

Enrique admiraba mucho a Laura por la brillantez de su inteligencia práctica, la voracidad de ave rapaz con la que se lanzaba contra cualquier objetivo que se le pusiera a tiro, la tenacidad con la que lo perseguía hasta alcanzarlo. En aquella ocasión, hizo tal exhibición de sus capacidades que ni siquiera perdió el tiempo en contarle a su marido que Juanito no se llamaba Juanito. En su documentación constaba su nombre auténtico, Catalin, mal escrito. En rumano, las dos aes parecían a punto de echar a volar con las alas de sus acentos circunflejos invertidos, pero su mejor amigo le había rebautizado por motivos ajenos a las complejidades ortográficas. En España, Catalin suena a nombre de chica, le explicó, o más bien de mariquita, y a ti no te gustará eso, ¿verdad? Catalin negó con la cabeza y su amigo decidió que lo mejor sería que fueran tocayos. Al ingresar juntos en el centro de menores donde trabajaba la mujer de Enrique, ya eran Juan y Juanito, y así los llamó ella mientras intentaba arreglarles la vida.

—Dentro de un mes les comunicarán que tienen que marcharse del piso tutelado en el que viven. Recurriremos para ganar un poco de tiempo, pero cuando fallen en su contra no podrán volver al centro, ni a la biblioteca, ni a los talleres, nada. Los echarán sin más... —él intentó intervenir, pero ella levantó una mano para dar a entender que no había terminado todavía—. Bueno, con más. Si no encuentra trabajo, Juanito no acabará en la calle, sino en la frontera, porque es rumano. No tendrán en cuenta que haya dejado los porros, que se haya sacado el graduado escolar y el carné de conducir, que no lo hayan detenido ni una vez desde que nos lo trajeron. Ya sabes cómo son estos cabrones de los Soluciones. Sus órdenes de expulsión no se pueden recurrir.

—¿Y su familia? —preguntó Enrique cuando empezó a verla venir.

—Pues a su familia la echaron hace años, pero... —Laura también sabía ver venir a su marido—. De entrada, no eran sus padres. Juanito no tiene padres, ni hermanos. Vivía con unos tíos que a saber dónde estarán, si estarían dispuestos a volver a acogerlo o no, más o menos como Juan, que es español, pero tiene una historia más horrible todavía. Le echaron de su casa por pegar a su padre un día que le encontró pegando a su madre, aunque no te lo creas. Ella se puso de parte del marido y dejó a su hijo en la calle con quince años, o sea, un espanto. Y como me dijiste el otro día que vas a tener que contratar a gente porque te estás muriendo de éxito y no das abasto...

No, pensó Enrique Duarte. No, dijo en voz alta, pero sólo lo repitió una vez, no. Luego, tras unos instantes en los que pareció perderse en sus pensamientos, prometió que se lo pensaría. Laura no había mentido. Necesitaba más personal, pero el factor que le inclinó a la benevolencia era de naturaleza más compleja. Cuando comparó la petición de su mujer con su estado de ánimo, su estómago decidió por él. Pareció susurrarle que acoger a aquellos dos chicos, abocados por las políticas del MCSY a hacer equilibrios en un alambre del que se caerían para romperse la crisma antes o después, le procuraría cierto alivio y así fue, aunque la mejoría no duró mucho.

Cuando Juan y Juanito empezaron a trabajar en la Pastelería Duarte, nada hacía pensar que un nuevo confinamiento estuviera a la vuelta de la esquina, pero al cabo de seis meses, las primeras noticias sobre un nuevo virus anticiparon la inmediata puesta en marcha de un proceso conocido. Para aquel entonces, los protegidos de Laura seguían haciendo tanto bien al estómago de Enrique que se ofreció a arreglarles uno de los dos cuartos que se habían quedado vacíos tras la reforma del obrador, para que no tuvieran que ir y venir a diario desde su pensión de Aluche. Todos salieron ganando, porque Juan sabía ya lo suficiente como para echar una mano cuando anduvieran escasos de personal y su falso tocayo dominaba las rutas de entrega. Por eso, su jefe empezó a llevarle con él a Los Peñascales.

El comandante Santisteban, su mejor cliente y uno de los más poderosos, alegaba confusas razones de seguridad para no recoger sus encargos en la tienda ni enviar a nadie que lo hiciera en su lugar. Exigía que la furgoneta de la pastelería llegara hasta la barrera que cortaba el paso a la antigua urbanización y enviaba a alguna persona del servicio de su casa, casi siempre una chica latinoamericana, a recogerlo. Ese absurdo procedimiento partía la jornada de trabajo de Enrique en dos mitades, aunque el pedido fuera una simple tarta de cumpleaños. Cuando se declaró la llamada Cuarta Pandemia, Juanito ya había ido solo algunas veces para entregar pedidos pequeños, pero aquel día, la complejidad del encargo, catering para una fiesta de cuarenta y cinco invitados, hacía imprescindible la presencia de ambos frente a la barrera.

—Mire, jefe —a las doce y dieciocho minutos, el chaval distinguió a lo lejos una furgoneta blanca—. ¿Será esa?

Aquella mañana, Enrique Duarte estaba de mala leche. Había esperado hasta el último momento una llamada de Santisteban para informarle de que, dadas las circunstancias, acababa de anular la recepción. Habría preferido quedarse colgado con el catering a estar donde estaba. Que el comandante fuera a celebrar una fiesta con cuarenta y cinco invitados mientras todos los españoles vivían su cuarto día de confinamiento riguroso, había convertido al monstruo que le habitaba en una hidra de siete cabezas, y el retraso de su enviada no mejoró las cosas.

—Más le vale —miró el reloj y comprobó que se había incrementado en otro minuto—, porque ya está bien.

La chica que conducía la furgoneta levantó la mano derecha en el aire para pedirles tiempo y maniobró para dar la vuelta, hasta que el portón trasero de su vehículo quedó al otro lado de la barrera, justo enfrente del portón de la furgoneta de la pastelería. La suya, que lucía el anagrama del Cuerpo Nacional de Vigilantes, taponó la visión de los guardianes de la garita, que no la vieron salir por la puerta del conductor, ni abrir el portón, ni saludar a los dos hombres que llevaban veinte minutos esperándola.

—¡Ay, qué pena! Discúlpenme, por favor —era la chica de siempre, morena, bajita, regordeta, pero aquella vez la vieron sonreír con todos los dientes—. El pequeño de doña Rocío se enfermó y tuve que ir a la escuela a recogerlo, por eso me retrasé.

—Pero... —cuando Juanito intentó llevarse la mano a la cara, Enrique le agarró el brazo para impedirlo.

—No pasa nada —contestó a través de su escafandra transparente.

Al escuchar su voz, levemente deformada por un altavoz, ella se dio cuenta de todo, de lo que había hecho, de lo que implicaba, del asombro que dilataba los cuatro ojos que la estaban mirando. Intentó corregirse a toda prisa y se tapó la boca con las manos, metió luego una en el bolsillo de sus pantalones, sacó una mascarilla arrugada, salpicada de lo que parecían migas de galleta, la sacudió y se la puso, aunque sabía que no iba a servir de nada. Cuando levantó la cabeza hacia ellos, sus ojos brillaban más de la cuenta.

—No le cuente nada al comandante, por favor —su voz había adelgazado, hasta quedar reducida a una delgada hebra de pánico—. No le cuente, por favor, por favor.

—Claro... Yo... No...

Cuando comprobó que no encontraba una manera de cruzar la frontera de los monosílabos, Enrique Duarte decidió ganar tiempo.

—Bueno, luego hablamos de eso. Ahora vamos a trabajar, que es a lo que hemos venido. Te voy a ir pasando contenedores, ¿vale? —ella asintió sin decir nada—. Las cajas rojas llevan platos calientes, las azules, platos fríos. Todo está muy bien embalado, preparado en bandejas y recipientes de plástico. Parece complicado, pero no te preocupes. Sé que el comandante nunca contrata a camareros externos, pero te voy a dar una lista del menú con instrucciones para calentar o enfriar, y servir cada cosa en el orden en el que hay que consumirla. ¿De acuerdo? —ella volvió a responder con un movimiento de la cabeza, pero Enrique insistió—. ¿De acuerdo?

—Sí —su voz no había engordado mucho—. Gracias.

En condiciones normales, esa tarea no les habría llevado más de diez minutos. Aquel día tardaron casi el doble, porque Enrique se equivocó varias veces y, por una vez, fue Juanito quien le corrigió, todavía queda una caja de canapés, el consomé no lo hemos sacado todavía, ay, jefe, eso es postre, mejor lo sacamos después... Él se limitó a seguir las instrucciones de su ayudante sin palabras, porque estaba demasiado ocupado pensando en la mejor manera de salir de aquel atolladero. Cuando terminó, no se le había ocurrido todavía.

—Por favor —antes de firmar el recibo grapado en los folios de instrucciones, aquella chica levantó hacia él dos ojos temblorosos, oscuros como charcos de agua sucia—, no le cuente nada al comandante. Ha sido un error mío, un error muy grande, si se entera me va a despedir y no sé qué será de mí, porque no me dejan volver a Honduras... —hizo un puchero, pero consiguió controlarlo a tiempo—. Por favor, no me traicione.

El miedo de aquella chica le pareció tan grande, tan profundo que, por más que las buscó, no encontró palabras de su tamaño, pero Juanito contestó por los dos.

—No te preocupes —y le ofreció la garantía suplementaria de una sonrisa—. Nosotros no estamos chivatos.

—Somos —le corrigió Enrique, para restaurar la jerarquía de las equivocaciones—. No somos chivatos.

—Eso —el chico cerró los ojos apretando mucho los párpados, como si así pudiera imponerse a ese absurdo despilfarro de los españoles, que usaban dos verbos distintos para lo que podría resolverse muy bien con uno solo—. No somos, pero... ¿Tú no tienes miedo de contagiarte sin mascarilla?

—No. Acá no usamos... —ella también cerró los ojos, y volvió a taparse la cara con las manos mientras negaba con la cabeza—. Ay, no, no sé qué me pasa hoy... Discúlpenme, estoy muy nerviosa. Ha sido un error mío, otro error, yo no quería... Lo siento mucho.

—Tranquilízate, no pasa nada —volvió a decir Enrique—. Mañana volveremos a por los envases a la hora que te venga bien. Y no tengas miedo, por favor. No vamos a contarle nada a nadie, te lo prometo.

Él también se había enterado del misterioso caso del mordisco del perro asilvestrado. El mejor amigo del abuelo de Laura, Nicolás, salía con una señora casi de su edad, a la que había conocido en un viaje a Málaga del Plan Nacional de Vacaciones para Personas Mayores. Esa señora, que se llamaba Queti, tenía una hija que trabajaba de enfermera en el Hospital Clínico, casi pegado a la Clínica de la Concepción, donde se suponía que había pasado todo. De allí había salido el informe en teoría secreto, aunque circulaba tanto que a aquellas alturas nadie debería llamarlo así, de una paciente que no había recibido ni la vacuna ni el tratamiento contra el virus que causó la Tercera Pandemia, pero tampoco se había contagiado con el mordisco de un perro al que se suponía infectado. Enrique Duarte nunca había acabado de creer que esa historia fuera cierta. Aunque su mujer, íntima desconocedora de la tortura olímpica que el estómago de su marido le infligía a diario, la difundió tanto como pudo, él la encontraba demasiado barroca, demasiado circular y perfecta como para no haber sido inventada por alguien. Por un lado, la mujer luminosamente bronceada, por otro un animal de los que ya habían dejado de existir, y encima infectado, y encima salvaje, y encima capaz de clavarle todos sus dientes en el antebrazo... Parecía una leyenda urbana, una versión pandémica de la historia de la chica de la curva, pero lo que acababa de ver con sus propios ojos corroboraba una de las conclusiones más extravagantes de aquel informe que todo el mundo citaba sin haberlo leído.

—¿En qué piensa, jefe? —quizás hasta Juanito lo conociera, aunque no pensaba comentarlo con él.

—En nada.

—Pues yo no puedo dejar de pensar en esa pobre chica.

Las áreas de residencia especial, decían que había escrito un médico de la Clínica de la Concepción justo antes de morir en un atentado terrorista, son burbujas donde la vida cotidiana continúa desarrollándose en las mismas condiciones que existían en todo el país antes de la Tercera Pandemia. Enrique Duarte conocía bien a los Soluciones. Era un proveedor habitual del Cuerpo Nacional de Vigilantes, se había entrevistado varias veces con altos cargos del partido, la señora García había llegado a recibirle en su despacho en tres ocasiones. Si hubiera tenido que definirlos con tres palabras, habría dicho que eran malvados pero eficientes, incapaces de incurrir en errores tan burdos como los que habían dado lugar a ese supuesto informe, un error como aquel en el que, sin embargo, acababa de caer la empleada de Santisteban. Así comprendió en qué se había equivocado.

Los dirigentes del partido, los jefes de los vigilantes, los funcionarios de alto rango tenían que comer, vivir en casas limpias, abastecerse de bienes..., y estaban demasiado ocupados para adquirirlos personalmente en los Días de Compras. Los hombres, las mujeres con quienes Enrique había tratado, estaban en la cúspide de la pirámide, un círculo de poder donde los códigos se cumplían a rajatabla, pero su bienestar dependía de quiénes lavaban su ropa, les hacían la compra y recogían a sus hijos en el colegio. Por muy altos que fueran sus sueldos, el grado de implicación de sus empleados sería por fuerza mucho menor, y por eso la sirvienta de Santisteban se había olvidado de ponerse la mascarilla. Quizás, por la misma razón, el servicio de un chalé de la Ciudad Puerta de Hierro no había estado pendiente de proteger a su señora de un perro salvaje.

—Oye, Juanito —cambió de opinión mientras bajaba por la rampa del garaje—. ¿Tú has oído algo de un perro que mordió a una mujer en una urbanización de lujo hace años?

—¿Yo? —el chico le miró con los ojos muy abiertos—. ¡Si los perros ya no existen!

—Bueno, sólo es una historia que cuentan.

Si el médico de la Clínica de la Concepción tenía razón, Los Peñascales era una burbuja, un anacronismo semejante al que representaba la Ciudad Puerta de Hierro y, supuso, Somosaguas, La Moraleja y otras tantas urbanizaciones de lujo del extrarradio de la ciudad. Pero la calle Conde Duque, cuyo aire habían respirado sin protección Enrique y su primo Richi durante más de diez minutos el día que conoció a Santisteban, no formaba parte de ningún recinto privilegiado. Estaba en el centro mismo de Madrid, y en los cinco años que habían pasado desde aquel día, ninguno de los dos había experimentado siquiera una molestia.

Al salir del garaje, envió a Juanito derecho a la tienda, pretextando que tenía cosas que hacer. No mentía porque, en primer lugar, su estómago reclamaba su atención. El tirano de su cuerpo seguía estando firme, en el mismo sitio, pero su forma había cambiado. El agujero que dilataba sus paredes, para convertirlo en un globo aerostático que nunca parecía contener aire suficiente, se había cerrado de golpe, desapareciendo en el núcleo de una piedra pequeña y apretada que le producía un dolor distinto, tan lejos de la ansiedad como de la culpa. Enrique Duarte comprendió que era miedo, y le gustó más.

Aquella tarde, cuando se quedó solo en el obrador, hizo inventario como todos los días. Sumó, restó, calculó, escribió en la pizarra lo que necesitaba para el día siguiente, pero después no se quitó la chaqueta, ni el gorro, ni se preparó para salir. Abrió una vitrina, seleccionó los ocho bombones que más le gustaban y rellenó con ellos una caja pequeña, coqueta, de dos pisos. A continuación, escribió la nota que había redactado mentalmente durante toda la tarde. «Nadie va a enterarse de lo que pasó ayer, te lo prometo. Pero si algún día necesitas ayuda, o quieres que alguien sepa cómo vivís ahí dentro, puedes contar conmigo.» Dobló la nota y la pegó con cinta adhesiva en la cara inferior del cartón marrón que separaba los dos pisos de bombones, antes de guardar la caja con llave en un cajón de su escritorio. A él no se le daban muy bien los envoltorios, pero tenía una aprendiza muy habilidosa que usaría tres o cuatro capas de tela y papel para cerrarla herméticamente e impedir que pudiera abrirse en un descuido.

—¡Buenos días, Enrique! —José Luis Santisteban le llamó a las nueve de la mañana—. Oye, lo de ayer, maravilloso. Todo el mundo quedó encantado, incluido el ministro, así que... Hemos triunfado una vez más.

—Muchas gracias, coronel, me alegro de que saliera todo bien.

—Mejor que bien... Te mando ahora mismo una transferencia. Me han dicho en casa que el chaval puede venir a las doce a recoger los envases.

Una hora antes de aquella cita, Enrique mandó a Juanito en la furgoneta pequeña a hacer una ruta que terminaba más allá de la M-30. A las once y media salió él, en el vehículo más grande, hacia Los Peñascales. Cuando llegó, la chica hondureña ya le estaba esperando con una mascarilla nueva, inmaculada, perfectamente encajada entre la nariz y la barbilla. Se saludaron con naturalidad, sin llamar la atención de uno de los vigilantes de la garita, que había bajado hasta la barrera para recoger un envío de un mensajero, y ninguno de los dos habló mientras ella le iba pasando los contenedores llenos de envases vacíos.

—Está todo fregado —dijo al final, y él intuyó su sonrisa bajo la mascarilla—. Las instrucciones eran muy buenas, no me equivoqué ni una sola vez.

—Me alegro mucho —Enrique le devolvió la sonrisa—. Espera un momento, por favor... —al bajar, había dejado la caja de bombones en el suelo del maletero, y la recogió antes de cerrar el portón—. Toma, esto es para ti.

—¿De veras? —ella sostuvo en la mano aquel paquete de apariencia engañosamente ingrávida, envuelto en varias capas de celofanes de colores sujetos con lazos y cintas, un ramito de flores de tela encima—. ¡Ay, qué lindo! —miró a Enrique y volvió a sonreír—. Me va a dar lástima abrirlo.

—Pues debes hacerlo —él también sonrió—, porque dentro hay unos bombones riquísimos.

Cuando se despidieron, Enrique se dio cuenta de que ni siquiera sabía cómo se llamaba. Pasó más de un mes antes de que Santisteban volviera a llamarle para encargar un catering pequeño, la merienda de un *baby shower* que su mujer iba a celebrar en honor de una de sus sobrinas, embarazada de su primer hijo. Le habría gustado ir en persona, pero no quiso presionar a la chica, y envió a Juanito.

—Yénifer me ha dado esto para usted, jefe.

Se llamaba Yénifer, lo escribía con y griega y tenía mucho miedo. Eso fue lo que aprendió Enrique al desmontar un cartucho de celofán transparente relleno de bolitas de coco hechas a mano, que reposaban sobre dos cuadraditos de cartón blanco, unidos con mucho cuidado y una gota de pegamento en cada esquina. Dentro encontró una nota doblada en ocho, con la aplicación de una colegiala. «Muchas gracias por todo. No me atrevo a hablar. Es muy peligroso. Yénifer Mejía.»

Esa respuesta fue lo último que pudo transmitirle a Mónica Hernández unos días después, cuando se reunió con ella y los demás en casa de Domingo. Antes de que lo abordara en la cola de una heladería de la Puerta del Sol, en el último Día de Compras, Enrique ni siquiera la conocía de vista. Cuando la vio entrar en casa del abuelo de Laura, pisando fuerte, con una sonrisa rebosante de expectación en los labios, sucumbió a un instante de desconcierto, que anticipaba menos la decepción de la recién llegada que su propio e inminente ridículo. Mónica parecía esperar mucho de ellos, pero él temía no tener demasiado que ofrecerle. La certeza de que la toxicidad del aire era un invento. La garantía de que, cuando subiera a la azotea a mirar el cielo, nadie revisaría las imágenes que pudieran captar los drones que la hubieran grabado. La sospecha de que lo más seguro era que ni siquiera la hubiesen grabado, porque estaban convencidos de que los artefactos no llevaban cámaras incorporadas. La leyenda del mordisco del perro de Puerta de Hierro, las conclusiones del médico que había tratado a su víctima, y la sorprendente confirmación que había aportado Yénifer Mejía, una sirvienta del área de residencia especial de

Los Peñascales que, de momento, no parecía dispuesta a irse de la lengua.

—¡Qué barbaridad! —cuando terminó de escucharle, Mónica los fue mirando uno por uno, con la boca abierta—. ¿Y cómo os habéis enterado de tantísimas cosas?

La sorpresa cerró la boca de Enrique Duarte mientras todos los demás se lanzaban a hablar a la vez para contar su propia parte de la historia, hasta que a Domingo se le ocurrió poner orden. Mientras moderaba la reunión, dando la palabra por turnos, primero a Laura para que explicara lo que su marido había descubierto en la calle Conde Duque, después a Queti para que contara lo que su hija enfermera había averiguado en el hospital, por fin a Juanito, para que recreara el momento en el que habían pillado a Yénifer sin mascarilla en la barrera de Los Peñascales, Mónica cada vez parecía más entusiasmada, Enrique más desconcertado. Nunca tanto como cuando la recién llegada tomó la iniciativa por fin.

—Bueno, y... ¿qué vamos a hacer con esto?

Era una mujer mayor, que estaría más cerca de los sesenta que de los cincuenta años. Tenía el aspecto de una señora progre, pero señora, con sus vaqueros de marca, unos botines de piel color vino y una blusa asimétrica, vaporosa, ideal para camuflar michelines. Llevaba el pelo más bien corto, teñido de negro, un peinado que sugería que iba a la peluquería todas las semanas y un anillo grande, aparatoso, con una piedra que parecía ónice, donde alguna vez habría llevado una alianza de casada. Era una persona atractiva, con mucha personalidad, pensó Enrique, y cierto carácter magnético que apuntaba a su capacidad de liderazgo. Pero ninguna de esas cualidades le permitió adivinar la tormenta que estaba a punto de desatar.

—Es fantástico que hayáis reunido tanta información, y os agradezco muchísimo que la hayáis compartido conmigo, pero todo esto tendría que servir para algo más —siete pares de ojos la estudiaron a la vez, y aguantó con firmeza su escrutinio—. La información es poder, ¿no? Yo creo que tenemos la obligación de ejercerlo, de contarle a la gente que los Soluciones mienten como bellacos, que han montado una dictadura sobre mentiras, que destierran a los jóvenes, y nos encierran en nuestras casas, y nos obligan a vivir con miedo para hacer con nosotros lo que les da la gana, para que ni siquiera podamos comprar donde nos apetece, para que consumamos lo que ellos quieren y donde ellos quieren y cuando ellos quieren. Han conseguido que creamos que vivimos en libertad cuando ni siquiera somos libres para decidir que no nos da la gana salir a aplaudir al balcón. Porque eso es lo que está pasando, ¿o no? —hizo una pausa, devolvió una por una todas las miradas que había recibido antes y formuló con naturalidad una conclusión que nadie se había atrevido a imaginar siquiera—. Por eso creo que deberíamos organizarnos, o por lo menos intentarlo.

El final de su intervención provocó un instante de silencio unánime, pero no uniforme, porque las reacciones que inspiró en su auditorio abarcaron un abanico tan amplio como el que podía abrirse entre el pánico y la excitación.

—No, ni hablar, no podemos hacer nada —Domingo, el primero en responder, negó con la cabeza como si le hubieran dado cuerda —. Vosotros no conocéis a esa gente, no sabéis... Es demasiado peligroso.

—No estoy de acuerdo, abuelo —Laura le llevó inmediatamente la contraria—. No es que no podamos, claro que podemos. Mónica tiene razón, lo que pasa... Sin internet me parece muy difícil, aunque... Antes de internet también hubo revoluciones, ¿no?

—¡Toma, pues claro que las hubo! —Queti, con sus setenta años, y sus cejas pintadas, y el cráneo transparentándose sin piedad por debajo del cardado de un moño alto, se echó a reír mientras Nicolás la miraba como si no la reconociera—. Y más que ahora, ya te digo...

—Nosotros podríamos hacer pintadas —Juan le dio un codazo a Juanito—. ¿A que sí?

—Claro, está muy divertido.

En ese momento, Enrique se levantó, abrió los brazos, se preguntó cómo habían podido acelerarse tanto las cosas en tan poco tiempo y no halló ninguna respuesta.

—Bueno, lo que no podemos hacer son tonterías —miró a Mónica—, en eso estarás de acuerdo, ¿no?

—Por supuesto, claro —respondió ella, en un tono expresamente conciliador—. Y tampoco deberíamos correr riesgos. Si llegáramos a hacer algo, tendríamos que escoger nuestras acciones con mucho cuidado, sin ponernos ni poner en peligro a nadie.

—Pues... —Enrique Durán vaciló un instante y eligió ser sincero—. El caso es que, mientras te escuchaba, me he dado cuenta de que en realidad... Cuando yo le mandé la nota a Yénifer, supongo que ya estaba pensando en que habría que hacer algo, aunque hasta que tú lo has dicho ni siquiera se me había ocurrido, lo reconozco. Pero estoy de acuerdo contigo. Tenemos que pensar mucho y pensar muy bien, examinar nuestras posibilidades, meditar cada paso y reunirnos muchas más veces, desde luego.

Sólo entonces se dio cuenta de que, si su estómago seguía estando en el mismo sitio, acababa de quedarse mudo por primera vez en mucho mucho tiempo.

—Así que de momento —por eso habló él en su lugar—, nada de pintadas, ¿entendido?

Jonás González Vergara vivía con un lápiz en la mano. Desde que empezó a simultanear la animación infantil con los efectos especiales de los documentales que producía el canal Historia de España, había intentado saltarse sin éxito las reuniones del equipo. Él era un francotirador y su trabajo empezaba cuando terminaba el de los demás. Asistir a discusiones sobre argumentos, guiones, enfoques o documentación le parecía una pérdida de tiempo.

—¡Al contrario! —Arancha Tomé, su jefa, era el entusiasmo sobre dos muslos inmensos encaramados en un par de zapatos de tacón altísimo—. Es fundamental que estés implicado en el proyecto desde el principio, ¿comprendes? Que te vayas empapando del tema de cada documental, que visualices los aspectos más importantes para decidir el sentido de tus intervenciones.

—Pero yo intervengo sobre imágenes, Arancha —intentó explicárselo media docena de veces—. Me da igual cuál sea el concepto previo. Yo tengo que seleccionar las imágenes más potentes, o las más atractivas, o las más interesantes para la animación, pero sólo cuando existan. Antes de eso...

—Nada, nada —su jefa nunca le dejó pasar de ahí—. Tú eres importantísimo para nosotros y tienes que estar dentro desde el principio.

Jonás nunca intervenía en los debates. Cuando Arancha le preguntaba qué le parecía algo, se limitaba a decir que bien o se inventaba una pega sobre la marcha, aunque casi siempre le dejaba tranquilo, porque se presentaba en la sala de reuniones con un cuaderno de dibujo, un estuche de lápices bien afilados y una gran goma de borrar. Intentaba sentarse lo más lejos posible de su jefa y pasaba el tiempo dibujando, no precisamente bocetos ni desarrollos de la animación del documental del que estuvieran tratando los demás. De reunión en reunión, iba ampliando y perfeccionando su bestiario particular, una colección de retratos monstruosos presididos por la efigie de Arancha Tomé como un pulpo con una barriga de siete pisos, los labios muy pintados y muchos muslos inmensos en lugar de patas, que sólo se estrechaban en los tobillos para dar paso a un carrusel de tacones de aguja de todos los colores. La jefa de comunicación era una gallina con las plumas empapadas y cara de pena, uno de los guionistas, un oso bobo con una anilla en el hocico, y así, su lápiz despiadado había ido dibujando a todos los miembros del equipo con una sola excepción.

La asesora histórica se le resistía. Quizás porque hablaba poco, quizás porque solía ser la única que sabía de lo que hablaba en aquella sala, quizás porque, frente al uniformado entusiasmo de los demás, afrontaba su trabajo con un saludable gesto de escepticismo. Jonás la había dibujado varias veces, pero su lápiz se empeñaba en ser amable con ella, identificándola siempre con un animal de pelo negro, un gato, una yegua, una pantera elegante, sigilosa, muy poco monstruosa en cualquier caso. Hasta que llegó un día en el que descubrió lo que su lápiz había aprendido antes que él.

—Tengo un encargo muy especial de la dirección de la cadena.

Aquella tarde, Arancha Tomé ni siquiera se sentó. Se quedó de pie, ante la cabecera opuesta a la que ocupaba Jonás, y cruzó las manos por debajo del pecho como un cura celebrando misa. Luego se esforzó en sonreír, pero no logró ocultar su nerviosismo.

—Vamos a aplazar todos los proyectos que están en marcha para afrontar el más especial que hemos hecho hasta ahora. El próximo verano, el 2 de agosto, estrenaremos en primicia un documental sobre el Gran Apagón, el acontecimiento que cambió nuestras vidas y que ninguna cadena de televisión ha investigado a fondo todavía —miró a su auditorio, volvió a sonreír y consiguió hacerlo con más naturalidad—. Será un desafío para nosotros, porque nunca hasta ahora habíamos trabajado sobre un hecho histórico tan reciente, pero ya han pasado los años suficientes para...

—Perdona, Arancha, pero yo creo que no se puede hacer —la pantera negra intervino esta vez con menos elegancia que contundencia—. Es una buena idea, lo reconozco, pero no existe documentación suficiente como para abordar un relato panorámico y coherente del Gran Apagón. Yo recuerdo perfectamente aquel día, supongo que todos lo recordamos. Estaba sola, en una casa que tengo en un pueblo de la sierra, me tiré cuatro días pegada a la televisión y no conseguí comprender lo que había ocurrido.

—¡Pero, Mónica! —Arancha se hizo la sorprendida—. ¿Cómo puedes decir eso? Tenemos muchísimo material, las reacciones al apagón en sí, las ruedas de prensa del ministro del Interior, las imágenes de los asaltos... Os recuerdo que fue entonces cuando se fundó el Cuerpo Nacional de Vigilantes. Hay que abordar eso, hablar con los agentes, con los mandos, con la Brigada Antiterrorista. En aquel momento, oímos hablar de los terroristas antisistema por primera vez, ¿eso no te parece interesante? Tendremos que indagar lo que se sabe de cada grupo, los miembros que se han identificado, sus orígenes, cómo nacieron sus organizaciones... Y eso sin contar con los recuerdos de la gente, porque habrá que entrevistar a personas de todas clases, preguntarles qué recuerdan de ese día, cómo lo vivieron, qué representó para ellos la aparición de la red 7AP y sus sucesivas actualizaciones. Yo creo que tenemos material de sobra, ¿o no?

—Vale —reconoció la asesora—. Si eso es lo que queréis hacer, tenemos documentación suficiente para varias horas, es verdad. Lo que yo quería decir... —hizo una pausa infructuosa—. Nada. Tienes razón, Arancha. Me pongo mañana mismo.

En ese momento, Jonás se atrevió a hacer algo que no había hecho nunca. Mientras el resto del equipo se lanzaba hacia delante con su entusiasmo proverbial, quitándose la palabra los unos a los otros para provocar una incesante cascada de ideas mayoritariamente estúpidas, escribió una pregunta en su álbum. «No te crees nada, ¿verdad?» Movió el cuaderno hacia la izquierda para que Mónica pudiera leerla y la vio negar lentamente con la cabeza. Él sonrió y escribió su propia respuesta, «yo tampoco». Después, lo borró todo con su gran goma blanca, miró a Mónica y comprobó que ella también sonreía.

Después, cuando la conociera mejor, Jonás González Vergara se preguntaría muchas veces por qué no había detectado antes a Mónica Hernández, cómo era posible que se hubieran sentado tantas veces alrededor de la misma mesa sin haberse reconocido mutuamente. Era una pregunta retórica, porque conocía perfectamente todas las respuestas, que eran una sola.

—Mira, Jonás... Porque te llamas Jonás, ¿verdad?

Un par de años antes, en el Encuentro para Mejorar donde volvieron a verse, Paula Tascón esperó a la segunda copa. Mientras se tomaban la primera, ambos avanzaron al mismo ritmo por una conversación inocua, previsible. Él le contó que seguía trabajando en lo mismo, pero peor. Ella le dijo que esa frase también era perfecta para explicar su vida.

—Trabajo para la misma cadena a la que pertenecía la tienda donde nos conocimos. La de ahora está en el Centro Comercial Callao, o sea, muy cerca de la plaza del Carmen, pero todo es distinto. Las condiciones no están mal, lo reconozco. Cobro un buen sueldo, pero me muero de aburrimiento. Empecé vendiendo toda clase de electrodomésticos, pero ahora me he especializado en videocámaras —ahuecó la voz para adoptar el tono de un anuncio publicitario—, el producto tecnológicamente más avanzado de nuestro catálogo... —sonrió y volvió a hablar como antes—. En fin, una puta mierda. Tú, por lo menos, sigues programando, ¿no?

—Bueno, yo me dedico a hacer animaciones, como antes. En ese sentido sigo programando, sí, aunque estoy muy limitado. Tengo un ordenador legal, con acceso controlado a la red, o sea —dio un sorbo a su copa y decidió ponerse a la altura de la chica malhablada—, a la puta mierda que los Soluciones llaman la red, pero tengo que pedir permiso para todo, todo el rato. Cada vez que intento modificar una rutina o tomar un atajo, pero para las cosas más tontas, te lo juro, me salta un mensaje de alarma en la pantalla y suena una bocina. Entonces me llaman por teléfono, tengo que hablar con mi supervisor... Así que programo, pero con las manos atadas, ¿sabes?

—Ya, pues... —ella esbozó una sonrisa tan torpe que desembocó con naturalidad en un gesto de melancolía—. Por lo menos tocas teclado. Ya me gustaría a mí volver a sentir las teclas en las yemas de los dedos. A veces sueño con eso, ¿sabes?, y durante unos pocos segundos, hasta que me doy cuenta de que sólo es un sueño, me da un subidón que no veas.

En aquel instante, Jonás miró a Paula y sintió que en algún lugar de su cuerpo se abría una esclusa que llevaba mucho tiempo cerrada. Fue como una inundación, el desbordamiento de una sensación cálida e imprecisa, un sentimiento difícil de clasificar, a medio camino entre la ternura y la emoción. Todo eso provocó en él la nostalgia de los dedos de aquella chica, el sueño imposible de los teclados que estaban más allá de su alcance. Durante un segundo, estuvo a punto de hacer una tontería, de contarle la verdad sobre el arcón de su cama, de invitarla a su casa para que pudiera tocar teclas todo el tiempo que quisiera. En el segundo siguiente, tal vez lo habría hecho, pero justo entonces Paula dio un volantazo decisivo para cambiar el rumbo de aquella y de muchas otras noches.

—Voy a tomarme otra copa —anunció, enderezando el cuerpo frente a la barra—. ¿Quieres una? Invito yo.

246

Él aceptó la copa sin sospechar que aquel vaso de cristal, relleno con ron y hielo, era en realidad una puerta que estaba a punto de abrirse.

—Mira, Jonás... Porque te llamas Jonás, ¿verdad? Aunque no te lo creas, llevo mucho tiempo esperándote. Bueno, a ti y a otros dos, pero tú has llegado antes y me alegro mucho, porque eras mi primera opción. ¡Ay, perdona! —hizo una pausa, cerró los ojos, volvió a abrirlos—. No me estoy explicando bien... Lo que pasa es que no vengo a estas fiestas de mierda por mi propia voluntad, ¿sabes?

—Lo sé —Jonás dio un sorbo a su copa y contestó con naturalidad—, porque a mí me pasa lo mismo.

—Ya, pues yo vengo porque mi puto terapeuta no me deja vivir. Soy de un pueblo de León que se llama Villalfeide, una aldea en realidad, porque es muy pequeño, aunque allí vive toda mi familia y mi mejor amiga de toda la vida, que con tanto confinamiento nos vemos poco, claro... Tampoco es que yo sea muy sociable, la verdad. A mis dos mejores amigos de la carrera no quiero verlos ni en pintura, porque se portaron conmigo como unos cabrones. Me dejaron tirada con todas las deudas de una *startup* que fracasó en la crisis de la Segunda, así que ya te puedes imaginar. Con mis compañeros de trabajo me llevo bien, pero no son amigos ni falta que hace, y por lo demás... Participar en los vermús del balconcito es que no me sale del coño, pero así, hablando mal y pronto. Total, que mi terapeuta se empeña en que no puedo estar tan sola y me obliga a venir aquí, a ver si ligo. Y tampoco es que eso se me dé muy bien, para qué te voy a engañar, aunque mi terapeuta dice que es imposible, porque soy muy joven, muy atractiva, y... Llegué a pensar que quien quería ligar conmigo era él, no te digo más.

—Pero es verdad —Jonás corrió el riesgo de ponerse colorado—. A mí me pareces una mujer muy atractiva, aunque de todas formas los piropos deben estar incluidos en su manual de instrucciones. Mi terapeuta, que es mujer, me dice cosas parecidas. Que si me parezco a Woody Allen, que si a muchas chicas les atrae ese tipo de hombres... —y no pasó de ahí, al ver el asombro que arqueaba las cejas de Paula Tascón.

—¿A Woody Allen? ¿Tú? —y se echó a reír—. Pero esa tía es gilipollas, ¿o qué? ¿Cómo te vas a parecer tú a Woody Allen, que es un viejo verde y chocho, un narcisista encantado de conocerse que estuvo treinta años haciendo la misma película?

En ese momento, Jonás González Vergara comprendió que sería capaz de hacer cualquier cosa que le pidiera Paula Tascón. Y no tuvo que esperar mucho.

—Mira, cuando me trajiste aquel portátil para que se lo instalara a una persona normal —los dos sonrieron a la vez—, te googleé, lo confieso. Vi tus cortos, dos o tres entrevistas sobre tu trabajo, los efectos digitales que habías hecho para películas... Algunos parecen magia, ¿sabes? —y volvieron a sonreír al mismo tiempo—. Así que cuando tuve que hacer el formulario para estas fiestecitas de los huevos, al rellenar la casilla de mis aficiones pensé que igual, si no tenías pareja, te encontraba por aquí. Y pensé que si te encontraba... —en ese punto, fue Paula quien se sonrojó—. A ver, yo te voy a contar lo que tengo planeado y luego tú, si quieres, sales corriendo.

—No creo.

—¿No crees qué?

—Que salga corriendo.

—Bueno, espera a escucharme, porque... Mira, igual no te parece bien, porque esta no es manera de hacer las cosas, lo reconozco, lo que pasa es que es todo tan difícil, ¿no? Yo lo que quiero pedirte es que nos enrollemos. A ver... —levantó las dos manos en el aire y las movió adelante y atrás, como si estuviera ayudando a aparcar a un avión, aunque lo que pretendía anunciar era que iba a explicarse mejor—. O sea, que hagamos como que nos enrollamos, porque no tiene por qué salir bien, lo sé, pero si conseguimos dar el pego, sería beneficioso para los dos, supongo, por lo menos para mí. Porque es que yo no soporto esto, te lo juro. No soporto a los Soluciones, no soporto a mi terapeuta, no soporto estas fiestas cutres, de tías escotadas hasta el ombligo y cretinos empalmados como chimpancés, ni el centro comercial, ni toda la mierda que nos hacen tragar, ni que la gente sea tan imbécil, que no se den cuenta de que nos la están metiendo doblada en todo, que estén tan contentos porque no hay paro y tienen dinero para gastárselo en lo que les mandan, como borregos, joder. No soporto mi vida, esa es la verdad. Y si intentamos que parezca que nos enrollamos, si nos besamos un poco y subimos a una habitación, aunque no salga bien, aunque no lleguemos ni siquiera a follar, que no hace ni falta, pues por lo menos mi terapeuta me dejará en paz una temporada, y...

Paula Tascón no logró acabar aquel discurso. Cuando Jonás la besó, su ánimo había experimentado una alteración antagónica, aunque semejante en intensidad, al acceso de ternura que le había provocado antes la nostalgia de un teclado. Sin saber muy bien lo que hacía, mientras metía la lengua en la boca de aquella chica avanzó con las manos hacia el par de tetas más fabuloso que recordaba haber contemplado nunca, y la experiencia superó sus expectativas. Entonces, durante un segundo pensó que se estaba equivocando, que había ido demasiado deprisa, que tal vez ella le encontrara más parecido a un personaje rijoso de Woody Allen de lo que le convenía, y aunque la idea de separar las yemas de los dedos de aquella masa dulce, y dura, y elástica, le dolía, consiguió posar las manos en la cintura de Paula un instante después de comprobar que sus pezones habían empezado a erizarse. Pero ella desenfundó más deprisa. Le cogió las manos, volvió a colocárselas en las tetas, y adelantó su vientre para apoyarlo en una bragueta que delataba un bulto prometedor. Se frotó contra él un par de veces y Jonás decidió tomar el mando.

—Bueno, pues yo creo que ya podemos irnos, ¿no?

—Sí, pero... —ella le besó en los labios antes de despegarse del todo—. ¿Tú sabes lo que hay que hacer ahora?

—Claro —él la besó a su vez antes de responder—. Soy sabelotodo y más, tú misma lo has dicho.

Como casi todas las iniciativas del MCSY, los Encuentros para Mejorar cumplían una doble función. Por una parte, servían para favorecer los impulsos amorosos y sexuales de los españoles solitarios, un segmento de la población cuyas necesidades se habían visto muy perjudicadas por las reglas que había establecido el gobierno a partir de la Tercera Pandemia. Los Manuales del Cuerpo Nacional de Terapeutas insistían en que las personas emparejadas, con una vida sexual satisfactoria, están más contentas con su suerte y son más fáciles de manejar. Por eso el nuevo régimen le había declarado la guerra a la soledad, pero no había podido evitar constituirse al mismo tiempo en una quinta columna que saboteaba su propia retaguardia. En los periodos interpandémicos, más conocidos como nueva normalidad, en teoría era posible ligar en la calle, y en los bares y las discotecas de los centros comerciales, pero la gente seguía teniendo tanto miedo que, incluso mientras las autoridades celebraban que no se estuvieran registrando contagios, casi nadie se atrevía a acercarse a los desconocidos con naturalidad. Así se forjó el éxito de los Encuentros para Mejorar. La presencia de los drones que sobrevolaban el cielo a cualquier hora, los criminales en busca y captura que aparecían en todos los informativos, la propaganda en favor de la delación ciudadana que oscilaba entre la precaución y el terror, «tengan cuidado, su vecino puede ser un terrorista», resultaron tan eficaces para garantizarlo como la machacona insistencia con la que los terapeutas recomendaban unos recintos cuya seguridad era equiparable a la de los centros comerciales por la constante renovación, ionización y desinfección del aire. Así, para los grandes hoteles del centro de las ciudades, aquellas fiestas acabaron representando un magnífico negocio.

Entre pandemia y pandemia, el turismo urbano se había reducido bastante. En la nueva normalidad entre la Tercera y la Cuarta, que había durado más de cuatro años, los visitantes internacionales habían aumentado hasta rozar los niveles previos a la Gran Pandemia en las islas y zonas de playa seguras. En la temporada baja, el Plan Nacional de Vacaciones para Personas Mayores había completado la recuperación, pero después de tanto tiempo de confinamiento y pánico, la gente no tenía ganas de patearse las salas de los museos. Preferían salir de casa para tumbarse a tomar el sol, hacer rutas por el monte o visitar los pueblos que el Cuerpo Nacional de Voluntarios para la Repoblación de la España Vaciada había devuelto a la vida. Este programa había tenido un éxito tan rotundo que las casas rurales y los restaurantes situados en los enclaves más hermosos tenían larguísimas listas de espera. A cambio, el turismo cultural urbano no acababa de remontar, pero las parejas que ligaban en los Encuentros disponían de ofertas irresistibles para debutar en el sexo sin necesidad de salir a la calle.

Los organizadores de aquellas fiestas seleccionaban hoteles a partir de tres estrellas en función del nivel de ingresos de los asistentes. Los de cuatro y cinco estrellas ofrecían bonos de diez noches a un precio tan rentable que apenas vendían habitaciones sueltas. Los bonos no caducaban hasta los seis meses, así que, si en la primera noche no había suerte, los clientes disponían de mucho tiempo para encontrar una pareja mejor, y los fracasados recalcitrantes podían ampliar la vigencia del bono por una pequeña cantidad de dinero. Los terapeutas recomendaban mucho este sistema, que protegía la intimidad de quienes buscaban amor a través de una aventura, previniendo las siempre desagradables consecuencias de los desencuentros en un domicilio propio o ajeno. Pero no todos sus pacientes eran igual de mansos.

La primera vez que Jonás González Vergara ligó en el mismo hotel de cuatro estrellas donde se encontró con la chica sabelotodo, no quiso comprar un bono. Tenía muchas ganas de volver a echar un polvo, pero intuyó a tiempo que con aquella mujer no llegaría fácilmente al segundo. Con Paula no lo dudó.

—Buenas tardes —la recepcionista les sonrió como si llevara un rato esperándoles—. ¿En qué puedo ayudarles?

—Queremos un bono de diez noches con alojamiento y desayuno —se volvió a mirarla—, ¿no?

—Claro —ella se echó a reír—. Lo que haga falta.

—Pues han tenido suerte —la recepcionista sacó un folleto de debajo del mostrador—. Tenemos una oferta estupenda. Por una diferencia de precio casi insignificante, puedo ofrecerles una habitación superior, con terraza y...

—Sí, sí, sí —Jonás González Vergara sentía que la braguera de sus pantalones estaba a punto de reventar—. Venga, lo que sea, pero ya.

Intentó invitar a Paula, pero ella no le dejó. Insistió en pagar la mitad para que los datos de su móvil quedaran registrados y disponibles para su terapeuta, ese imbécil que muy pronto dejaría de importarle para siempre.

Al día siguiente, ni siquiera bajaron a desayunar al bufé. Prefirieron ayunar para echar el último polvo sin que Paula llegara tarde a trabajar. Las nueve noches siguientes se encontraban en el hotel sobre las ocho, se tomaban un par de copas, cenaban algo ligero en el bar y se iban a la cama lo antes posible. Se gastaron una pasta, pero a ninguno de los dos le pesó. En la décima noche, encontraron una cesta de fruta y una carta de la dirección sobre la mesita. En premio a su fidelidad, y por ser tan buenos clientes, el establecimiento les ofrecía un bono de diez noches en una suite por el mismo precio de la habitación que habían ocupado hasta entonces. Al leerlo les dio un ataque de risa y decidieron aceptar. La suite tenía un cuarto de baño inmenso con una piscina de hidromasaje de la que se prometieron sacar partido nada más verla, pero sólo la usaron una vez.

—Esto es un desperdicio —Paula miraba al baño de reojo mientras se desnudaba como si tuviera que batir un récord.

—Pues sí —Jonás acababa antes y se echaba a reír—. Pero ¿qué quieres?

Siempre tenían demasiada prisa por llegar a la cama, y cuando salían al salón, a tomarse una copa desnudos en los sofás mientras se comían los sándwiches que Paula había comprado aquella misma tarde en cualquier supermercado del Centro Comercial Callao, lo único que les apetecía era volver a la cama. Jonás recordaba de vez en cuando a Susana, la dificultad que a menudo implicaba el sexo con ella, su insistencia en usar geles fríos o calientes, en pedir masajes relajantes porque estaba muy contracturada, la concentración casi litúrgica que convertía un chiste o una broma en la antesala de un fracaso seguro.

—Es que yo soy una chica de pueblo —Paula se echaba a reír cada vez que él se asombraba de lo fácil que era todo—. Aunque tengo un Satisfyer, no te vayas a creer que estoy tan atrasada. No es el último modelo, lo reconozco, pero chufla que no veas.

Y se reían, y follaban, y volvían a follar, y volvían a reírse a carcajadas, aunque aquel asombro acabó afectando también a la chica sabelotodo.

—Esto me está empezando a asustar un poco —confesó una noche—, porque no es normal, ¿no? Yo qué sé, a veces pienso que tienes razón, que todo es demasiado fácil, y por eso... ¿No te da miedo que acabemos cansándonos? A lo mejor podríamos vernos una noche sí y otra no, para no desanimarnos.

Estaban en la cama, tumbados de perfil, tan estrechamente abrazados que el aire circulaba apenas entre las puntas de sus narices. Él se separó un poco y conquistó el espacio imprescindible para mirarla a los ojos.

—¿Eso es lo que quieres, que nos veamos una noche sí y otra no?

—No —ella negó con la cabeza, el gesto serio de una niña que está a punto de hacer una promesa—. Eso no es lo que quiero. Yo quiero dormir todas las noches contigo, pero me da miedo que te canses de mí.

—¿Y cómo voy a cansarme de ti, Paula? —Jonás sonrió—. Sería como cansarme de comer, o de beber agua, o no, sería peor... Porque preferiría comer un día sí, y otro no, a perderme una sola noche contigo.

Jonás González Vergara y Paula Tascón Estébanez renunciaron a su última noche en aquella suite enorme, más lujosa que cualquier otra habitación en la que llegarían a dormir en el futuro. Durante el penúltimo desayuno de luxe que tenían pagado, se pusieron de acuerdo muy deprisa, y no sólo porque él fuera el dueño de su casa y ella pagara un alquiler por un apartamento minúsculo.

—Tienes que venirte a vivir conmigo, hazme caso —él le dedicó una sonrisa enigmática mientras se servía el segundo café—. Aunque no te lo creas, todavía no has descubierto lo mejor de mí.

Cuando Arancha Tomé dio por concluida la primera reunión de producción de *El Gran Apagón, la verdadera historia,* Jonás González giró la cabeza hacia la izquierda y descubrió que Mónica Hernández le estaba mirando con las cejas levantadas, todos sus papeles desplegados aún sobre la mesa. Él se puso a su ritmo y recogió sus lápices con pereza, uno por uno, hasta que salieron juntos, en último lugar, de la sala. Después de despedirse de Arancha, que vigilaba la salida de los miembros de su equipo con la llave en la mano, caminaron muy lentamente hasta la puerta, y sólo cuando la hubieron traspasado, ella se dirigió a él en un murmullo.

—¿Has traído coche?

—Moto —Jonás contestó sin mirarla—. Pero podemos quedar donde quieras.

—Vale. Pues... ¿El parque de Eva Perón te parece bien? Tardaré un poco más que tú porque tendré que meter el coche en un garaje, pero me puedes esperar dando una vuelta.

Media hora más tarde, Jonás la vio entrar en el parque andando muy erguida y sin fijar la mirada en ningún lugar, como si no esperara encontrarse con nadie. Parecía una espía de película, pensó con una sonrisa, pero enseguida cedió a una inquietud con la que no había contado. Al llegar allí, calculaba que Mónica quería hablarle de lo que nadie debería haber llamado nunca documental, el largometraje publicitario del MCSY en el que no les iba a quedar más remedio que trabajar juntos, pero intuyó a tiempo que aquella reunión improvisada desbordaba las quejas y las críticas que merecía el último proyecto del canal Historia de España. Y acertó.

Al llegar a su altura, ella siguió andando y él se situó a su lado. Mónica sacó su móvil del bolso y lo apagó, para que Jonás la imitara sin saber exactamente por qué lo hacía. Durante más de una hora, recorrieron el parque en todas las direcciones caminando a compás, ni muy deprisa ni muy despacio, mientras los últimos niños se marchaban a sus casas con sus madres o niñeras, para dejarlos solos con el atardecer. Mientras tanto, ella hablaba y él escuchaba, la historia de una azotea, un violín y una bailarina, la del vigilante que había reconocido que nadie revisaba las imágenes que captaban las cámaras de los drones, la sospecha de que los drones ni siquiera llevaban cámaras, y una tarta como el cuartel del Conde Duque, y un pastelero que tenía muchos clientes en el área de residencia especial de Los Peñascales, y una sirvienta hondureña que un día se había presentado a recoger un pedido sin mascarilla, y una caja de bombones con un mensaje escondido, y otro mensaje escondido en un cartucho de bolitas de coco hechas a mano.

—Y parecía que todo iba a quedarse en eso —Mónica hablaba en un susurro monocorde y regular, casi sedante—, pero hace un año y medio, más o menos, esa chica decidió colaborar. Enrique no sabe por qué, pero el chaval que hace los repartos de la pastelería fue un buen día a entregar una tarta de cumpleaños y Yénifer, que es como se llama la hondureña, le dijo que tenía un mensaje para su jefe, y le dio una tarjeta con el nombre y la dirección de una especie de locutorio-herboristería, en el pueblo de Torrelodones. Compre caramelos de hierbaluisa, había añadido al final. Enrique fue hasta allí, dijo que Yénifer le había recomendado la tienda, pidió esos caramelos y con el cambio le dieron un sobre con el anagrama del local, Hierbas Latinas. Dentro había una nota en la que la chica confirmaba que en las áreas de residencia especial nadie usa mascarilla ni siquiera en épocas de pandemia. La explicación oficial es que cuentan con unas máquinas que ionizan y limpian el aire, igual que en las zonas de playa segura, pero nadie las ha visto porque todo es un camelo, claro. La toxicidad del aire es una mentira más para que la gente viva con miedo y no salga de casa. Por eso los privilegiados viven igual que antes de la Tercera Pandemia. Es justo lo que escribió en su informe un médico de la Clínica de la Concepción que curó a una paciente de una mordedura de un perro salvaje y murió después en un atentado terrorista. La mujer no estaba vacunada y el perro en teoría sí estaba infectado, pero le clavó todos los dientes en el brazo y no la contagió —hizo una pausa para recuperar el resuello y miró a Jonás—. ¿Eso lo sabías?

—Pues... Algo había oído. A mi novia le contaron esa historia en el trabajo, ella me lo contó a mí, pero la verdad es que no me lo creí, y sin embargo ahora... —negó con la cabeza varias veces antes de volverse a mirarla—. ¡Joder! Es que lo que me has contado es impresionante.

—Ya —Mónica sonrió—. Nosotros creemos que la historia del perro es verdad.

—¿Y quiénes sois vosotros?

Esa pregunta cambió el clima de la conversación. Al escucharla, Mónica sonrió, y su sonrisa evolucionó hasta transformarse en una pequeña risa mientras reunía fuerzas para contestar.

—Pues nosotros somos... Unos desgraciados, para qué te voy a engañar —pero Jonás sonrió como si le hubiera gustado mucho esa respuesta—. El jefe de mi casa, su nieta, que está casada con el pastelero, una pareja de ancianos, dos chicos muy jóvenes y yo, no te vayas a creer... Lo que pasa es que nos hemos ido enterando de cosas y hemos acabado juntándonos, y yo creo que tendríamos que hacer algo con lo que sabemos, hacer que se entere la gente, aunque todavía no se nos ha ocurrido nada. Pero esta tarde, cuando has escrito esa pregunta en tu bloc, pues he pensado que igual te interesaría unirte a nosotros —hizo una pausa y volvió a sonreír—, como un desgraciado más.

—Que es lo que soy —los dos se rieron a la vez—. Pero no sólo eso. Creo que la desgraciada de mi novia podría daros algunas ideas.

Cuando Paula llamó al timbre de casa de Jonás, a la misma hora a la que se habrían encontrado en el hotel, a él le sorprendió que apareciera sólo con dos maletas, y ella se dio cuenta.

—De momento me he traído la ropa —le dijo—. Tengo pagado el alquiler hasta fin de mes, así que, si nos acoplamos bien y no te hartas de mí, cualquier fin de semana pillamos una furgo y...

Él tenía pensada otra clase de bienvenida pero no le quedó más remedio que besarla, y ella le respondió con la misma avidez, y cuando quisieron darse cuenta ya estaban desnudos, así que Paula estrenó la cama antes que cualquier otro objeto de la casa. Después se quedaron dormidos, se despertaron, se enredaron en una rutina conocida de besos y caricias, hasta que Jonás miró el reloj y se asustó.

—¿Tienes hambre?

—No, no es eso —se levantó con una urgencia que ella no supo interpretar, pensó en vestirse y lo descartó—. ¿Te acuerdas de que esta mañana te he dicho que todavía no habías descubierto lo mejor de mí?

—Sí, pero es imposible —le miró desde la cama con una sonrisa que él no olvidaría jamás—. No puede haber nada mejor que esto.

—Te equivocas —pero la cogió de la mano y la obligó a levantarse—. O a lo mejor no, pero hay algo casi igual de bueno.

Avanzaron desnudos por el pasillo hasta la única puerta que estaba cerrada. Jonás le pidió que esperara un momento, entró en la habitación, comprobó que la persiana de la ventana estaba bajada, aunque sabía que no habría podido estar de otra manera, encendió la luz y la invitó a pasar.

Paula se quedó quieta en medio de la habitación, como si acabara de entrar en un sueño o en una pesadilla, un lugar donde las fronteras de la realidad se tambaleaban, un paisaje que no se dejaba descifrar por sus ojos. Sin embargo pasó un segundo, luego otro, y otro más, y siguió viendo una mesa con dos portátiles encendidos, dos memorias externas, un *smartphone* que parpadeaba como si estuviera descargando algún archivo. Porque estaba descargando un archivo, comprendió, y entonces, mientras sus piernas empezaban a temblar, se tapó la cara con las manos y se volvió hacia Jonás.

—¡Ay, la hostia! —dijo, antes de descubrirse los ojos para mirarle—. ¡Ay, la hostia, la hostia! —y volvió a taparse, y a destaparse la cara—. ¡La hostia puta! Pero esto es...

—Esto es todo ilegal —Jonás se echó a reír—, y todo tuyo.

—¡Ay!

Se acercó a la mesa muy despacio, como si le diera miedo que se desvaneciera, y siguió con un dedo el contorno de uno de los portátiles. Luego se sentó en el borde de la silla y alargó las manos hacia las teclas, las mantuvo suspendidas sobre ellas un rato y por fin llevó la derecha hasta el ratón, pulsó el botón izquierdo y la pantalla se iluminó, aunque no tanto como el rostro que volvió hacia Jonás, que nunca la había visto tan guapa, tan deseable como en aquel momento, desnuda en la silla, con un brillo salvaje en los ojos y la expresión de felicidad más pura que había existido jamás.

—Yo lo pensé —le contó después—, te juro que pensé en hacer lo mismo que tú, pero sólo tenía un portátil. No tenía dinero para comprar otro, ni sabía dónde encontrarlo, y además estaba muerta de miedo, lo reconozco. Cuando llegó el hijo de puta del terapeuta... Él sabía que había sido desarrolladora, no se habría creído que no tuviera un mísero ordenador, no sé qué me pasó, pero me lo pidió, y se lo di como una imbécil. Fíjate que no me pega nada... Pues me cagué, esa es la verdad.

—Pero no tiene importancia —Jonás sonrió—, porque estabas predestinada a enamorarte de mí, entre otras cosas.

—Creo que enamorada de ti ya estoy —reconoció Paula—, aunque las otras cosas no sé cuáles serán.

Entonces él reveló que, además de los ilegales, tenía un ordenador legal, con acceso a la intranet de la televisión pública. Llevaba mucho tiempo tonteando, intentando descubrir la naturaleza de las barreras que le impedían ir más allá del segmento para el que estaba autorizado, y había llegado a varias conclusiones. La primera era que internet seguía existiendo. La segunda, que lo que había provocado el Gran Apagón era un virus, o mejor dicho, una familia de virus que mutaban constantemente, generando sus propios antivirus mutantes, un *software* que se instalaba en los ordenadores legales para controlar a qué áreas tenían acceso y a cuáles no.

—Y mi tercera conclusión —resumió— es que, aunque lo sé todo de animación digital, no controlo lo suficiente para averiguar más.

Paula asintió con la cabeza antes de contestar.

—Pero yo sí —y no se limitó a completar la conclusión de Jonás—. Y además conozco a los cabrones que diseñaron ese puto virus.

Yénifer Mejía Flores sintió que se le partía el corazón.

No debería haberle pillado desprevenida, porque la cocinera le recomendó que se fuera preparando con más de una semana de antelación. Seguía llevándose muy bien con Asunción, pero aquella vez no quiso hacerle caso. Era el segundo verano que pasaba en Los Peñascales con el comandante Santisteban como único habitante de la casa, y un año antes no había ocurrido nada extraordinario.

—A mí no me gusta hablar, sabes, ¿no?, pero el señor ya me ha pedido que haga unas tortillas de patata, tres o cuatro, y que te mande a comprar sándwiches preparados, unas cuantas docenas, y patatas fritas, y aperitivos, y eso, y me ha dicho que del alcohol ya se encarga él... —Asunción hizo una pausa, miró a su alrededor y se puso un poco bizca—. Y yo no digo nada, ¿eh?, pero a ver por qué no se lo encarga a la pastelería esa que viene aquí a traer de todo cada dos por tres. Será para que no haya factura, sabes, ¿no?, que no lo sé, pero supongo que si lo encarga, tendrá que pagarlo, y si lo paga, pues la señora... Tienen las cuentas en común, así que... Ojos que no ven, corazón que no siente, y yo no sé nada pero, con ella en la playa, pues a saber lo que nos vamos a encontrar. Tú piensa lo que quieras, pero la que avisa no es traidora, sabes, ¿no?

Todos los veranos, doña Rocío se iba a Menorca, a pasar el mes de agosto en una finca que había sido de sus padres y ahora compartía con una de sus hermanas. Se llevaba a la señorita

Montserrat, para que cuidara de los pequeños, y a Olga, que no sabía conducir. Yénifer se quedaba en Los Peñascales, con el coche de la señora, para hacer todas las compras y gestiones que no podían hacerse a pie en el área de residencia especial. Aunque en su contrato figuraba que tenía derecho a un mes de vacaciones, desde que comprobó que sus señores no estaban dispuestos a mover un dedo por ella prefería trabajar en agosto y cobrar el doble del sueldo, aunque ya no sabía ni cómo, ni cuándo, ni en qué se lo iba a poder gastar.

—No puedes pedirme eso, Yénifer —le había respondido doña Rocío en tono apacible, con una sonrisa idéntica a la que le dirigió su tía Mati mientras le ofrecía dos tazas de porcelana inglesa con las rosas despintadas—, porque va en contra de la ley. Mi marido es el comandante en jefe del Cuerpo Nacional de Vigilantes. Si existe una persona que nunca jamás cometería un delito es él, y tú sabes perfectamente que los trabajadores extranjeros no estáis autorizados a abandonar el país salvo en casos de expulsión o de extrema gravedad. Nosotros nunca incumpliríamos esa norma. Otra cosa es que no estés a gusto en esta casa. En ese caso, aunque no puedas volver a Honduras, puedes marcharte cuando quieras, por supuesto.

—¡Ay, no, señora, qué pena! —se había asustado y no se esforzó por ocultarlo—. Yo estoy muy a gusto en su casa, le prometo, claro que sí. Sólo querría volver a Honduras a pasar unos días para ver a mis papás, y a mi hijo, no más —pero cuando se preparó para mentir, le salió bien—. Sólo serían unos días y luego volvería enseguida, y cómo no, si allá no se gana tanta plata como acá. Yo se lo he dicho sólo por si se podía...

—Pues no se puede, Yénifer, de momento no se puede. Lo siento mucho.

—Discúlpeme, señora, no quería enojarla.

—No lo has hecho, tranquila —doña Rocío volvió a sonreír—. Y no olvides que todo va a mejorar.

Unas semanas después de aquella conversación, la señora se marchó a Menorca en un helicóptero de los Vigilantes sin pensar en la chica que había dejado atrás en Madrid, la hondureña que carecía de opciones para tomar un avión, aunque tuviera plata de sobra para pagar el boleto. Cuando se lo contó a su madre, doña Soledad Flores no lo pudo creer, pero ¿qué es eso, mijita?, usted no es esclava, usted tiene derecho a volver a su país... Yénifer Mejía aprovechó un viaje a Madrid, donde tenía que hacer algunas compras que le había encargado su señora, para acercarse a la embajada de Honduras. La funcionaria que la atendió le pidió su copia del contrato y, tras examinarla, le dijo que no había nada que hacer. En aquel documento que a Yénifer Mejía le había parecido tan maravilloso, constaba su conformidad con las leyes laborales del Estado español y, en efecto, los trabajadores extranjeros no estaban autorizados a abandonar el país. Para no desanimarse del todo, Yénifer preguntó si, en el caso de que pudiera volver a Honduras de alguna manera, el Estado español podría reclamarla por incumplir su contrato. La funcionaria abrió mucho los ojos y negó con la cabeza. En ese caso, su nacionalidad la protegería y, además, dudaba mucho que España quisiera meterse en un pleito internacional por una empleada de hogar.

Otra tal vez se habría ofendido. Yénifer no, porque estaba pensando en Altagracia, una chica dominicana que había desaparecido sin dejar rastro. Altagracia, la más hermosa de todas las sirvientas latinas de Los Peñascales, no estaba a gusto en su casa, eso lo sabían, y aunque ella no daba explicaciones, tampoco era difícil adivinar por qué. Aquella mulata clara, que tenía la piel de color caramelo y unos ojos grandes que parecían de miel, era tan bella como una virgen criolla. Todo en su rostro era perfecto, el óvalo de la cara, los labios gruesos, ni poco ni demasiado, la melena oscura, suavemente ondulada en las puntas, a la que tantos cuidados prestaba, pero su cuerpo aún llamaba más la atención. Yénifer, conocida por los niños Santisteban como la Chincheta, nunca se cansaba de mirarla, de admirar la esbeltez de sus piernas, la asombrosa prominencia de su trasero, la delicadeza de su talle, la belleza absoluta que creaba un revuelo de miradas cada domingo en el centro comercial, donde todos los dependientes le hacían regalos, la invitaban a tomar lo que quisiera, intentaban arrancarle una cita, proposiciones que ella rechazaba con una sonrisa mientras tuvo ganas de sonreír.

Altagracia había llegado a Los Peñascales para trabajar en la casa del capitán Ramírez, un hombre atractivo, todavía joven, que estaba casado, tenía dos hijos y modales de caballero antiguo. Pocos patrones eran tan corteses, tan amables con el servicio como él, que intercedía ante su mujer para que Altagracia pudiera reunirse con sus amigas en la cocina los jueves lluviosos y jamás se enfadaba si rompía algo. Las demás pensaban que la dominicana era una chica con suerte porque ni la casa de Ramírez era demasiado grande, ni su sueldo daba para contratar a una segunda sirvienta, la fuente de conflictos más habitual que otras tenían que afrontar. Y, sin embargo, unos meses después de su llegada, Altagracia dejó de sonreír. Yénifer comprendió que algo no iba bien porque cada domingo la veía más delgada, más demacrada. Ella, que nunca había necesitado maquillaje, apenas un toque de colorete rosado en los pómulos, empezó a aplicarse una pasta oscura, espesa, que no alcanzaba a disimular sus ojeras, menos aún el contorno de los moratones que lucía de tanto en tanto, y aunque seguía yendo a la Pachamama a comer, ya no iba a bailar al Música Caliente. Se pasaba las tardes de domingo conspirando en un banco con sus dos mejores amigas, Juana, dominicana como ella, y la paraguaya Zunilda. Ellas eran las únicas que conocían su historia, las únicas que no se asustaron cuando desapareció.

Fueron contando la verdad de a poco, a unas cuantas escogidas entre las que siempre estuvo Cristal. A través de la salvadoreña se fue enterando Yénifer del tormento que había padecido Altagracia a manos del capitán, que se fijó en ella desde el primer momento e intentó seducirla con requiebros y regalos. Era mal perdedor, y al comprobar que por las buenas no tenía éxito, decidió que iba a ser por las malas. Cuando pasó del halago al acoso, Altagracia tomó una decisión equivocada. No se atrevió a denunciar y fue a hablar con su señora, le contó que su marido intentaba entrar en su dormitorio todas las noches, le confesó que estaba muerta de miedo y no se dio cuenta a tiempo de que la esposa del capitán temía a su marido más que al escándalo, más que a la infidelidad, más que a su propia desgracia y mucho más que ella. La primera vez la despidió con buenas palabras, le prometió que hablaría con él, que intentaría solucionar el problema. Llegó a decirle que consultaría con sus amigas, que intentaría buscarle otra casa, pero nunca hizo nada salvo consentir el acoso diario del capitán Ramírez, que acabó imponiéndose por la fuerza con su silenciosa complicidad, y todavía se atrevió a rogarle a su criada que intentara que los niños no se dieran cuenta de lo que estaba pasando. A Cristal, este último detalle le parecía una exageración, un adorno añadido por el cariño de sus amigas a una historia que no lo necesitaba, pero creyó a pies juntillas todo lo demás. Eso bastaba para explicar el deterioro de Altagracia, que noche tras noche, violación tras violación, se fue apagando, deshaciéndose como una flor mustia, hasta que enfermó de desesperación y ya no la vieron más. Por eso, el primer domingo que faltó al centro comercial, Yénifer pensó que se habría quedado en cama, con fiebre, o estaría quizás ingresada en un hospital. Lo último que se habría atrevido a imaginar fue que su historia pudiera tener un final como el que iluminó los ojos de Cristal la última vez que habló con las amigas de la chica desaparecida.

—¡Pues que se ha vuelto a Santo Domingo, mijita! ¿Qué le parece? —Juana y Zunilda se aseguraron de que hubiera pasado más de un mes antes de que empezara a circular la bomba definitiva—. ¿Que usted no sabía que acá también hay coyotes?

—¿Coyotes? —Yénifer nunca había oído nada de eso—. ¿Cómo los que pasan a la gente a los Yunaites, allá en Honduras?

—Lo mismo —Cristal se echó a reír—. Altagracia lo había oído, estuvo mucho tiempo buscándolos, pues de eso hablaba todo el tiempo con sus amigas cuando no venía a bailar, ¿se acuerda? Y dizque cobran muy caro, pero saben cómo sacar a una chica de España con nombre falso y un boleto de avión. Sólo hay que darles la plata que pidan, no más, y ellos se encargan de todo...

Coyotes, desde aquel momento Yénifer no pensó en otra cosa, coyotes, y no quiso ni acordarse de los disgustos que le había dado aquella palabra en El Progreso y después, cuando llegó a Madrid, coyotes, porque se le olvidó el dinero que le había costado el fallido viaje de ida de Roni a los Yunaites, coyotes, el anticipo que tuvo que pedir para pagar su viaje de vuelta a la mara, coyotes, encontrar a los coyotes, negociar con los coyotes, eso era lo único que le importaba, aunque se llevaran la mitad del dinero que había ahorrado con tanto esfuerzo, aunque ya no pudiera poner una tiendita con su propia vivienda encima, coyotes, y volver a casa con su mamá, con su Beibi, abrazar a su papá otra vez, eso era lo único que quería, lo único para lo que vivió desde entonces Yénifer Mejía Flores, que sólo estaba segura de una cosa. Si lograba volver a poner un pie en Honduras, no iba a moverse de El Progreso en lo que le quedara de vida.

Yénifer sólo pensaba en los coyotes, pero no logró encontrarlos. Habló con Juana y con Zunilda, aunque ellas tampoco tenían toda la información, porque Altagracia tenía mucho miedo de que su fuga se malograra y no les había contado gran cosa. Por lo visto, el primer contacto había sido a través de un cliente del restaurante Pachamama y sus propietarios no pudieron ayudarla demasiado. Tampoco Yénifer se atrevió a hablar claro, y sólo preguntó si recordaban a algún maje con quien Altagracia hablara con frecuencia. ¡Ay, cholita!, le respondió el dueño, ella siempre andaba con un enjambre de machos alrededor, ya sabe usted. Sin embargo, después de pensarlo un rato, su esposa salió de la cocina y le habló de un colombiano que bien podría ser el que estaba buscando. Pero él no suele venir los feriados, añadió, más bien le vemos por la mañana, en días de trabajo. No tiene fecha fija, pero si le veo, ya le avisaré... Pasó el tiempo y, de domingo en domingo, Yénifer sólo coleccionó negativas. Por eso, cuando empezó el confinamiento de la Cuarta Pandemia, intuyendo que todo iba a ponerse más difícil, se escapó al centro comercial una mañana de jueves, por si tuviera suerte y encontrara al colombiano en el restaurante. Aquel nuevo fracaso la alteró tanto que no sólo se retrasó a su cita con la furgoneta de la Pastelería Duarte, sino que olvidó ponerse la mascarilla antes de salir a la calle.

Aquella noche, en la fiesta, le dijo a Olga que no le importaba encargarse de servir la comida, que ella nomás se encargara de las copas. La cena la mantuvo ocupada, distrayéndola del pánico que le impedía mirar al coronel Santisteban a los ojos. Lo hizo todo sola y lo hizo todo bien, pero después, mientras fregaba y recogía la cocina, el miedo creció tanto que apenas logró pegar ojo en toda la noche. El chico rumano de la pastelería le había resultado muy simpático, pero su jefe español parecía más de fiar. Eso era lo importante, y sin embargo no pudo dejar de pensar en qué sería de ella si don José Luis se enteraba, si la despedía sin referencias, si tenía que buscarse otra casa donde servir lejos de Los Peñascales, de la Pachamama, del colombiano que antes o después volvería, que podría sacarla de España para devolverla a Honduras. Se levantó agotada, temblorosa, hasta que Santisteban se dirigió a ella en el desayuno.

—Muchas gracias, Yénifer —sonrió—. Anoche lo hiciste todo fenomenal, la fiesta fue un éxito. Hoy no trabajes mucho, pero encárgate de ir al control a llevar los envases. ¿A las doce de la mañana te va bien?

—¡Claro que sí! —y logró devolverle la sonrisa—. Muchas gracias, señor.

Cuando se encontró con Enrique Duarte ya estaba tranquila, pero la nota que encontró en la caja de bombones sembró en su ánimo una inquietud con la que no contaba. Su primer impulso fue contestar, porque se había preguntado muchas veces por qué no reaccionaba la gente, por qué no había protestas ni manifestaciones. Santisteban y los suyos se las tenían muy merecidas. Aunque no había estudiado, Yénifer no era tonta, veía las noticias en televisión, escuchaba hablar a su señora, a sus amigas, a las otras chicas. La reacción de los pasteleros cuando la vieron sin mascarilla confirmó lo que ya sospechaba. La gente corriente no tenía idea de nada, no sabía cómo vivían los jefazos en las áreas de residencia especial, por eso doña Rocío y sus amigas se habían puesto tan nerviosas con la historia del perro que mordió a la señora de Riera. Durante una buena temporada no hablaron de otra cosa, y aunque se callaban de golpe cuando Yénifer se acercaba con la bandeja, ella, que no era tonta, tampoco era sorda. Le habría gustado contarle al pastelero todo lo que sabía, cómo vivían las chicas, cómo vivían sus patrones. Sentía que debería, que hasta necesitaba hacerlo, pero no se atrevió. Cada vez que pensaba en cómo empezar esa carta, una única palabra desplazaba a todas las demás y quedaba en el centro de su frente: coyotes. Porque eso era lo único que importaba, los coyotes, coyotes, coyotes, y el menor error le impediría contactar con ellos.

No había hecho todavía ningún progreso cuando empezó el desconfinamiento, y llegó el verano, y doña Rocío se fue a Menorca, y el coronel anunció que iba a celebrar una fiesta, y Asunción la avisó de que sería rara.

—La de esta noche será una fiesta privada —el señor se reunió con ellas en la cocina, por la tarde—. Los invitados son todos amigos y llegarán sobre las diez de la noche. Hoy no hace falta que salgas a servir, Yénifer. Que Asunción te ayude a preparar un bufé en la mesa grande del jardín, y ponéis la otra en el hueco de la puerta corredera que da al porche, con platos, copas limpias, y servilletas y eso. Asunción se puede ir después a su casa.

—Muchas gracias, señor.

—De nada, si es que va a ser muy sencillo. Tú puedes quedarte en la cocina viendo la tele, Yénifer. Con que eches un vistazo de vez en cuando a la mesa de la vajilla es suficiente. Ya les pediré yo a los invitados que vayan dejando allí las copas sucias. Con que las recojas y las cambies por copas limpias es suficiente. Y cuando la comida se acabe, se acabó, tú tranquila.

Todo resultó tan fácil como don José Luis había anunciado, pero cuando terminaron de colocar las bandejas con la comida, Asunción anunció que no pensaba irse a su casa.

—Yo no digo nada, pero esto va a ser un putiferio de los gordos, sabes, ¿no? —cuando empezó a explicarse estaba ya completamente bizca—. No me lo pienso perder. Como el señor ha mandado a Juan Antonio a Madrid, a buscar a alguien, me imagino, aunque no lo sé, porque a mí nadie me ha dicho nada, pues me voy a quedar aquí contigo. Y si el señor pregunta, con decirle que estoy esperando a mi marido, sabes, ¿no?

Yénifer no conocía la palabra putiferio, pero dedujo su significado sin demasiada dificultad al ver llegar a los primeros invitados. La luz melancólica, aún sedienta de sol, de un perezoso anochecer del mes de agosto bastó para iluminar un extraño desfile. Algunos vecinos de Los Peñascales, que solían frecuentar las fiestas de Santisteban con traje, corbata y su señora colgada del brazo, se presentaron solos, con pantalones ligeros y camisas de colores claros. A Yénifer, escondida con Asunción tras una hoja de la puerta corredera del salón, le costó trabajo reconocer al señor Miralles con un Lacoste rosa clarito que tenía pinta de haber salido del armario de su hijo. A cambio, estaba segura de no haber visto nunca a las chicas jóvenes que fueron llegando en grupitos, de dos en dos, o de tres en tres, con vestidos de fiesta muy cortos y tacones altísimos.

—Yo no sé nada —susurró Asunción en su oído—, pero tú dirás...

—No sé —a Yénifer le asustó la idea de darle la razón—. ¿Estás segura de que son prostitutas?

—Mujer, estudiantes universitarias no parecen, sabes, ¿no?

Cuando una de las recién llegadas apuró de un trago la copa de champán que el anfitrión le había ofrecido como bienvenida y se subió al trampolín de la piscina para bailar mientras se quitaba la ropa, Yénifer decidió que ya había visto bastante.

—Me voy a la cocina.

Durante casi una hora, fue Asunción quien trajo los vasos y los platos sucios con los que ella fue llenando el lavaplatos y preparando bandejas con otros limpios. No tenía interés en salir de allí, pero en el último viaje, un buen rato después de que el coche que conducía su marido hubiera desembarcado a los rezagados en el jardín, la cocinera fue incapaz, una vez más, de mantener la boca cerrada.

—¿Qué? —su marido bostezó antes de terminar la pregunta—. ¿Ya has cotilleado bastante?

—Pues sí —anunció mientras se quitaba el delantal y recogía su bolso—, yo creo que no falta ninguno. Acaba de llegar el capitán Ramírez, sabes, ¿no?, aunque ese ha aparecido con la mulata puesta.

Yénifer ni siquiera se despidió de Asunción. No pudo, porque tenía el corazón atravesado en la garganta. Se quedó de pie, en el centro de la cocina, fulminada por un rayo imaginario que no la incapacitó menos que uno verdadero, porque no logró mover un músculo, más allá de los imprescindibles para respirar sin ser consciente de que estaba respirando. A cambio, en su cabeza se desató un despiadado combate a muerte que acaparó toda su energía. Yénifer Mejía Flores no se movía, porque sabía que si adelantaba un pie, no podría dejar de andar, de avanzar hacia la puerta corredera del salón, de descubrir quizás lo último que habría querido ver. Por eso luchaba consigo misma, con su razón, con su intuición, esgrimiendo una espada supersticiosa y torpe, porque mira que no hay mulatas en España, se decía, muchas, muchísimas, pero Altagracia no puede ser, ella no puede estar ahí fuera porque nadie puede estar en dos sitios a la vez y Altagracia se marchó a su casa, a Santo Domingo, así que tiene que ser otra, como Ramírez no la consiguió, como logró escapar a tiempo, se habrá buscado a otra... Eso era lo que tenía que pensar, lo que le convenía pensar, pero su cuerpo no lo creía, su corazón se resistía a volver a su sitio, sus piernas empezaron a temblar como si tuviera fiebre, tanto que tuvo que sentarse, y al fijar los ojos en la pantalla del televisor comprobó que aún no habían terminado los comerciales, así que no podía haber pasado mucho tiempo en aquel plazo que se le había hecho eterno. Altagracia no puede ser, se repitió, no es ella, no puede ser ella, es imposible, así que no tengo por qué salir, no tengo por qué mirar ahí fuera, si ella no es, si no puede ser...

Pasaron unos minutos, no muchos, o tal vez sí, eso nunca lo supo, hasta que comprendió que no podría seguir viviendo con una duda que comprometía su único proyecto, el propósito que daba sentido a su vida. Le costó trabajo serenarse, pero cuando abrió el lavaplatos y empezó a colocar copas y vasos limpios en una bandeja, sonrió para darse ánimos y hasta negó un instante con la cabeza. Quería regañarse a sí misma por ser tan tonta, por haberse dejado arrastrar por un pánico para el que no existían motivos, pero al mismo tiempo ya sabía la verdad, pudo verla como si alguien hubiera puesto ante sus ojos la imagen que estaba a punto de contemplar. Así, disociada entre dos versiones de una realidad que aún desconocía, afirmando con el mismo tesón una cosa y su contraria, Yénifer cruzó el salón con pasos silenciosos, escuchando el estrépito de los latidos de su corazón sobre el rumor de música y risas que llegaba del exterior. Apoyó la bandeja en la mesa, miró hacia delante y no vio casi nada. Todas las luces del jardín estaban encendidas, pero aquella noche no había luna. A la distancia desde la que las miraba, las figuras que se movían alrededor de la piscina le parecieron sombras dudosas, apenas reconocibles en la penumbra. Y, sin embargo, cuando terminó de colocar los vasos limpios para rellenar la bandeja con los sucios, sus ojos no tuvieron ninguna dificultad para reconocer la cara del capitán Ramírez.

—Estoy buscando copas de champán —le dijo muy sonriente—. No sé si quedará alguna por aquí...

—Claro que sí, señor —y Yénifer no era Yénifer, porque no reconoció la voz que acababa de decir esa frase, ni sintió como suyas las manos que escogieron dos copas limpias de un extremo de la mesa con la precisión de la máquina que la había reemplazado a traición—. Aquí tiene.

Vámonos, Yeni... Intentó convencerse a sí misma, ordenar a sus pies que la alejaran de allí, pero sus ojos se negaron a abandonar a Ramírez y se salieron con la suya. El capitán no se alejó mucho. Avanzó con una copa en cada mano hasta una tumbona situada al borde del agua donde le esperaba una chica embutida en un minivestido blanco, tan ceñido como si fuera una segunda piel. La hondureña reconoció la esbeltez de sus piernas, la asombrosa prominencia de su trasero, la delicadeza de su talle, la belleza absoluta de la mujer que se levantó con una sonrisa para dejarse abrazar por el capitán, para encajar la cabeza en el hueco de su cuello, para mirar a Yénifer con sus ojos de color de miel. Era Altagracia, y había identificado a la doncella de los Santisteban antes de que ella la descubriera. Era Altagracia, y negó despacio con la cabeza antes de que su vieja compañera de los domingos reaccionara. Era Altagracia, y movió la mano izquierda en el aire como si quisiera alejarla, protegerla de sí misma, cuando Yénifer se atrevió a levantar su mano derecha para saludarla. Aquella escena duró sólo un instante, el que tardó el capitán Ramírez en quitarle la copa de la mano mientras le subía el vestido para sacárselo por la cabeza y la empujaba a la piscina, cubierta apenas por un minúsculo tanga plateado, para provocar un júbilo estruendoso, unánime, entre los asistentes a la fiesta.

«No sé cuál es su nombre, pero me dirijo a usted, al que me regaló una caja de bombones...» Después de descubrir la verdad, que Altagracia no había huido, que los coyotes no existían, que el área de residencia especial de Los Peñascales era una cárcel bien pagada, Yénifer se quedó vacía, como hueca por dentro. «No sé quién es, ni qué pretende, pero si quiere saber la verdad, yo se la voy a contar...» Volvió a la cocina arrastrando al mismo tiempo los pies y el asombro que le inspiraba la incomprensible serenidad que había enfriado en un instante todo lo que antes era caliente, la tranquilidad mecánica y ajena que se apoderó de sus brazos, de sus manos, mientras rellenaba la bandeja superior del lavaplatos con los vasos sucios, y sacaba de la bolsa una pastilla de detergente para introducirla en el cajetín, y cerraba la puerta, y pulsaba la tecla de lavado rápido. «Aquí, en el área de residencia especial, nadie usa nunca mascarilla, ni siquiera en los confinamientos duros, dizque porque unas máquinas desinfectan el aire de toda la zona, pero nadie ha visto nunca esas máquinas, nadie sabe dónde están ni cómo funcionan...» Yénifer Mejía Flores se daba cuenta de que tendría que estar llorando, porque todos sus planes se habían venido abajo, porque Honduras había vuelto a estar en la otra punta del mundo, porque los coyotes nunca la llevarían hasta allí, pero no podía llorar, no podía moverse, no podía hacer nada salvo seguir sentada a la mesa, ante un televisor que emitía imágenes y sonidos que no entendía, que no le importaban, que ni siquiera era capaz de descifrar. «Yo creo que esas máquinas no existen, que son un embuste para que no se sepa la verdad, y la verdad es que los vecinos de Los Peñascales viven mucho mejor que los demás, respirando el aire tranquilamente...» Ni siquiera se levantó para vaciar el lavaplatos cuando el comandante Santisteban entró en la cocina con la camisa abierta, empapada de agua, o de sudor, para decirle con voz pastosa, de borracho o algo peor, que podía irse a la cama porque los invitados se estaban marchando, y eso también era mentira, porque la intensidad del ruido que llegaba desde el jardín no había cambiado, pero la máquina que había suplantado a Yénifer Mejía Flores decidió sonreír, ofrecerse a dejar una bandeja con copas y vasos limpios preparada por si hacía falta, darle las buenas noches a su patrón. «Para entrar a trabajar en esta casa tuve que firmar un contrato que me prohíbe contarle a nadie cómo se vive en Los Peñascales, por eso me asusté tanto cuando me vieron sin mascarilla, pero eso no es lo único raro que pasa, porque tampoco me dejan volver a mi país, ni siquiera en vacaciones, ninguna chica puede salir de aquí, las extranjeras no tenemos permiso, y yo quiero volver a mi casa, para ver a mi hijo, y a mis papás, y no puedo...» Después de recoger la cocina, Yénifer apagó la luz y se fue a su cuarto por el camino más largo. Cruzó el jardín delantero para no pasar cerca de la piscina, y se quitó la ropa, se lavó los dientes, se acostó y lloró por fin, pero tampoco mucho, porque ya había decidido que iba a escribir una carta, y ese propósito rompió el hechizo, devolvió el calor, una llama abrasadora, a todo lo que estaba congelado, reemplazó el propósito de encontrar a los coyotes con la amarga dulzura de la venganza. «Y yo digo que no nos dejan salir para que no contemos fuera lo que pasa en España, porque yo sé por mi mamá que en Honduras hay internet, igual que antes, y eso no se sabe, la gente no sabe nada, por eso todos los patrones de por acá se asustaron tanto cuando un perro mordió a una señora en el brazo en otra área de residencia especial, porque no mataron a todos los perros, ni todos tenían el virus, porque aquella mujer no estaba vacunada y no se contagió...»

—Buenos días.

Santisteban apareció por la cocina a la una y media de la tarde, cuando Yénifer y Asunción ya habían tenido tiempo de recoger las mesas, colocar los muebles en su sitio, vigilar el trabajo del jardinero que terminó de limpiarlo todo a manguerazo limpio y aburrirse de no hacer nada.

—¿Le preparo desayuno, señor? —se ofreció Yénifer.

—O almuerzo —puntualizó Asunción—, porque ya es hora...

Al final fue un poco de todo, un café con leche y unos huevos fritos con tocino que el comandante devoró en el porche, antes de dar dos días de vacaciones al servicio.

—Voy a pasar el fin de semana en casa de mi madre, y no volveré hasta el domingo por la noche. Descansad, que os lo habéis ganado.

Cuando su jefe regresó, Yénifer se había desprendido ya de una carta larguísima, el documento más extenso que había escrito en su vida. Cuando terminó de contar su historia, contó de principio a fin la de Altagracia, su relación con el capitán Ramírez, su desamparo, las violaciones, la leyenda de los coyotes que nunca la devolvieron a Santo Domingo, pero sirvieron para ocultar la verdad, para sembrar una ilusión estéril en los cuartos de las criadas de Los Peñascales. Aunque cada una de las palabras que necesitaba le dolía, explicó con detalle cómo había vuelto a encontrarse con la dominicana en una fiesta donde sólo había putas y jefazos de los Vigilantes, cómo había descubierto que nunca se había marchado, que seguía viviendo en Madrid y al servicio del capitán Ramírez en unas condiciones que quienes la leyeran ya podrían imaginarse. Se despidió prometiendo que volvería a escribir si se enteraba de algo más, releyó la carta, la corrigió y la pasó a limpio.

Aquella misma tarde, condujo el coche de doña Rocío hasta el pueblo de Torrelodones. Aparcó bastante lejos del lugar que le interesaba y fue dando un paseo, mirando escaparates, entrando de vez en cuando en alguna tienda. Se encontró con varios conocidos, un camarero de la Pachamama que había librado aquel día, una amiga de doña Rocío y un par de chicas de servicio eslavas a las que apenas conocía. A todos les dijo lo mismo, que tenía la tarde libre y quería ir a la tienda de la señora Cati a comprar unas infusiones. Pero cuando llegó a Hierbas Latinas, descubrió que había dos personas dentro y cruzó de acera, para hacer tiempo delante de otro local hasta que las vio salir.

—¡Yeni! —la dueña, una argentina que debía de rondar los sesenta años, la saludó como si se alegrara mucho de verla—. ¿Cómo le va?

—Muy bien, señora Cati. He venido a comprarle algunas cosas y a pedirle un favor.

—Con mucho gusto, lo que necesités.

—Pues verá... —Yénifer tomó aire y soltó de carrerilla el discurso que había preparado—. Es que tengo un amigo español al que le gustan mucho los caramelos de hierbaluisa que vende usted, que por cierto voy a llevarme una bolsa. Yo le he recomendado que venga a comprarlos acá. Hablamos mucho por teléfono, ¿sabe?, pero no podemos vernos, porque ni yo puedo ir a Madrid, ni él puede entrar en Los Peñascales. Cuando vuelva mi señora, intentaré pedirle una autorización, pero ya sabe usted que a ellos no les gusta... —Yénifer no dijo más mientras Cati asentía compasivamente con la cabeza—. Por eso le he escrito una carta, y si a usted no le importa dársela cuando venga a por los caramelos... Estoy segura de que vendrá, aunque será ya en septiembre, porque ahora está en su pueblo, viendo a sus papás.

La señora Cati, convencida de estar haciendo de intermediaria en lo que parecía una historia de enamorados, se prestó encantada a custodiar la carta, y hasta aportó un sobre con el logo de su tienda para protegerla antes de guardarla en el cajón. Después de comprar más de lo que necesitaba, Yénifer se despidió de ella con un abrazo y al salir a la calle sintió que se había quitado un peso de encima. Lo único que podía hacer era esperar. El cuarto hijo de los Santisteban cumplía años a mediados de septiembre. Seguía teniendo tantos celos de su hermana pequeña que Yénifer calculó que sus padres le encargarían una tarta especial, y así fue.

El domingo siguiente, antes de comer, dio una vuelta por el centro comercial buscando a la señora Cati, que solía poner un puesto en la plaza, y la argentina la vio primero.

—¡Vení, Yeni, vení acá! —y la llamó a gritos—. Vino el jueves, ¿sabés? y... ¡Uh, pero qué buen mozo!

En poco más de un año, Yénifer Mejía escribió tres cartas más a Enrique Duarte. En las dos primeras, se limitó a contestar a las preguntas que acompañaron a los bombones en unas cajas tan bonitas y bien envueltas como la primera. Pero la tercera la escribió por su propia iniciativa.

Los niños que salieron disfrazados a celebrar Halloween vieron aquellas pegatinas antes que nadie. Eran pequeñas, rectangulares y misteriosas, porque no entendieron el mensaje reproducido con letras negras sobre fondo blanco. MUROS YA ES LIBRE, decían. No eran demasiadas, pero se veían mucho, porque las habían pegado en farolas, postes de señales de tráfico y vallas de las calles más transitadas. Cuando fue a buscar a la señorita Montserrat, que había salido con los pequeños, para decirle que doña Rocío quería que volvieran ya, Yénifer encontró un montoncito sin pegar sobre la tapia de granito de una casa, cogió una y se la guardó.

Al día siguiente, el comandante Santisteban estaba de un humor de perros, y cuchicheó con su mujer durante el desayuno, aunque la hondureña no pudo entender bien lo que decía. Muy pronto, todo el mundo en la urbanización se había enterado ya de que José Luis Muros, uno de los miembros del destacamento de Los Peñascales que se había desplazado a Jerez de la Frontera para custodiar a una brigada de trabajadores temporeros marroquíes contratados para la vendimia, había escapado a Marruecos con uno de ellos a mediados de octubre. Sus compañeros creían que los dos habían cruzado el Estrecho en una patera, como las que usaban antiguamente los inmigrantes que venían desde África, pero todo eran conjeturas. Algunos sospechaban que Muros, aparte de soltero, era homosexual, y había huido con su amante. Otros decían que tenía un historial psiquiátrico complicado, y hasta hubo quien afirmó que habían huido después de robar la caja donde los bodegueros guardaban el dinero de los jornales, pero nadie sabía nada con certeza. De todas formas, la fuga de Muros dejó de tener importancia cuando aparecieron las pegatinas.

Aquellos cartoncitos, que no volvieron a reaparecer, trajeron de cabeza a la jefatura del Cuerpo Nacional de Vigilantes durante mucho tiempo. Tras examinarlos, los expertos dictaminaron que eran de fabricación casera, porque ni siquiera estaban impresos. Alguien había escrito a mano aquel mensaje con un rotulador negro y, seguramente, una plantilla escolar, porque las letras eran todas mayúsculas, del mismo tipo y del mismo tamaño, en unas pegatinas blancas, corrientes, de las que se vendían en cualquier papelería. Los vigilantes visitaron a todos los papeleros de la zona y hasta detuvieron a algunos, pero tuvieron que soltarlos enseguida, al comprobar que cada semana vendían decenas de paquetes de pegatinas, plantillas y rotuladores como los que estaban buscando. Entonces recurrieron a los registros domiciliarios, pero Yénifer no se enteró porque no tenía ningún contacto con los vigilantes. Ni siquiera sabía que Olga acababa de empezar a salir con un cabo que le encargó que registrara discretamente su casa.

Olga aprovechó dos jueves alternos, en los que Yénifer libraba y ella no, para curiosear en el cuarto de su compañera. En el cajón de su mesilla encontró una caja de cartón llena de facturas, folletos de publicidad y tarjetas de visita. Debajo de todo eso había una pegatina intacta, MUROS YA ES LIBRE, lista para pegar en cualquier lugar. Su novio le dijo que la necesitaba, pero quince días después ya no estaba en esa caja, sino dentro de una carpeta, en la casa del dueño de una pastelería de Madrid.

En Navidad, el jefe del cabo dictaminó que sin pruebas no podían hacer nada, que era la palabra de Olga contra la de Yénifer.

En febrero, estaba tan desesperado que se atrevió a hablar con Santisteban y él mismo autorizó la operación.

—Esta noche vamos a salir todos a cenar, Yénifer —le dijo doña Rocío a media tarde—. A mi marido le han recomendado un restaurante buenísimo que han abierto en el Casino y nos ha invitado a todos, hasta a Montserrat...

Quince minutos después de que se marcharan, sonó el timbre de la puerta.

Paula Tascón Estébanez llevaba más de dos años buscando una puerta entreabierta.

—Pero... —la primera vez que le contó a Jonás lo que pretendía hacer, a él le pareció un argumento de ciencia ficción—. ¿Por qué estás tan segura de que existe? Si les pagaron esa pasta que dices, cerrarían la red como si fuera una caja fuerte.

—No —Paula se levantó, paseó por el salón mientras buscaba las palabras que necesitaba—. A lo mejor te cuesta trabajo entenderlo, pero lo que dices es imposible porque... Los hackers tenemos códigos de comportamiento. Ya sé que suena raro, como si fuéramos miembros de una puta secta, pero es la verdad. Aunque siempre hay algún chorizo que lo manda todo a tomar por culo, el honor, una clase especial de honor, o de orgullo, si lo prefieres, es muy importante para un hacker. Yo conozco muy bien a esos cabrones, sé cómo piensan, cómo hacen las cosas, porque soy igual que ellos. No tan buena, eso no, pero... Fui alumna de Javier Oliva, igual que el Oso, y Javi siempre decía que lo importante no era romper código sin más, sino romperlo bien, romperlo bonito, deprisa y dejando un solo cabo suelto. Porque la chulería suprema, la contraseña de los mejores, es precisamente eso, crear una vulnerabilidad deliberada en el sistema, una ranura casi indetectable, tan bien camuflada que sólo permita entrar a través de ella a quien se lo merezca, a quien haya sido lo bastante listo como para encontrarla.

—Y tú eres así de lista —Jonás sonrió.

—Eso espero —ella volvió al sofá, se sentó a su lado y le besó en la boca—, aunque reconozco que estoy muy distraída últimamente...

Las interrupciones amorosas, más frecuentes y apasionadas de lo que ambos se habrían atrevido a calcular cuando empezaron a vivir juntos, interrumpieron tantas veces el relato de Paula que a menudo perdía el hilo, y le preguntaba a Jonás por dónde iba, y ninguno de los dos se acordaba, y así volvían las risas, y los besos, y el sexo, y las siestas a cualquier hora, dosis de una felicidad tan intensa que disipaba la curiosidad en la cabeza de él, y alejaba de los teclados los dedos de ella. Sin embargo, con el paso del tiempo lograron establecer cierta rutina de trabajo por las tardes. Paula cambió la disposición del estudio para que los dos pudieran trabajar juntos a ambos lados de la misma mesa y convirtió a Jonás en su ayudante. Él aprendió muchísimo de programación trabajando enfrente de su novia, pero apenas una parte de lo que habría avanzado si no se hubiera quedado embobado, mirándola, cada dos por tres. Cuando Paula levantaba la cabeza y le veía, interpretaba la expresión de sus ojos con tanta exactitud que empezaba a desabrocharse la blusa antes de levantarse de la silla y se le olvidaba en un instante lo que estaba haciendo, lo que había hecho y lo que pensaba hacer. Por fortuna, después no le costaba trabajo recordarlo.

—He estado buscando por ahí, pero no he encontrado ningún *pendrive* vacío —su cabeza volvía a funcionar como un reloj de precisión mientras seguía desnuda, la cabeza encajada en el hombro de Jonás, una de sus piernas atravesada sobre su cuerpo como si pretendiera advertirle que no iba a dejarlo escapar—. ¿No tienes ninguno?

—Creo que no, pero... —él se giró para mirarla, las cejas alzadas por la sorpresa—. ¿Para qué lo quieres?

—Bueno, estoy haciendo un programita —decidió dejarlo ahí—. Ya te lo contaré cuando lo termine.

Paula Tascón buscaba una puerta, pero no descuidaba su retaguardia. El día que Jonás la llevó a la sede de Cinemagia, la productora de animación donde trabajaba, para presentársela a su amigo Jesús y al resto del equipo, le echó el ojo al ordenador de la sala de juntas, un equipo sin usuario fijo que sólo se utilizaba para mostrar el progreso de un trabajo, o una película acabada, a distribuidores y programadores de televisión. Eso era exactamente lo que necesitaba, porque atacar el sistema desde el portátil legal de Jonás le parecía demasiado arriesgado.

—Ni hablar —respondió él cuando estuvo al tanto de sus intenciones.

Lo que Paula había descrito como un programita le serviría para entrar en la intranet de la televisión pública sin que nadie pudiera descubrir el equipo desde el que estaba operando. Era un puente entre el ordenador legal de Jonás y el ordenador también legal de la sala de juntas de Cinemagia, que funcionaba a través de un equipo virtual, un fantasma inexistente en apariencia que, con suerte, sería indetectable para el sistema y, sin ella, resultaría imposible asociar con un número de serie, una localización geográfica y un usuario concretos. Paula había usado la memoria externa legal en la que Jonás guardaba las copias de seguridad de su trabajo para tender un extremo del puente, encriptado en uno de los archivos de imágenes que su autor había descartado.

—Pero no lo entiendo. Si en realidad vas a entrar desde la memoria externa conectada a mi equipo, ¿para qué necesitas el ordenador de la productora?

—Porque no soy Dios, Jonás —Paula sonrió—. Te juro que lo intento, pero no llego a tanto. Y como no soy Dios, no puedo descartar que alguien descubra el programita que voy a colar en el ordenador de Cinemagia. Pero si algún día pasara eso, el origen no sería tu ordenador, sino un equipo desconocido que habría conseguido hackear tu memoria externa, a saber cuándo, y cómo, y por qué. Lo único que podrían averiguar es que el origen de la conexión fue un ordenador virtual que ya no existirá, porque mientras lo buscan, me habrá dado tiempo de cargármelo. Y estoy segura al noventa y nueve por ciento de que eso no va a pasar, me parece imposible de la hostia, pero el uno por ciento que falta me jode bastante, porque no tengo ni idea de lo que me voy a encontrar al otro lado de la puerta. Y si esos hijos de puta han creado un cortafuegos sobrenatural, una trampa invisible del copón, y caigo en ella, que es imposible, pero bueno, vamos a pensar que es posible... Aquí sólo vivimos tú y yo. ¿Cuánta gente trabaja en la productora? ¿Cuánta gente se sienta delante de ese ordenador? ¿Cuánta gente se pasa horas enteras a solas en esa sala de juntas?

—Muchísima.

—Pues eso —volvió a sonreír—. Y para eso necesito el *pendrive*.

Paula acabó su programa un par de meses antes de que Jonás terminara el piloto de una nueva serie de animación que emitiría la televisión pública, pero los dos estuvieron de acuerdo en que no merecía la pena correr riesgos. Para minimizarlos del todo, aprovecharon una cita para comer que propuso Jesús un sábado, cuando la productora estaba desierta. Jonás y su jefe se fueron a tomar una cerveza mientras Paula visionaba el piloto en la pantalla destinada para esa función, la del ordenador de la sala de juntas. Cuarenta minutos más tarde, cuando volvieron al estudio a recogerla, les estaba esperando en una de las butacas de la recepción.

—Me ha encantado —anunció, para que Jonás supiera que ya había volcado el contenido del *pendrive* en el ordenador—. Va a ser un exitazo.

—Es que tu novio es un genio —asintió Jesús, que no tenía ni idea de que acababa de escuchar dos frases pactadas de antemano.

—¿A que sí? —ella se colgó de su brazo, y mientras caminaban hacia el restaurante susurró en su oído que el piloto le había gustado mucho de verdad.

Todo salió tan bien como estaba planeado. Durante más de dos años, Paula Tascón buscó una puerta todas las tardes, avanzó, retrocedió, apostó, se equivocó, volvió a probar una vez, y otra, y otra. Sus avances, pequeños pero constantes, la ayudaron a familiarizarse con el código que pretendía romper, aunque los lugares a los que la llevaron todavía estaban a años luz de su meta final. Tal vez nunca llegaría a alcanzarla, pero había contado con eso desde el principio. Lo único que no pudo prever fue la naturaleza del desánimo que fue minando sus fuerzas poco a poco.

Desde que Javier Oliva se despidió de ella en una habitación de hotel con el anuncio de algo que merecería pasar a la Historia como la Solución Final, se había tomado el Gran Apagón como un asunto personal. Mucho antes de tropezarse con Jonás González Vergara en un Encuentro para Mejorar, había desmenuzado sin desmayo, un millón de veces, todo lo que había vivido desde que su profesor favorito la invitó a participar en aquel hackatón. La embarazada que lo había puesto todo boca abajo jamás se había borrado de su memoria, y la reconoció sin dificultad en la presentación del Movimiento Ciudadano ¡Soluciones Ya!, aunque las cámaras que grabaron el acto apenas la mostraron en pantalla. Antes de que se convirtiera en la mujer más poderosa de España, Paula Tascón sabía que Megan García, en su propio nombre o en el de algún otro, había encargado el virus que hizo posible que su partido se apoderara sin resistencia de un país entero. Estaba convencida de que el apagón había sido la clave de la bóveda, la principal apuesta de un plan magistral, desarrollado de acuerdo con una minuciosa, perfecta sucesión de acontecimientos complementarios y sumamente eficaces. Pero sin la desconexión, sin el aislamiento que había dejado inerme a cada uno de los españoles, el MCSY nunca habría podido acaparar todo el poder.

Esa convicción la impulsaba como un motor autosuficiente, que no sólo empezaba y terminaba en ella misma. Actuaba también como una vacuna contra los fracasos. En cada comienzo, la perspectiva de colarse en el sistema, de desbaratar la genialidad del Oso y vengarse de la despedida del profesor Oliva la mantenía concentrada, absorta en una excitación que la hacía mejor, más audaz y brillante al mismo tiempo. Pero, con el paso del tiempo, comprendió que antes o después debería afrontar la pregunta fatídica, y luego ¿qué? En un país sin internet, en la soledad del estudio de su casa, ¿para qué serviría desactivar siquiera un instante el virus? ¿Qué podría hacer que compensara los riesgos que estaba corriendo? ¿A quién le serviría? Así, poco a poco, Paula fue perdiendo la tensión, la fe en un proyecto descomunal, imprescindible e inútil al mismo tiempo.

Ya no era desarrolladora de *software,* sino una simple dependienta de una tienda de electrodomésticos. Hacía muchos años que había perdido el contacto con los programadores que conocía y no tenía posibilidades de trabajar en equipo con nadie de su nivel. Lo que se había propuesto era una tarea inabarcable, demasiado grande para una sola persona. No quería admitirlo, e intentó explicarse de otra manera el impulso de la tarde fea, lluviosa, en la que renunció a encender su portátil. Esta tarde está hecha para el bizcocho de mi abuela, se dijo, antes de abordar una receta fácil, aunque trabajosa, que se sabía de memoria. Le salió muy rico y a su novio le encantó, aunque antes de probarlo le dirigió una mirada sombría que no quiso comentar.

—No pasa nada —ella sí lo hizo, imprimiendo a su voz un acento cantarín que no pegaba con el tono grave de su voz—. Mañana volvemos al trabajo, no te preocupes.

Y volvieron, pero para Paula Tascón recuperar la chispa resultó cada vez más difícil. Primero fue el bizcocho, luego una tarta de queso, más tarde el antojo de comprar un sofá nuevo, de redecorar el salón, de volver a la cocina para intentar recetas cada vez más difíciles. Se sentía culpable de haber perdido el ánimo, pero no encontraba la manera de recuperarlo, y encendía el portátil, se sentaba frente a él, probaba caminos nuevos, pero cada nuevo fracaso la hacía más consciente, día tras día, de las titánicas dimensiones de un empeño mucho más grande que ella. Hasta que una noche, Jonás llegó muy tarde a cenar.

—¿Qué te parece? —le preguntó después de contarle todo lo que había hablado con Mónica Hernández al salir de la reunión del canal Historia de España—. ¿Te apetece que les conozcamos, por si podemos echarles una mano?

En algún momento, mientras su novio hablaba, Paula se había tapado la cara con las manos y había empezado a balancearse, moviendo el cuerpo adelante y atrás. Él sabía que eso no implicaba que no le estuviera prestando atención, al contrario. Mientras le escuchaba en silencio, sin interrumpirle ni hacer preguntas, Paula estaba ejecutando una de sus particulares rutinas de concentración. No regresó de ella con facilidad. Tardó algunos segundos en quedarse quieta. Luego se destapó la cara para exhibir una sonrisa salvaje.

—¡Pues claro que sí, joder! —y se echó a reír—. Ya era hora de que se moviera algo, ¿no? Me cago en mi puta vida, que se vayan preparando esos cabrones...

Mientras profería esa amenaza, no tenía ni idea de lo que estaba diciendo. Unas semanas más tarde, cuando Jonás encontró sitio a la primera para aparcar la moto en la calle donde los habían convocado, ya había diseñado un procedimiento tan perfecto que dedicó menos tiempo a proyectarlo que a buscarle fallos, y no le encontró ninguno. La posibilidad de planificar un golpe concreto, una acción útil y con sentido, había disparado el tapón que la tenía bloqueada, para demostrarle que ni un solo minuto del tiempo que había invertido en buscar la puerta había sido en vano.

—Pero sólo tendremos una bala —resumió—. Así que no podemos fallar el tiro.

Mónica, que aún no conocía a Paula, había citado a Jonás en un portal de la calle Hortaleza por el que se accedía a un patio muy grande que daba acceso a varios locales. Uno de ellos era el obrador de una pastelería. Ante su puerta les esperaba un hombre un poco mayor que ellos, vestido con una chaqueta blanca y un gorro de cocinero del mismo color.

—Bienvenidos. Yo soy Enrique Duarte, me alegro mucho de conoceros, gracias por venir.

Les invitó a pasar a un espacio enorme y, al traspasar el umbral, Paula cerró los ojos para concentrarse en la bendición de los perfumes más deliciosos del mundo. El aire de aquel local estaba impregnado de aromas, mantequilla y chocolate, mermelada y nata, merengue y caramelo mezclados en una irresistible amalgama.

—¡Qué bien huele aquí!

—Sí —Enrique sonrió—. Este es el obrador de la tienda, donde hacemos todos nuestros productos. He pensado que también es el mejor sitio para que hablemos. Aquí no hay cámaras, pero recibimos muchas visitas. Hacemos talleres con alumnos de escuelas de repostería, con niños de los colegios... —se volvió hacia ellos y miró primero a Jonás, luego a Paula—. No va a venir nadie, no os preocupéis, pero por si las moscas, esto va a ser una clase, ¿de acuerdo? Juan —señaló a un chico muy joven, también vestido de blanco, que levantó la mano para saludarles— y yo vamos a hacer unos *coulants* de chocolate variados. Luego os los podéis llevar a casa... ¡Mónica! Bienvenida.

Laura, la mujer de Enrique, había abierto con su llave, precediendo a la compañera de trabajo de Jonás, a la que Paula habría reconocido por sus caricaturas si nadie la hubiera llamado por su nombre. Se dio cuenta de que ya estaban todos, porque sólo había cuatro sillas ante una gran mesa de trabajo sobre cuyo tablero estaban desplegados ya los ingredientes. Tras ella, aparte de Juan, había otro chico con chaquetilla blanca, pero sin gorro, al que Enrique presentó como Juanito antes de decir que no esperaban a nadie más.

—Bueno —Paula no perdió el tiempo—, no sé si Jonás le habrá contado a Mónica algo de mí... —la aludida negó con la cabeza—. Vale. Yo estudié Ingeniería Informática y trabajé durante algunos años como desarrolladora de *software*. Mientras hacía la carrera, tuve la suerte de que uno de mis profesores me seleccionara junto con otros cuatro alumnos para recibir un curso avanzado de seguridad en sistemas que, en la práctica, me convirtió en una hacker. Un día, ese profesor, que se llama Javier Oliva, me invitó a participar en un hackatón, y...

Paula habló y habló mientras el olor del chocolate se iba adensando, seduciendo a su nariz como una aromática música muda que sólo parecía percibir ella, todos los demás mirándola en silencio, pendientes de su voz.

—La embarazada que vino a buscar al Oso al bar donde estábamos es Megan García. Estoy segurísima. La vi entonces y la he reconocido después todas las veces que la he visto en la tele, no tengo ninguna duda. También estoy segura de que fue a buscarle para encargarle el Gran Apagón, y de que Javier Oliva trabajó a su lado en lo que él mismo me anunció como la Solución Final.

—Pero, entonces... —tras una larga pausa, Mónica Hernández fue la primera que se atrevió a hablar—, el Gran Apagón fue...

—Es un virus —aclaró Paula—. O mejor dicho, es una familia de virus mutantes capaz de generar sus propios antivirus, que mutan al mismo ritmo, como si fueran un solo órgano. Eso lo descubrió Jonás, que tampoco sabe tanto de programación —después de decirlo se asustó, se volvió hacia él, le acarició la mano—. No te habrá molestado, ¿no?

—Para nada —Jonás se rio—. Es la verdad, aunque ahora estoy aprendiendo mucho, ya lo sabes.

—Claro —Paula retomó la palabra—, porque llevamos dos años buscando una puerta, una debilidad del sistema que nos permita atacar a ese virus, pero, aunque yo estoy segura de que existe, es lo mismo que buscar una aguja en un pajar. Sin embargo, cuando Jonás me habló de vosotros, estuve pensando y me di cuenta de que existen caminos mucho más sencillos para lograr efectos espectaculares, y al fin y al cabo, yo ya estoy dentro. Llevo mucho tiempo paseándome por la red como me da la gana.

—Perdona, pero... —Laura intervino con un hilo de voz frágil, en un tono casi reverencial—. ¿Qué red?

—Internet —Paula sonrió—. Porque internet sigue existiendo, fuera de Europa, eso sí, no sé exactamente en cuántos países, pero lo que los funcionarios llaman intranet de la Administración es internet, no una red distinta. Los ordenadores legales son equipos que tienen instalado el antivirus del que os he hablado antes. Cada uno de ellos tiene acceso solamente a un segmento, a veces más grande, a veces más pequeño, pero hay muchísimas cosas, desde los drones de los vigilantes hasta los bancos, o los aeropuertos, o esa mierda de teléfonos móviles que usamos ahora, que funcionan gracias a la red, esta red recortada, limitada, en la que sí puedo entrar gracias a un ordenador virtual que...

—Déjalo, Paula, que estamos aquí hasta mañana —Jonás intervino a tiempo—. Puede entrar, os lo garantizo, pero ni siquiera yo entiendo muy bien cómo lo hace, así que...

—¿Y qué podrías hacer desde dentro? —Enrique metió los *coulants* en el horno y se sentó al otro lado de la mesa.

—¡Uy! Podría hacer muchas cosas, pero lo que os propongo es insertar propaganda en los anuncios de las pantallas de los centros comerciales —y para demostrar que estaba a gusto, dejó de cuidar su lenguaje—. Porque eso sería la hostia, ¿o no?

Unos meses antes de mudarse a casa de Jonás, Paula Tascón se enteró por casualidad de cómo se gestionaba la publicidad de la tienda donde trabajaba. Faltaba poco para Navidad y llevaban meses esperando una videocámara alemana de última generación. Ella misma se la había anunciado a muchos clientes, tenía una lista de espera bastante larga, pero el pedido se había retrasado varias veces y no estaban seguros de ir a recibir nada antes de Reyes. Sin embargo, el 20 de diciembre llegaron por sorpresa doscientas cámaras en un solo envío. Paula fue corriendo con el albarán a ver a su jefe y él le dijo que la publicidad para Navidad ya estaba cerrada, que tendrían que dejarlo para enero. Ella insistió en que eso no podía ser, le explicó que iba a quedar fatal con un montón de clientes, le pidió un contacto en el departamento de publicidad y su jefe le respondió que ese departamento no existía. Todo se hacía a través de una agencia que se encargaba de los folletos, los carteles y las pantallas de los centros comerciales que suponían, de lejos, el canal más rentable para la tienda. Si quieres hablar con ellos, añadió, allá tú, pero te van a decir que no... Paula lo intentó. Llamó a la agencia, habló con el responsable de la cuenta de la cadena para la que trabajaba y, sin sospechar lo valiosa que llegaría a ser esa información para ella en el futuro, se enteró de que las pantallas alternaban dos bloques de anuncios distintos, uno general, que se reproducía en todos los centros comerciales a la vez, y otro específico, con los anuncios de espectáculos y hostelería disponibles en cada barrio. Una vez que se lanzaban los bloques, le explicó el publicista, ya no se podía cambiar nada hasta el bloque siguiente, una o dos semanas después, según la época del año. En diciembre, la publicidad cambiaba cada sábado, pero se programaba con quince días de antelación y la emisión estaba automatizada, así que no había manera de anunciar las videocámaras hasta después de Reyes.

La noche que Jonás le habló de aquella red de desgraciados que habían recopilado un montón de información con la que no sabían qué hacer, Paula se despertó, de pura excitación, tres horas antes de que sonara el despertador. Tumbada boca arriba en la cama, pensando con los ojos abiertos, recordó el nombre de aquella agencia de publicidad, del hombre que le explicó cómo trabajaban, los bloques, los plazos, la automatización de las emisiones. A las cinco de la mañana, mientras Jonás roncaba como un bendito, se vistió y fue hasta el estudio, se coló en el ordenador de la sala de juntas de Cinemagia, comprobó un par de cosas, y cuando su novio fue a buscarla, ya sabía lo que tenía que hacer.

—El objeto de la Solución Final, el virus que crearon el Oso, Javier Oliva y su equipo, es impedir el acceso a internet, lo que podríamos llamar la red verdadera, desde los dispositivos de los españoles, para crear la ilusión de que ha desaparecido. Por eso, durante la Gran Terapia, los funcionarios del MCSY fueron requisando los productos tecnológicos casa por casa, con la puta patraña aquella de prevenir la depresión de la vida sin conexiones. Jonás les engañó. Escondió dos portátiles, *smartphones*, memorias externas y otras cosas en un lugar seguro, y estoy convencida de que no fue el único, pero no conocemos a nadie más que lo haya hecho. Gracias a esos equipos ilegales, yo puedo programar tranquilamente, puedo comprimir archivos, camuflarlos, manipularlos sin que nadie lleve el registro de la cantidad de horas que están encendidos, como pasaría si trabajara en un ordenador legal. Para la compañía de la luz, es lo mismo que si me lavara la cabeza y usara un secador y unas tenazas todos los días. Y lo que necesito que entendáis es que, mientras que la barrera que separa la intranet legal del verdadero internet es tan infranqueable como la Gran Muralla China, la seguridad dentro del segmento autorizado para los ordenadores legales es muy básica, muy fácil de romper. Yo no tardé ni una semana en encontrar el camino.

Al principio no lo entendió, pero cuando lo habló con Jonás, él sugirió que se trataba del exceso de confianza que nace de la soberbia. Estaban tan seguros de tenerlo todo controlado, tan convencidos de haberlo hecho todo bien, que no concebían que pudieran producirse ataques dentro de su propia red. Tenían la certeza de que era imposible penetrarla desde un equipo legal. Aunque cuando los entregaban insistían mucho en que cualquier intento de navegar fuera del área autorizada sería identificado inmediatamente, en que constituía un delito muy grave y penado con largas penas de cárcel, sabían de sobra que los ordenadores legales estaban capados, que nadie podría llegar muy lejos a través de ellos. Por eso no les preocupaba la seguridad de la red legal. Y por eso el plan de Paula era tan brillante. Aunque no supiera demasiado de programación, Jonás lo entendió en el mismo instante en que se lo explicó. Unas semanas más tarde, en el obrador de la pastelería Duarte, a otros les costó un poco más de trabajo.

—Yo sé con qué agencia de publicidad trabaja mi empresa. Aunque no podré hacerlo de un día para otro, no creo que me lleve mucho tiempo hackearla. Tendré que estudiar qué *software* utiliza para lanzar los bloques publicitarios de las pantallas, eso sí, y tendré que hacer un programa, decidir dónde lo voy a insertar, programarlo para que se ejecute aleatoriamente y hacer algunas cosillas más. Mientras tanto, sería bueno que comprobáramos que las secuencias de anuncios se reproducen simultáneamente en todos los centros comerciales, pero eso no es muy complicado, porque tenemos meses por delante. Si vosotros sois vecinos, os habrán asignado el mismo Día de Compras, pero si nos organizamos, podríamos visitar cada uno algún centro distinto para apuntar el orden de los anuncios y comprobar si coinciden. También sería bueno que estudiáramos la hora y el día de la semana en los que hay más clientes, que supongo que será el sábado, pero no lo sé. Cuando elijamos el mejor momento, yo encriptaré nuestro mensaje en la secuencia publicitaria de la agencia, y al lanzarla, ellos mismos harán todo el trabajo. Se encontrarán de repente con un mensaje aleatorio que volverá a aparecer una y otra vez, pegado a imágenes distintas, y no podrán pararlo. Tendrán que apagar las pantallas y renunciar a emitir ese bloque para dejar de verlo. Se armará tal barullo que toda la gente que esté en el centro comercial lo leerá.

Cuando terminó de hablar, Paula miró a su alrededor y no registró mucho entusiasmo. Enrique Duarte tenía la cara tan pálida como si se la hubiera maquillado con polvos de arroz. Mónica escondía la suya debajo de las manos. Laura miraba al suelo con una expresión de incertidumbre casi pesarosa. Paula comprendió que los había asustado, pero no todos tenían miedo. Los dos aprendices de chaquetilla blanca la miraban muy sonrientes, con una chispa feroz en los ojos, hasta que uno de los dos miró el reloj.

—¡Los *coulants!* —fue Juan—. Que se queman.

Los dos se precipitaron a abrir el horno y el delicioso aroma de los dulces salvados por la campana rompió el hechizo para provocar un fenómeno inesperado en la protagonista de aquella sesión.

—No me jodas —cuando presintió la primera arcada, Paula miró a Jonás y él comprendió—. ¿Un cuarto de baño?

El último de los grandes programas sociales que el Movimiento Ciudadano ¡Soluciones Ya! puso en marcha cuando ya estaba completamente asentado en el poder, se llamaba Mejorar el Futuro. Era, básicamente, un programa de control sobre las capacidades reproductivas de las mujeres combinado con una serie de estímulos económicos y laborales destinados a fomentar la natalidad. Las españolas menores de treinta años tenían acceso libre a la contracepción en el nuevo Sistema Nacional de Salud, aunque los embarazos de las más jóvenes se premiaban con unas ayudas tan considerables que habían logrado reducir año tras año la edad media de las madres primerizas. Entre los treinta y los treinta y tres años, las mujeres podían pagar una tasa, cuyo precio subía en cada cumpleaños, para continuar tomando anticonceptivos. Después de alcanzar la edad de Cristo, les resultaba imposible conseguirlos legalmente. Poco después de cumplir los treinta y dos, en el peor momento de la depresión que había intentado resolver sin éxito con repostería y decoración, Paula Tascón decidió renunciar a ellos. Siempre había querido tener hijos, y a su novio le apetecía todavía más. No habían pasado tres meses desde entonces cuando el olor de unos *coulants* de chocolate recién hechos la hizo vomitar por primera vez, en el momento menos oportuno. Cuando volvió del baño, Jonás había ocupado su lugar.

—Vivimos dentro de una mentira, una burbuja donde no podemos estar seguros de nada porque no existe más verdad que lo que aparece en la televisión. Nos enseñan fotos de personas que dicen que son terroristas, pero nadie puede comprobarlo, no hay manera de contrastar la información, no sabemos quiénes son los encapuchados que se supone que pintan las paredes. ¿Os acordáis de las *fake news* de antes del apagón? Pues en eso nos hemos convertido. Vivimos en un país que es un puto *fake*. Ese es el precio del pleno empleo, de los niveles de consumo, del supuesto bienestar de poder comprar una cafetera nueva a los ocho meses de haber comprado la anterior. Esa es nuestra libertad ilimitada para elegir.

—Todo lo que dices es verdad —Enrique, la cara pálida todavía, asintió lentamente con la cabeza—, la pura verdad.

—Porque esto es una dictadura. Por más que hablen de periodo excepcional, de estado de emergencia o de régimen transitorio, esto es una dictadura, neoliberal, ultracapitalista, como la queráis llamar, pero una dictadura basada en una simulación de la realidad, un simulacro en el que todo, excepto el poder del MCSY, es falso. Vosotros me lo contasteis a mí, el aire no es tóxico, los perros no se han extinguido, sus mordiscos no contagian el virus... Todo es mentira, y donde no existe la verdad, no puede existir la libertad. Yo creo que decir esto, simplemente, serviría de mucho —Paula volvió a ocupar su silla, enlazó sus dedos con los de Jonás, los apretó un instante—. Sería muy útil que la gente supiera que hay personas que no se tragan lo que nos cuentan, que están en contra de este gobierno. Y no creo que eso nos obligue a hacer nada más, Mónica.

—Sí que nos obligaría —insistió ella—. No podemos presentarnos como lo que no somos, dar a la gente esperanzas de que hay una organización que va a cambiar las cosas...

—Pero, bueno —intervino Laura—, tú fuiste la primera en hablar de esto, tú nos convenciste de que teníamos que hacer algo con lo que sabíamos, que debíamos contarle a la gente la verdad. Sin ti, nunca habríamos llegado hasta aquí.

—Lo sé, pero ahora tengo miedo —Mónica era sincera—. El poder del MCSY es verdadero y muy verdadero, tú lo has dicho, Jonás, y no estamos hablando de pintar una pared o dejar papelitos en un probador. Si Paula hace algo tan gordo como colar publicidad en las pantallas, la pillarán, y si la pillan...

—Ni de coña —la hacker dejó escapar una risita—. No te preocupes porque no me van a pillar ni de coña, Mónica. El único problema es que no lo podré repetir. Sólo tendremos una bala. Así que no podremos fallar el tiro.

Terminó de explicar su plan sin hacer concesiones al nivel de conocimientos de su auditorio. Cuando llegara el momento de lanzar el mensaje, crearía un ordenador virtual sólo para ese propósito. A la hora programada para que empezara a reproducirse aleatoriamente, ella estaría en su casa, porque tendrían que escoger un día en el que pudiera ausentarse del trabajo por una baja o unas vacaciones. En el instante en el que cualquiera de ellos le enviara un sms desde cualquier centro comercial con un texto pactado de antemano —¿comemos el sábado?, ¿estás mejor del resfriado?, no puedo quedar mañana porque tengo que ir a ver a mi madre, propuso como ejemplos—, ella sabría que el mensaje había empezado a reproducirse y desharía inmediatamente el tinglado que había montado antes. Cuando en la agencia de publicidad se dieran cuenta de que les habían hackeado y se decidieran a buscar el origen del mensaje, a lo sumo encontrarían la referencia de un equipo que no sólo nunca había existido físicamente, sino que desde hacía algún tiempo tampoco existía en el plano virtual. Y eso sin contar con que ella haría todo lo posible por camuflar su rastro.

—El caso es que cuando ataquemos las pantallas, se acabará la fiesta —resumió—. En un par de días, el mismísimo Oso, calculo yo, se encargará de blindar los accesos a la intranet. Y tardará lo suyo, pero no podemos correr riesgos. Es mejor pensar que sólo tenemos una bala, ya os lo he dicho antes.

—Pero, aunque salga bien y no te pillen en el momento —insistió Mónica—, los vigilantes se dedicarán a buscar hackers, ¿no? Los detendrán, los interrogarán... Me sigue pareciendo peligroso para ti.

—Pues deja de preocuparte —Paula sonrió—, porque sin

contar con que en este país ya no quedan hackers, tú misma lo has dicho. Los detendrán. Los interrogarán. ¿A quiénes? A los hackers. ¿Y qué son los hackers? —miró a su alrededor, esperando una respuesta que nadie se arriesgó a formular—. Los hackers son hombres, no me digáis que no os habéis dado cuenta. Esa es la norma, la imagen de la profesión, el modelo establecido por el cine, por las novelas de antes del apagón. Y yo no sólo soy una mujer. Yo soy una mujer insignificante, la dependienta de una tienda de electrodomésticos que, por si le faltaba algo, seguramente estará embarazada cuando pase todo esto —buscó un argumento más contundente y no tardó en encontrarlo—. ¿Vosotros sabéis cómo me llamaban a mí en la facultad? Fui el número dos de mi promoción, debería haber sido el uno, pero fui el dos por tres décimas. Bueno, pues algunos tíos mucho más tontos que yo, con unos expedientes de mierda comparados con el mío, me llamaban la Cuota. Decían que Javier Oliva me había escogido para las clases avanzadas por corrección política, para que no le dijeran que nunca promocionaba a las mujeres. Porque todo el mundo sabe que las tías no somos buenas en matemáticas, que no tenemos inteligencia analítica, que no jugamos bien al ajedrez, etcétera, etcétera. Así que no creo que vayan a venir a buscarme por su propia iniciativa. Tampoco creo que Oliva y el Oso me pusieran en una lista de sospechosos, si es que se la piden y ellos acceden a hacerla, que me apostaría cualquier cosa a que no les da la gana. De todas formas, ellos no saben que he trabajado como desarrolladora, la última vez que les vi ni siquiera había terminado la carrera. Creedme, es más fácil que vayan a buscar a Jonás.

—De todas formas —remató él—, antes de emitir el mensaje sacaremos todos los equipos ilegales de casa y ya veremos dónde los escondemos.

—Podéis traerlos aquí —Juanito, tan bocazas como de costumbre, intervino por su cuenta, pero se volvió enseguida a mirar a su jefe y le pareció que no se había enfadado—. Lo digo porque la despensa es enorme y siempre está llena de sacos.

—Bueno, pues... —Mónica se levantó de la silla, miró el reloj y dejó escapar un chillido—. ¡Son las nueve de la noche! Había quedado con Sonia y ya llego tarde. Me tengo que ir.

—Nosotros también, pero... —Paula aún tenía una cosa que decir—. Lo primero que necesitamos es un nombre, un eslogan y un logotipo, algo que la gente pueda recordar, una palabra que identifique a quienes resisten contra el MCSY. Sin eso no hacemos nada. Vamos a pensarlo entre todos, ¿vale?, a ver qué se nos ocurre.

Unos minutos después, cuando se despidieron en la puerta del obrador, todos pensaban que la tarea que les había puesto Paula era la parte más sencilla del plan.

Se equivocaban.

Elisa Llorente Frías lo vio todo.

Aquel sábado se había quedado sola en casa con el servicio. Víctor y su madre estaban pasando el fin de semana fuera de Madrid. Elisa intentó convencer a Cristal de que la acompañara a dar una vuelta por el centro comercial de Los Peñascales con la esperanza de arrastrarla al Música Caliente, pero la salvadoreña se negó. No puedo, mijita, le dijo, no me fío nada de la doncella de su mamá, capaz si se entera que he salido, le va corriendo con el chisme... Al final pasaron la tarde tumbadas en la cama de Cristal, comiendo palomitas mientras veían una vieja película mexicana en el Canal Latino. Cuando terminó, Elisa miró el móvil y vio dos llamadas perdidas de Santiago. Como no tenía nada mejor que hacer, decidió ir a buscarlo.

La casa de los Santisteban no estaba muy lejos de la suya, pero acceder a la puerta principal de un chalé situado justo en el centro de una manzana inmensa, le habría obligado a dar un largo rodeo. Por eso se dirigió a la entrada trasera, un portillo metálico que siempre, excepto aquella noche, había encontrado abierto. Como no tenía cerradura y se aseguraba con un simple pasador de metal, habían rodeado las dos hojas con una cadena rematada por un cerrojo. Elisa Llorente pensó primero que era muy raro, y enseguida que tampoco tanto. El comandante se había puesto muy nervioso con el asunto de las pegatinas, su hijo no hablaba de otra cosa, y por eso habría reforzado la seguridad de su casa. Comprendió que no tenía más remedio que ir por el camino más largo y retrocedió unos pasos para calcular si sería mejor rodear la manzana por la izquierda o por la derecha. Antes de decidirse, oyó los gritos.

Una mujer chillaba, no, por favor, no, por favor, por Dios os lo pido... Elisa Llorente no pensó más. Apoyó el pie izquierdo en la cadena, el derecho en un travesaño, y atravesó el portillo, que no era muy alto, antes de invertir la operación y pasar al otro lado sin gran dificultad. La casa de los Santisteban se alzaba en la zona opuesta de la parcela, alineada con la calle a la que se abría la fachada principal. El jardín trasero era tan grande que, más allá del césped que rodeaba la piscina, el jardinero se limitaba a rastrillar de vez en cuando el suelo que se extendía entre los pinos altos, antiguos, que crecían a su aire. Aunque era de noche, Elisa conocía muy bien el camino. Cuando los gritos de una mujer que sólo podía ser Yénifer empezaron a alternarse con un eco de agua, como si estuvieran sumergiendo algún objeto, aceleró el paso sin dejar de mirar al suelo. Llevaba zapatillas deportivas, pero no pudo evitar el crujido de sus pisadas sobre la pinaza. Al llegar al matorral de jara que había previsto usar como parapeto, comprendió que no tenía por qué preocuparse. Los gritos de los hombres hacían mucho más ruido.

—¿Nos lo vas a decir o no? —había dos vigilantes de uniforme en el borde de la piscina—. Puta panchita asquerosa, si no hablas de una vez te vas a arrepentir.

—Pero yo no sé nada —Yénifer, arrodillada al límite del agua, inmovilizada por un vigilante que la sujetaba por los hombros, los brazos pegados a la espalda como si le hubieran atado las muñecas, lloraba con la cabeza empapada—. Ya les dije, no tengo ninguna pegatina, registren mi cuarto si quieren, yo no he hecho nada...

Elisa vio a otros dos vigilantes. La más joven era una chica cuya edad no superaría la suya en cinco años. Alta, con cuerpo de gimnasio, el pelo negro, rizado, los labios contraídos en un gesto que oscilaba entre la indignación y la repugnancia, miraba la escena desde lejos, a la luz de una farola, como si aquello no tuviera que ver con ella. Otro, el mayor de todos, se acercó unos pasos y se dirigió a Yénifer en un tono sereno, incluso amable.

—No tienes ninguna pegatina, lo sabemos, pero la tuviste y eso también lo sabemos —se acuclilló a la derecha de la sirvienta para acercar la cabeza a su oído—. ¿Qué hiciste con ella, a quien se la diste?

—Yo no sé, no me acuerdo... A un niño, sería, no lo sé...

—Pues nada —el hombre que la había insultado antes, arrodillado a su izquierda, la empujó hacia el agua—. Otro bañito, a ver si haces memoria.

A aquellas alturas del miedo, Elisa Llorente sentía que no era más que ojos. Ni siquiera sus oídos, que percibían los insultos de los vigilantes, las súplicas de Yénifer, el impacto de su cabeza al zambullirse, podían competir con los ojos abiertos, dilatados por el terror y el asombro, en los que se concentraba, más allá de su cuerpo, su propia naturaleza de ser vivo. La cabeza de Yénifer entraba en la piscina y, al volver a salir, la hondureña estaba tan exhausta que apenas podía hablar, sólo toser, quejarse, escupir agua. Elisa lo vio todo, siguió viéndolo todo mientras sus piernas, sus brazos, su tronco, la dejaban sola, tan misteriosamente ausentes como si hubieran renunciado a la existencia, asumiendo su incapacidad para competir con aquellos ojos cada vez más grandes, más temblorosos y potentes a la vez. Le costó demasiado trabajo dominar el pánico, recuperar el control de sus músculos, volver a pensar. Aún dudaba si serviría de algo que se pusiera de pie, que echara a correr hacia delante, que intentara detener a aquellos hombres, cuando la cabeza de Yénifer salió de la piscina por última vez, la cara hinchada, amoratada, completamente inmóvil. Su verdugo la zarandeó, la agarró del pelo, movió su cabeza adelante y atrás, de un lado a otro, pero no consiguió nada.

—¡Túmbala! —gritó el vigilante más mayor—. Presiónale el pecho, intenta sacarle el agua de los pulmones, vamos —y él mismo se acercó, desplazó a su compañero sin contemplaciones, ocupó su lugar, intentó reanimarla, pero todo fue en vano—. ¡La has matado, gilipollas!

En el silencio absoluto que se abrió a continuación, Elisa alcanzó a ver a la vigilante, su rostro pálido, como de cera, bajo la luz blancuzca de la bombilla, tan lejos como antes, como si ella definitivamente no tuviera nada que ver con lo que acababa de ocurrir. Contempló después la furia del mayor, que agarró de las solapas al asesino de Yénifer y lo soltó de pronto, para alejarse hacia la casa y volver enseguida, andando en círculo. Los otros dos, el que la había ahogado y el que se lo había permitido al sujetarla, se miraban de frente como si se estuvieran preguntando mutuamente qué hacer. Eso fue lo último que pudo ver Elisa antes de cerrar los ojos, sin prestar atención a las lágrimas gordas, calientes, que empezaron a surcar su rostro sin control. Entonces, durante un instante, sucumbió a la certeza de que no era más que una cobarde, una hija indigna de su padre, cómplice pasiva en el asesinato de aquella mujer inocente a la que le había tenido tanto cariño, pero su culpa no duró más que un instante. Esta vez sus ojos fueron compasivos y se abrieron demasiado tarde, cuando sus oídos ya habían registrado un chasquido metálico que no supo interpretar. El silenciador amortiguó el sonido del disparo, pero estaba demasiado cerca como para no oírlo. Cuando se limpió las lágrimas y miró hacia delante, Yénifer Mejía tenía un agujero en la cabeza y su sangre teñía de rosa el agua que rebosaba de la piscina.

Tuvo que taparse la boca para no chillar, aunque quizás no la habrían oído siquiera, porque el segundo asesinato de la sirvienta de los Santisteban provocó una pelea a puñetazo limpio entre los tres vigilantes que se habían implicado en el crimen.

—¡Quietos! —el que había sujetado a Yénifer intentaba separar a los otros dos—. ¡No gritéis, que nos van a oír! Ya hemos tenido bastante, ¿no?

—Pero ¿qué clase de imbécil eres tú? —el mayor estaba aún más furioso que antes—. ¿Cómo se te ocurre dispararla en la cabeza aquí, en casa del comandante? ¿Qué pretendes?

—¡Pretendo que salvemos el culo!, ¿sabes? —y se revolvió con un gesto de orgullo, la cabeza tan alta como si acabara de darse cuenta de que se había portado como un héroe—. Eso es lo que pretendo.

—Déjale hablar —terció el intermediario—, a ver qué dice.

El asesino tomó aire, se desembarazó de las manos de quien parecía su superior, se arregló la camisa, miró al frente.

—Nos la tenemos que llevar de aquí, ¿no? Tenemos que esconder el cadáver. Si lo hacemos bien, si la tiramos en medio del monte, en un sitio al que sea difícil llegar, con un poco de suerte cuando la encuentren sólo van a ver a una mujer con un agujero de bala en la cabeza. Los animales habrán empezado a comérsela, el cuerpo estará medio podrido, tal vez ni siquiera se den cuenta de que ha muerto ahogada. Un tiro en la cabeza es la típica ejecución de las mafias, de los terroristas, ¿no? Nadie sospechará que hemos sido nosotros.

Sus dos compañeros se quedaron callados, pensando en lo que acababan de escuchar. El mayor fue el primero en reaccionar.

—¿Y por qué has tenido que hacerlo aquí, eh? ¿Por qué no has esperado a disparar en el monte?

—Bueno, ha sido un impulso. Se me ha ocurrido y... —se encogió de hombros—. Yo soy así, ya me conocéis.

—Gilipollas, es lo que eres —insistió el otro—. ¿Y quién va a limpiar todo esto?

—Julia, por supuesto —el impulsivo señaló con el dedo a la joven que no se había desplazado de su puesto ni un milímetro—. Eso seguro que puedes hacerlo, ¿no? Pues ponte a fregar, pero ya, ¿está claro?

Elisa Llorente siguió un buen rato inmóvil, detrás del matorral de jara. Desde allí vio cómo los dos vigilantes que acababan de hacer las paces traían un rollo de plástico en el que envolvieron el cadáver de Yénifer, vio cómo se lo llevaban entre tres, vio cómo Julia entraba en la casa y salía con una fregona con la que empezó a empujar la sangre hacia el sumidero que rodeaba a la piscina, vio cómo llegaba Olga y le pedía que le dejara la fregona a ella, porque iba a hacerlo mejor. Después de un rato, cuando la vigilante encendió su linterna para comprobar que la sangre se había disuelto en el agua, le pidió a la polaca que encendiera la depuradora, se sentó en una tumbona, se fumó un pitillo. Media hora más tarde, volvió a examinarlo todo y decidió que ya se podían marchar. Olga apagó la depuradora, luego las luces, y salió primero. La vigilante la siguió. Elisa tardó casi media hora en levantarse para volver a su casa por el mismo camino por el que había llegado.

Durante el resto de su vida, Elisa Llorente Frías solamente recordaría una cosa más de aquella noche. No conservó la memoria de sus pasos hacia la puerta trasera, ni pudo evocar el momento en que se sacó las llaves de su casa de un bolsillo, si es que las llevaba en un bolsillo. Nunca sabría si hizo ruido o no al subir las escaleras, ni por qué camino accedió a ellas. Lo único de lo que podría estar segura después fue de que, al llegar al portillo cerrado con la cadena, se dio cuenta de que tenía que pararse a pensar. Tengo que saltar muy bien, se dijo mientras se limpiaba la cara del confuso pringue de lágrimas, mocos y sudor que la recubría como una película sucia. Tengo que concentrarme, se repitió, llegar a la acera sin caerme, sin rasgarme los pantalones, sin torcerme un tobillo, para que no me pregunten cómo me lo he hecho, para que nadie descubra que he estado aquí... En ese momento se dio cuenta de que sus piernas estaban temblando y decidió esperar. Vio cómo se aproximaba una moto con los faros encendidos, se agachó, cerró los ojos, volvió a tener miedo y ya no pensó más. Saltó el portillo con la misma facilidad con la que lo había atravesado antes y, sin saber cómo, se encontró en su cama, con el pijama puesto, la cara limpia, el sueño ausente.

—¡Ay, gringuita! —mucho después, en algún momento, Cristal subió la persiana de su ventana y se acercó a la cama para mirarla con gesto de preocupación—. Van a dar las once... ¿No te encuentras bien?

Elisa abrió los ojos, vio a la amiga de Yénifer vestida de domingo y sintió un dolor agudo, inexplicable, en ninguna parte que pudiera identificar.

—Sí, estoy bien —respondió, porque no era capaz de compartir con Cristal lo que había visto, no todavía, se dijo, y porque aún podía aferrarse a la remota esperanza de que todo hubiera sido un error, una alucinación, un mal sueño—. Es que anoche me desvelé, he tardado un montón en dormirme.

—¿De veras? —la salvadoreña se sentó en el borde de la cama para mirarla con cariñosa desconfianza—. ¿Quieres que me quede con vos acá?

—No, no, no —Elisa la empujó con una sonrisa—. Vete, corre, que vas a perder el autobús...

Siguió en la cama durante muchas horas, durmiendo a ratos, a ratos despierta en una vigilia dudosa, incompleta, hasta que una vez miró el reloj y vio que eran casi las cuatro. Entonces volvió a pensar para concluir que no le quedaba más remedio que levantarse. Tenía que comer algo, dejar al menos un plato y un vaso sucios en el fregadero, aligerar el contenido de la nevera para que las chicas, al volver del centro comercial, no pudieran contarles a los señores que la niña había estado muy rara todo el día. En aquel momento, todavía no se había dado cuenta de que todas las decisiones que iba tomando estaban destinadas a preservar un secreto que no tenía intención de compartir con su madre, ni con sus amigos, con ningún habitante de Los Peñascales que estuviera vinculado al MCSY. En aquel momento, sólo le sorprendió que la ensalada de pollo que encontró en la nevera estuviera tan rica. No sólo fue capaz de tomarse un buen plato, sino que le quedó apetito para el trozo de tarta de queso que escogió como postre. Comer le sentó tan bien como una dosis de anestesia que sólo cedió a los timbrazos de su móvil, arruinando el placentero sopor inducido por la comedia romántica que había intentado ver hasta que se quedó frita en el sofá. Sin embargo, después de hablar con Santiago, fue consciente de que acababa de entrar en un estado de alerta del que no saldría en mucho tiempo.

Lo primero que le dijo a su amigo fue que la tarde anterior había visto dos llamadas perdidas suyas y que se las había devuelto sin resultados. Él le explicó que la había llamado porque no se acordaba de si habían quedado o no, y quería avisarla de que no iba a haber nadie en su casa. De la noche a la mañana, mi viejo se sacó de la manga una cena familiar en el nuevo restaurante del Casino, que será muy lujoso, pero la comida no me pareció nada del otro mundo, la verdad... Mientras le iba contando lo que había cenado, Elisa se preguntaba si aquella mañana Santiago no habría echado de menos a Yénifer, si se le habría ocurrido preguntar dónde estaba, si tendría el valor suficiente para hablar con tanta naturalidad en el caso de que supiera que estaba muerta. Antes de que pudiera llegar a una conclusión, él le propuso que se pasara por su casa para echar unas partidas y ella aceptó. Aquella vez rodeó la manzana por la derecha, para no ver siquiera el portillo que había saltado la noche anterior, y llamó al timbre de la puerta principal.

Seis días más tarde, cuando un pastor encontró un cadáver en muy mal estado en el fondo de un hoyo medio cubierto por la hojarasca, los informativos de todas las cadenas de televisión reprodujeron la versión de Santiago Santisteban.

—La verdad es que mi madre se ha llevado un disgusto —le había contado a Elisa cuando los dos, cada uno con un mando entre las manos, ocuparon su sitio ante la pantalla—, porque con lo bien que se ha portado siempre mi familia con ella, que se haya largado así, sin avisar, para volverse a Honduras... Y veremos si lo consigue, porque mi padre dice que las mafias esas que sacan a gente de España son muy peligrosas, redes de delincuentes que trafican con todo, mujeres, drogas y lo que les echen.

Al escucharle, la hija de Javier Llorente carraspeó, pero logró dominar los nervios e imprimir un tono aceptablemente natural a su voz.

—¿Y cómo sabéis que se ha ido a Honduras? —tuvo que ser así, porque Santiago siguió moviendo su mando sin mirarla.

—Yo qué sé —tampoco la miró al contestar—. Ha dejado una nota, por lo visto.

La mañana en la que el cadáver de una mujer a quien los vigilantes habían podido identificar como Yénifer Mejía Flores abrió todos los informativos, Elisa escuchó un quejido devastador, tan profundo que la impulsó a ir corriendo a la cocina por si alguien había tenido un accidente, pero sólo encontró a Cristal delante del televisor, aullando de pena.

—No es cierto.

Cuando la mejor amiga de la víctima dijo esas palabras, Elisa por fin pudo llorar a Yénifer Mejía. Al comprender el sentido de las imágenes que estaba emitiendo la televisión, se había sentado a su lado y las dos la habían llorado juntas, abrazadas, durante el tiempo suficiente como para cansarse de llorar. Sólo después, la salvadoreña se quedó mirando a la gringuita, la besó en la mejilla y le dijo que no era verdad.

—Lo que están diciendo son puras mentiras, porque ella sabía, la Yeni sabía que los coyotes no existen, que son una patraña, ya había dejado de buscarlos hace rato. Y pues, a mí me habría contado, me lo contaba todo...

Lo que estaban diciendo era que la investigación del Cuerpo Nacional de Vigilantes apuntaba a que la ciudadana hondureña habría sido asesinada por las mismas personas a las que presuntamente había contratado para que la ayudaran a salir del país de forma ilegal. La hipótesis más verosímil establecía que la víctima se había citado en algún lugar con miembros de la red criminal para efectuar el pago total o parcial de su viaje, y que el móvil del crimen había sido el robo. Junto al cuerpo de Yénifer Mejía solamente se había encontrado un monedero vacío y, a unos metros, tirado en el campo, su documento de identidad entre diversos tíquets de compras. El cadáver presentaba un orificio de bala en el cráneo que despejaba cualquier duda sobre la causa de la muerte y reforzaba el sentido de la investigación, puesto que se trataba del sistema habitual en las ejecuciones de las mafias criminales. Las autoridades alertaban del peligro que implicaba contactar con esta clase de redes y animaban a la ciudadanía a denunciar a cualquier sospechoso.

Mientras escuchaba las voces de los locutores, Elisa Llorente Frías olvidó que aún no había cumplido veintiún años. Se sintió, más que madura, vieja de pronto, responsable por un lado de la seguridad de Cristal, incapaz al mismo tiempo de tomar las decisiones adecuadas para protegerla. Tenía más miedo por la salvadoreña que por sí misma, aunque ella había sido quien lo había visto todo escondida detrás de un arbusto, por una pura casualidad que cada día se lo parecía un poco menos. A veces, sin darse mucha cuenta, Elisa sentía que el destino, o el fantasma de Javier Llorente, o el odio por el MCSY que formaba parte indisoluble de su memoria, habían decretado que ella estuviera allí, aquella noche, para dar testimonio del crimen. Porque sabía que antes o después tendría que arriesgarse a compartir su secreto. No tendría más remedio que hacerlo por la verdad, por la dignidad de Yénifer, por su propia dignidad, pero no sabía cómo, cuándo, con quién, y el coche de Víctor Lafitte estaba entrando en el garaje, su madre llegaría enseguida, tenía que hacer algo, decir algo, y lo primero que se le ocurrió no estuvo mal.

—Yo te creo, Cris —recurrió al diminutivo que usaban sus amigas para dirigirse a ella—. Yo sé que tienes razón, que lo que dicen no es verdad, pero no hables con nadie, por favor. No le digas esto a nadie más porque es peligroso, puede ser muy peligroso...

—¡Cristal! —el señor Lafitte levantó la voz antes de traspasar el umbral de la cocina—. Acabo de enterarme —pero antes de que pudiera llegar a su altura, la salvadoreña miró a Elisa y asintió con la cabeza—. ¡Qué tragedia, cuánto lo siento!

Al día siguiente, la muerte de Yénifer Mejía Flores desapareció de todos los informativos. La hijastra de Víctor Lafitte tampoco preguntó, no comentó nada con él ni con su madre. Parecía que el asunto estaba zanjado, y sin embargo, el día fijado para el funeral, una noticia corrió como la pólvora entre las sirvientas latinoamericanas de Los Peñascales. Parecía pura maledicencia, un chisme perverso de una mala compañera, pero Elisa sabía que no era mentira, y mientras iban juntas a la iglesia, tuvo la impresión de que Cristal lo sabía también.

—Espero que a esa hijueputa no se le ocurra aparecer —Eipril lanzó las manos hacia delante con los dedos doblados como garfios—, porque le saco los ojos, les juro.

El día anterior había sido domingo. En la cola de acceso al centro comercial, una chica ecuatoriana había escuchado a Olga, la otra sirvienta de los Santisteban, comentar con sus amigas que Yénifer se lo había buscado. Eso fue lo único que dijo en español tras una larga perorata en polaco, pero después de que las latinas fueran a por ella, antes de que los vigilantes del centro tuvieran tiempo de intervenir para deshacer la pelea, añadió que si la hondureña no se hubiera metido en nada raro, estaría viva. Cuando Elisa intentó tirarle a Eipril de la lengua, Cristal le tiró a ella de la manga.

Olga fue la única habitante de la casa del comandante Santisteban que no asistió al funeral de Yénifer. La nutrida representación de los mandos del Cuerpo Nacional de Vigilantes, todos de paisano y acompañados de sus familias, habría inducido a cualquier desconocido a pensar que iba a celebrarse una ceremonia en honor de un agente caído en acto de servicio, y no de una simple criada asesinada mientras estaba cometiendo un delito. Las amigas de la difunta se emocionaron al ver allí a todos sus patrones, y corrieron a estrecharles las manos, a besar a los niños, a agradecer su presencia. Elisa se acercó con Cristal al banco que ocupaban Víctor Lafitte y Cristina Frías, y le costó trabajo sonreír. Aunque estaba segura de que su madre no lo sabía, ellos estaban allí por el mismo motivo que todos los demás, para desviar la atención de los verdaderos asesinos, para procurar que a nadie se le ocurriera preguntarse si habrían tenido algo que ver con la desaparición de Yénifer, para dar la imagen de una comunidad unida, solidaria, capaz de perdonar, y aun de llorar, a una pobre chica que había pagado sus equivocaciones con la vida.

—Esto es para vomitar —susurró mientras seguía a Cristal hasta uno de los bancos delanteros.

La salvadoreña levantó mucho las cejas al escucharla, pero no dijo nada antes de sentarse entre sus amigas. Elisa se quedó de pie, dando la espalda al altar. Estuvo contemplando a los asistentes como si quisiera pasar lista hasta que el sacerdote apareció, pero sólo encontró a una de las cuatro personas que había visto en la piscina aquella noche. La chica, Julia, recordó, estaba de pie, al fondo, con unos pantalones negros y una blusa del mismo color. A su lado había un hombre alto, canoso, al que alguien le había presentado alguna vez. No recordaba su nombre, pero le sonaba que tenía algo que ver con la Academia de Vigilantes de Los Peñascales. Aparte de eso, era el único oficial que había ido a la iglesia vestido de uniforme.

Las amigas de Yénifer Mejía habían preparado una merienda para los asistentes en el Salón Parroquial. Al terminar la misa, todos pasaron por allí, aunque los patrones se fueron enseguida. Cristal y Elisa tampoco se quedaron mucho tiempo.

—Decime, gringuita... ¿Por qué dijiste antes eso de vomitar?

—Aquí no te lo puedo contar —miró a su alrededor y negó con la cabeza—. Vámonos a dar una vuelta, anda.

Echaron a andar entre los pinos que rodeaban la iglesia y Elisa llegó a creer que no iba a ser capaz de arrancar nunca, hasta que se le ocurrió empezar por el final. Después de muchos titubeos, le preguntó a Cristal si se acordaba de aquel domingo que se había levantado tan tarde, y sabía que sí, que se iba a acordar. La tarde anterior estuvimos juntas viendo una película mexicana, de eso también te acuerdas, ¿a que sí?, y Santiago me llamó dos veces, pero no le contesté, y luego le llamé yo... Cristal se acordaba de todo, hasta de que ella había decidido ir a buscarle, pero no intentó acelerar su relato, no le metió prisa ni le preguntó adónde quería llegar con tanto rodeo, como si ya presintiera que aquel camino sólo podía desembocar en la muerte de Yénifer.

—Vamos a sentarnos aquí, ¿quieres? —Elisa señaló la mesa de pícnic más escondida entre los pinos, se sentó frente a Cristal y la agarró de las manos—. Yo lo vi todo, vi cómo la mataban los vigilantes. La ahogaron en la piscina, le pegaron un tiro en la cabeza y después se la llevaron. Ellos fueron quienes la tiraron en el monte.

Inmediatamente después de terminar, se arrepintió de haber empezado. Mientras asistía al llanto humilde, silencioso, de una mujer que había llorado mucho, fue consciente de su posición, de la posición de la criada de la casa donde vivía, y no recordó a tiempo nada más. Pensó que a Cristal no le hacía falta saber lo que acababa de contarle, que el simple conocimiento del asesinato de Yénifer podía ponerla en peligro, que había sido egoísta al revelar aquel secreto que la asfixiaba cuando estaba despierta y no la dejaba dormir por las noches. Pero mientras pensaba eso, olvidó muchas cosas. Olvidó que estaba ante una mujer a la que las maras de Tegucigalpa habían dejado viuda antes de cumplir veinticinco años. Que había dejado atrás, en la casa de sus padres, en San Salvador, a dos hijos muy pequeños que habían crecido sin ella. Que se había venido a España sola, sin dinero, sin contactos, y había logrado salir adelante.

—Lo siento, Cris, perdóname —olvidó en definitiva que estaba hablando con una superviviente—. Tú no necesitabas saber esto, y...

—¡Sí lo necesitaba! —y se echó hacia delante, levantó el brazo derecho, estrelló el puño sobre el tablero de madera, una, dos, tres veces—. ¡Claro que lo necesito! —y ya no lloró más—. Cuéntamelo otra vez, pero despacito, que me entere yo bien...

Volvieron a casa andando y cuando ya distinguían su fachada al final de la calle, Elisa se atrevió a preguntar por primera vez.

—Yo no sé de esa pegatina —Cristal se calló de pronto, frunció las cejas, sujetó a la gringuita por un brazo para obligarla a detenerse—. Lo que sí sé es que una tarde que fui a buscarla a su casa, la Yeni me dio un bombón grande, muy rico. Tenía en su cuarto una caja cuadrada, lindísima, que debía de costar bastante pisto. Y pues, cuando le pregunté de dónde la había sacado, me respondió que se la había regalado un amigo. ¡Pero si es de la pastelería esa de las tartas famosas!, le dije yo, porque reconocí la marca, y ella se rio. ¿Y qué, es que el dueño no puede ser mi amigo? Claro, le contesté, pero no sé de qué. ¿Qué tienes vos que ver con ese hombre? Pues algo tendré, me dijo así, medio misteriosa, y ya no quiso contarme nada más.

Se pusieron en marcha muy despacio y en silencio, como si las dos tuvieran demasiado en qué pensar, pero a unos pasos de la verja, Cristal volvió a agarrar a Elisa del brazo.

—Y fíjate que cuando Olga salió con ese chisme, ni pensé en las pegatinas, pero me acordé de aquel bombón. Porque la Yeni iba siempre a la barrera a recoger los pedidos de la pastelería, ella era la única del servicio que manejaba en casa de los Santisteban, y pues... No sé, pero por ahí, igual se conocieron.

Al entrar en casa se separaron. Cristal fue derecha a la cocina y Elisa subió a su cuarto. Santiago la llamó enseguida, para preguntarle dónde se había metido después del funeral. Todos los demás estaban en el quiosco del parque tomando algo, vente, añadió. Ella se esforzó por estar muy simpática con él, porque no podía rehuirle, dejar de ver a Blanca, a los demás, sin que sospecharan de sus motivos, pero alegó que estaba muy cansada y que, por si eso fuera poco, el miércoles tenía que entregar un trabajo que no había empezado todavía. Le propuso quedar al día siguiente y a su amigo no le pareció mal, total, ya nos estamos yendo, le dijo al despedirse.

A Elisa Llorente le habría gustado estudiar Periodismo, como había hecho su padre, pero cuando llegó a la universidad esa carrera ya había dejado de existir. La más parecida, Comunicación Audiovisual, estaba exclusivamente enfocada a la televisión y la radio, órganos de propaganda del MCSY que no tenían nada que ver con el periodismo verdadero. Por eso, después de pensárselo mucho, escogió Ciencias Sociales, una titulación nueva en la que, en teoría, se habían fundido Sociología, Ciencias Políticas y, en parte, Psicología y Trabajo Social. En la práctica, era un grado básico, de nivel muy bajo, cuyas salidas profesionales se limitaban a los órganos de la nueva Administración del Estado, pero no encontró nada que la atrajera más.

La llegada al poder del Movimiento Ciudadano ¡Soluciones Ya!, con su oportuna sucesión de pandemias, confinamientos rigurosos y desconfinamientos parciales, había liquidado de un plumazo el modelo tradicional de la universidad española. Las clases presenciales, suspendidas sin excepción en los periodos pandémicos, se habían visto reducidas a una única sesión semanal de tutoría colectiva, en la que cada profesor se reunía con un grupo limitado de alumnos para repasar los temas de la semana anterior, preparar los de la siguiente, resolver dudas y contestar a preguntas. El resto de las clases se impartía a distancia, y los estudiantes las seguían desde sus casas, con ordenadores legales conectados a la intranet de su universidad.

Todos los miércoles, sin faltar uno, Elisa Llorente iba a Madrid para asistir a las tutorías fijadas para ese día. Aunque la asistencia no era obligatoria, aunque a los profesores les interesaban poco y a los alumnos menos, los miércoles eran preciosos para ella. La vida en el área de residencia especial transcurría dentro de una burbuja privilegiada, de paredes limpias, transparentes, que iba succionando poco a poco la voluntad de sus habitantes, acomodándoles en un lugar del que cada vez les costaba más trabajo salir, persuadiéndoles de que no necesitaban nada que no pudieran encontrar dentro de aquel recinto. Durante su primer año en Los Peñascales, Elisa también había cedido al hechizo de aquella vida pequeña, previsible, cómoda y segura, pero al terminar el confinamiento de la Cuarta Pandemia, cuando por fin pudo entrar en su facultad, comprendió cuántas cosas había echado de menos. El aire de Madrid, la posibilidad de echar a andar y no terminar nunca, el reconfortante anonimato que le brindaban los desconocidos con los que se cruzaba por la acera, la chispeante aventura de volver a entrar en un vagón de metro, el paisaje de su infancia, las cuestas, las plazas, los parques, las tiendas... Hizo un par de amigos en su facultad, recuperó el contacto con algunos de sus compañeros del colegio, pero incluso cuando no podía quedar con nadie, todos los miércoles salía de su casa a primera hora, avisando de que no la esperaran a comer, y volvía tarde.

El día que empujó la puerta de la Pastelería Duarte a media mañana era miércoles, pero no había ido a la facultad. Estaba muy nerviosa. Aunque llevaba semanas dándole vueltas a su plan, era consciente de que en realidad ni siquiera merecía ese nombre. No se le había ocurrido nada mejor que presentarse en la tienda, preguntar por Enrique Duarte y disparar al aire, aunque había valorado otras posibilidades. Al principio pensó en escribirle una carta, pero lo descartó enseguida porque era demasiado peligroso. No podía dejar un testimonio escrito, arriesgarse a que la abriera alguien que no fuera él, a que él no fuera la clase de hombre que Cristal creía. No podía estar segura de nada, y a fuerza de dudar, ya no sabía si aquella caja de bombones, las misteriosas palabras con las que Yénifer había esquivado la curiosidad de su amiga, significaban algo de verdad o sólo la impulsaba su deseo de creerlo. Pensó después en enviar una nota anónima, pero hasta eso le parecía arriesgado. Cuando comprendió que, paradójicamente, nada resultaría más seguro para ella que exponerse, decidió dar el paso y fiarlo todo a una simple pregunta. Si Duarte contestaba que no, se compraría un bollo, lo pagaría y saldría a la calle. Pero eso no pasó y, como de costumbre, lo que sucedió dentro de la pastelería resultó mucho más sencillo de lo que había calculado previamente.

Eran las once y media de la mañana y sólo había dos personas más en la tienda. Elisa se situó detrás de ellas, como si estuviera haciendo cola ante el mostrador de la bollería, y echó un vistazo a su alrededor. En el otro mostrador, ante una vitrina repleta de tartas, un hombre alto, corpulento, estaba solo, repasando unos papeles. Llevaba un gorro de cocinero y una chaqueta blanca con una inscripción en el lado izquierdo del pecho. Elisa se acercó a él como si quisiera curiosear las tartas, y comprobó que las letras bordadas con hilo rojo componían el nombre que la había llevado hasta allí.

—Hola —dijo sin levantar la voz—. ¿Es usted Enrique Duarte?

—Sí, soy yo —él se quitó las gafas, la miró un momento—. ¿Qué deseas?

—Yo... —Elisa hizo una pausa, apretó los ojos, tomó aire—. Vengo de parte de Yénifer Mejía. Creo que ustedes son amigos.

Había decidido pronunciar los verbos en presente para que su huida pareciera más natural si al final tenía que salir corriendo. Había preparado con el mismo cuidado la frase con la que se excusaría en el instante en que distinguiera el menor gesto de asombro o desconcierto en los ojos castaños que la miraban sin embargo con una atención tan intensa como desprovista de hostilidad. ¡Ay, lo siento, he debido equivocarme!, iba a decir, pero no hizo falta.

—Éramos amigos —Enrique Duarte no la hizo esperar mucho—, claro que sí.

Entonces fue él quien miró a su alrededor, como si quisiera reconocer un espacio en el que nada habría podido sorprenderle.

—Vamos adentro —propuso después—, ven por aquí...

Cuarenta minutos más tarde, Elisa Llorente Frías salió a la calle sintiéndose mucho mejor y, a la vez, mucho peor que al entrar. La profunda tristeza de aquel hombre, el gesto devastado, culpable, con el que le había enseñado la pegatina, MUROS YA ES LIBRE, que le había costado la vida a Yénifer, equilibraban la sensación de haber dejado de sentirse sola. Había llegado al lugar donde quería estar, al lugar donde habría querido estar su padre, y durante un instante sintió mucho más orgullo que miedo.

Hasta que levantó la cabeza y miró hacia delante.

Y en la esquina de enfrente, le pareció reconocer a aquella vigilante tan joven que se llamaba Julia en la chica alta y morena, vestida con vaqueros y camiseta roja, que le dio la espalda enseguida para torcer a la derecha y perderse en una acera repleta de gente.

Todas las mañanas, antes de salir de casa, Rodrigo Sosa Ramírez pasaba media hora hablando para que le oyera su mujer. Lola, que no podía responderle, le miraba desde la cama de hospital que quizás no podría abandonar nunca, mientras él repasaba en voz alta lo que iba a hacer aquel día, las personas con las que estaba citado, las reuniones a las que debería asistir, el restaurante al que acudiría si no podía comer en casa, la hora aproximada a la que volvería. Los médicos que trataban a la doctora Álvarez de una afección neurológica sin nombre conocido, la secuela más rara e inexplicable de la Cuarta Pandemia, le habían recomendado a su marido que hablara mucho con ella, porque estaban casi seguros de que podía escucharle. Después de un año y medio de largos soliloquios, Rodrigo tenía la certeza de que así era. Aunque sólo podía mover un par de músculos, después de algún tiempo su mujer había aprendido a responder a sus preguntas. Para decir que sí, bajaba los párpados una vez, y repetía ese movimiento, el único que estaba a su alcance, para decir que no. Rodrigo la amaba tanto que aquel mínimo avance representó una conquista inmensa para él. Y le habría gustado que sus hijos, además de cubrirla a diario de abrazos y besos, hablaran con su madre más a menudo, pero dejó de presionarlos al comprobar que sus trabajosas conversaciones con Lola les producían más frustración que alegría.

Cuando la doctora Álvarez salió del hospital, el director de la Academia de Vigilantes de Los Peñascales se resignó a instalarse en el área de residencia especial. Habría preferido seguir viviendo en Madrid, pero encerrar a su mujer en un piso donde nunca podría salir a tomar el aire, a una distancia que le obligaría a recorrer más de treinta kilómetros en caso de emergencia, aún le gustaba menos. Desde que tomó posesión de su cargo, tenía asignada una casa con jardín que, sin estar en primera línea, tenía buenas vistas sobre el lago. Hizo pequeñas reformas para facilitar la vida de la enferma y amplió el ventanal de su cuarto para convertirlo en una pared de cristal con puertas correderas, situadas al mismo nivel que el suelo. Cuando terminó la obra, Lola pudo empezar a salir al porche en su cama durante los días templados, tomar el sol, mirar el cielo, los árboles, los pájaros e, incluso, recibir sus sesiones diarias de fisioterapia al aire libre. El subcomandante Sosa pagó con gusto el precio de integrarse en una comunidad donde nunca había llegado a sentirse cómodo. Por una parte, en Los Peñascales se sentía perpetuamente vigilado, obligado por otra a asistir a las fiestas y recepciones de sus colegas, de las que casi siempre se había librado, con la excusa de la distancia, mientras vivió en Madrid. Pero, aunque tampoco le gustaba que se criaran en un recinto cerrado, sin contacto con el mundo exterior, pronto tuvo que admitir que sus hijos estaban encantados con el cambio.

Los días de Rodrigo Sosa nunca habían sido tan monótonos, tan iguales entre sí, como en aquella época. Aunque su trabajo le interesaba más de lo que había imaginado al aceptarlo, echaba de menos la tensión, la intensidad de las investigaciones criminales en las que ya no intervenía. Sin embargo, cuando dio por terminada la puesta en marcha de la Academia, Fede Miralles le ofreció la posibilidad de escoger un sucesor para trasladarse a una brigada equivalente a la Central de Delitos contra las Personas que había tenido que abandonar tras la disolución de la Policía Nacional, y declinó su oferta. No estaba dispuesto a volver a trabajar a las órdenes del antiguo jefe de seguridad de un polideportivo. En Los Peñascales, donde formaba a agentes destinados a ir desplazando poco a poco de las calles a los viejos porteros de discoteca que habían campado a sus anchas en los primeros años del gobierno del MCSY, era mucho más útil y no tenía que acatar las órdenes de nadie. Tampoco tuvo que esperar demasiado tiempo para felicitarse a sí mismo por haber permanecido en su puesto.

Cuando la nueva normalidad que sucedió a la Cuarta Pandemia estaba ya muy avanzada, el área de residencia especial dejó de ser ese recinto seguro donde nunca pasaba nada al que Rodrigo Sosa se había trasladado unos años antes. Primero fue la huida de José Luis Muros, después las pegatinas de la noche de Halloween, por fin el asesinato de Yénifer Mejía Flores.

—Hombre, Rodrigo —Fede Miralles le citó en Madrid, en su despacho del Cuartel del Conde Duque, al día siguiente de que apareciera el cadáver—, no lo llames así.

—¡Ah!, ¿no? ¿Y cómo quieres que lo llame?

—Pues llámalo accidente, que es lo que fue en realidad.

—¿Accidente? —el director general de los Vigilantes no pudo sostenerle la mirada—. ¡Vamos, no me jodas, Federico!

Rodrigo Sosa Ramírez estaba al corriente de todo, y su superior directo no albergaba la menor esperanza de lo contrario. El ámbito de la Academia era tan reducido que resultaba imposible guardar secretos, sobre todo para un hombre que había hecho tan bien las cosas. No sólo había escogido con mucho cuidado, siempre entre sus excompañeros de las disueltas Policía Nacional y Guardia Civil de la democracia, a los profesores que impartían las clases teóricas y prácticas, sino que se había esforzado por mantener un contacto personal con los alumnos de las diversas promociones que ya habían terminado su formación, para procurar inculcarles los viejos valores que él nunca había dejado de respetar. Así se habían ido formando grupos compactos de agentes sumamente leales al director, que ejercían discretamente como sus ojos, sus oídos, en las aulas y residencias de la Academia. Pero hasta en eso había hecho bien las cosas. El inmenso prestigio personal del subcomandante Sosa

Ramírez se extendía entre las barreras que limitaban el acceso a Los Peñascales. En el Ministerio de Seguridad le conocían por la excelencia de su trabajo, pero no le temían. El único que tenía motivos para contemplar con aprensión su creciente poder era José Federico Miralles, que sin embargo nunca había dejado de necesitarle, porque se fiaba de él más que de cualquier otra persona que trabajara a sus órdenes.

—Bueno —recondujo a tiempo la conversación—, vamos a dejar las palabras en paz. Doy por sentado que sabes lo que pasó, ¿no? —Sosa se limitó a asentir con la cabeza—. Y desde un punto de vista estrictamente profesional, ¿qué te parece?

—¿Que qué me parece? —el subcomandante sonrió con una esquina de la boca—. Pues, dejando a un lado la legalidad, un pedazo de chapuza, me parece. Ni más ni menos que lo que podía esperarse desde que les disteis armas y capacidad de decisión a esa clase de individuos —hizo una pausa y rebajó el tono—. No sé quién montó ese operativo, aunque me lo imagino, pero desde un punto de vista estrictamente profesional, como tú dices, fue un desastre de principio a fin. Si la chica era sospechosa, se la tendría que haber detenido y llevado a la comisaría del destacamento...

—Ya, ya, ya —Miralles metió un dedo entre su cuello y el de su camisa, como si le costara trabajo respirar—. No me digas más. Pero las cosas se hicieron como se hicieron, y eso ya no tiene remedio. Lo que quiero preguntarte es qué harías tú si estuvieras en mi lugar.

Rodrigo Sosa Ramírez se tomó su tiempo antes de contestar. No era la primera vez que se preguntaba si todas las decisiones que había tomado hasta aquel momento no habrían servido solamente para sustentar un espantoso error, pero nunca hasta entonces había tenido que reflexionar sobre su trayectoria en el Cuerpo Nacional de Vigilantes con un cadáver encima de la mesa. Mientras sostenía la mirada de su jefe, Sosa era consciente de que Miralles no quería saber qué haría él si estuviera en su lugar, porque ya conocía todas las respuestas.

En otra época, en otro país, el subcomandante habría detenido a los vigilantes implicados en el crimen para ponerlos a disposición de un juez, pero en la España del MCSY nunca iba a pasar nada parecido. Eso también lo sabían los dos.

—Si yo estuviera en tu lugar —contestó al fin, resignado a interpretar el único sentido posible de la consulta que le había hecho su jefe—, interrogaría a los agentes que fueron a casa de Santisteban, cotejaría sus declaraciones y después, casi con toda seguridad, dispersaría a los responsables. Porque, aunque puedas evitar la repercusión pública de los hechos, corres el riesgo de que los rumores se extiendan por Los Peñascales y lleguen hasta los conocidos de la chica, y luego... Vete a saber. Por eso, yo creo que lo mejor para ti sería mandarlos de uno en uno, cuanto antes, a otros destacamentos, preferiblemente en ciudades distintas.

—Claro, eso es más o menos lo que yo había pensado —Miralles asintió—. ¿Quieres encargarte tú?

—¿Yo? —Sosa le miró con los ojos muy abiertos—. No puedo hacerlo, Fede. No tengo competencias en materia operativa.

—Eso podríamos arreglarlo. Al fin y al cabo, Julia Pardo todavía está haciendo el máster en la Academia, ¿no? Y esa práctica fue irregular, no estaba autorizada.

Rodrigo Sosa se paró a pensar por segunda vez. Aunque estaba al corriente de que en las instituciones del nuevo estado todo solía tener arreglo, nunca habría esperado una oferta como esa. Después, cuando salió de aquel despacho y tuvo tiempo para pensar en lo que había pasado, comprendió que Miralles estaba asustado. Tenía la impresión de que el jefe de operaciones especiales no le había consultado el plan que sus agentes habían llevado a cabo, pero, tanto si lo sabía como si no, él siempre sería el superior político de los hombres que habían matado a Yénifer. Quizás, si el asunto trascendiera, sus enemigos en el gobierno podrían utilizarlo para pedir su cabeza.

Desde su puesto, Rodrigo Sosa no podía estar seguro de lo que se movía dentro del MCSY, pero lo poco que sabía le bastó para atar algunos cabos. El director general no desperdiciaba ninguna ocasión para declarar su lealtad hacia Megan García e identificarse al cien por cien con el proyecto que había inspirado el nacimiento de su partido, pero no todos los altos cargos del Ministerio del Interior opinaban igual que él. En los últimos meses, una corriente de ultraderecha, articulada alrededor de un grupo autodenominado Legión Española, se había abierto paso entre los agentes del Cuerpo Nacional de Vigilantes. Al principio, Sosa pensó que era la consecuencia lógica de haber provisto de armas, y de galones, a todos los porteros de discoteca de España, pero pronto tuvo que admitir que se trataba de un asunto más sencillo y, al mismo tiempo, más complejo. En Los Peñascales, incluso entre los alumnos de la Academia, había vigilantes que se saludaban con una expresión desconocida hasta entonces. Orgullo y honor, decían, mientras se golpeaban el pecho, a la altura del corazón, con el puño de la mano derecha, y eso era lo que reivindicaban, una nueva inspiración ideológica para un país que, como un alumno del máster se había atrevido a gritar en una de las plazas del centro comercial unas semanas antes, había dejado de ser una patria para convertirse en un supermercado. Aunque ese alumno había sido arrestado, no había llegado a dormir ni una noche en el calabozo. Alguien con más poder que Miralles había decidido que no era más que un chico revoltoso al que había que poner inmediatamente en libertad con una buena regañina. El propio director general había informado al director de la Academia de la versión oficial, aquello no había sido más que una chiquillada, sería muy injusto arruinar la carrera de un futuro vigilante por tan poca cosa, el culpable estaba arrepentido y tan asustado que no volvería a reincidir. Añadió que los legionarios eran muy pocos, una moda pasajera que no inquietaba al gobierno, y Rodrigo Sosa no le creyó. José Federico Miralles nunca había destacado por poseer un intelecto demasiado sofisticado, pero incluso él había comprendido hasta qué punto la Legión podría llegar a complicarles la vida en el futuro.

En sus comidas de los viernes, cuando se reunía con un grupo de profesores de la Academia, los únicos amigos verdaderos que tenía en el Cuerpo, se había hablado muchas veces de esa posibilidad. Rodrigo no era el único que daba por descontado que, antes o después, la extrema derecha acabaría irrumpiendo en la extraña dictadura impuesta por el MCSY, un estado totalitario sin ideología definida, una rareza tan excepcional que estaba llamando a gritos a cualquier caudillo salvador, dispuesto a normalizarla en nombre de Dios, la Patria y lo de siempre. Él no dudaba de que esa amenaza se originaría dentro del Movimiento, tampoco de que, en algún momento, nacería alguna clase de resistencia democrática que lo tendría mucho más difícil, porque no era verosímil que proviniera de un partido fundado por los grandes empresarios españoles. A la luz de lo que sabía y de lo que sospechaba, el subcomandante Sosa analizó la oferta que le había hecho Miralles y no llegó a una conclusión definitiva. Era posible que el director general le hubiera invitado a implicarse en los interrogatorios por el temor que le inspiraban sus enemigos del Ministerio de Seguridad, pero tal vez no fuera más allá del plano de las soluciones prácticas. Tal vez, simplemente, Fede pretendía amarrarle, ponerlo de su parte de cara a los problemas, políticos o no, que pudieran surgir a propósito del cadáver de Yénifer Mejía Flores. En cualquier caso, después de repasar todas las posibilidades, no se arrepintió de haber aceptado.

—Desde luego, esa práctica fue ilegal, porque no la firmó nadie de mi equipo. Por lo tanto, si tú lo autorizas, yo podría participar en los interrogatorios para asegurarme de que se respetan los intereses de Julia Pardo, pero... —hizo una pausa para levantar el dedo índice en el aire—. Sólo lo haré si el jefe de operaciones especiales y tú estáis conmigo en la sala. Si los agentes se presentan con un abogado, no quiero que me recusen, ni que después soliciten que se invaliden los testimonios con la excusa de que mi presencia era irregular.

—Eres muy desconfiado, Sosa —al decirlo, Miralles le ofreció la única sonrisa que produjo aquella reunión—, pero te comprendo. Y te garantizo que Varela y yo estaremos contigo.

Julia Pardo Aguirre había llamado la atención del director de la Academia desde que ingresó en el primer curso. No habría sabido explicar por qué, pero aquella chica tan seria, que parecía esforzarse por resultar menos atractiva de lo que era en realidad y se ofrecía voluntaria para las tareas más difíciles, le recordaba a ciertas agentes recién incorporadas, muchos años antes, a la Brigada Central de Delitos contra las Personas en la que había trabajado tanto tiempo. Antes de que el MCSY llegara al poder, el entonces inspector Sosa Ramírez había distinguido en otros ojos el mismo brillo tenaz, casi metálico, que impregnaba como un esmalte la mirada de Julia Pardo. Determinada a ser la mejor en todo, aquella estudiante que aparentaba llegar desde el pasado era inteligente, capaz, disciplinada y muy estudiosa, pero no había querido explotar una condición que le habría dado ventaja sobre sus compañeros. Mantuvo sus orígenes en secreto hasta que el subcomandante se fijó en sus apellidos y le preguntó cómo se llamaban sus padres. Rodrigo los apreciaba mucho porque había tenido ocasión de trabajar con los dos, con Pepe Pardo hasta los últimos momentos de la extinta Policía Nacional, con Rosa Aguirre en Protección Ciudadana, su primer destino. Julia estaba muy orgullosa de sus padres, pero al antiguo compañero de ambos le gustó que se guardara ese orgullo para sí misma. También le gustaba su carácter, la firmeza, a medio camino entre la seriedad y la antipatía, con la que se quitaba de encima a los ligones que tanto abundaban en la Academia. Callada, concentrada hasta el límite del ensimismamiento, tenía fama de borde, pero también los amigos suficientes para probar que no lo era tanto, aunque su carácter no la había convertido en una alumna popular. Era, además, una «chica del director» y, antes de que ella misma se lo confirmara, Sosa sospechó que en esa condición había sido escogida para integrar la patrulla destinada a interrogar a Yénifer Mejía Flores en el domicilio del comandante Santisteban.

—¿Y por qué aceptaste? —le preguntó al día siguiente, cuando fue a verle a su casa a media mañana—. Deberías haberte negado.

—¿Ha encendido usted el teléfono, señor? Anoche le llamé media docena de veces, por lo menos.

Los sábados por la noche, uno de los canales de televisión con más audiencia emitía dos capítulos seguidos de una larga serie de ficción, alegrías y desdichas de una gran familia de aristócratas británicos, que a Lola le había gustado mucho cuando la vieron por primera vez, en una de las plataformas que se habían extinguido con el Gran Apagón. Los sábados por la noche, Rodrigo pedía hamburguesas o pizza para sus hijos, se servía una copa y se tumbaba en su cama, tan pegada como era posible a la de su mujer, para cogerla de la mano y recuperar la sensación de ver una serie de televisión con ella. Los sábados por la noche, el director de la Academia de Vigilantes de Los Peñascales dejaba el móvil apagado en el salón y sólo volvía a encenderlo a la mañana siguiente, pero aquel domingo, cuando Julia Pardo le llamó para preguntar si podía ir a verle, todavía no le había dado tiempo a revisar todas las llamadas.

—Lo siento mucho —se disculpó—. He tenido el móvil apagado hasta hace un rato. ¿Otro café?

Llamaron a su puerta después de la cena, pero no iban a buscarla a ella. Acababa de hablar con sus padres, estaba arreglándose para salir, y el sargento Santana le preguntó primero por Max Rodríguez, que había ido a su pueblo a ver a su familia, y luego por Javier Viñas, otro de sus mejores amigos, que acababa de echarse una novia en Madrid y salía a escape del área de residencia especial a la menor ocasión. Max, que ya había salido de la Academia, estaba destinado en el destacamento de Los Peñascales. Javier era compañero de Julia en el máster. Los tres eran personas de confianza del director, pero a ella no se le ocurrió relacionar ese detalle con la carpeta que el suboficial traía en la mano. Santana se quedó tan decepcionado que, antes de despedirse de él, Julia se disculpó por no haber podido ayudarle más y creyó que allí había terminado todo, pero no habrían pasado más de diez minutos cuando el sargento volvió a llamar. Ponte el uniforme, fue todo lo que le dijo esta vez, tendiéndole una orden firmada por el subcomandante Varela, jefe de operaciones especiales, en la que aparecía su nombre escrito a mano. Ella se resistió. Todavía no se había graduado, nadie la había avisado, era obligatorio que la dirección aprobara cualquier actividad de los alumnos... No te pongas tiquismiquis, Pardo, replicó el sargento. Esto constará en tu expediente como práctica y no es nada, un interrogatorio de rutina, pero el reglamento especifica que tenemos que ser cuatro agentes, es sábado por la noche y no encontramos a nadie más, así que te vienes tú, es una orden. Julia preguntó si podría acompañarlos en su moto, porque tenía planes para después, y el sargento le dedicó una mirada libidinosa, que dejó muy clara la idea que acababa de hacerse de esos planes, antes de acceder. En el siguiente cuarto de hora, la agente Pardo llamó al móvil de Rodrigo Sosa una, dos, tres veces. Volvió a intentarlo al aparcar la moto ante la puerta de la casa de Santisteban e incluso dentro, discretamente, un par de veces más, pero él nunca respondió.

—Dime una cosa, antes de seguir —Sosa dejó sobre la mesa la bandeja con los cafés, cogió el cuaderno y el bolígrafo que había dejado en su butaca y volvió a sentarse—. Santana y los otros dos, ¿son legionarios?

—No me lo parecieron —Julia lo pensó un instante y volvió a negar con la cabeza—. Más bien tenían pinta de veteranos, seguratas, diría yo. No hicieron ni dijeron nada sospechoso, y además... A mí me parece que los legionarios son unos fascistas y unos cabrones, pero también son muy disciplinados, no se saltan la cadena de mando ni les faltan al respeto a sus jefes. Nunca habrían montado un circo como el que armaron estos —bebió un sorbo de café antes de seguir hablando—. Lo digo porque, cuando sacaron a la chica al jardín y la pusieron al borde de la piscina, me acerqué a hablar con el sargento. Él no había llegado a dar expresamente la orden de que la sumergieran, e intenté convencerle de que parara lo que estaba pasando. Le dije que sus hombres estaban haciendo una barbaridad, que si la detenida no colaboraba, deberíamos llevarla a la comisaría e interrogarla en condiciones, que aquello nos podía costar una sanción grave... ¡Cállate ya!, me gritó de pronto el que le metía la cabeza en el agua, esta no es una detenida, es una puta subversiva. Hasta ese momento, Santana me estaba prestando atención, parecía preocupado, pero después de escuchar a su hombre, él también me dijo que me callara. Muy bien, le respondí, me callo, pero no voy a mover ni un dedo para ayudaros, no quiero tener nada que ver con esto. Me aparté a un lado y ellos siguieron a lo suyo, como si yo no estuviera. Los legionarios nunca habrían hecho las cosas así.

—Y la chica... ¿Tú crees que de verdad era una subversiva? —preguntó Sosa después de un rato.

—Yo lo que... —Julia frenó en seco, pensó en lo que iba a decir, pareció vacilar, se atrevió por fin—. Yo lo que sé es que no habló. Es verdad que lo que tenían contra ella era una tontería, eso es lo peor, lo más grave de todo. Una de sus compañeras de trabajo la había denunciado porque su novio, que vino con nosotros y fue quien la inmovilizó mientras el otro la ahogaba, le había pedido que registrara la casa, sin autorización ni nada, no crea, cuando los mandos estaban en pleno ataque de histeria por la fuga de Muros. La denunciante, que se llama Olga y es polaca, declaró que había visto una pegatina escondida en el fondo de una caja llena de papeles, en un cajón de la mesilla de Yénifer, pero no se le ocurrió cogerla, y unos días después, cuando se la pidieron, ya no la encontró. Eso, o sea, nada, es lo que tenían contra ella, y a lo mejor, si hubiera dicho que era mentira, que nunca había tenido una pegatina, no se habrían atrevido a llegar tan lejos, pero no se le ocurrió, o no quiso hacerlo. Antes de llevarla a la piscina la interrogaron en el salón, y lo único que dijo fue que no sabía dónde estaba esa pegatina, que la noche de Halloween había cogido varias, que se las había ido dando a los niños y que no se acordaba de quién se había quedado con la última... Nada más. Después, la verdad es que no habría podido hablar ni aunque hubiera querido, porque lo de la piscina fue brutal. La zambullían demasiado deprisa, no le daban tiempo para recuperarse, por eso la ahogaron tan pronto. Cuando al gilipollas de Isidoro se le ocurrió dispararle en la cabeza, ya estaba muerta. Si puedo hablar con libertad, señor —Sosa asintió vigorosamente con la cabeza—, se portaron como una mierda de torturadores en todos los sentidos.

—Y la detenida, en cambio... —Rodrigo se paró a consultar las notas que había tomado en un cuaderno—, Yénifer Mejía Flores, ¿no? —Julia asintió—, se portó como una mujer valiente.

—Muy valiente —asintió su alumna—. Por eso yo creo que... Lo de la pegatina era una tontería, pero no le habría costado mucho denunciar a cualquiera, inventarse un nombre, decir cualquier mentira para ganar tiempo, y no lo hizo, no quiso hablar.

—Por eso crees que de verdad era una subversiva —ella afirmó con la cabeza, muy despacio, y Sosa le devolvió el gesto antes de pararse a pensar.

Lo único que tenía sentido era que la chica hondureña hubiera guardado la pegatina para dársela a alguien, y que lo hubiera logrado antes de que su compañera registrara su cuarto por segunda vez. La persona que la había recibido no podía vivir dentro de Los Peñascales, donde cualquiera lo sabía todo sobre la fuga de Muros. Tenía que ser alguien que se opusiera al MCSY desde fuera, pero identificarle iba a resultar una tarea dificilísima, tan imposible quizás como había sido establecer la identidad del vigilante que fabricó aquellas pegatinas artesanales que habían cobrado tanta importancia. Los domingos, cuando las chicas de servicio iban al centro comercial, se cruzaban con centenares, quizás miles de personas, dependientes, camareros, cocineros, limpiadores, repartidores... El resto de la semana no podían salir del área de residencia especial, pero incluso allí estaban en contacto con personas autorizadas a salir de Los Peñascales para ir a dormir a sus casas, en Torrelodones, en los pueblos cercanos y hasta en Madrid. Gracias a Yénifer Mejía y a un insignificante pedacito de papel adhesivo, en alguno de esos lugares había alguien que sabía que el Cuerpo Nacional de Vigilantes no era tan sólido, tan fuerte e inexpugnable como afirmaban los reportajes que se emitían por televisión. Para los enemigos del gobierno, aquella información era valiosísima, aunque no estaba seguro de que Yénifer hubiera decidido tener la boca cerrada sólo por eso. Ella trabajaba en la casa del comandante en jefe de los vigilantes, no podía saber que su patrón había autorizado esa operación y, sobre todo, no habría podido imaginar la desmesurada brutalidad que iba a costarle la vida. Seguramente había pensado que el silencio era su mejor baza para ganar tiempo, y se equivocó.

—Señor... —Julia Pardo intervino para interrumpir su pensamiento—. Hay algo más.

—Claro, perdóname —Sosa se frotó los ojos, la miró—. Te amenazaron, supongo.

—Sí, eso también, pero lo que quería contarle es que creo que puede haber una testigo.

—¡Joder! —su superior volvió a abrir el cuaderno, empuñó el bolígrafo—. ¿Quién?

Al salir de la cocina con la fregona en la mano, Santana estaba esperándola. Voy a hablarte muy clarito, le dijo. Como le cuentes una sola palabra de esto a alguien, y me da igual quien sea ese alguien, vas a acabar igual que esa, que lo sepas... Señaló con la mano hacia la furgoneta donde sus hombres estaban cargando el cadáver envuelto en plástico y Julia le miró, pero no dijo nada. ¿Te has enterado?, le preguntó el sargento, dando un paso hacia ella y, antes de que la tocara, Julia respondió que sí, le pidió que no se preocupara, le aseguró que cerraría la boca por su propio bien. Se había dado cuenta a tiempo de que el sargento estaba desencajado de miedo, a un paso de la violencia irracional que puede brotar del terror. Tenía motivos. El cadáver de la chica aparecería antes o después, y ahí empezaría para él, para sus hombres, un conflicto tan grave que su testimonio ni siquiera lograría empeorarlo demasiado. Estaba decidida a contarle al director de la Academia lo que había pasado, segura de que él tomaría las medidas necesarias para protegerla, pero por más que se repitiera todo eso y que no le tenía miedo, el encontronazo con Santana consumió la poca serenidad que le quedaba. Cuando llegó hasta el borde de la piscina y se enfrentó al tono rosado del agua que rebosaba de la rejilla, las manchas de sangre que salpicaban las baldosas, su cuerpo se rindió. Le temblaban las piernas, le temblaban las manos, le temblaban los labios. No se dio cuenta de que había empezado a llorar hasta que percibió el gusto salado de las lágrimas. Tampoco presintió la náusea que añadiría un nuevo color a un escenario que nadie iba a analizar. Cuando Olga le pidió la fregona, se la cedió sin pensarlo siquiera.

Media hora después, el suelo tan limpio como el agua de la piscina, le dolía terriblemente la cabeza, pero no le apetecía volver a la residencia y meterse en la cama. Entonces miró el reloj y se asombró al comprobar que no era tan tarde. No habían pasado ni dos horas desde que llegó a aquella casa en su propia moto, los amigos con los que había quedado tal vez siguieran en el bar desde el que la habían llamado varias veces. No tenía ganas de devolver sus llamadas, pero decidió acercarse por si seguían allí. Encontró sólo a dos, lo bastante borrachos como para celebrar su llegada a gritos sin preguntarle de dónde venía, y se sentó con ellos en la barra para pedir una copa, luego otra. La primera le sentó bien, la segunda mejor, con la tercera no se atrevió. Lo único que le faltaba para rematar la noche era que la multaran los de Tráfico por conducir borracha. Mientras sus amigos la llamaban cobarde, pagó la última ronda y calculó cuál sería la ruta menos transitada para volver a la residencia. Estuvo a punto de renunciar al darse cuenta de que la obligaría a pasar por delante de la puerta trasera del jardín de Santisteban, pero en la avenida había controles todos los fines de semana y escogió el mal menor.

—No lo sé, señor, no me suena. Fue sólo un momento. Venía por una calle perpendicular, que desemboca justo enfrente de la entrada trasera de la casa del comandante, y al enfocar la verja con los faros la vi de pie, agarrada a los barrotes. Era una chica muy joven, con pinta de española, la piel blanca, el pelo castaño claro... Yo iba muy despacio, porque esa zona está limitada a treinta y había bebido, pero al verme se puso en cuclillas y agachó la cabeza. Al pasar a su lado, lo único que me llamó la atención fue que llevaba unas zapatillas muy caras, que están de moda. Me fijé porque estoy ahorrando para comprarme unas iguales, así que no creo que sea una empleada, más bien una niña pija, hija de alguno de los propietarios de aquella zona, donde sólo viven mandos, como sabe. Después de verla, me metí con la moto en la primera bocacalle a la izquierda, apagué el motor y esperé hasta que pasó por delante, pero era noche cerrada, estaba muy oscuro. No vi gran cosa, la verdad.

—Pero podrías reconocerla —sugirió Sosa.

—A lo mejor —Julia no estaba tan segura—, aunque no se lo puedo garantizar.

Y sin embargo, cuando volvió a verla, no lo dudó.

El día que se celebró el funeral de Yénifer, los responsables de su muerte ya no estaban en Los Peñascales. En el plazo transcurrido entre la autopsia y el entierro de las cenizas en el cementerio de la ciudad hondureña de El Progreso, el sargento Santana había desaparecido, había sido puesto en busca y captura, alguien le había convencido para que se presentara ante sus superiores y había sido destinado al destacamento del puerto de Vigo. Juan Carlos Sansegundo, novio de Olga y cómplice del ahogamiento, había ido a parar a la comisaría de un pueblo de Albacete, e Isidoro Pérez, autor material del crimen y el disparo posterior, estaba ya en Tenerife, en una brigada de Tráfico, muy ofendido porque sus superiores no hubieran reconocido el éxito del plan que había improvisado sobre la marcha para resolver la crisis tan brillantemente, en su opinión. Julia Pardo Aguirre, cuya falta de participación en los hechos, y su esfuerzo por evitar el macabro desenlace, fueron reconocidos por el comité disciplinario que decidió la suerte de sus compañeros, siguió cursando sus estudios de máster en la Academia de Los Peñascales. Los superiores de Sosa se dieron por satisfechos con estas medidas y decidieron que no había motivos para abrir ninguna investigación. Sin embargo, cuando unos días más tarde Miralles telefoneó al subcomandante para informarle de que se esperaba que todas las autoridades del Cuerpo Nacional de Vigilantes asistieran al funeral para dar buena imagen después de lo ocurrido, Sosa no sólo confirmó su asistencia. También le pidió a Julia que lo acompañara, con la esperanza de que pudiera identificar a la posible testigo del crimen.

—Es ella. Esa chica de ahí, la que nos está mirando de frente. Estoy segura.

Antes de recibir esa confirmación, él ya había pensado que podía ser ella. La hijastra de Lafitte había entrado en la iglesia con un grupo de sirvientas latinoamericanas, no había querido sentarse al lado de su madre, había avanzado hasta la segunda fila para apoyarse en el respaldo del banco delantero y, desde allí, había lanzado a su alrededor una mirada desafiante que se detuvo al distinguir a Julia como un dardo que se clava en el blanco. Durante unos segundos la miró sólo a ella porque la había reconocido, comprendió Sosa, y eso significaba que lo había visto todo. De su actitud dedujo otras cosas. Que estaba indignada por el asesinato de Yénifer Mejía. Que no tenía miedo. Y que estaba dispuesta a contar lo que sabía, si es que no lo había hecho ya.

A partir del día siguiente, Rodrigo Sosa empezó a recopilar información sobre Elisa Llorente Frías. Averiguó quién era su padre, en qué circunstancias había muerto, y el amor ferviente, incondicional, que su única hija seguía profesándole. Descubrió que era amiga de Santiago Santisteban, el hijo mayor del comandante, y le pidió a Javier Viñas, que le conocía porque los dos jugaban al fútbol siete, en equipos distintos que competían en la misma liga, que se hiciera el encontradizo con él. Así se enteró de que al principio, cuando se mudó al área de residencia especial, Elisa salía sólo con las muchachas latinas, porque le encantaba ir a bailar con ellas al Música Caliente, una discoteca de reguetón y cosas por el estilo que había en el centro comercial. Con la segunda cerveza, Santiago le contó a Viñas que últimamente estaba rara porque casi nunca le apetecía salir, aunque no sabía si era por la muerte de Yénifer, que la había afectado más de lo normal, o porque se acercaban los exámenes y era muy estudiosa. Mucho más que yo, al menos, remató con una carcajada.

Rodrigo Sosa Ramírez pensó mucho en Elisa Llorente. Y cuando consideró que ya sabía lo suficiente, invitó a Julia Pardo a cenar en su casa.

—Lo siento mucho, porque ya te ha tocado bastante, pero no puedo recurrir a nadie más —ella siguió mirándole con mucha tranquilidad, una confianza tan plena en él que a veces le asustaba—. No tengo agentes a mis órdenes, ya lo sabes, y tampoco puedo pedirle a un antiguo alumno que deje lo que esté haciendo para asumir una misión irregular. No es nada peligroso, ni complicado, pero sí sería difícil de explicar.

Elisa Llorente sólo salía de Los Peñascales sin compañía una vez a la semana, para asistir a las tutorías de los miércoles en su facultad. Lo que Sosa quería pedirle a Julia era que la siguiera discretamente, para comprobar si esa rutina cambiaba en algo.

—¿Por qué? —preguntó su alumna.

—Porque tengo una corazonada —fue todo lo que el subcomandante logró responder—. Creo que va a intentar ponerse en contacto con la persona, o las personas, que trataban con Yénifer —esas palabras encendieron una luz de alarma en los ojos de la agente Pardo, pero Sosa la apagó tan deprisa como si volcara un cubo de agua en una fogata recién prendida—. Te prometo que no voy a usar la información que obtengas para denunciarlos, más bien al contrario. Lo que me interesa es proteger a Elisa, asegurarme de que nadie va a descubrir lo que vio aquella noche ni la va a detener por eso.

Sirvió vino en la copa de Julia, luego en la suya.

—Supongo que me has entendido —añadió después.

—Perfectamente —afirmó ella, mientras levantaba su copa en el aire.

El director de la Academia de Vigilantes de los Peñascales elevó la suya y los dos brindaron sin más palabras.

Domingo Caballero Pérez no se atrevía a decir, ni siquiera para sí mismo, que estaba deprimido.

La enfermedad de su madre le había perseguido durante toda su vida como una segunda sombra, un caballo cojo, lento pero tenaz, que llevaba en sus alforjas una amenaza aplazada. En más de setenta años no había llegado a cumplirse, tampoco él a olvidarla. Ahora, cerca de unos ochenta que no aparentaba, ningún dolor, ninguna enfermedad más allá de una ligera hipertensión, Domingo estaba triste, apático, sin ganas de vivir ni de morirse. Comía poco, caminaba menos, dormía mal. Tenía todos los síntomas de la enfermedad cuyo nombre no osaba pronunciar y demasiados años como para descartar que no fuera una consecuencia más del paso del tiempo. Aparte de eso, no podía culpar a su madre del acontecimiento que había empeorado su estado de ánimo, aunque nunca lo habría descubierto si no se hubiera decidido a asistir a aquella reunión.

—Veo algunas caras nuevas, así que, antes de nada, voy a tranquilizarlos a todos. Aunque no se lo crean —aquel hombre tan flaco que parecía un espíritu colocó sobre su pecho una mano sarmentosa y seca, puro pellejo relleno de huesos—, les aseguro que como más que una lima.

Hasta aquella tarde, Domingo había oído hablar de él, pero nunca le había visto. Se llamaba Francisco Segarra y era el jefe de los terapeutas que pasaban consulta en el Casino Militar. Aparte de supervisar su trabajo, organizaba de vez en cuando lo que él llamaba «charlas ocupacionales», una especie de talleres terapéuticos, participativos, muy informales. Cada uno giraba alrededor de un problema distinto y estaba diseñado para un grupo de edad determinado. En el cartel que llamó la atención de Domingo Caballero se leía ¡NO SOY UN TRASTO VIEJO! LA DEPRESIÓN EN LA TERCERA EDAD.

Francisco Segarra, llamadme Paco les dijo al presentarse, no se parecía a los terapeutas del MCSY que Domingo había conocido hasta entonces. Para empezar, no era físicamente atractivo, y tampoco sonreía sin ton ni son. Sus labios se curvaban sólo cuando venía a cuento, que era bastante a menudo porque, pese a la siniestra apariencia que le prestaba su cadavérica delgadez, tenía un sentido del humor muy fino. Además, se distinguía de sus compañeros de profesión porque no hacía propaganda del Movimiento, ni pretendía vender nada a quienes asistían a sus charlas. Mi único propósito es ayudarles a profundizar en las razones de su malestar, declaró en algún momento de su intervención, proporcionarles algunas claves que pueden ser útiles para que identifiquen las razones de su desánimo, porque ese conocimiento representa el primer paso para superarlo. En el caso de Domingo Caballero Pérez, Francisco Segarra cumplió con creces su objetivo.

El Casino Militar era un recinto abrumadoramente masculino. Aunque muchas mujeres se habían incorporado a las Fuerzas Armadas en las últimas décadas de la democracia, las jubiladas debían de estar todavía demasiado ocupadas como para malgastar su tiempo en las butacas donde gran parte de sus compañeros pasaban las tardes mirando revistas, jugando a las cartas o asistiendo a languidecientes tertulias cuyos participantes rara vez tenían algo nuevo o interesante que contar. A ellas les gustaba más quedar fuera, ir de compras, al teatro, a tomar algo en una cafetería para enseñarse las últimas fotos de sus nietos. O salir con sus novios, como hacía Queti con Nicolás, que al principio había contado con su mejor amigo, le había invitado a acompañarlos de vez en cuando, pero ya no pasaba de llamarle por teléfono cada fin de semana para preguntarle qué tal estaba. A Domingo no le extrañó que todos los asistentes a la charla de Segarra fueran hombres. Le extrañó aún menos que aquellos a los que pudo reconocer fueran viudos o no se hubieran casado nunca.

Paco, como le llamaría a partir de entonces, habló aquella tarde de la soledad, de la ausencia de estímulos, de la sensación de abandono que, como náufragos arrojados a la playa de una isla desierta, solían experimentar los hombres mayores. Se dirigió a ellos en un tono neutro, incluso seco, muy alejado de la compasión, aún más distante de los halagos sentimentales a los que conferenciantes más torpes habrían recurrido para ganarse la confianza de su público. Pero lo que más sorprendió a Domingo fue que, antes de abrir el debate, les echara una bronca.

—¿Alguien reconoce alguna de las sensaciones que acabo de describir?

Todos alzaron las manos con la única excepción de un general, que debió de pensar que aquella confesión era indecorosa, impropia de su rango.

—Muy bien —el terapeuta asintió despacio con la cabeza—. Y mientras tanto, ¿ustedes qué hacen? ¿Procuran mantenerse activos, se fijan metas fáciles de conseguir, ofrecen ayuda a sus seres queridos, sus hijos, sus nietos, sus amigos? —nadie quiso intervenir en la pausa que se abrió a continuación—. ¿No? —y ningún valiente se atrevió a darle la razón—. Yo les diré lo que hacen. Se quedan en sus casas lamiéndose las heridas, esperando a que suene el teléfono, a que sus hijos, sus nietos, sus amigos, se acuerden de que existen. Así van acumulando una amargura que antes o después se transforma en rencor, cavando un hoyo de aburrimiento, de desesperanza, en el que cada día se hunden un poco más...

Hasta que escuchó esa palabra en la voz de Paco Segarra, Domingo siempre había creído que la única cosa que podía llegar a ser proactiva eran los yogures. Decidido a aplicarse aquel adjetivo a sí mismo, tal como había recomendado el terapeuta, dejó de arrastrar los pies mientras salía de aquella sala, y con la misma decisión, la misma firmeza, cruzó la Gran Vía, enfiló la calle Hortaleza y, ante el portal de la casa de su nieta, miró el reloj para comprobar que había tardado casi un cuarto de hora menos del tiempo que había necesitado aquella misma tarde para recorrer el trayecto inverso. Llegó un poco sofocado, eso sí, y tuvo que pararse a recuperar el resuello antes de llamar al portero automático, pero hasta el cansancio le compensó.

—¡Abuelo, qué alegría! —la bienvenida de Laura le pareció sincera—. Sube, corre...

Aquella tarde, la proactividad de Domingo Caballero Pérez no tuvo más consecuencias que una apacible escena en la que tres generaciones de la misma familia disfrutaron de una copiosa merienda cena alrededor de la mesa de una cocina. Aunque mientras subía las escaleras estaba decidido a cubrir a su nieta de reproches, ni siquiera llegó a contarle que había asistido a una charla motivacional sobre la depresión en la tercera edad. Si hubiera empezado por ahí, no habría sabido parar a tiempo y, aunque le avergonzaba reconocerlo, aún le daba más vergüenza contarle a Laura lo que sentía.

Necesitó más de quince días para convencerse a sí mismo de que sus reivindicaciones eran legítimas. Él era jefe de casa, corría más riesgos que los demás, y a pesar de eso nunca se había echado atrás. Había descubierto que Mónica Hernández era enemiga de los Soluciones mucho antes de que ella descubriera a Laura y a Enrique en la azotea. La había encontrado borracha perdida en su casa y no se lo había contado a nadie, ni siquiera a su nieta. Había confiado en ella hasta el punto de advertirle que los ordenadores legales a veces traían un micrófono incorporado, y esa confidencia podría haberle arruinado la vida. Los vigilantes que le nombraron jefe de casa ni siquiera se habían molestado en describir con detalle las consecuencias que podría acarrear la difusión de aquel secreto. Se limitaron a explicarle que si el servicio de escuchas detectaba alguna conversación sospechosa en su edificio, desde la central se pondrían inmediatamente en contacto con él. Su misión consistiría en cerrar la puerta del piso indicado por fuera, dejando la llave puesta para impedir que se abriera por dentro, y bajar a manipular la cámara de la entrada, dejando la imagen fija del portal desierto para que no existieran imágenes del asalto hasta que no se confirmara el éxito de la operación. Cuando el detenido ya estuviera esposado, alguien le pediría desde arriba que volviera a conectar la cámara y la orientara hacia las escaleras, para obtener las imágenes que emitirían las televisiones, antes de devolverla a su lugar. Si la detención no se produce porque el sospechoso logra escapar a tiempo, le advirtieron al final de la reunión, usted será el único responsable del fracaso, como comprenderá.

Domingo avisó a Mónica porque sintió mucho miedo por ella mientras la escuchaba echar pestes del MCSY, decir en voz alta que el Aplauso para Mejorar era una mamarrachada con una boca que apestaba a vino tinto. Pero nadie supo del miedo que pasó él después, las noches en vela que consumió en una butaca del recibidor de su casa, pendiente de los ruidos del descansillo, del motor del ascensor que podía arrancar en cualquier momento, del eco de las pisadas de muchas botas que podrían subir acompasadamente las escaleras, de madrugada, para detenerse al llegar hasta su puerta. Eso nunca ocurrió, nadie vino a buscarle, pero el miedo siguió quitándole el sueño mucho después de que la señora Hernández se animara a salir a su balcón a aplaudir todas las tardes. Su jefe de casa tardó meses en volver a dormir cinco o seis horas seguidas, y sin embargo no habló, no quiso agobiar a nadie con sus temores. Ese silencio, aun ignorado por todos, tampoco merecía tanto desprecio.

Domingo Caballero Pérez había sido el primero, el más leal, el más fiable, el que más riesgos había corrido, pero el marido de su nieta no había contado con él para la reunión del obrador, ninguno de los dos le había informado de que habían decidido convocarla. Después, a toro pasado, se lo contaron por encima, que Mónica había traído a un compañero suyo de la tele que sabía mucho de ordenadores, que la novia de ese chico sabía mucho más que él y que los dos tenían unas ideas buenísimas, nada más. No se los habían presentado, no le habían explicado lo que habían propuesto, no sabía qué decirle a Nicolás cuando le preguntaba cómo estaban las cosas.

—Porque esa es otra —ya sabía él que el día que empezara a hablar, le iba a costar trabajo callarse a tiempo—, he perdido a mi mejor amigo por vuestra culpa.

Su nieta le miraba en silencio, con la boca abierta, los ojos agrandados por el asombro, la mente en blanco, tan inerme como un títere zarandeado por el viento, tan desvalida como una acusada que no entiende el significado de las palabras que el fiscal está usando para imputarle un crimen.

—Bueno, a lo mejor no lo he perdido —concedió su abuelo, al comprobar que ni siquiera estaba dispuesta a defenderse de una acusación tan arbitraria—, pero sí he perdido la oportunidad de verle más, de hacer cosas juntos. Cada vez que me llama, me pregunta por mi grupo de amigos y no puedo contarle nada porque no sé nada, porque me habéis excluido, me habéis apartado como si fuera un trasto viejo. ¡Hasta los vigilantes confían en mí más que vosotros!

Cuando calló por fin, Laura no supo qué decir. No lo tenía fácil, porque la idea de prescindir de su abuelo había sido suya. Ella había tomado la decisión por los mismos criterios que Domingo acababa de invocar para reivindicarse. Porque era jefe de casa. Porque corría más riesgos que los demás. Porque los vigilantes le tenían localizado. También porque era un anciano, aunque eso no se atrevió a mencionarlo.

—Lo siento mucho, abuelo —se excusó por fin—. No me podía imaginar que te interesara tanto participar en las reuniones. Cuando fuimos a tu casa, la primera vez, dijiste que no se podía hacer nada, que era demasiado peligroso, ¿te acuerdas? —él asintió con un gesto de pesar—. Por eso pensé que estarías más tranquilo, más seguro, si te manteníamos al margen.

—Sí, es verdad que dije eso, porque Mónica todavía me daba mucho miedo. No te puedes imaginar cómo estaba aquella tarde, las cosas que decía a voz en grito... Pero cualquiera puede emborracharse un día, ¿no? Y luego, además, me di cuenta de que Nicolás y yo tenemos más responsabilidad que los demás, porque somos los únicos con formación militar. Sobre todo él, que es artillero y sabe mucho sobre explosivos, detonadores y esas cosas.

—¿Explosivos? —entonces fue Laura la que se asustó—. Pero ¿qué dices, abuelo? Aquí nadie ha hablado de lucha armada.

—¿No? ¡Pues menuda mierda de resistencia estáis montando!

Eso fue lo único que no quiso contarle a su marido cuando volvió a casa aquella tarde, y ni así terminó él de verlo claro. Tenía sus propias razones. El encuentro con Elisa Llorente le había arrasado por dentro. Desde entonces, Enrique sentía que era el único culpable de la muerte de Yénifer, porque nadie le había pedido que contactara con ella. Él, un simple pastelero con acceso a la cúpula del MCSY, se había arrogado la misión de reclutarla por su cuenta sin saber muy bien por qué lo hacía. La había convencido, había seguido sus instrucciones, había recogido sus mensajes en una herboristería de Torrelodones con el mismo júbilo que le habría inspirado un décimo premiado con el gordo en el sorteo de Navidad. ¿Y todo eso para qué?, se preguntaba. Para nada, se respondía, porque no estamos haciendo nada. Hablar mucho, sí, conspirar como adolescentes enfermos de imaginación, ¿algo más? Y sin embargo ella estaba viva, concluía. Estaba viva y ahora está muerta, y yo tengo la culpa.

Laura había hablado mucho con él. Le había explicado que Yénifer no era una niña indefensa, sino una adulta consciente de los riesgos que había decidido correr, había insistido en que los únicos culpables de su muerte habían sido sus asesinos, había alegado que por eso, contra ellos, era más necesario que nunca resistir, pero no había logrado convencerle. Ella sabía que Enrique había estado a punto de abandonar. Sabía incluso que la única razón por la que no lo había hecho era aquella chica tan joven que había ido a verle a la pastelería para que supiera que seguían teniendo un contacto dentro de Los Peñascales. Por desgracia, Yénifer ya no está, le había dicho, pero ahora me tenéis a mí. La expresión de Elisa, el brillo de sus ojos, el temblor de su voz, le habían emocionado tanto que no tuvo valor para defraudarla, pero la contrapartida de esa emoción fue la certeza de que estaban jugando a un juego tan peligroso que una simple pegatina le había costado la vida a una persona. Eso le había enseñado que no podía dejarse llevar por sus emociones, y sin embargo, una vez más, no encontró la manera de resistirse a las de su mujer.

—Mi abuelo ha sido mi padre y mi madre durante casi toda mi vida, Enrique. Hasta que te conocí, no tuve más familia que él. Y es verdad que es mayor, pero también que está muy solo. Yo creo que si celebráramos la próxima reunión en su casa y le dejáramos manipular la cámara, se daría por satisfecho.

—Eso sí que no —aunque impuso sus condiciones—. Sería demasiado peligroso, sobre todo para él.

Domingo, Nicolás y Queti se reincorporaron al grupo en el obrador de la Pastelería Duarte, la misma tarde de miércoles en la que Enrique les presentó a Elisa Llorente. Aquella vez, el título del taller fue Merengues I, y aunque Laura temía que su abuelo inaugurara la reunión con sus reproches, la espontaneidad de la novia de Nicolás hizo sonreír incluso a la recién llegada antes de que nadie tomara la palabra.

—¡Ah! ¿Pero es que vais a hacer merengues de verdad? —Queti empezó a rebuscar en su bolso hasta que encontró un cuadernito forrado con una tela de flores rosas y un bolígrafo pequeño, estampado con el mismo motivo—. Pues voy a tomar notas y así aprendo, que nunca está de más...

—No —hasta Enrique sonrió—. Los merengues son una

excusa por si aparece alguien extraño por aquí. Vamos a hacerlos, pero no vamos a explicaros el proceso, aunque luego, si quieres, te doy la receta.

—Pero no guardes el cuadernito, Queti te llamas, ¿no? —en ese momento, Paula Tascón tomó la palabra y ya no la soltó—. Tengo muchas cosas que contaros.

Mientras hacía un resumen para quienes no habían asistido al taller de los *coulants* de chocolate, tuvo la sensación de que Elisa Llorente no sólo comprendía perfectamente los aspectos técnicos de su plan. Aquella chica, que vivía en el área residencial de los mandos del Cuerpo Nacional de Vigilantes, que había contemplado con sus propios ojos un asesinato provocado por una pequeña campaña de propaganda artesanal, calibró las consecuencias del plan de Paula mejor que ningún otro miembro del grupo.

—Pero eso sería... —y su cara se iluminó sólo de pensarlo—. Si sale bien, será acojonante, en serio. Se van a volver locos.

Sólo entonces, Domingo Caballero, que no se había enterado bien de lo que Paula había explicado, se atrevió a intervenir.

—Yo no os entiendo, la verdad... Si estamos dispuestos a luchar, lo suyo sería poner una bomba o algo así, ¿no? —miró a Nicolás para comprobar que estaba sonriendo—. Eso sí que les volvería locos.

—¡Pero si esto es una bomba! —Elisa se echó a reír—. ¿Qué más quiere?

Paula Tascón había hackeado la web de la agencia de publicidad tan deprisa que se asustó. Nunca había olvidado el nombre de su contacto, el encargado de la cuenta de su empresa que le había explicado cómo funcionaban las cosas cuando llegaron aquellas videocámaras que no pudieron anunciar a tiempo, y comprobó sin demasiado esfuerzo que ni su identificación ni su dirección de correo electrónico habían cambiado desde entonces. Todo fue tan misteriosamente fácil que sintió que estaba avanzando por un campo minado. Antes de suplantar la identidad de Manuel Ángel Sánchez Sánchez, buscó sin descanso una trampa, un cebo, cualquier defensa oculta, pero todas las puertas que empujaba estaban abiertas y ninguno de sus movimientos parecía desarrollar consecuencias. La seguridad del sistema era tan nula, el señor Sánchez tan vago que hasta sus claves de acceso a las imágenes de los anuncios estaban guardadas automáticamente, como esperando a que Paula pulsara una tecla. Sólo después de descubrirlo, se le ocurrió pensar que en realidad Manuel Ángel era un simple oficinista, un empleado sin responsabilidades ni conocimientos informáticos, un subordinado que se limitaba a ejecutar una rutina muy sencilla. Ocupaba un puesto de coordinador porque llevaba muchas cuentas a la vez, pero su trabajo consistía en recibir las propuestas iniciales de los creativos de la agencia, reenviarlas a la Dirección General de Centros Comerciales, recibir sus comentarios y, cuando hacía falta, repetir el proceso con las imágenes corregidas, convertidas ya en anuncios.

A pesar de lo que había descubierto, Paula tuvo miedo. Nunca tanto como el día en que, sin contárselo a nadie, ni siquiera a Jonás, accedió a las imágenes publicitarias por primera vez con las claves de Manuel Ángel Sánchez Sánchez. Estuvo dentro diez segundos, ni uno más ni uno menos, y al salir destruyó el ordenador virtual que había creado para entrar. Repitió el proceso al cabo de una semana, convencida de que la habrían detectado y tendría que buscar otro camino, pero la puerta que había atravesado una vez seguía estando abierta, y así había permanecido desde entonces. Ni el legítimo dueño de la cuenta se había percatado de que alguien estaba suplantando su identidad, ni el sistema había percibido el ataque. Cuando se resignó a su buena suerte, comprendió que, para los funcionarios del MCSY, la red legal era una reencarnación de la Arcadia feliz, un territorio mítico, sin ordenadores ilegales, sin hackers, sin teclados fuera de control, cuyos usuarios se sentían completamente seguros, tan a salvo como los vecinos de los pueblos que, un par de siglos antes, nunca cerraban las puertas de sus casas, ni de día ni de noche.

—Hemos tenido muchísima suerte —resumió Paula—, pero es importante que lo hagamos todo bien, porque ya os advertí que íbamos a tener solamente una bala y no podemos errar el tiro. Estoy segura de que, cuando lancemos nuestro anuncio, cerrarán la red legal a cal y canto. Quizás se tomen el trabajo de investigar por qué camino he accedido —¡pobre Manuel Ángel!, pensó para sí misma—, o quizás ni siquiera se molesten en eso, pero cuando salga, no podré volver a entrar. Aunque les vamos a pillar desprevenidos, no son nada torpes y tienen en nómina a los mejores hackers que ha producido este país. Imagino que les compensará desconectar las pantallas hasta asegurarse de que están blindadas para que esto no pueda volver a repetirse. Y no se repetirá.

Las últimas palabras de Paula crearon un silencio solemne, tan espeso que el eco de las varillas con las que Juan estaba montando claras creció en el aire como el estruendo de una motosierra.

—Bueno —hasta que Queti intervino, de nuevo a tiempo—, yo no me he enterado de nada, la verdad. Pero si me explicas para qué necesito el cuaderno, hago lo que me digáis.

Jonás y Paula se habían repartido el trabajo. Mientras ella se ocupaba del señor Sánchez, él había accedido a la base de datos de la televisión pública. Con la excusa de lo que ya se había convertido en toda una serie documental sobre el Gran Apagón, el encargo que concentraba las energías de su equipo del canal Historia de España, había hecho una lista de los centros comerciales de Madrid, para ordenarlos después por tamaño y afluencia de clientes. Cuando llegó aquella tarde al obrador, creía que los miembros del grupo seguirían siendo siete, y se alegró mucho al comprobar que habían crecido, aunque eso le obligó a corregir su planificación sobre la marcha.

—Lo que hay que hacer es muy sencillo, sobre todo ahora que ya somos once, un equipo de fútbol como si dijéramos

—tras la gravedad de las advertencias de Paula, aquel comentario relajó el ambiente—. Se trata de que cada uno de nosotros tome nota del orden en el que se reproducen los anuncios en las pantallas de cada centro comercial, nada más. Todos sabemos, porque lo hemos visto muchas veces, que cada centro tiene bloques de publicidad específica donde se anuncian los restaurantes, los cines, etc. Eso no nos interesa. Pero cuando veáis que arranca otra clase de anuncios, de grandes cadenas de tiendas, de marcas de ropa, de electrodomésticos, las ofertas semanales de los supermercados y los productos que hay en todos los centros, quiero que apuntéis qué anuncios veis y en qué orden aparecen, nada más. No lo escribáis en los móviles porque no son seguros. Podéis usar papeles sueltos, una libreta, un cuadernito —señaló a Queti con el dedo y ella sonrió—, lo que prefiráis. Lo único que necesitamos saber es si la publicidad general es la misma en todos los Centros o no. Así podremos decidir en qué bloque conviene insertar nuestro anuncio para que lo vea más gente, ¿está claro?

—Sí —Domingo se echó a reír—. A ti se te entiende mucho mejor que a tu novia.

—¿Y yo? —preguntó Elisa—. Yo no vivo en Madrid.

—Mejor —aprobó Jonás—. Así averiguaremos si podemos llegar también a los centros comerciales de las afueras. Toma nota de la publicidad de las pantallas de Los Peñascales y escoge otro centro grande de la sierra, yo qué sé, El Escorial, por ejemplo, para darte una vuelta —cuando Elisa asintió, Jonás levantó la vista y fue mirando, uno por uno, a los demás—. Y otra cosa, igual para todos. Me da igual que vayáis un martes o un sábado, por la mañana, por la tarde o a cenar. Podéis elegir el día y la hora que os vengan mejor, escoger el horario que ofrezca la tasa de visita más baja. Podéis aprovechar para ir al cine, de compras, lo que os dé la gana, pero, si os quedáis más de una hora, volved a mirar las pantallas antes de salir para comprobar si los bloques de publicidad han cambiado. Creemos que son siempre los mismos, pero tenemos que estar seguros —miró hacia los papeles que había traído y negó con la cabeza—. Tenía una lista preparada, pero ya no vale. Enseguida os paso otra con los centros que nos tocarían a cada uno. Sin contar con el Día de Compras de cada cual, creo que con dos centros por barba tendremos de sobra, así que no deberíamos tardar más de tres semanas en reunir toda la información.

Mientras Jonás rehacía sus papeles, Paula miró a Mónica y ella resopló.

—Yo sí que he estado a punto de volverme loca —murmuró, antes de levantar la cabeza y la voz al mismo tiempo—. Y tengo una propuesta, pero no sé si os va a gustar.

Mónica Hernández se había ofrecido a buscar un nombre para la organización porque, al igual que Jonás, tenía acceso a la base de datos de la televisión pública y la excusa perfecta. Era la coordinadora del equipo que estaba elaborando el guion de *El Gran Apagón, la verdadera historia* y, al repartirse el trabajo, reclamó la documentación de las supuestas organizaciones terroristas que atentaban y desaparecían continuamente desde que el MCSY alcanzó el poder. Nadie se la disputó, y así, trabajando al mismo tiempo para el canal Historia de España y para sí misma, afrontó dos descubrimientos que encajaban a la perfección entre sí.

En primer lugar, las bandas terroristas registradas en los archivos del Cuerpo Nacional de Vigilantes habían sido muchas, pero aún más efímeras, porque la mayoría de ellas habían reivindicado una sola acción. Mónica encontró muchas imágenes de la desarticulación de aquellas que las autoridades habían ido calificando, sucesivamente, como las más peligrosas que operaban en el territorio nacional, pero calculó que no superaban el sesenta por ciento del total. Las demás, entre las que encontró algunos grupos que habían llegado a hacerse tan célebres como el Frente Popular Antisistema, responsable del asalto que le costó la vida a un médico, una enfermera y un chófer en el paseo del Prado de Madrid, se habían desvanecido en el aire por sí solas, como pompas de jabón en un bosque de abetos. Aunque los vigilantes, con la certeza de estar colaborando en una operación de imagen de la que saldrían muy favorecidos, le abrieron sus archivos sin restricciones, Mónica no encontró ningún rastro del FPA, ni el nombre de sus miembros, ni pistas sobre su origen, ni una simple hipótesis sobre la ruta que les había permitido escapar, mucho menos noticias de actividades posteriores de activistas vinculados a aquel atentado. En su caso, como en muchos otros, la última línea se limitaba a informar de que la investigación había resultado infructuosa.

Desde que se quedó sin internet en su casa de la sierra y oyó hablar de terroristas antisistema por primera vez en su vida, Mónica Hernández sospechaba que todos los atentados que aparecían en televisión, los pocos que habían causado muertes y los muchos que se habían limitado a incendiar o destruir instalaciones, públicas y privadas, para producir unos cuantos heridos, eran obra del mismo gobierno al que teóricamente combatían. Después de repasar, una y otra vez, la lista de los nombres que le facilitaron en el archivo del Cuerpo Nacional de Vigilantes, estuvo ya completamente segura de que era así, porque tanta perfección no podía ser espontánea.

Alguien había tenido que recurrir a los libros de Historia para confeccionar una especie de vocabulario de la subversión, recopilando los nombres y adjetivos que los españoles asociaban con la resistencia antigubernamental desde el siglo XIX. Después había combinado esos términos, cuidando de que ninguno se repitiera en exceso, para ir bautizando a los enemigos del MCSY. Quienquiera que se hubiera encargado de eso había hecho un buen trabajo. La prioridad de Mónica Hernández era evitar que el nombre de su grupo pudiera asociarse con el de alguna banda terrorista. Por eso descartó desde el primer momento el término Antisistema y todos los que empezaran con el mismo prefijo, como Antifascista o Anticapitalista. Pero no se le ocurrió que a continuación tendría que ir tachando también, una por una, todas las propuestas que se le habían ocurrido.

Ejército, Popular, Guerrilleros, Guerrilla, Libertad, Libre, Democrático, Frente, Lucha, Luchadores, Resistencia, Resistentes, Junta, Pueblo, del Pueblo, República, En pie, En marcha, Federación, Confederación, Plataforma, Revolución, Revolucionario, Unión, Grupo, Brigada, Regimiento, Dignidad, Social, Sociedad, Esperanza, Solidaridad, Fraternidad, Futuro... Mientras las repetía para sí misma, sentía que estaba revolviendo un baratillo de ropa usada. No estaba segura del propósito que había inspirado un trabajo tan primoroso, pero llegó a pensar que hasta podía ser un juego, un pasatiempo en el que los miembros de un equipo competían por el nombre más original, el más sonoro, el que mejor se adaptara al carácter de la organización que se estaban inventando. Después consideró que, tal vez, el único origen de aquel fenómeno hubiera sido la necesidad de encontrar denominaciones diferentes para lo que, en los primeros años de gobierno del MCSY, había sido toda una marea de presunto terrorismo. Con el tiempo, los atentados habían ido bajando considerablemente en número e intensidad, pero ella sabía mejor que nadie hasta qué punto se habían empeñado las cadenas de televisión en que la memoria del primer terror nunca se borrara. Por una razón o por otra, todas las palabras en las que fue pensando resultaron ser igual de inservibles para nombrar a una organización tan auténtica como el pequeño grupo de desgraciados que se reunía de vez en cuando en el obrador de una pastelería. Todas habrían evocado la marca de una banda armada, y sin embargo, dándole vueltas y más vueltas a esa lista que ya se había aprendido de memoria, Mónica Hernández acabó encontrando un territorio virgen, tan remoto e insignificante que temió que nadie quisiera habitarlo con ella.

—Ha sido muy difícil —les advirtió después de leer la lista de sus descartes para dejarlos a todos con la boca abierta—, pero al final he encontrado una palabra que no se ha usado todavía. Esa es su principal virtud. Se parece tan poco a los nombres de los grupos terroristas antisistema, que de entrada nadie nos asociará con ellos. Tampoco es una palabra famosa. Yo diría que es incluso muy humilde, pero es bonita, y suena bien. Desde la guerra de la Independencia contra los franceses, la gente la decía para referirse a los guerrilleros, a los luchadores que resistían en las montañas.

Hizo una pausa para invitar a los demás a resolver el acertijo y Queti fue de nuevo la más rápida, aunque arrugó las cejas como si no le gustara lo que iba a decir.

—¿El monte?

—El monte —confirmó Mónica—. Aunque hace mucho tiempo que no se usa, durante más de un siglo fue un sinónimo de la resistencia, de la lucha contra las dictaduras.

—Pero también era un sitio, ¿no? —a Queti seguía sin gustarle—. La gente hablaba del monte porque los guerrilleros estaban allí escondidos, pero nosotros no estamos en ninguna montaña, sino en el centro de Madrid, así que...

Elisa levantó la mano como si estuviera en clase, pero Domingo se le adelantó.

—A mí me gusta —confesó para asombro de su nieta, que no había dejado de mirarle con recelo en ningún momento de la reunión—. El único problema que veo es que... Durante el franquismo, a los guerrilleros los llamaban bandoleros, decían que eran ladrones, delincuentes comunes. Por eso, aunque haya pasado el tiempo... No sé, igual por ahí intentan desacreditarnos.

—Pues a mí me encanta —intervino Elisa por fin—. Yo ni siquiera sabía lo que acaba de contar este señor, pero mi padre, que era periodista, decía muchas veces lo de echarse al monte. Le puso ese título a uno de los últimos artículos que escribió y es lo que estamos haciendo nosotros, ¿no? Nos hemos echado al monte, aunque estemos aquí mismo. Eso significa que el monte no es un lugar, que puede estar en cualquier parte.

En ese momento, la hija de Javier Llorente inventó de pasada, sin darse cuenta, dos frases que llegarían a ser más célebres que ninguna que hubiera escrito su padre.

—¡Es maravilloso! —el primero que lo comprendió fue Jonás—. ¿Lo veis? —y levantó su cuaderno en el aire para enseñar a los demás el dibujo que acababa de hacer—. Esto podría dibujarlo hasta un niño en una guardería —eran tres triángulos unidos por la base con una raya—. ¿Puedo usar tu pizarra, Enrique?

El dueño de la Pastelería Duarte miró con preocupación las dos listas que había confeccionado antes de que empezara la reunión y se resignó a borrar los pedidos del día siguiente, preservando la lista de tareas con una raya vertical que dividió el espacio por la mitad.

—¿Te vale con esto? —dijo mientras le ofrecía el rotulador a Jonás.

—De sobra.

Dibujó en la zona superior tres montañas nevadas sobre un llano con árboles y matorrales.

—Esto es una cordillera, ¿verdad? Pero esto... —debajo hizo un dibujo tan esquemático como el que acababa de enseñarles— también lo es —y borró ambos para seguir dibujando—. La montaña del centro puede ser más alta que las otras dos, pueden ser las tres iguales, inclinarse hacia el mismo lado, hacia lados distintos, llegar hasta el suelo o no... Pero todas son cordilleras, conjuntos de tres montes, fáciles de identificar, fáciles de dibujar, fáciles de reproducir con un espray sobre una pared, ¿o no? —Juan y Juanito, que cada vez tenían más ganas de liarse a hacer pintadas, asintieron con vehemencia—. Y si añadimos los dos eslóganes que acaba de inventarse Elisa...

Mientras volvía a borrar la pizarra para dibujar en el centro tres montañas muy sencillas, la aludida se puso una mano en el pecho, como si acabara de llevarse un susto de muerte, antes de protestar.

—Yo no me he inventado nada.

—Claro que sí —Jonás asintió mientras escribía dos frases, una encima y otra debajo del dibujo, antes de apartarse para que todos pudieran leerlas.

EL MONTE ESTÁ EN TODAS PARTES

Y dedicó a sus compañeros una sonrisa de oreja a oreja antes de hacer su última aportación.

—No aplaudáis, que nos van a oír.

No hubo aplausos, pero sí besos, abrazos y muchas sonrisas.

Hasta Queti reconoció que así sí, que de esa manera a ella también le gustaba el nombre, y hasta se olvidó de pedirle a Enrique la receta de los merengues.

Al despedirse de los demás, Domingo Caballero Pérez pensó que Paco Segarra estaría muy orgulloso de él cuando pudiera contarle todo aquello.

Tardó un buen rato en darse cuenta de que nunca jamás debería hablar con el terapeuta de lo que pasaba en el obrador de la Pastelería Duarte.

Y se asustó mucho, pero no tardó demasiado en olvidarlo.

A la una en punto de la tarde de un radiante sábado del mes de abril, Mónica Hernández Rodríguez hizo una llamada telefónica desde el Centro Comercial Argüelles.

—¿Jonás? —siguió hablando sin esperar respuesta—. ¿Qué tal, cómo estáis? He pensado que el fin de semana que viene podríamos quedar a comer.

Sin perder un segundo, Jonás González Vergara contestó a esa oferta desde el Centro Comercial Atocha.

—Claro que sí. Voy a preguntarle a Paula y te digo, ¿vale?

—Vale, un beso.

Todavía no pasaban dos minutos de la una de la tarde cuando Jonás llamó a su mujer.

—¿Paula? —y tampoco esperó a que le respondiese—. Acabo de hablar con Mónica, que quiere que quedemos a comer el finde que viene. Hace un día buenísimo, ¿por qué no te vienes y tomamos el aperitivo por aquí? Te espero donde siempre.

Pero Paula Tascón Estébanez tardó un buen rato en salir de su casa. Primero pulsó una tecla, destruyó un ordenador virtual, reescribió varias veces una memoria externa para borrar cualquier rastro de su contenido previo, la desconectó y la desenchufó de la red eléctrica. Luego se recostó en su butaca y cerró los ojos. Esperó a que los latidos de su corazón recuperaran el ritmo normal sin dejar de acariciarse la tripa, para infundir serenidad al otro corazón que latía dentro de su cuerpo, y no dejó de hacerlo hasta comprobar que todo estaba en orden, ningún movimiento brusco, ningún síntoma inquietante, ninguna sensación desconocida. Tenía que ir al baño, pero antes abrió la puerta de la habitación de invitados como si no se acordara de que todos sus equipos ilegales estaban escondidos entre sacos de harina, en el almacén de la Pastelería Duarte. Por último volvió al estudio y se aseguró de que la memoria externa que ella misma había desconectado estuviera desconectada de verdad. Sólo después cerró la puerta de su casa con llave, llamó al ascensor, atravesó el portal, salió a la calle, caminó despacio hasta el centro comercial y no pudo evitar la sensación de que todas las personas con las que se cruzaba la estaban mirando, como si lo supieran todo y que ella era la culpable. Tardó casi media hora en llegar hasta la puerta de la antigua estación, pero antes de ver a Jonás, vio el anuncio que habían creado juntos, letras blancas sobre fondo negro, y leyéndolo, a muchos hombres y mujeres inmóviles, las cabezas levantadas hacia las pantallas, los ojos muy abiertos, el mismo gesto grave, indeciso entre la sorpresa y el temor, en todos sus rostros.

Tres semanas después de elaborar los merengues sencillos, de vainilla, de fresa, de limón, de café, que repartió entre los asistentes, Enrique Duarte convocó Merengues II. Esta vez tomó la precaución de anunciar el taller en la pastelería, un folio escrito a mano con rotuladores de colores que colocó en un lugar poco visible. Después, él mismo habló con las tres personas que se interesaron en participar para decirles que ya no quedaban plazas libres, pero que seguramente organizaría otros talleres en el futuro.

—¿Y se puede saber por qué has hecho esa tontería? —le preguntó Laura cuando se enteró.

—No es una tontería, sino todo lo contrario —se defendió él—. Lo he hecho por precaución. Estamos ya tan cerca del final que no tiene sentido correr riesgos.

—Pero poner ese cartel es un riesgo.

—No, y además... —se mordió la lengua a tiempo—. Ya verás como no.

A Enrique Duarte no le gustaba tener secretos con su mujer, primero porque no le parecía bien y además porque Laura le pillaba siempre. Pero Elisa Llorente le había puesto esa condición y él había decidido respetarla.

—Todavía no sé si es malo o es bueno, si puedo fiarme de ella o no. Por eso creo que es mejor que no se lo contemos a nadie.

Había aparecido en la pastelería sin avisar, un sábado por la tarde. Como no le encontró, preguntó por Juan y le pidió que llamara a su jefe por teléfono, porque tenía algo importante que decirle. Después de un par de intentos infructuosos, el chico le sugirió que fuera a buscar a Enrique a un parque que estaba cerca de su casa, porque sabía que había librado aquella tarde para quedarse con el niño. Si no lo encuentras allí, vuelve y le llamamos otra vez, se ofreció, pero no hizo falta.

—La primera vez que fui a la pastelería, un miércoles por la mañana, ¿te acuerdas? —Enrique asintió sin dejar de vigilar los movimientos de su hijo Mateo, audaz escalador de rampas y toboganes—, pues tuve la sensación de que ella estaba en la acera de enfrente, como si me hubiera seguido. Luego me la encontré por Los Peñascales una tarde, en un quiosco que hay cerca del lago, pero eso me pareció normal. Hoy, en cambio, no la he visto venir.

Aquella mañana, Elisa Llorente había caminado algo más de media hora desde su casa hasta la Estación de Cercanías de Las Matas. Podría haber cogido un autobús, pero no le apetecía que nadie le preguntara adónde iba, por qué o para qué. El Centro Comercial de El Escorial era grande, pero de pueblo, con franquicias corrientes y menos tiendas de marcas selectas que las propias de un recinto destinado a los habitantes de un área de residencia especial, como Los Peñascales. No contaba con encontrarse a ningún conocido en el tren, pero de todas formas se sentó en el vagón que iba más vacío.

Aquella mañana, Julia Pardo Aguirre volvió a Los Peñascales en su moto, desde Madrid, hacia las once de la mañana.

Había decidido quedarse a dormir en casa de sus padres cuando la celebración del cumpleaños de su hermano pequeño se alargó más de la cuenta. Le apetecía volver a la residencia para ducharse, arreglarse con tiempo y, a ser posible, estudiar un poco antes de ir a casa de Max Rodríguez, que la había invitado a una barbacoa. Pero no logró cumplir ninguno de esos tres propósitos, porque mientras circulaba por la vía de servicio de la autopista, vio a Elisa Llorente caminando en dirección contraria por el arcén hacia lo que sólo podía ser la Estación de Cercanías de Las Matas. Al llegar a una rotonda, dio la vuelta y la esperó dentro del edificio, cerca de las taquillas. Cuando la vio entrar en el vestíbulo, empezó a juguetear con las teclas de una máquina expendedora y, desde allí, escuchó que pedía un billete para El Escorial y le preguntaba a la taquillera si el Centro Comercial estaba muy lejos de la estación.

Al llegar a su destino, Elisa estuvo un buen rato mirando escaparates. Luego entró en una papelería, compró un cuaderno que le había gustado, un par de bolígrafos de colores, volvió a salir, dio otra vuelta y se sentó por fin en la terraza de una heladería. Desde allí, en el extremo de una de las plazas centrales, veía muy bien las pantallas. Pidió un batido de chocolate con nata montada y, mientras se lo traían, empezó a anotar los anuncios que se sucedían en la primera página de su nuevo cuaderno. Llevaba en el bolsillo trasero de los vaqueros un papel doblado, en el que había apuntado la secuencia publicitaria de Los Peñascales. Lo había leído tantas veces que no necesitó consultarlo para comprobar que ambos bloques de anuncios eran idénticos.

Aquella heladería, instalada en un local muy largo y bastante estrecho, tenía dos puertas opuestas, que se abrían a calles paralelas. Cuando vio a Elisa sentada en la terraza, Julia rodeó la manzana para entrar por la trasera. Hizo una parada ante el mostrador, se compró un helado, salió a la terraza con él en la mano y se recostó en el alféizar de una ventana para mirarla sin ser vista. Comprobó que la hijastra de Lafitte levantaba periódicamente la cabeza para escribir después en un cuaderno. Aunque no podía leer sus anotaciones, tuvo la impresión de que lo que le interesaba estaba en las pantallas, pero no le sorprendió demasiado. Aquella chica estudiaba una carrera nueva en la que, entre otras, habían incluido el antiguo grado de Sociología, y pensó que estaría recopilando información para un trabajo académico.

—Hola —después de liquidar el cono de barquillo, Julia Pardo avanzó hacia la mesa y se sentó enfrente de Elisa—. No te asustes, por favor. Hace tiempo que quiero hablar contigo.

Cuando terminó de decirlo, la única testigo del crimen en el que la habían obligado a participar ya había cerrado el cuaderno, lo había devuelto junto con el bolígrafo a la bolsa de la tienda en la que lo había comprado y tenía las manos apoyadas en los brazos de la butaca metálica en la que estaba sentada, para levantarse y salir corriendo.

—No te vayas, por favor, por favor —Julia extendió los dedos de su mano derecha a través de la mesa como si pudiera alcanzar a Elisa, retenerla—. Escúchame un minuto, sólo un minuto, mientras te acabas el batido. Te vi aquella noche en la verja trasera de la casa de Santisteban. Más o menos una hora después de que nos marcháramos, una moto cruzó por delante de ti cuando estabas a punto de salir, seguro que te acuerdas —hizo una pausa, pero Elisa no quiso confirmar esa suposición—. Bueno, pues la persona que iba en esa moto era yo. Sé que estabas allí, que lo viste todo, así que tuviste que verme también a mí. Y por eso sabes que estaba allí a la fuerza, que no participé en nada, ¿verdad? —los dedos con los que Elisa agarraba los brazos de la butaca se aflojaron y la vigilante se dio cuenta—. Te prometo que no quiero interrogarte, que no voy a detenerte ni pretendo que hagas una declaración a mi favor. Ha pasado mucho tiempo. Si hubiera querido implicarte, lo habría hecho ya.

Después, en el banco de un parque infantil del centro de Madrid, no supo explicarle a Enrique Duarte por qué se había quedado sentada, escuchando durante más de media hora a aquella agente tan joven. Por su pelo rizado, peinado apenas con los dedos, por su ropa y sus deportivas, cualquiera habría podido confundir a Julia Pardo con una de sus compañeras de la universidad, pero no renunció a huir por la familiaridad que le infundía su aspecto, ni por la solidez de sus argumentos, ni porque en efecto sabía que ella no había intervenido en el asesinato de Yénifer Mejía Flores, ni siquiera porque también había sido testigo del desprecio con el que la trataban sus compañeros. Se quedó porque, al mirarla a los ojos, tuvo el presentimiento de que le estaba diciendo la verdad. Algo en su interior la alertó de que aquella chica era de fiar, y le inspiró el pensamiento de que no perdería nada por escucharla, siempre que no le contara nada. Así que se quedó y mantuvo la boca cerrada. La agente Pardo no pareció incómoda por su silencio.

Aunque no solía prestar demasiada atención a lo que Víctor le contaba a su madre durante las comidas, Elisa estaba al corriente de algunas cosas que Julia le contó aquella mañana. Todos los vecinos de Los Peñascales sabían que, al fundar el Cuerpo Nacional de Vigilantes, el MCSY había recurrido a los empleados de las empresas de seguridad privada antes que a los agentes de los disueltos Cuerpos y Fuerzas de Seguridad del Estado, para poner a estos últimos a las órdenes de los primeros. La indignación de los antiguos funcionarios, sometidos a las órdenes de personas con mucha menos preparación y experiencia que ellos, había creado desde el primer momento fricciones constantes, abriendo en la estructura jerárquica del nuevo cuerpo una grieta que no paraba de crecer. En la práctica, los vigilantes estaban divididos en dos grupos opuestos, enemigos entre sí, un escenario difícil que la irrupción de la Legión Española había complicado más todavía. Oponerse al MCSY era muy peligroso y, por tanto, la mayoría de los vigilantes permanecían leales al gobierno, como le guardaban lealtad a su manera los legionarios, que no aspiraban a combatir el régimen, sino a apoderarse del poder desde dentro. Pero en el bando disidente, reveló Julia Pardo en un susurro, había muchos agentes e, incluso, algunos mandos.

—Por eso vinieron a mi habitación a buscarme aquel sábado por la noche, con una orden donde habían escrito mi nombre a mano. En realidad no pretendían perjudicarme a mí, que no soy nadie, una simple estudiante de máster, sino asegurarse de que... —hizo una pausa cuando estaba a punto de decir un nombre y dio un rodeo para continuar por un terreno más seguro—. Ellos sabían que el interrogatorio de Yénifer, tal como se planteó, era ilegal, que podría complicarles la vida incluso si no pasaba nada como lo que pasó al final. Decidieron saltarse las normas porque querían ganar puntos, colgarse una medalla ante sus jefes, que estaban histéricos por el asunto de las pegatinas, pero eran conscientes del riesgo que corrían. Por eso me incorporaron a su grupo, para asegurarse de que algún mando, del que sospechan que no es demasiado entusiasta del MCSY, no les denunciara. Porque al acusarles a ellos, me estaría acusando también a mí, a sabiendas de que soy inocente. ¿Lo entiendes?

Elisa asintió, lo entendía, y no despegó los labios para preguntar el nombre de ese mando por dos razones. La primera fue que estaba segura de que la agente Pardo no iba a pronunciarlo. La segunda, que creía saber de quién estaba hablando. No había averiguado todavía cómo se llamaba el oficial que la había acompañado al funeral de Yénifer, pero un día lo había visto hablando con Lafitte en la puerta de su casa, un encuentro casual en el que cruzaron apenas un par de frases, ambos muy sonrientes. Cuando Víctor entró, Elisa le preguntó quién era aquel hombre, ya sabes que soy muy cotilla, dijo, y el portavoz de los Vigilantes, que seguía estando de buen humor, sonrió de nuevo antes de contarle que era el director de la Academia de Los Peñascales. O sea, un pedazo de mando, concluyó Elisa para sí misma, mientras rebañaba con la pajita la nata que quedaba en la copa que tenía delante. Desde que se enteraron de que un vigilante llamado José Luis Muros había huido a Marruecos, antes incluso de que aparecieran las pegatinas que celebraron su fuga, los habitantes del área de residencia especial sabían que el enemigo estaba dentro, pero a ella nunca se le había ocurrido pensar que pudiera estar tan arriba.

—Lo que quiero que sepas es que puedes contar conmigo —Julia Pardo sacó su monedero de un bolsillo, buscó una tarjeta, se la tendió—. Si alguna vez estás en un apuro, el que sea, si necesitas ayuda de cualquier clase, llámame a este teléfono, ¿de acuerdo?

—Sí —esa fue la única aportación de Elisa a aquella conversación—. Gracias.

—De nada —se levantó para marcharse pero giró sobre sus talones antes de dar el primer paso—. Me vuelvo a Los Peñascales en la moto. Si quieres, te llevo.

Elisa Llorente se paró un momento a pensar. Mientras Julia hablaba, no había perdido de vista las pantallas que reproducían el bloque publicitario, los mismos anuncios ordenados a veces de la misma manera, a veces no, que ya se sabía de memoria, y eso la decidió a aceptar la oferta, con su casco correspondiente. Al llegar al área de residencia especial, el mecanismo que controlaba el acceso registró la matrícula de la moto de la agente Pardo y la barrera se abrió automáticamente. Los vigilantes de la garita ni siquiera miraron hacia la pasajera, y sin embargo, Julia se detuvo a tres bocacalles de la manzana donde estaba la casa de Lafitte. Elisa no le preguntó por qué. Volvió a darle las gracias al bajarse y ella le respondió que ya se verían por ahí. Así se despidieron.

—¿Y qué crees tú que significa todo esto? —Enrique Duarte, que la había escuchado en silencio, sin interrumpirla en ningún momento, formuló esa pregunta con un hilo de voz temblorosa.

—Pues no lo sé... —Elisa volvió a darle vueltas al asunto que llevaba mareándola toda la tarde—. Puede ser muy bueno o muy malo. Puede significar que tenemos la oportunidad de contactar con los vigilantes que están en contra del gobierno, y eso sería genial, pero también puede ser que sospechen de mí y estén intentando tirar de algún hilo, aunque no se me ocurre de cuál, porque tampoco he hecho nada que pueda alarmarles, ¿no? —a Enrique le hubiera gustado darle la razón, pero no se atrevió a responder—. Lo único que sé es que lo que dice esa chica es verdad, que si hubieran querido detenerme lo habrían hecho ya. Me ha contado que sus jefes han dispersado a los otros tres que fueron con ella a casa de Santisteban, que ahora ninguno vive en Madrid, pero no puedo saberlo. Sólo puedo decirte que tengo la sensación de que no intenta engañarme. Es sólo eso, una sensación, y ya sé que no significa nada, aunque también es cierto que los vigilantes no se andan con pamplinas, fíjate lo que pasó con Yénifer... Esta mañana, cuando ha parado la moto tres calles antes de llegar a la mía, he pensado que lo hacía para que no nos vieran llegar juntas a mi casa, pero estamos en las mismas. No puedo saber si lo ha hecho por el bien de las dos o para simular que está de mi parte...

Aquella noche, Enrique Duarte tardó mucho en dormirse y el domingo por la mañana, al levantarse, comprobó que la intensidad de su inquietud no había disminuido un ápice. Por un lado, sentía que la confidencia de Elisa Llorente le había atado las manos, que no podía avanzar en ninguna dirección, ni para animarla a confiar en la agente Pardo, ni para prevenir las consecuencias de ese posible error. Como ya le había pasado antes a la propia Elisa, algo en su interior le decía que la vigilante desconocida sólo buscaba ayudarles y, sin embargo, al día siguiente, antes incluso de entretenerse haciendo el anuncio de Merengues II, contrató una alarma nueva, tan rudimentaria como habían vuelto a ser todas desde el Gran Apagón, para el obrador de su pastelería. Le había dado muchas vueltas a la conversación de El Escorial, estaba casi seguro de que, si lo que pretendía era infiltrarse en el grupo, Julia Pardo habría hecho las cosas de otra manera, pero era evidente que estaba siguiendo a la hijastra del portavoz del Cuerpo Nacional de Vigilantes, y con independencia de la calidad de sus intenciones, no podía consentir que apareciera por las buenas en medio de una reunión. Sobre todo después de que, tras sopesar los pros y los contras, hubiera decidido anunciarla él mismo para dar un barniz suplementario de verosimilitud a un encuentro en el que iba a confeccionar dos tartas con cobertura de merengue. Creyó que tendría que darle explicaciones al menos a su mujer, pero ella, tan excitada como los demás, ni siquiera se fijó en que, después de dar la última bienvenida, su marido pulsaba una tecla en un dispositivo que nunca había visto. En ese momento, al otro lado de la puerta se iluminó un piloto rojo, advertencia de que estallaría un ruido infernal si alguien intentaba forzar la cerradura. No era gran cosa, pero no había nada más.

—Bueno, bueno, todos a la vez no —Jonás pidió calma mientras depositaba un ordenador portátil encima de una silla—. Paula y yo hemos estado en cuatro centros comerciales distintos, y los bloques de publicidad de los cuatro eran idénticos. Si os parece, voy a leer en voz alta nuestra lista y que cada uno la compare con la suya, para ver si hay alguna diferencia...

Cuando terminó de leer, había muchas manos levantadas.

—Ya —Paula asintió con la cabeza después de escuchar la primera objeción—, pero eso no es un problema. Nosotros también hemos visto que existen dos bloques de publicidad general, siempre con los mismos anuncios, aunque no siempre se reproducen en el mismo orden. A veces aparece un bloque antes de los anuncios de restaurantes y locales de ocio, y a veces aparece otro, y a veces van los dos seguidos, y a veces uno se repite y el otro no, eso es lo que queréis decir, ¿no? —un coro de síes confirmó su hipótesis—. Vale. Lo hacen para que la gente no se canse de ver siempre lo mismo, para que siga prestando atención a las pantallas, pero no nos afecta. Lo importante es que los mismos anuncios aparezcan en un bloque determinado, aunque no estén ordenados siempre igual. ¿Alguien ha visto algo distinto?

Jonás y Paula esperaron pacientemente a que se confirmara lo que ya sabían mientras los demás se entregaban a una comprobación larga y trabajosa, en la que cada uno cruzó sus datos con los de todos los demás. Sólo después de certificar que nadie había encontrado excepciones a la regla de Paula, Jonás encendió su portátil y pidió a los demás que se pusieran detrás, de pie, para enseñarles el resultado de su trabajo.

—Hay que tener en cuenta que no está terminado —les advirtió—, y que tampoco es muy bonito. Modestia aparte, yo podría haber hecho una animación espectacular, pero me habrían encontrado enseguida, así que he optado por un programa de dibujo muy básico. ¿Estáis preparados?

El anuncio apenas pasaba de los diez segundos. Sobre un fondo negro, aparecían, en primer lugar y en letras blancas, los dos eslóganes que ya conocían, EL MONTE NO ES UN LUGAR en la parte superior, EL MONTE ESTÁ EN TODAS PARTES en la inferior. En el centro, a idéntica distancia respecto a ambas frases, un punto blanco iba dibujando una cordillera esquemática, que se apoyaba en una línea recta que hacía las veces de suelo. Cuando el dibujo se completó, los eslóganes desaparecieron para dar lugar a otras dos frases, en letras también blancas de idéntico tipo y tamaño, POR LA DEMOCRACIA arriba, CONTRA LA DICTADURA DEL MCSY debajo. Y nada más.

—No os emocionéis, porque todavía no está bien —Paula cortó de raíz una incipiente oleada de felicitaciones—. Tenemos un problema con los textos, que son lo más importante de todo. Al principio, probamos a poner sólo las frases de Elisa, pero aunque las dos son muy buenas, por sí mismas no significan gran cosa. La gente podría creer que se trata de la publicidad de una nueva cadena de supermercados, El Monte, especializada en productos de proximidad, ¿os dais cuenta? —los entusiastas espectadores del principio fueron asintiendo con desgana, uno tras otro—. Por eso nos decidimos a incluir lo de la democracia y la dictadura que, aunque es muy contundente, también es muy obvio. Ya nadie puede dudar de que se trata de un mensaje político, pero es demasiado corto, y además me gustaría rematarlo con algo original, que vaya más allá de las consignas antiguas. Necesitamos una frase que no se parezca a las del pasado, que sea específica de la lucha contra estos hijos de puta de ahora mismo, no sé, a ver qué se os ocurre. Nosotros le hemos dado muchas vueltas, pero no hemos encontrado nada que nos convenza...

El silencio fue mucho más breve de lo que Paula había calculado, la solución casi instantánea.

—Lo más específico de la dictadura del MCSY es su lema, ¿no? —intervino Enrique—, así que podemos darle la vuelta. Yo propongo que cerremos anunciando que nada va a mejorar.

—Estupendo —aprobó Mónica, antes de completar la frase—. Nada va a mejorar porque todo es mentira. ¿Qué os parece?

—A mí muy bien —intervino Domingo—, porque yo odio esa frase y las malditas chapas de los sonrientes más que ninguna otra cosa en este mundo.

—A mí también me encanta —Paula aplaudió sin hacer ruido—. Si nadie vota en contra, lo arreglamos ahora mismo.

Cuando la segunda tarta salió del horno, el anuncio ya tenía la duración ideal, quince segundos, y tres bloques de texto que se iban sucediendo mientras el logotipo de la cordillera permanecía inmóvil en el centro de la imagen. Justo después, Enrique disolvió la reunión, que ya duraba más de dos horas. Antes de salir, Jonás dejó sobre la mesa el portátil con el que había estado trabajando, dos memorias externas que Paula sacó de su bolso, y dos *smartphones* antiguos que ambos habían transportado en los bolsillos de sus pantalones.

—En la próxima reunión traeremos lo que falta. Tenemos otro portátil y algunos cachivaches más, pero te prometo que no abultan mucho.

Al cabo de dos semanas, el taller se llamó Hojaldre a secas, porque todos comprendían que aquella reunión tendría que ser la última en una buena temporada.

—Lo haremos dentro de diez días —anunció Jonás, después de encender su segundo portátil ilegal para enseñarles la última versión del mensaje, que había ganado mucho con la frase final—, el próximo sábado no, al siguiente. Todos sabéis que los centros comerciales se llenan hasta los topes los sábados y los domingos a partir del mediodía. Lo hemos estado pensando y al final hemos elegido la una de la tarde del sábado. Es uno de los picos de afluencia más importantes de la semana, la mayoría de los técnicos tendrán el día libre, y faltará poco para que los que estén de guardia se marchen a comer. Creemos que, entre unas cosas y otras, nuestro anuncio podrá reproducirse durante varias horas sin interrupción. No sabemos desde dónde se controlan las pantallas, ni quién se encarga de ese trabajo. Yo me imagino que los vigilantes andarán por medio, porque en este país nada se mueve sin ellos, pero no estoy seguro. Tú sabes algo, ¿Elisa?

—No, nunca he oído nada de eso, lo siento —hizo una pausa para mirar a Enrique—. Aunque si queréis, puedo preguntar. Conozco...

—No, no, no, no, no —Paula la interrumpió con los ojos más fruncidos que cerrados, las manos moviéndose en el aire como las aspas de un molino sin control—. No me jodáis. A partir de ahora que nadie haga absolutamente nada, por favor. Ni preguntar, y eso te incluye a ti, Jonás —el aludido intentó protestar, pero su mujer levantó la mano en el aire para indicar que no había terminado—, ni hacer el menor comentario sobre las pantallas, nada de nada... Yo os pediría que ni siquiera las mirarais cuando vayáis al Día de Compras. No podemos cagarla ahora que estamos tan cerca. Ningún movimiento sospechoso, ni una puta palabra a nadie, por favor.

A pesar de la seguridad que transmitía, Paula Tascón había perdido el control sobre su vocabulario porque estaba muy nerviosa. Había repasado un millón de veces todos los detalles del procedimiento, estaba cansada de suplantar la identidad de Manuel Ángel Sánchez Sánchez sin que la detectaran, se sabía de memoria las imágenes del bloque publicitario que había escogido, pero le costaba mucho conciliar el sueño, tenía que obligarse a comer, y se sentía culpable por estar perjudicando a su bebé, aunque la semana anterior había pasado una revisión con resultados perfectamente normales. Nada la aterrorizaba más que el amanecer del tercer sábado de abril, y no deseaba nada con tanta intensidad. A veces pensaba que su seguridad, la certeza de haber resuelto todos los problemas, podría convertirse en debilidad, que acabaría metiendo la pata en el detalle más tonto, y volvía a repasarlo todo punto por punto, y cada vez estaba más segura, y cada vez tenía más miedo de sí misma. A aquellas alturas, joder al Oso y a Javi Oliva, acertar con una pedrada en el centro de la frente del MCSY, le importaba mucho menos que recuperar la tranquilidad. Quizás por eso le sentó bien explicar al resto del grupo lo que iba a hacer.

—Es muy sencillo —y al decirlo, se dio cuenta de que era muy sencillo de verdad—. Parece complicado, pero técnicamente está resuelto, y voy a intentar que todos lo entendáis... —eso era más difícil—. Voy a encriptar, o sea, a meter de extranjis, como si dijéramos, nuestro anuncio en una secuencia de imágenes publicitarias. No va a estar pegado a una sola, sino que irá saltando de un anuncio a otro. Si todo sale bien, ni siquiera yo sabré entre qué imágenes va a aparecer en cada momento. Los que controlen las pantallas no podrán detectarlo, porque será un archivo sin nombre, sin un origen que se pueda rastrear —intentó rebajar el nivel al detectar el incremento de los ceños fruncidos—. Será como un espía, ¿comprendéis?, de esos que se sabe que existen, pero nadie sabe quiénes son... —solamente un par de ceños volvieron a su estado original, y dejó por imposibles a los demás—. Algo parecido a eso. El anuncio se reproducirá de forma aleatoria, es decir, como por azar, y en un intervalo también aleatorio, entre uno y cinco minutos. Cuando aparezca por primera vez, yo tampoco sabré cuánto tiempo pasará hasta que vuelva a estar en las pantallas, sólo que no se repetirá en menos de un minuto ni en más de cinco.

—Pero tú no lo verás, ¿verdad? —se inquietó Laura—. Tú no vas a estar en ningún centro comercial.

—No, yo estaré en mi casa. Cuando Jonás me llame por teléfono para decirme que Mónica quiere quedar un día a comer, entenderé que todo está en marcha, destruiré el ordenador virtual desde el que he lanzado el anuncio y reescribiré la memoria externa en la que lo he creado, para que nadie pueda saber de dónde ha salido.

—Hemos pensado que lo de las llamadas es lo mejor —explicó Mónica, que había estado hablando con Jonás después de la última reunión del equipo de *El Gran Apagón, la verdadera historia*—, porque los dos somos compañeros en la tele, y a nadie puede extrañarle que quedemos fuera del trabajo de vez en cuando. No sabemos si las llamadas telefónicas se graban, aunque nos imaginamos que no, porque sería carísimo. El MCSY no gasta dinero a lo tonto, pero, por si acaso, ya hemos ensayado lo que vamos a decir. Lo que es muy importante es que tengáis en cuenta que los sms sí pasan por un filtro. Alguien lee el texto antes de aprobarlo y cobrar por el servicio, así que todos los mensajes quedan registrados. Ni se os ocurra mandaros mensajes entre vosotros, por favor.

—Ni mensajes, ni hostias, lo mejor es que no hagáis nada de nada, ¿entendido? —insistió Paula—. El tercer sábado de abril vais al centro comercial que más os guste, veis el mensaje, os emocionáis y os lo guardáis para vosotros. Si esto sale bien, vamos a abrir un puto agujero descomunal en el sistema, aunque no haya sangre, aunque no haya muertos. Ya lo dijo Elisa, se van a volver locos, y puede pasar cualquier cosa o nada, no lo sabemos.

Jonás y Mónica estaban seguros de que no iba a pasar nada. Ambos creían que la prioridad del MCSY sería limitar al máximo la difusión del anuncio que sólo habrían podido ver las personas presentes en los centros comerciales mientras se emitía, y una súbita oleada de detenciones y registros sin motivo conocido llamaría demasiado la atención. Pero ninguno de los dos quiso hablar de ese tema en una reunión cuya atmósfera se enrareció en el instante en el que nadie encontró nada más que añadir. Un silencio tenso se instaló en el centro exacto de la euforia que unos minutos antes los había atravesado como una corriente eléctrica. Uno por uno, se fueron abrazando sin palabras al despedirse, y nadie preguntó cuándo volverían a verse. Todos afrontaron en solitario la tarea de vivir nueve días más como si al llegar el décimo no fuera a pasar nada especial. Y el tercer viernes de abril, ninguno durmió bien.

Al día siguiente, Domingo fue un momento a casa de su nieta para decirle que Nicolás y Queti le habían invitado a comer con ellos en el Centro Comercial de La Guindalera.

Laura y Enrique fueron con Mateo al Centro Comercial Callao poco antes de las doce de la mañana. Por desgracia, su hijo todavía era demasiado pequeño, y no recordaría después aquella hora mágica en la que sus padres le compraron lo que se le antojó y le montaron en todas las atracciones disponibles, un cochecito alimentado por monedas, una cama elástica, una piscina de bolas, para estar ocupados y hacer tiempo hasta la una.

Elisa volvió a caminar hasta la Estación de Las Matas y tomó un tren para pasear un rato por el Centro Comercial de El Escorial. Le habría gustado sentarse en la misma terraza que la primera vez, pero todas las mesas estaban ocupadas y, diez minutos antes de la una, se instaló en una mesa del local contiguo, vermú y patatas fritas en lugar de un batido de chocolate con nata.

Mónica pagó una tasa de visitante en el Centro Comercial Argüelles, porque no le gustaba la idea de coincidir con sus vecinos en Callao. Se compró una blusa que no necesitaba, y tampoco le gustaba demasiado, para no salir de allí con las manos vacías, pero no volvió a gastarse un céntimo hasta que pudo sacar su teléfono del bolso para hacer una llamada. Sólo después se metió en un bar y pidió una copa de vino, la primera en mucho tiempo. La pagó por adelantado, para comprometerse consigo misma a no pedir la segunda.

Jonás salió de su casa a mediodía con su cuaderno de dibujo y sus lápices. Cuando llegó al Centro Comercial Atocha, se sentó en un banco y empezó a dibujar la fachada de la antigua estación. Una niña se acercó a mirar lo que hacía, una señora le preguntó si vendía los dibujos, respondió que no, cerró el cuaderno, guardó los lápices y se dedicó a pasear sin rumbo fijo hasta que pudo acodarse en una mesa alta situada junto a la puerta de un bar, donde pidió una cerveza con una magnífica vista a las pantallas. Allí seguía cuando llegó su mujer.

Paula se paró en medio del paseo cuando leyó por primera vez que El monte no era un lugar. Se emocionó tanto que bajó la cabeza para ocultar su rostro. Al levantarlo de nuevo, apenas llegó a leer que todo era mentira, pero escuchó el murmullo asombrado de las personas que la rodeaban, una voz ronca de hombre que murmuraba que ya era hora, joder, otra de mujer que decía que no pensaba moverse del sitio hasta que pudiera verlo diez veces más por lo menos. Luego avanzó a buen paso hasta la antigua fachada de la estación, se reunió con Jonás, le besó en la boca sin mediar palabra y, cuando se separaron, al volver la cabeza hacia fuera, pudo ver ya el mensaje completo, entre una oferta de una tienda de medias y el anuncio de la nueva, enésima novela, *Romántica y ardiente*, de Melania Carvajal.

Juan y Juanito, que seguían empadronados en Aluche, tenían el día libre, pero se les pegaron las sábanas y llegaron tarde al centro comercial de su antiguo barrio. A cambio, apenas tuvieron que esperar. Cuando entraron, los relojes marcaban las 13.07. Un minuto más tarde, vieron el anuncio por primera vez. En ese momento se abrazaron sin pensar en lo que hacían, lo pensaron, se soltaron tan deprisa como si les hubiera dado un calambre, y hasta se separaron un rato para volver a encontrarse en una tienda de cómics que les gustaba mucho.

—¿Habéis visto qué guapo? —les preguntó un dependiente que los conocía de un centro de menores donde habían coincidido los tres unos años antes.

—¿Qué? —respondieron los dos a la vez.

—¿Pues qué va a ser? —su amigo abrió los ojos como si no pudiera creer lo que estaba oyendo—. El anuncio ese del Monte...

Aquella noche, a las cuatro de la mañana, Juanito condujo la furgoneta de la pastelería hasta la estación de Cercanías de Entrevías. Al llegar hasta allí, dio la vuelta y circuló despacio para recoger a Juan, que se había bajado unos minutos antes para pintar una cordillera en el muro de la Renfe, uno de los lienzos favoritos de los grafiteros de Madrid hasta que los vigilantes lo limpiaron para recubrirlo de una impoluta capa de pintura de color crema.

—¡Ha quedado de puta madre, tío! —le felicitó al distinguir la pintada a la luz de los faros.

—Gracias —Juan se echó a reír—, pero tira ya, a ver si nos va a ver alguien...

Nadie los vio, nadie los paró, nadie se fijó en ellos, pero Juan y Juanito sí vieron, sí se pararon, sí se fijaron. Y antes de aparcar la furgoneta en la puerta de la pastelería, ya habían descubierto tres pintadas más.

5
Exilio

Camila Alcocer Hernández desapareció en Barbate, Cádiz, en un momento indeterminado del segundo domingo de julio.

La dueña del hostal en el que se había alojado con otros cuatro compañeros, monitores todos en un campamento de verano destinado a formar a nuevos voluntarios de repoblación, denunció la desaparición a primera hora del lunes. El viernes por la noche, al registrarse, le habían asegurado que saldrían ese mismo día, de madrugada, para llegar a Ronda a tiempo de dar sus clases, así que no había contado con verlos partir. Pero cuando las camareras se dispusieron a limpiar sus habitaciones, comprobaron que las puertas habían sido cerradas por fuera y, al abrirlas con una llave maestra, lo encontraron todo igual que ellas mismas lo habían dejado veinticuatro horas antes. Las camas estaban hechas, los armarios vacíos, un triste cepillo de dientes usado sobre la repisa de uno de los cuartos de baño, y nada más.

Los vigilantes de la comisaría de Barbate no hicieron mucho caso de la dueña del hostal, porque la conocían. Aquella mujer, la más cotilla del pueblo, les visitaba a menudo para poner denuncias, formular quejas e, incluso, proporcionarles información sobre personas que a ella, casi siempre sin motivo alguno, le parecían sospechosas. Los agentes intentaron tranquilizarla, argumentando que los supuestos desaparecidos se habrían llevado las llaves de las habitaciones sin darse cuenta, pero un barrendero las encontró esa misma mañana dentro de una papelera, cerca del puerto, y aquel misterioso hallazgo los puso en marcha. A mediodía llamaron por teléfono a la directora del campamento de Ronda, que les comunicó que aún no había vuelto ninguno de los monitores que habían salido el viernes con la intención de pasar el fin de semana en la playa. Pero estoy segura de que volverán, auguró, porque son muy responsables, igual han tenido un contratiempo o un accidente, ojalá que no... Aquella mañana no se había producido ningún accidente de tráfico en la ruta más corta entre Barbate y Ronda. Los vigilantes ya habían empezado a llamar a bares y gasolineras para darles la matrícula y la descripción del vehículo de los desaparecidos, cuando su furgoneta apareció, vacía, intacta y bien aparcada, junto al cementerio del pueblo. Sólo en ese momento, cursaron la denuncia e iniciaron la investigación.

—¡Os lo dije! —cuando la interrogaron, la dueña del hostal se hinchó como una gallina—. Anda que no soy yo larga, que no tengo olfato para estas cosas ni nada... Al llegar, me parecieron muy tranquilos y muy nerviosos a la vez, y me dije toma, aquí hay gato encerrado. Y ya veis...

—El domingo, al hacer las habitaciones, no encontramos equipaje —las dos camareras declararon lo mismo—, pero tampoco nos pareció raro, porque cuando vinieron, cada uno traía solamente una mochila, y como dijeron que se iban a la playa, a pasar el día...

—Sí, me lo dijeron a mí —confirmó la chica que servía los desayunos—. Antes de despedirse, me preguntaron qué playa me gustaba más, ¡como tenemos tantas! Yo les dije que, para mí, la mejor es la de Los Caños, pero no sé a cuál irían al final...

Hicieron caso de su recomendación. Llegaron a Los Caños de Meca a media mañana, comieron en un chiringuito, unos pescado frito y otros arroz caldoso, se bañaron varias veces y se marcharon al atardecer. En ese momento y en ese lugar se perdía su rastro, aunque alguien, ellos u otra persona, tuvo que volver en la furgoneta hasta el centro del pueblo para dejarla aparcada en el cementerio. Los vigilantes también lograron reconstruir lo que los desaparecidos habían hecho el viernes, cenar en un restaurante donde habían pagado con sus teléfonos, y el sábado, una excursión a las ruinas y la playa de Bolonia donde ninguno hizo nada fuera de lo normal, pero no lograron averiguar nada más. Entonces pidieron ayuda a la Brigada Central de Desaparición de Personas y el caso se empezó a complicar.

Una de las desaparecidas, Camila Alcocer Hernández, era hija de un alto cargo del MCSY. Dos agentes se desplazaron desde Barbate hasta Madrid para traspasar el expediente a una unidad especializada con la que colaboraron durante tres semanas sin obtener resultados, aunque la investigación arrojó un montón de cosas raras.

Carlos Alcocer, jefe de Comunicación del Movimiento Ciudadano ¡Soluciones Ya!, no veía a su hija desde antes del Gran Apagón, pero les presionó tanto como si no hubiera podido vivir durante más de ocho años sin noticias suyas.

—Encuéntrenla, por favor. Tienen que dar con ella, cueste lo que cueste, es muy importante para mí. He hablado con la secretaria general del partido, con el ministro, con el presidente del Gobierno... Todos se han comprometido a no escatimar esfuerzos y eso es lo que quiero pedirles —hasta que miró el reloj—. Ahora, si no necesitan nada más, voy a marcharme. Tengo una reunión muy importante en la agencia y no puedo llegar tarde.

Hugo Alcocer Hernández, hermano mellizo de Camila, estaba destrozado. Cuando se reunió con los vigilantes, tenía los ojos rojizos, inflamados de llanto, y no fue capaz de contestar a sus preguntas sin romper a llorar de nuevo.

—Fui a su pueblo a verla el día de nuestro cumpleaños. Voy todos los años, me gusta que lo celebremos juntos —pero, aparte de su desconsuelo, él tampoco aportó información relevante sobre la desaparecida—. Pues la encontré normal, o sea, cabreada con todo el mundo, como siempre... Es que mi hermana es una persona complicada, tiene un carácter muy difícil. De pequeños, éramos inseparables. Luego todo se estropeó y hace años que no nos llevamos demasiado bien, pero, aunque ella diga lo contrario, la verdad es que nos queremos mucho. Yo no puedo vivir sin saber dónde está Camila y... —los sollozos no le dejaron seguir—. Lo siento —añadió después de un rato—, no sé qué más puedo decirles.

Aunque ningún testimonio les pareció tan extraño como el de la madre de los mellizos, una guionista de la televisión pública que se llamaba Mónica Hernández Rodríguez. Ella era la única que había mantenido un contacto estrecho y constante con la desaparecida desde que se autorizaron las visitas a los pueblos repoblados. No había desperdiciado ni una sola ocasión para ir a verla a Caballar y les enseñó algunas fotos en las que aparecían juntas, les contó a qué se dedicaba, cómo vivía, les habló de su novio, y hasta les dejó leer las cartas que le había enviado antes de su primer reencuentro. Hizo de todo menos perder los nervios.

—¿Mal carácter? Bueno, en eso ha debido salir a mí, que tampoco lo tengo muy bueno, pero no entiendo qué tiene que ver nuestro carácter con su desaparición. Ustedes son policías, no psicólogos, vamos, digo yo.

Y les dedicó una mirada desafiante, que bastó para que los investigadores le pidieran excusas antes de empezar de nuevo.

—Pues sí —prosiguió en un tono menos áspero—, el mes pasado, cuando la vi por última vez, me contó que había pensado en solicitar una plaza de monitora en un campamento de formación que iba a celebrarse en Ronda durante los dos meses de verano. No me sorprendió que la aceptaran, porque mi hija es muy buena en su trabajo. Me dijo que intentaría aprovechar para hacer un poco de turismo, aunque no sé por qué fue precisamente a Barbate. Estoy muy preocupada por ella —pero no lo parecía—. Vivo pegada al teléfono, por si me llama en cualquier momento —se apretó la comisura interior de los párpados con los dos índices, pero cuando volvió a abrir los ojos no se distinguía ni rastro de humedad en ellos—. Me paso las noches en vela pensando en ella, temiendo que pueda haberle ocurrido algo malo —pero los investigadores se habrían apostado un sueldo a que esa posibilidad ni siquiera se le había pasado por la cabeza—. En fin, creo que deberían hablar ustedes con su novio. Al fin y al cabo, a estas alturas, él es quien mejor la conoce.

Ander Istúriz López, arquitecto titular de Caballar y coordinador de Reconstrucción de la provincia de Segovia, se entrevistó con ellos en la Dirección General de Repoblación de la España Vaciada, adonde había acudido para asistir a una reunión. Su testimonio fue el más normal de todos los que recogieron, aunque, como parte de esa normalidad, les pareció menos afectado de lo que pretendía aparentar.

—Yo tampoco me lo explico, la verdad. Cuando llegamos al pueblo, Camila era puro entusiasmo, una chica feliz, llena de ilusiones, una trabajadora incansable... —hasta ahí fue sincero y sus interlocutores se dieron cuenta—. Últimamente trabajaba con la misma entrega para la Cooperativa Segoviana, en la que representaba a Caballar. Habíamos pensado en tener un hijo, pero desde que se enganchó a la cooperativa, nunca encontraba el momento. La verdad es que nos ha ayudado muchísimo desde allí. Yo sabía lo del campamento, claro. Habíamos planeado irnos de vacaciones, pero como tengo tantísimo trabajo, decidimos dejarlas para septiembre. Ojalá llegue a tiempo, porque la echo mucho de menos.

A raíz de las declaraciones de Ander, a uno de los vigilantes de Barbate se le ocurrió echarle un vistazo a la documentación de la Cooperativa Segoviana. Allí no sólo encontró numerosas pruebas del trabajo desarrollado por Camila Alcocer. También descubrió que no era la primera cooperativista que desaparecía. En septiembre del año anterior, su fundador y codirector, Francisco Sevilla, más conocido como Pancho, se había esfumado sin dejar rastro.

Sus compañeros de Madrid le escucharon con atención y se

propusieron abrir una nueva línea de investigación, pero sus jefes decidieron archivar el caso antes de que tuvieran tiempo de empezar.

Con independencia de lo que la secretaria general del MCSY, el ministro de Seguridad Nacional y hasta el presidente del Gobierno le hubieran prometido a Carlos Alcocer, para el Cuerpo Nacional de Vigilantes sólo existía una investigación lo suficientemente prioritaria como para invertir en ella todos los recursos disponibles.

Ya habían pasado más de cuatro meses desde que El Monte se había dado a conocer y aún no tenían una sola pista sólida.

El Plan de Repoblación de la España Vaciada se convirtió muy pronto en uno de los mayores logros del gobierno del MCSY.

Desde el punto de vista demográfico, el éxito había sido rotundo. Los voluntarios habían resucitado centenares de pueblos abandonados en todas las provincias de España. Después de reconstruir las casas, de sembrar los campos y los huertos, de volver a abrir escuelas, oficinas de correos, comercios que llevaban décadas cerrados, la gran mayoría de los colonos habían decidido quedarse. Se habían emparejado, habían tenido hijos y habían asumido su crianza como una tarea más a favor del futuro de unos pueblos que ya consideraban como el lugar al que pertenecían. El lema del MCSY, «Todo va a mejorar», se había cumplido allí como en ningún otro lugar.

Desde el punto de vista económico, el programa no había resultado menos feliz. La enorme inversión que había supuesto la remuneración de los colonos y la subvención de los trabajos de reconstrucción se había recuperado con creces. El renovado esplendor de la agricultura y la ganadería, a las que pronto se sumaron otros sectores minoritarios pero muy productivos, como la piscicultura o la explotación forestal, había sido sólo el primer paso. No pasaron muchos años antes de que en los pueblos recuperados empezaran a brotar pequeñas industrias de transformación agroalimentaria, una nueva fuente de riqueza cuyo crecimiento desbordó enseguida las posibilidades del mercado interno para orientarse hacia la exportación. En ese momento, el sector estuvo a punto de morir de éxito, porque el Estado no estaba preparado para gestionar una explosión de semejante calibre. De su incapacidad nació el proyecto de las cooperativas, la primera institución autónoma, independiente del gobierno y, sobre todo, de la burocracia que había estado a punto de echar por tierra el enorme esfuerzo de los colonos, en la España del MCSY.

Los Voluntarios de Repoblación ya eran los niños mimados del nuevo régimen, porque lo habían hecho todo solos y lo habían hecho todo bien. Algunos cargos de la Dirección General de la España Vaciada mostraron pese a todo su preocupación por las consecuencias que podría acarrear la pérdida del control que hasta entonces había residido exclusivamente en sus manos. Sin embargo, la dirección del partido concluyó que los beneficios serían muy superiores a los riesgos y, como de costumbre, logró imponer su criterio. Poco después, las cooperativas españolas empezaron a inundar los mercados del resto de Europa de frutas y verduras frescas, mermeladas, conservas, quesos, embutidos, vino, aceite de oliva virgen, tejidos de algodón y lana merina, para darle la razón a Megan García a costa de aumentar las suspicacias de los desconfiados.

Para garantizar su buen funcionamiento, había sido imprescindible conceder que las cooperativas provinciales, que pronto se subdividirían en cooperativas comarcales, contasen con sus propios medios de producción y transporte. Los cooperativistas, que conocían mejor que nadie sus fortalezas y sus necesidades, organizaban las rutas de reparto, contrataban personal sin supervisión, autorizaban desplazamientos y retenían una parte de sus ingresos para cubrir gastos básicos, como sueldos o alquileres. Después de tantos años de dictadura y pandemias, confinamiento y restricciones, los repobladores, pese a haber sido movilizados a la fuerza por su activismo previo en causas que permitían clasificarlos como opositores naturales al MCSY, tardaron algún tiempo en advertir las inmensas posibilidades que se abrían ante ellos. Cuando Camila Alcocer Hernández entró en contacto con la Cooperativa Segoviana, estaba tan angustiada que ni siquiera se le ocurrió pensar en eso.

Hacía algún tiempo que le faltaba el aire y el de Caballar no había cambiado. Seguía siendo tan puro como antes, como siempre, el pueblo igual de hermoso, más aún después de tantos años de trabajo incesante. Ella sabía que el problema no estaba en el aire de Caballar, sino en sus pulmones. Sus pies tropezaban con vallas que no existían, sus ojos distinguían obstáculos imaginarios, su cuerpo no estaba atado, pero le costaba trabajo mover las manos. El valle, los campos, el pueblo que seguía amando, que amaría durante el resto de su vida, se había convertido en el cuartel general de un implacable ejército enemigo. Sentía que todo la acechaba, que las fachadas la espiaban, que las calles se estrechaban a su paso y los árboles, sus ramas agitadas por el viento, susurraban extrañas amenazas que sólo ella podía oír. El pueblo entero conspiraba en su contra y Camila sabía que no era verdad, que no existía ninguna cuadrilla de cavadores trabajando en el pozo sin fondo donde cada día se hundía un poco más, pero así, maniatada, prisionera, desterrada en su propio hogar, era como se sentía. Tardó mucho tiempo en preguntarse por el origen de su malestar y más tiempo todavía en responderse, porque se negaba a saber. La única certeza que le importaba era que ella había sido muy feliz viviendo en Caballar. Habría dado cualquier cosa por conservar el equilibrio simple, perfecto, de los primeros años, la milagrosa fórmula de una alegría que había sido capaz de llevárselo todo por delante antes de desvanecerse de un momento a otro como un hechizo fracasado, una bendición cuya fecha de caducidad se había cumplido para dejarla a solas con la incertidumbre, la nostalgia, el miedo de antes, y una nueva, incomprensible sensación de abandono.

Camila Alcocer seguía viviendo con Ander Istúriz y trabajando en la biblioteca, en la escuela, en su propio huerto. No necesitaba asumir tantas responsabilidades. Su novio ganaba mucho dinero, vivían en una casa propia, no tenían grandes gastos, pero Camila no podía parar, no quería, porque temía al descanso mucho más que al cansancio. Por eso, para no pararse a pensar en lo que le pasaba, para no tener tiempo de preguntarse por qué no quería tener hijos con Ander, para esquivar la sospecha de que ella era la averiada, la perpetua insatisfecha, la única persona incapaz de ser feliz en aquel pequeño paraíso, decidió hacerse cargo de una tarea más.

A los bienaventurados colonos de Caballar, nada les inspiraba tanta pereza como traspasar los límites de su pueblo, afrontar el frío que se extendía al otro lado de la burbuja de belleza y tranquilidad donde prosperaban sin preocupaciones. Ese fue el único problema que se planteó cuando todos se pusieron de acuerdo en que la Cooperativa Segoviana representaba una oportunidad que no deberían dejar pasar.

—No os preocupéis por eso —Camila sabía que lo que llamaban pereza no era más que una fórmula para enmascarar su miedo, y les tranquilizó con una sonrisa—, yo me ofrezco voluntaria para ir a Segovia cada vez que haga falta.

—Pero también podemos turnarnos, mujer —Pedro, uno de los amigos de aquella remota casa rural de Turégano que había llegado al pueblo el mismo día que ella, intervino sin muchas ganas—. A nadie le viene bien, pero, total, una vez al mes...

—No, en serio, si es que a mí no me importa —insistió la voluntaria—. Hasta me apetece darme una vuelta por la ciudad de vez en cuando, os lo digo de verdad.

Sus vecinos la miraron con estupor. No podían imaginar que la extrañeza que impregnaba los ojos con los que Camila los miraba era aún mayor, pero tenían un problema y resolverlo era tan fácil como aceptar su propuesta. Después de votar unánimemente a favor, se olvidaron del tema. La representante de Caballar en la Cooperativa Segoviana sólo buscaba respirar un poco mejor, pero el resultado de aquella reunión le cambió la vida.

—¿Puedes venir un momento a mi despacho?

Cuando se lo presentaron, en la reunión de bienvenida a los nuevos cooperativistas a la que asistió en representación de Caballar, Camila tuvo la sensación de que ya conocía a aquel hombre que tendría más o menos la edad de su padre, aunque parecía mayor, quizás porque no se preocupaba por aparentar lo contrario. Con el pelo canoso, la barba larga, descuidada, y el trasnochado aspecto de un hippy del siglo pasado, Pancho Sevilla tampoco aparentaba el poder que tenía.

—Claro.

El día que le siguió hasta su despacho por última vez, llevaba más de un año trabajando a su lado. Pancho, que nunca había dejado de recordar a la joven militante del Nuevo Partido Comunista de España con la que, antes de que ilegalizaran su organización, había coincidido en actos, mítines y alguna pegada de carteles, la llamaba camarada y confiaba mucho en ella. Al poco tiempo de conocerla, le había contado su historia, la de un abogado de una gran central sindical de clase al que el Gran Apagón le había pillado trabajando en su despacho de la sede de Madrid. Una semana más tarde, había recibido la visita de una pareja de funcionarios del Cuerpo de Voluntarios de la España Vaciada, que le ofrecieron la posibilidad de instalarse en Aldeanueva del Campanario, un municipio pequeño y casi completamente despoblado, cercano a Boceguillas, como si le estuvieran haciendo un favor. Pancho desconfió desde el primer momento de las sonrisas que le aseguraron que no existía una alternativa mejor para él, pero escuchó los sombríos pronósticos de los sonrientes —la inminente ilegalización de las centrales sindicales, la pandemia que se acercaba, la imposibilidad de recuperar internet a corto plazo, las pésimas perspectivas laborales que la nueva España podría ofrecer a un abogado laboralista y neocomunista en aquellos momentos— y terminó aceptando, como todos. También como todos, durante los primeros años no se arrepintió.

—Antes de nada, quiero darte las gracias por todo lo que nos has ayudado, camarada. Te has convertido en una persona esencial para esta cooperativa, trabajar contigo ha sido un placer y un privilegio. Voy a echarte de menos.

Camila Alcocer había trabajado mucho hasta conseguir las mejores condiciones para los productos de Caballar en la oferta de la Cooperativa. Sus vecinos estaban encantados con ella y nadie le reprochó que abandonara sus tareas anteriores para recorrer la provincia en busca de alianzas estratégicas con otros pueblos e incluso con otras provincias limítrofes. En realidad, después de algún tiempo, se dio cuenta de que había empezado a trabajar más para la Cooperativa que para Caballar, pero los resultados fueron igual de beneficiosos para todos. Tanto, que lo primero que pensó fue que Francisco Sevilla se estaba despidiendo de ella porque le habían ascendido.

—No —él negó con la cabeza cuando le dio la enhorabuena—. No me voy a la Dirección General, ni a otra cooperativa, ni a ningún otro sitio por el estilo. Me voy de España, Camila. Me largo porque estoy hasta los cojones. No aguanto aquí ni un minuto más.

—Te vas... —le costó trabajo pronunciar esas dos palabras, extrañas como dígitos de una cifra inconcebible—. Te vas... al exilio, entonces —Pancho asintió con una sonrisa, y su camarada se esforzó en comprender el sentido de las palabras que había oído, masticó despacio su desconcierto, no halló la salida del laberinto—. Vale, te exilias, eso lo entiendo, pero lo que no se me ocurre... ¿Y adónde te vas?

Camila nunca lo habría adivinado por sí misma, porque ignoraba que España no era el único país donde las cosas habían cambiado mucho, y muy deprisa, en los últimos años.

La primera vez que oyó hablar de la guerra de Marruecos, evocó la página de un libro de texto, viejas fotografías en sepia, caudillos con turbantes y generales con uniformes de aspecto apolillado, pero esa no era la guerra que le había tocado en suerte, la que estaba a punto de impulsar un giro de incalculables consecuencias en su vida.

La disolución de la Unión Europea, en la que un empresario madrileño, tan desconocido para Camila Alcocer Hernández como para todos los españoles de a pie, había movido los hilos que le correspondieron, provocó una crisis económica tan súbita como feroz en diversas regiones del mundo. La que más sufrió fue el norte de África y, allí, sobre todo Marruecos, socio comercial mimado por la UE hasta que todos los acuerdos, todos los tratados, todas las subvenciones se extinguieron de un plumazo. Los nuevos gobiernos de Europa mantuvieron una relación bilateral, sólida y privilegiada, con sus antiguos socios de la Unión, pero las relaciones con terceros países dejaron de ser, en primer lugar, un asunto común y, más adelante, una prioridad. El único y muy vago acuerdo al que se llegó estableció que cada nación europea mantendría su propia línea diplomática cuando lograra estabilizar la situación en su propio territorio, y pasaron años antes de que cualquiera de ellas estuviera en condiciones de abordar a fondo sus relaciones con el exterior. El reino de Marruecos, que tradicionalmente había jugado sus cartas con suma habilidad a la hora de negociar cuotas de pesca, permisos de exportación o políticas para frenar la inmigración masiva, se encontró con que, de un día para otro, nadie llamaba a su puerta. Cuando su gobierno fue a ofrecerse, tuvo que conformarse con condiciones mucho peores que aquellas a las que estaba acostumbrado. Pero no todos los marroquíes se empobrecieron por igual.

La crisis económica resucitó un conflicto antiquísimo que,

pese a las apariencias de concordia y unidad, nunca había llegado a resolverse. La dinastía alauí, originaria del sur del país, siempre había favorecido a esa región, el antiguo Marruecos francés, frente al norte, el antiguo protectorado español, más pobre y abandonado a su suerte. La popularidad del monarca, que a orillas del Mediterráneo nunca había sido excesiva, se desplomó cuando los norteños comprobaron que iban a cargar una vez más con la peor parte. Ya no era una cuestión de infraestructuras, aeropuertos, carreteras o inversión pública, sino de pura subsistencia. Así estalló lo que en principio pareció una guerra de independencia. Los humillados descendientes de Abd-el-Krim reivindicaron con orgullo sus orígenes, se alzaron en armas contra la monarquía sureña, proclamaron la República de Marruecos y, siguiendo al pie de la letra las exitosas lecciones de sus antepasados, consiguieron controlar un territorio considerable en poco tiempo y con escasos medios, practicando una guerra de guerrillas apoyada en su exhaustivo conocimiento de un terreno que, como con tanto dolor habían tenido que aprender los viejos generales africanistas españoles, era muy difícil de atacar y muy fácil de defender.

El rey de Marruecos hizo lo que había hecho siempre, pero esta vez no le salió bien. Desentendiéndose del sufrimiento de sus súbditos, levantó un gran ejército y buscó la ayuda de sus aliados tradicionales. Se enteró demasiado tarde de que Francia y España habían firmado un Tratado de No Intervención, por el que ambos se comprometían a observar una neutralidad exquisita en el conflicto, sin intervenir ni prestar apoyo de ninguna clase a los contendientes. Mientras tanto, los dirigentes norteños recibieron una oferta inesperada. El Frente Polisario envió una delegación a Tetuán, capital provisional de los rebeldes, para ofrecerse a apoyar a la República con hombres, armas y lo poco que tenían, aportando además el reconocimiento diplomático y una importante, aunque discreta, ayuda militar por parte de Argelia, la nación que había acogido en su exilio al pueblo saharaui. La única y evidente contrapartida era que, en el caso de que los republicanos ganaran la guerra, los saharauis podrían volver a su hogar, el Sáhara Occidental, que se convertiría en una región autónoma, pero leal, de la nueva República de Marruecos.

Si en el momento de recibir la oferta del Polisario las cosas les hubieran ido bien, seguramente los norteños habrían rechazado la oferta, aunque muchos dirigentes republicanos se mostraron a favor desde el principio. ¿Qué somos?, ¿el rey? No somos el rey, no obedecemos al rey, no podemos comportarnos como el rey ni apoyar sus odiosas políticas colonialistas... Pero, más allá de los argumentos, lo cierto era que las cosas no iban nada bien. El ejército monárquico, numeroso y bien armado, ya había empezado a avanzar sobre el norte, así que, pese a su apasionamiento, las discusiones no duraron ni una semana. El Frente Polisario fue bienvenido, Argelia reconoció a la República de Marruecos, y tras el suyo llegaron pronto otros reconocimientos. La ONU, que no pintaba gran cosa en el nuevo mundo, saludó una alianza que ponía fin a un conflicto que había llegado a parecer irresoluble. Las simpatías por los republicanos marroquíes crecieron por doquier y, especialmente, en los Estados Unidos de América. Pero eso no fue bastante para que la guerra cambiara definitivamente de signo.

Cuando los soldados de su ejército empezaron a pasarse en masa al enemigo, el rey no comprendió lo que estaba ocurriendo. La causa republicana ganaba adeptos a diario en el sur, el jardín florido de los viejos monarcas alauíes, la casa del padre autoritario, pero benévolo, que siempre había sabido cuidar de sus hijos. Las bellas metáforas del pasado habían sucumbido estrepitosamente a las exigencias de una guerra en la que el rey había decidido invertir todos los recursos de su pueblo en favor de sus propios intereses. Los marroquíes del sur, asfixiados económicamente por el esfuerzo bélico que soportaban en exclusiva y arrojaba más pobreza sobre la pobreza provocada por la crisis, empezaron a ver el hambre reflejada en los ojos de sus hijos. Cuando salieron a manifestarse para exigir el fin de la guerra, el gobierno de Rabat respondió con una represión feroz, fuego real que llenó las aceras de cadáveres para multiplicar las protestas, los sabotajes, los gestos de indisciplina y, en una proporción infernal, el número de muertos que amanecían cada día tirados en las calles, hasta que ya no hubo marcha atrás. Antes de que el ejército real llegara al norte, las tropas republicanas empezaron a avanzar hacia el sur. Ya no aspiraban a la secesión de su territorio, sino a implantar un nuevo Estado en todo el país. Cuando el rey de Marruecos comprendió que tenía al enemigo dentro de casa, pidió que le prepararan un avión para salir huyendo. Contra todo pronóstico, los tataranietos de Abd-el-Krim volvieron a ganar una guerra y supieron hacer honor a sus compromisos.

Al volver a su hogar, los saharauis no encontraron más que ruinas. Como represalia por su alianza con el enemigo, el gobierno monárquico había evacuado El Aaiún para que su aviación bombardeara la ciudad hasta los cimientos. Después de abandonar los campamentos argelinos de Tinduf, los saharauis tuvieron que levantar otros semejantes en su propia tierra. Ya no existían las puertas de las casas cuyas llaves habían custodiado amorosamente durante un largo exilio, pero no se desanimaron. Dispuestos a levantar la ciudad de nuevo, buscaron ayuda y no tardaron en encontrarla. Así, el Sáhara Occidental se convirtió en el centro neurálgico de un nuevo exilio español liderado por los colonos de repoblación que lograban abandonar su país, auténticos expertos en reconstrucción de edificios, recuperación de cultivos y resurrecciones en general, que llegaban a El Aaiún con las manos tan vacías como cargadas de una experiencia preciosa.

Cuando Camila Alcocer Hernández se enteró de todo esto, vio un punto de luz aún sucia, de contornos difusos, en la boca del pozo donde se estaba ahogando. Meditó muy bien su decisión, costosa por muchos motivos, antes de decidirse a seguir los pasos de Pancho. Tal vez nunca habría llegado a hacerlo, a abandonar un lugar que amaba, un trabajo que le gustaba, un bienestar que había fabricado con sus propias manos, si una tarde, al volver a Caballar, no se hubiera encontrado con la expresión de felicidad más radiante que jamás había contemplado en el rostro de Ander Istúriz

—¡Ay, cariño, qué bien que hayas llegado! Tengo que contarte... —parecía un niño pequeño en la mañana de Reyes—. El jueves tienes que venir conmigo a Madrid, ¿vale? Me han citado en el ministerio, y bueno, no te lo vas a creer, ¡me han dado un premio! ¿Qué te parece? Y eso es lo de menos, así que imagínate.

—No te entiendo, Ander —Camila se puso en guardia sin saber todavía a qué amenaza debería hacer frente—. Si no me lo cuentas más despacio...

—Claro, perdona —avanzó hacia su novia, le puso las manos en los hombros para guiarla hacia el sofá, se sentó a su lado, la abrazó—. He ganado el Premio Nacional de Arquitectura en la categoría de Pueblos Recuperados. ¡El Premio Nacional, de toda España! ¿A que es increíble? Me acaban de llamar para decírmelo, pero no me han citado el jueves en el ministerio por eso, sino porque van a nombrarme coordinador provincial, ¿te das cuenta? Eso significa que voy a supervisar y dirigir los proyectos de reconstrucción de todos los pueblos de Segovia, una puta maravilla.

—Te hace mucha ilusión, ¿no? —ella sonrió, y alargó una mano para acariciar una cara que no reconocía—. Me alegro mucho por ti.

Y en ese momento, mientras se besaban en la boca, comprendió que no podría volver a confiar en Ander nunca más.

Al despedirse de la directora del campamento de Ronda, Camila Alcocer Hernández tuvo la sensación de que aquella mujer ya sabía que ninguno de los cinco monitores que iban a pasar el fin de semana en la playa volvería de allí.

No lo comentó con sus compañeros de viaje porque tampoco los conocía demasiado. Dos de los chicos habían llegado desde puntos distintos del Pirineo, el tercero desde una aldea de la provincia de Burgos, la otra chica desde un pueblo de Jaén. Todos se habían ofrecido para trabajar como monitores en un curso de formación para nuevos voluntarios de repoblación, todos habían podido escoger entre cuatro campamentos distintos, todos habían pedido ir a Ronda y ninguno había hecho nada por casualidad. Cuando se conocieron, los cinco sabían que el segundo viernes de julio deberían alquilar un coche para ir a pasar el fin de semana en una playa de la provincia de Cádiz, pero ninguno poseía toda la información de un plan que alguien había decidido trocear para repartirlo entre ellos como si fueran los fragmentos del mapa de una isla donde estuviera enterrado un tesoro pirata. Dos días antes de su partida, Camila había encontrado en su taquilla un papelito en el que alguien había escrito a mano, con mayúsculas, el nombre de Barbate. Por el camino se fue enterando de la dirección del hostal donde les habían reservado dos habitaciones, de la taberna a la que deberían ir a cenar aquella noche, del nombre de su contacto en el pueblo y de la contraseña que deberían decir para identificarse.

—¿Pero alguien sabe cómo nos vamos a ir exactamente?

—Ni idea.

Se fueron en barco, pero sólo se enteraron el domingo por la mañana, después de desayunar, cuando un hombre de unos treinta y cinco años al que ya habían visto, bebiendo solo en la barra de la taberna donde habían cenado el viernes, se hizo el encontradizo con ellos. Se había apoyado en su furgoneta para fumarse un pitillo, y mientras se despegaba con pereza de la chapa del vehículo, les dio unas instrucciones que no les sorprendieron tanto por su concisión como por su contenido.

—Esta noche, a las dos de la mañana, os estaré esperando en el muelle del puerto pesquero. Id hasta allí y yo os encontraré. Y que a ninguno se le ocurra beber para matar el tiempo. El que no esté sobrio, se queda en tierra.

Aquella noche no había luna, pero a las dos en punto de la mañana los encontró para guiarlos en la oscuridad hasta un pesquero pequeño en cuya cubierta no se distinguía a nadie, aunque la escalerilla estaba extendida, esperándoles. Allí mismo les pidió las llaves de la furgoneta y les preguntó dónde la habían aparcado. Luego los animó a subir al barco para bajar enseguida a la bodega.

—La tercera puerta que encontréis —fue todo lo que dijo para despedirse de ellos—. Estará abierta.

Aquel barco no los llevó al Sáhara. Hacia las cuatro de la mañana, embutidos a presión en un espacio tan pequeño que ni siquiera podían estirar las piernas, escucharon ruido, voces y muchas pisadas sobre sus cabezas antes de empezar a percibir el movimiento. No se atrevieron a salir, siquiera a hablar entre ellos, hasta que una hora y media después un marinero vino a buscarlos y les pidió que se prepararan.

Antes del amanecer abordaron en alta mar un pesquero mucho más grande, con una bandera desconocida para ellos —la enseña de la República de Marruecos cruzada en diagonal por una raya roja, que identificaba a la Región Autónoma del Sáhara Occidental—, en el que ya no tuvieron que esconderse. Aquel barco, que transportaba a cuatro exiliados españoles más, volvió directamente al puerto de El Aaiún, sin hacer más paradas, y cuando vislumbraron el perfil de la ciudad en el horizonte, todos habían descubierto ya por qué era tan importante que permanecieran sobrios durante la travesía.

Camila Alcocer Hernández había vomitado tres veces, y se encontraba tan mal que, durante un rato, llegó a arrepentirse de su decisión. En los últimos meses había imaginado a menudo la emoción que sentiría al recuperar la libertad, el sabor de la alegría que explotaría en su paladar cuando estuviese fuera del alcance de las garras del MCSY, lejos de Caballar, de los colaboracionistas brazos de su novio, de la felicidad impostada, falsa, venenosa, que le había ido arrebatando a sus amigos, el destino dorado con purpurina barata que la estaba matando de asfixia poco a poco. Pero cuando divisó el horizonte de El Aaiún tenía las tripas del revés, estaba mareada, temblaba de frío y tenía miedo. Miedo a la soledad, al futuro, miedo sobre todo a haber cometido un error irreparable. Hasta que el barco se acercó al puerto lo suficiente como para permitirle distinguir los rostros de las personas que esperaban en el muelle. Porque en ese momento, antes incluso de reconocer a Pancho entre ellas, supo que allí estaría bien.

El Aaiún era una ciudad habitada por personas felices. Hacía tanto tiempo que no distinguía rostros como aquellos, relajados, luminosos, surcados por sonrisas auténticas, gestos espontáneos que no habían sido ensayados ante ningún espejo, que le asustó la magnitud de su reciente pobreza. Los saharauis estaban contentos y sus cuerpos lo sabían. Lo sabían sus hombros al erguirse, sus manos al tocarse, sus piernas al andar como si bailaran, y la frecuencia, la intensidad de sus abrazos. Estaban en el centro de la nada, una ciudad derruida en la que sólo se alzaban grúas y tiendas de campaña, pero no habrían cambiado el suelo que pisaban por ningún otro lugar en el mundo. Camila se dio cuenta mientras el entusiasmo de sus anfitriones la invadía como una droga propia que se infiltró debajo de su piel, y calentó su cuerpo, y puso sus tripas en su sitio, y la impulsó a devolver todos los abrazos, uno por uno, antes de esconderse entre los brazos de Pancho.

—¡Qué bien que hayas venido, camarada! —él estaba tan contento como los demás—. Aquí hay mucho que hacer, ya lo ves, pero la verdad es que da gusto ayudar a esta gente.

Camila Alcocer Hernández viviría durante muchos meses en una tienda, dormiría en una cama de campaña, guardaría debajo, en el suelo de tierra, la mochila medio vacía que custodiaba todas sus pertenencias, se ducharía en un recinto de paredes de mimbre sin más techo que el cielo, trabajaría como una mula y se sentiría cada día un poco mejor.

Nunca se arrepintió de haberse exiliado, ni siquiera después de asistir a la reunión convocada para los recién llegados y escuchar al hombre que tomó la palabra en último lugar. Tenía unos cuarenta años, la tez curtida por el sol más allá de una barba muy negra, bien recortada, y un cuerpo fibroso, de músculos trabajados, que denotaba un oficio que ella no fue capaz de atribuirle antes de que él mismo lo revelara.

—Hola a todos y a todas —Camila sonrió al volver a escuchar una fórmula que la devolvió a su infancia, a la España en la que aún no existía el MCSY—. Me llamo José Luis Muros y estoy muy contento de conoceros. Soy español, riojano para más señas, y militar de carrera. Llegué al grado de capitán del Ejército de Tierra antes de que la dictadura disolviera las Fuerzas y Cuerpos de Seguridad del Estado de la democracia. Entonces me integré, con el mismo grado, en la División Militar del Cuerpo Nacional de Vigilantes, hasta que conseguí huir de España para incorporarme, como otros oficiales disidentes, al Frente Polisario. Luché en el Ejército de la República de Marruecos durante toda la guerra, ascendí a coronel después de la victoria, y me instalé aquí, en El Aaiún. —Hizo una pausa y sonrió, como si supiera de antemano que a su auditorio le vendría bien tomar aire para digerir el final de su discurso—. El año pasado, un grupo de militares españoles en el exilio fundamos el Ejército Español del Sáhara Occidental. He venido a daros la bienvenida en su nombre. Aquellos de vosotros, y de vosotras, que estéis interesados en recibir instrucción militar para sumaros a nuestras filas cuando llegue el momento de entrar en acción, podéis venir a verme cualquier día, entre las ocho y las nueve de la mañana. Estaré en una de las tiendas grandes, de tejido de camuflaje, que encontraréis en la zona que llaman la plaza de España —tras una nueva pausa, añadió algo más—. ¿Alguna pregunta?

—Sí —el chico que había llegado a Ronda, luego a Barbate,

desde una aldea de Burgos, fue el único que se atrevió a levantar la mano—. Eso de entrar en acción... ¿A qué se refiere exactamente?

—Pues todavía no lo sabemos —José Luis Muros volvió a sonreír—, pero cuando la situación en España se deteriore hasta un punto que lo haga aconsejable, podremos escoger entre una amplia gama de acciones posibles. Desde las más pequeñas, como sabotajes puntuales de instalaciones militares de los vigilantes, por ejemplo, hasta la más grande, que sería un desembarco de tropas en algún punto del sur de la península.

—¿Para empezar una guerra? —insistió el de Burgos.

—No —respondió el coronel Muros—. No estamos pensando en empezar una guerra, sino en sumarnos a quienes la hayan empezado ya, a los que estén combatiendo al MCSY desde dentro.

Y aunque ni ella misma se lo creía del todo, Camila Alcocer Hernández tuvo que reconocer que todo aquello le sonaba estupendamente.

6
La canción del vigilante

Lo primero que hizo Mónica Hernández Rodríguez el día de su cumpleaños fue abrir el regalo de su hija Camila.

—Yo creo que te va a encantar —le había anunciado con una gran sonrisa el último domingo que pasaron juntas—, pero tienes que prometerme que no lo abrirás antes de tiempo, mamá, por favor. Eso es muy importante para mí, ¿vale?

Fue un encuentro agridulce. No sólo porque Camila le contó que iba a pasar el verano en un campamento de formación para nuevos repobladores donde aún no sabía si podría recibir visitas, sino porque tuvo la impresión de que la vida de su hija estaba cambiando en una dirección de la que no sabía si era buena o mala pero que, seguramente, teniendo en cuenta la situación en la que estaban, la alejaría de ella.

—¿Y Ander?

Cuando llegó a Caballar, la encontró ante la puerta de su casa con una caja rectangular, bastante grande y envuelta en papel de regalo, entre las manos.

—Ander no viene —le dijo después de dejarla en el maletero y antes de abrazarla—. Nos vamos tú y yo a comer a Segovia por nuestra cuenta, mami. Te voy a llevar a un sitio nuevo, estupendo, ya lo verás.

Mónica no quiso presionarla. Había decidido dejar las preguntas para la sobremesa de la comida, pero no necesitó esperar tanto. Por el camino, Camila se lo fue contando todo o, al menos, eso creyó ella mientras conducía bajo un torrencial aluvión de noticias.

—A ver, que yo creo que todo el mundo tiene derecho a pensar como quiera y a cambiar de opinión todas las veces que le parezca, pues no faltaba más, pero nadie tiene derecho a inmiscuirse en la vida de los demás para tomar decisiones en su nombre, así que... —hizo una pausa y Mónica la miró, la vio negar con la cabeza, adivinó que había decidido ir al grano—. El mes pasado, el día de mi cumpleaños, bueno, de nuestro cumpleaños, ya sabes, cuando volví a casa después de pasar el día en la cooperativa, me encontré a Hugo sentado en el sofá, al lado de Ander. Habían abierto una botella de vino para esperarme, con la tarta preparada encima de la mesa, ¿qué me dices?

Mónica no contestó a esa pregunta ni a ninguna otra. Ella también era la madre de Hugo, cuya ausencia seguía doliéndole como una herida abierta mientras Camila recordaba en voz alta las palabras con las que su novio le había descrito el día que le conoció, un capullo integral, ¿sabes, mamá?, un capullo integral, eso fue lo que dijo, y ahora son íntimos, tendrías que verlos... Mientras procuraba estar pendiente de la carretera, Mónica Hernández intentó rebajar la velocidad de su pensamiento, resistirse a aquel bombardeo de palabras que no era capaz de comprender completamente, pero no lo consiguió. Tenía la sensación de que la vida de Camila se había desmoronado en un instante, de que su hija yacía bajo una montaña de cascotes que no sería capaz de desescombrar sin ayuda, y sin embargo, al mirarla la encontraba bien, fuerte, animada y en pie de guerra contra el mundo entero, más o menos como siempre, desde luego como antes de que el MCSY hubiera empezado a existir. La estudió con mucha atención mientras la escuchaba despotricar contra su hermano, contra su novio, contra la Dirección General, contra el Plan Nacional para la España Vaciada y contra el gobierno en pleno, pero no logró adivinar qué le pasaba, y cuando se atrevió a preguntárselo, ella no quiso contestar.

—Pues nada, mamá —aunque sonrió con ganas—. ¿Qué me va a pasar? Nada, lo mismo que a cualquiera en este país de mierda.

Mónica no sabía si la noticia del anuncio del Monte había llegado hasta Caballar. Estuvo esperando a que Camila lo mencionara durante toda la comida, pero no lo hizo y su madre tampoco se atrevió a romper el silencio absoluto al que se había comprometido en el obrador de una pastelería de Madrid. Aunque intuía que aquella historia la habría hecho feliz, al menos durante un rato, la actitud de Camila le parecía ya demasiado peligrosa como para cargarla con un secreto de ese calibre. Ya habrá tiempo, se dijo a sí misma cuando se abrazaron en la puerta de su casa. Ander salió a saludar y se despidieron con dos besos. Mónica volvió al coche, dibujó con la mano un último adiós en el aire y se marchó de un pueblo al que no volvería al final del verano ni más tarde, cuando cayeran las primeras nevadas del invierno, ni después, cuando la primavera pintara de colores los montes y los campos, ni en el aniversario de su última visita. Si en ese momento lo hubiera sabido, se habría muerto de angustia, pero su hija había pensado en todo y lo había hecho todo bien. El día de su desaparición, Mónica no sólo sabía dónde estaba. También lo entendía. Y al cabo de tres semanas, con la certeza de que, a cambio, el Cuerpo Nacional de Vigilantes permanecía en la más absoluta ignorancia, decidió aprovechar la ocasión para intentar resolver un problema.

—¿Puedo pedirles un favor? —cuando los vigilantes dieron por terminado el interrogatorio, les sonrió por primera vez—. ¿Podrían darme el número de móvil de mi hijo Hugo, el mellizo de Camila? En el Gran Apagón perdimos el contacto, pero después de lo que le ha pasado a su hermana, necesito comunicarme con él, espero que lo entiendan.

Los agentes, que venían de entrevistarse con un padre que llevaba muchos años sin ver a su hija, afrontaron con naturalidad la petición de una madre que llevaba el mismo tiempo sin ver a su hijo, pero respondieron que no estaban autorizados a proporcionar teléfonos sin consentimiento del interesado.

—¿Y no podrían ponerle un mensaje para comunicarle mi número de móvil y pedirle que me llame?

—Eso sí —uno de los agentes de Barbate se ofreció a hacer la gestión sobre la marcha—. Madre no hay más que una...

Hugo recibió el mensaje, pero no contestó, ni siquiera por escrito. A Mónica tampoco le sorprendió, porque le conocía tan bien que, a aquellas alturas, podía calcular con decimales las enormes dimensiones de su culpa. Desde que le destetó, su hijo siempre había tenido muchos problemas con la comida. Nunca tenía apetito, rechazaba la mayoría de los sabores, su madre no conseguía que tragara más de una cucharada de papilla de frutas para merendar, pero todo empeoró cuando cumplió tres años. A partir de entonces, las comidas de Hugo duraban más de dos horas de vigilancia estricta, porque aprovechaba cualquier distracción, una llamada de teléfono, el timbre de la puerta, el final del programa de la lavadora, para levantarse de la silla y deshacerse discretamente de lo que hubiera en su plato. Sus padres encontraban después restos de comida a medio pudrir en una papelera, en las macetas, dentro de un juguete o detrás de una puerta. Cuando no le quedaba más remedio que quedarse sentado, se iba cambiando de sitio lo que tenía en la boca, ahora en la derecha, después en la izquierda, incorporando cada nuevo pedazo a una bola en perpetuo crecimiento. Era otra estrategia para no comer, porque cuando la bola se hacía enorme, Mónica se la sacaba de la boca y le freía un par de salchichas, el único alimento que le gustaba. Estaba segura de que eso era lo que le ocurría ahora. Cada semana que había dejado de llamar a su madre, cada mes que había transcurrido sin que le diera noticias, cada año que había terminado sin que le mandara ni una triste postal, como aquellas, tan torpes, a las que había recurrido al principio, hacía más grande la bola de su culpa, el efecto paralizante de unos remordimientos tan grandes que no se podían movilizar. A Hugo, tantos años después, se le había vuelto a hacer bola, y Mónica ya no estaba a su lado para sacársela de la boca. Ella, con su fama de mujer dura, de mujer seca, fuerte, estaba dispuesta a perdonárselo todo, a recuperarlo sin hacer preguntas, porque sabía que su hijo era quien más estaba sufriendo de los dos, pero antes tendría que llegar hasta él y no le apetecía pedirle el favor a Ander Istúriz. Camila, que siempre había comido como una lima, había escrito mucho, ocho folios por las dos caras para contárselo todo y, sobre todo, para pedirle perdón por dejarla sola. Mónica había encontrado su carta escondida en un pliegue de su regalo de cumpleaños, una manta ligera, muy bonita, tejida a mano en un taller artesanal de Caballar. Cuando leas esto ya no estaré en España, mamá. Viviré exiliada en El Aaiún, en el Sáhara Occidental, y sé que ahora mismo no entenderás nada, pero te lo voy a explicar... Las palabras de Camila desataron una tormenta emocional en el ánimo de su madre, que viajó entre la tristeza y el orgullo deteniéndose en media docena de estaciones intermedias. Iba a echarla muchísimo de menos. Iba a pasar mucho miedo por ella. Si hubiera tenido su edad, habría hecho lo mismo, pero como ya era demasiado vieja para empezar de nuevo, el exilio de Camila funcionó como un interruptor, una palanca que la puso de nuevo en movimiento.

—Tengo muchas cosas que contaros —anunció a Jonás y a Paula mientras paseaba con Adriana, que estaba a punto de cumplir cuatro meses, por el salón de su casa.

A mediados de octubre, cuando ya habían pasado seis meses desde que lanzaron el anuncio del Monte, tres desde la fuga de Camila, los vigilantes tan perdidos en una investigación como en la otra, Mónica Hernández Rodríguez le preguntó en voz alta a Jonás González Vergara si le venía bien que fuera a ver a su hija el sábado siguiente, y a la jefa de ambos, que acababa de disolver una reunión de su equipo, le pareció tan natural que hasta se disculpó por no haber ido a conocer a la niña todavía.

—Nosotros también tenemos que contarte muchas cosas —Paula dejó al bebé en la hamaca y se sentó frente a su invitada.

La hacker que se había colado en el sistema del MCSY había pasado tanto miedo que no esperó a recuperarse completamente del parto para volver a sentarse delante de un teclado. Creó un nuevo ordenador virtual, se metió en la red legal y no consiguió avanzar ni un milímetro en ninguna dirección. Tal como ella misma había pronosticado, todas las puertas estaban cerradas a cal y canto y, por lo demás, no había pasado nada. Nadie había tocado el timbre de su casa, nadie había ido a su trabajo a preguntar por ella, nadie se había interesado por la pobre existencia de una dependienta especializada en la venta de videocámaras, pero seguía teniendo mucho miedo y sólo había una forma de eliminarlo. No se atrevió a entrar en el correo de Miguel Ángel Sánchez Sánchez, pero después de hacer una gestión sencilla con el jefe de su tienda, telefoneó una mañana a la agencia de publicidad y estuvo un buen rato hablando con él.

—Hola, buenos días, verás... Me llamo Paula Tascón y trabajo en una tienda de electrónica del Centro Comercial Callao. Ya nos conocemos, pero no creo que te acuerdes de mí. Hace unos años estuvimos hablando un momento de unas videocámaras alemanas que llegaron por sorpresa justo antes de Navidad y que yo quería anunciar hasta que tú me dijiste que no se podía...

—¡Ah, sí!, claro que me acuerdo —mentía muy mal, pero no había perdido el empleo después de que su correo electrónico hubiera sido hackeado y eso era lo único que le importaba a su interlocutora—. ¿Y en qué te puedo ayudar?

—Pues me temo que en nada, pero tengo un cliente tan pesado que me persigue incluso ahora, que estoy de baja maternal, para preguntarme cuándo van a llegar unas ampliaciones de memoria japonesas que le interesan mucho. Para quitármelo de encima, le he preguntado a mi jefe y me ha dicho que él no lo sabe —eso era verdad—, pero que podía llamarte a ti —eso también era verdad— porque a veces os llega la información de la central de compras antes que a nosotros —esa era la tercera y última verdad.

—¡Ay, hija, pero eso era en los buenos tiempos! Ahora nos han cortado las alas, nos han convertido en unos simples oficinistas, estamos prácticamente sin nada que hacer. Todo lo que tiene que ver con las pantallas está militarizado. Los vigilantes son los que controlan toda la información, nos dan los anuncios hechos, como si dijéramos.

—Por lo del Monte, ¿no?

—Justo.

—Pues menuda putada.

—Ni te lo imaginas. Oye, y enhorabuena por esa baja maternal. ¿Qué ha sido, niño o niña?

Cuando colgó el teléfono, Paula Tascón pensó que el pobre Miguel Ángel Sánchez Sánchez era como esos cerdos de los que en su pueblo decían que se aprovechaba todo, útiles y nutritivos desde el morro hasta las pezuñas. Aquella breve conversación, que el agente de publicidad olvidaría tan pronto como la que sostuvieron unos años antes, le permitió averiguar algunas cosas muy importantes. La primera y principal era que estaba a salvo. Si los investigadores hubieran llegado hasta Sánchez, aunque no tuvieran ni idea de la identidad del suplantador de su cuenta de correo electrónico, el agente de publicidad tendría, como mínimo, el teléfono pinchado. Pero no sólo se había dirigido a ella con una naturalidad que excluía la hipótesis del pinchazo, sino que le había facilitado alegremente una información, que la gestión de las pantallas estaba militarizada, que le habría costado un disgusto seguro si alguien hubiera escuchado aquella conversación. Después de elaborar estas conclusiones, Paula Tascón miró a Jonás González y él, a su vez, volvió la vista a la vieja tecnología que andaba a gatas.

—Pues si queremos seguir haciendo cosas, necesitamos una impresora.

—Pues ya me contarás de dónde la vamos a sacar...

Cuando empezó la Gran Terapia, había pasado mucho tiempo desde que Jonás y Paula compraron las que respectivamente serían sus últimas impresoras. Durante más de diez años, antes del Gran Apagón, ninguno de los dos había necesitado nunca imprimir un documento. Desde las declaraciones del IRPF hasta los billetes de cualquier clase, lo llevaban todo escaneado en sus móviles, con copias de los archivos más importantes en sus portátiles. Si Jonás hubiera conservado una impresora, no la habría escondido en el arcón de su cama. Se la habría dado sin dudar a su terapeuta, pero ni siquiera tuvo que planteárselo.

El final de internet y las limitaciones de la tecnología derivada de la red 7AP habían devuelto su vigencia a aquellos trastos, que en la España del MCSY se encontraban en casi todas partes, estancos, comercios, gasolineras, tiendas de fotocopias y centros comerciales. Pero las impresoras legales, a las que los españoles recurrían sobre todo para imprimir las fotos de sus teléfonos, y los recibos o certificados que pesaban tanto como las imágenes, tenían un contador de copias y sólo podían pagarse a través del móvil, para que quedara registrada la identidad del usuario. Tanto en las oficinas de Cinemagia como en la tienda donde Paula trabajaba, había impresoras legales, y estuvieron valorando la posibilidad de robar una, pero abandonaron a tiempo ese proyecto. No tenían ni idea de cómo funcionaban los contadores de copias, no sabían si estaban provistos de un GPS, ni cuánto tiempo tardaría Paula en hackear sus dispositivos de seguridad, pero tenían la certeza de que los contadores estaban conectados a la red de los móviles con los que pagaban los clientes, porque ninguna otra cosa tendría sentido.

—Es demasiado peligroso —concluyó ella, mientras miraba a su hija—, nos pillarían en cero coma. Lo que necesitamos es mucho más fácil y más difícil, una simple, vieja y ruidosa impresora ilegal del mercado negro.

—¿Qué mercado negro?

—Pues no sé, el que haya... —Paula sonrió—. Desde el principio de los tiempos siempre ha habido un mercado negro en todas partes, ¿no? Ahora también habrá, seguro.

—Ya, pero... —entonces Jonás tuvo una idea—. Si quieres, podemos darnos una vuelta por el Rastro. Al fin y al cabo, la especialidad de ese barrio siempre ha sido traficar con cosas ilegales, comprar y vender mercancías robadas y todo eso. A lo mejor tenemos suerte.

Y la tuvieron, pero no enseguida.

El Centro Comercial el Rastro, que abarcaba el núcleo central del antiguo mercado callejero, desde Cascorro hasta la Ronda de Toledo, era uno de los más pequeños y especializados de Madrid. Los vecinos del barrio no celebraban allí su Día de Compras y tenían que pagar una tasa para entrar, como cualquier otro madrileño. Dentro del perímetro del nuevo Rastro, había algunos bares y restaurantes, pero no existían teatros, cines o discotecas. Tampoco habían sobrevivido los puestos de ropa barata, complementos y bisutería que bordearon durante muchas décadas la Ribera de Curtidores. La oferta del centro comercial se limitaba a las antigüedades, de cualquier clase y precio. En las tiendas se exhibían las piezas más valiosas. En los puestos, que ya nunca eran mantas tiradas en el suelo, sino mesas por las que había que pagar un alquiler al Ayuntamiento, se podía encontrar cualquier cosa, desde piezas de repuesto de coches antiguos hasta muñecas descabezadas, herramientas, tornillos o piezas sueltas de vajillas descascarilladas. Por esa razón, Jonás y Paula se centraron en su oferta, pero por más que la examinaron con atención, no fueron capaces de encontrar ni un solo elemento que hubiera formado parte de un ordenador hasta su tercera visita.

Ese día, cuando ya estaban a punto de abandonar, vieron en una caja, revuelto entre pañuelos, pendientes y cosméticos con aspecto de llevar mucho tiempo caducados, un viejo disquete azul de 3,5 pulgadas, uno de aquellos prehistóricos *floppy disk* que ninguno de los dos había llegado a usar.

—¿Y esto? —Jonás se lo mostró a la vendedora, una gitana joven, guapa y embarazada de muchos meses—. ¿Cuánto vale?

—¡Uf! —ella negó con la cabeza, como si no se lo pudiera creer—. No tengo ni idea. ¿Y para qué lo quieres? Si eso no vale para nada ya.

—Pero yo quiero comprártelo. ¿Qué me pides por él?

La gitana resopló, se puso la mano en la tripa y pegó un grito.

—¡Rubénnnnn!

Él, algo mayor y todavía más guapo que ella, se enfadó mucho cuando llegó. Le quitó el disquete a Jonás de entre los dedos y le dijo que no estaba a la venta, que había sido un error meterlo en aquella caja.

—No tenemos permiso para vender esto —les explicó sólo después de guardárselo en un bolsillo—. Todo lo que encontramos de este estilo lo llevamos a una tienda de la calle Rodas, a un payo que es el único que tiene licencia para comerciar con estas cosas —hizo una pausa, miró a Paula, al cochecito de bebé cuyo manillar tenía entre las manos, y bajó la voz—. Toda la tecnología está muy perseguida, lo sabéis, ¿no? Él tiene cosas, pero no es trigo limpio.

—¡Rubén! —y entonces la que se enfadó fue su mujer—. ¿Qué tienes tú que andar diciendo ahí?

Él se encogió de hombros y no respondió a esa pregunta.

—El que avisa no es traidor —se limitó a decir, mirando a Jonás.

Por la fachada, parecía un local pequeño. La puerta, de madera, tenía una ventanita tan sucia como el escaparate situado a su derecha, donde se exhibían algunos viejos relojes digitales de metal, de marca Casio, una calculadora científica de finales del siglo XX, una tableta con el cristal rajado y un libro electrónico. Cuando Jonás y Paula llegaron hasta allí, unos empleados municipales de limpieza estaban borrando una pintada del Monte de la fachada del edificio contiguo y, al verlos, los dos se miraron sin decir nada. No hacía falta, porque ambos sabían que habían sido esas pintadas las que los habían llevado hasta el Rastro, el gitano, aquella tienda. Aunque eran conscientes de que no podían echarse un país entero a sus espaldas, aunque estaban de acuerdo en que ya habían corrido un riesgo más que suficiente para una sola vida, los dos se sentían igual de responsables del silencio de su grupo, la inactividad que a la fuerza habría defraudado a mucha gente que había sostenido, o no, un espray de pintura entre las manos. Ellos les habían contado que nada iba a mejorar porque todo era mentira, pero no les habían dado ningún argumento para convencerles de que les estaban diciendo la verdad. Para eso necesitaban una impresora, para hacer folletos, octavillas como las de antaño, documentos en los que exponer toda la información que habían reunido. Cuando decidieron ir al Rastro los domingos, todavía no habían contactado con nadie, ni siquiera con Mónica, pero estaban seguros de que los demás se sentirían tan inquietos, tan culpables como ellos. También sabían que la difusión de lo que consiguieran imprimir sería un problema, aunque podría esperar, porque nunca llegaría a existir si no conseguían una impresora.

—Hola...

La tienda, mucho más grande de lo que parecía desde fuera, estaba desierta. El mostrador del fondo, casi tan largo como la pared, era de madera oscura y se dolía de numerosas heridas, muescas y arañazos que tal vez tuvieran más de un siglo de antigüedad. Tras él, se elevaba hasta el techo una estantería llena de cajones de diversos tamaños, fabricada a medida para lo que alguna vez debió de ser una ferretería, una droguería o una tienda de ultramarinos. En el centro de la tienda, colocadas como si alguien hubiera pretendido delimitar un cuadrilátero con ellas, había cuatro vitrinas de metacrilato, antiguas, pero mucho más modernas que el resto del mobiliario. En sus baldas se mostraban objetos pequeños, más relojes Casio, cargadores varios, robots de juguete y algunos *smartphones* previos al Gran Apagón, nada tan llamativo en ningún caso como las fotografías enmarcadas que forraban las paredes desde el suelo hasta el techo, ocupando incluso el espacio que quedaba libre encima de la puerta de entrada.

—Hola, perdonad —un hombre de cuarenta y muchos, más bien bajo, con cuerpo de gimnasio y una cara que habría encandilado a las adolescentes veinte años antes, salió de la trastienda y sonrió—. ¿En qué puedo ayudaros?

—¡Jaime! —Jonás ya le había reconocido—. Tú eres Jaime Gutiérrez, ¿no? Qué sorpresa...

Él era el modelo de todas las fotos que decoraban su tienda, con la relativa excepción de los carteles de las películas en las que había intervenido, porque pocas veces había hecho secundarios tan importantes como para que su cara apareciera en la publicidad, protagonistas ninguno, aunque tampoco había perdido la menor oportunidad de retratarse con todas las estrellas con las que se había rozado a lo largo de su vida. Había conseguido también imágenes de escenas de series de televisión en las que había hecho algún papelito, siempre antes del Gran Apagón, y allí estaban colgadas, con el mismo marco, el mismo tamaño, que las fotos en las que aparecía flanqueado por Tarantino y Álex de la Iglesia, o por Almodóvar y Penélope, o por los protagonistas de *La casa de papel*. Aquella tienda era el templo que un actor mediocre había erigido a la dudosa gloria de su fama, aunque muy pocos de los clientes que traspasaban su puerta estarían en condiciones de comprender lo que estaban viendo. Jonás González Vergara lo comprendió a la perfección, sin embargo.

—Pues... Sí, yo soy Jaime Gutiérrez —al decir su nombre, la vanidad iluminó su rostro, encendiendo sus mejillas con un rubor de colegiala desprevenida—. Me has reconocido.

—Claro —Jonás se acercó a él, le sonrió—. A lo mejor tú no te acuerdas, porque has hecho muchas más cosas que yo, pero los dos trabajamos juntos una vez en un corto de animación, *Sangre a borbotones*.

Fue su primer corto, casi un mediometraje basado en una novela que le había gustado mucho, una trama detectivesca en un Madrid inundado por las aguas del Atlántico, que cruzaban media península desde la costa portuguesa para convertir a la capital de España en una especie de Venecia de medio pelo. Cuando empezó a trabajar en el *storyboard*, no tenía la menor esperanza de encontrar financiación. Creía que estaba trabajando para sí mismo, y sin embargo, el director de Cinemagia, un desconocido que acabaría siendo su amigo Jesús, se interesó por el proyecto, lo movió entre las plataformas de televisión y consiguió levantarlo. En las duras negociaciones que sucedieron a la aceptación inicial, la cadena que acabó entrando en el proyecto le exigió, entre otras muchas cosas, que actores famosos se hicieran cargo de las voces de los personajes animados. El dinero se acabó cuando consiguieron fichar al protagonista. Para los demás, tuvieron que recurrir a actores básicamente baratos, y Jaime Gutiérrez fue uno de ellos.

—Por supuesto, las aventuras del genial detective Carlos... Ya no me acuerdo del apellido.

—Clot —apuntó Jonás, y el actor aplaudió como si ese papel lo hubiera hecho él y no Mario Casas.

—Eso, Clot. Y tú hacías...

—Yo era el director.

—Claro, claro —unió las manos por las palmas como si quisiera pedirle perdón—. Te dieron un Goya y todo, ¿no?

—Qué va. Estuve nominado, pero no gané —Jonás sonrió—. Para empezar, era un corto demasiado largo, y tampoco estaba bien del todo, pero como fue mi primera película, me hizo mucha ilusión.

Jaime Gutiérrez también tenía enmarcada una foto de la gala de los Goya de aquel año, pero la había relegado al altillo que estaba encima de la puerta, y Paula tuvo que pedirle una escalera para verla de cerca.

—La animación, pues ya se sabe —comentó el dueño de la tienda con risita mientras ella se admiraba de lo jovencísimo que estaba Jonás en la imagen.

—No te disculpes —el director de *Sangre a borbotones* también se rio—, estamos acostumbrados a ser el patito feo del cine español...

—Bueno, pues ya me dirás en qué te puedo ayudar —el tendero se impuso al actor cuando Paula bajó de la escalera.

—No busco nada en concreto, sólo quería curiosear un poco. Me ha llamado la atención tu escaparate y he entrado porque

soy un fanático de la tecnología, como te puedes imaginar...
—Jonás hizo una pausa antes de poner el cebo—. He tenido
mucha suerte, porque sigo trabajando en lo mismo, ¿sabes? Hago
animación infantil para la televisión pública y también para el
canal Historia de España, así que tengo un ordenador legal con
todo el *software* que necesito, pero me gustan mucho los trastos
viejos, y por eso...

—Oye —Gutiérrez se tragó el anzuelo como el buen chico
que no tenía ninguna pinta de ser—, pero en ese canal de Historia de España contratan a actores para que hagan de narrado-
res, y voces en *off*, y cosas así, ¿no?

—Sí. Dame tu currículum, si quieres, y se lo paso a mi jefa.
Y si te parece, quedamos otro día y me enseñas lo que tengas.

Así se despidieron, y Paula no lo entendió. Salieron de la
tienda sin haber pronunciado la palabra impresora, sin haber hablado siquiera de dispositivos periféricos. Lo tenías en el puño,
le dijo a Jonás, después de lo del currículum... Pero él sabía que
su mujer, tan brillante a solas delante de una máquina, era más
torpe evaluando a personas de carne y hueso, y hasta si no hubiera sido así, tampoco habría actuado de otra manera, porque
Jaime Gutiérrez no le gustaba. Mientras hablaba con él, había
procurado flotar por encima del mareante nivel de su vanidad
para recordar las palabras del gitano del puesto que le había encaminado hasta él. No es de fiar, le había dicho, y sin ser muy
capaz de explicar por qué, por una simple intuición o un impulso de su olfato, Jonás decidió que estaba de acuerdo. Jaime
Gutiérrez no era de fiar. Esa fue su apuesta y resultó acertada.

—Que ni se les ocurra, te lo digo muy en serio —un par
de semanas más tarde, Julia Pardo se lo confirmó a Elisa Llorente—. Todos los vendedores del Rastro son confidentes, todos, sin faltar uno. Es un requisito imprescindible para que les
den la licencia, hazme caso.

Cuando todas las pantallas de todos los centros comerciales
de Madrid emitieron el mismo día, a la misma hora, el anuncio del Monte, Julia comprendió de golpe por qué la hijastra

de Lafitte había ido hasta El Escorial para anotar en un cuaderno los anuncios que se iban sucediendo ante sus ojos. La operación le pareció asombrosa, tan admirable que no le extrañó que el subcomandante Sosa se quedara con la boca abierta al enterarse de que aquella chica tan joven, tan frágil, formaba parte del grupo que había sido capaz de hacer una cosa así. Tenemos que contactar con ellos, le pidió a Julia, sin explicarle a quién se estaba refiriendo exactamente con esa primera persona del plural, ni cuáles eran las intenciones que subyacían a aquel acercamiento. La agente Pardo tampoco hizo preguntas. Le habían dado una orden que le gustaba y se dispuso a cumplirla, pero Elisa Llorente resultó dura de pelar.

Se hizo la encontradiza con ella varias veces, la invitó a un par de cervezas y siguió insistiendo en que estaba dispuesta a ayudar, en que podían contar con ella para lo que fuera. Elisa la escuchaba con una serenidad que, conversación tras conversación, se fue transformando en una actitud despreocupada, la misma que habría adoptado para charlar con una amiga no demasiado íntima, pero no le contó nada porque, decía, no tenía nada que contarle. Nunca confirmó ni desmintió la hipótesis de Julia que le atribuía un papel en el asunto del Monte, pero cuando la vigilante le informó de que sus compañeros no tenían ni idea de quién estaba detrás de aquel anuncio, le dio las gracias. Ahora está todo parado, fue todo lo que la agente Pardo consiguió sacarle a cambio. Hasta que en octubre, sin previo aviso, Elisa fue a buscarla a la residencia donde vivía.

El grupo había vuelto a reunirse en el obrador de la Pastelería Duarte, al amparo de las pastas de té que Enrique y Juan fueron elaborando mientras Mónica les contaba que su hija se había exiliado en el Sáhara Occidental, para que Jonás y Paula les informaran después de su visita a la tienda del actor de cine, en una atmósfera muy distinta a las reuniones que habían celebrado hasta entonces.

Las caras serias, los gestos graves, los hombros ligeramente encogidos, revelaban el peso del éxito sobre los ánimos de aquel selecto grupo de desgraciados. Todos se dieron cuenta de que habían dejado de reírse, incluso de interrumpirse los unos a los otros. La ironía se había exiliado mucho más lejos que Camila Alcocer, y la duda afloraba a todos los rostros cuando Paula les preguntó qué querían hacer.

—Porque también podemos no hacer nada —entonces se rindió a las virtudes de la desconfianza de Jonás, la ventaja que les daba haber salido de la tienda de Jaime Gutiérrez sin haberle proporcionado una sola pista para sospechar de ellos—. No os voy a engañar, esto es mucho más peligroso que lo que hicimos en abril. Entonces la cosa podía salir bien o mal, pero Jonás y yo lo controlábamos todo, podíamos abortar la operación en cualquier momento. Sin embargo, ahora estamos en manos de un desconocido que tiene fama de no ser de fiar. Así que, si queréis, abandonamos. O lo dejamos para más adelante. O pensamos en otra cosa, lo que os parezca mejor.

De entrada, nadie se atrevió a intervenir. Después, uno por uno, fueron reconociendo que no podían seguir parados, que tenían que hacer algo, avanzar para salvar su propio patrimonio, la memoria del anuncio que había llenado la ciudad de pintadas, e intentar llegar, incluso, más lejos de Madrid. Paula Tascón tenía razón cuando sospechaba que todos compartían la misma pesadumbre, la mala conciencia de haber inspirado en la gente unas esperanzas que no habían sido capaces de alimentar. El plan de la impresora no sólo sonaba bien, sino que, pese a las dificultades que ella misma acababa de enumerar, parecía más fácil, más práctico que otros, aunque a nadie se le había ocurrido ninguno cuando Elisa Llorente levantó la mano como una alumna aplicada.

—Yo conozco a una vigilante que está en contra del MCSY. Ya os conté que hay muchos, lo de las pegatinas y todo eso. Os acordáis, ¿no? —su pregunta obtuvo una unánime cosecha de asentimientos—. Pues esta chica, que se llama Julia, siempre me dice que quiere ayudar y la verdad es que me fío de ella —miró a Enrique Duarte y le vio asentir con la cabeza—.

Cuando asesinaron a Yénifer, pudo haberme denunciado, haberme detenido, pero nunca ha movido un dedo contra mí, al contrario, tengo la sensación de que está pendiente de protegerme. Así que puedo preguntarle por el actor de cine. Si colabora con los vigilantes, estará en su expediente.

Pero Julia Pardo Aguirre le respondió antes de buscar el expediente de Jaime Gutiérrez, porque estaba absolutamente segura de que no era ni más ni menos confidente que cualquier otro tendero del Centro Comercial el Rastro. Después de escuchar a Elisa, se quedó pensando un rato tan largo como si las dos hubieran intercambiado los papeles, y de esa pausa surgió directamente una solución.

—Si el actor de cine es confidente, que te digo yo que lo es, denunciará a tus amigos y mis compañeros montarán un operativo para entrar en la tienda y detenerles con las manos en la masa, o sea, con la caja de la impresora abierta y las cargas de tinta encima del mostrador. Siempre actuamos así para proteger la cobertura de nuestros confidentes y poder seguir exprimiéndoles en el futuro. La idea es que los detenidos nunca estén completamente seguros de quién les ha denunciado, y esta vez no tiene por qué ser distinto. Pero si conseguimos adelantarnos, no ya al operativo, sino incluso a la cita que el tendero les dé a tus amigos, yo me encargo de conseguir la impresora —Elisa abrió mucho los ojos, pero Julia prosiguió en el mismo tono—. Necesito algo de tiempo, eso sí. Tengo que ir primero a la tienda, echar un vistazo, identificar sus dispositivos de seguridad, hacer un plan, asegurarme de que es el mejor... —hizo una pausa, encendió un cigarrillo, miró a la hija de Javier Llorente a los ojos—. También tengo que conocer a tu grupo, al menos a la pareja que fue a la tienda, porque las operaciones como esta no suelen salir gratis. Tienen un coste y necesito saber si estáis dispuestos a asumirlo.

Diez días más tarde, Jonás llamó a Gutiérrez, le contó que le había pasado su currículum a Arancha Tomé, la directora de su equipo, y añadió que, aunque no podía decirle nada concreto, tenía la impresión de que su acogida había sido favorable. Ahora tienes que hacer tu parte del trato, concluyó, y el actor le citó en su tienda un lunes, el único día de la semana que permanecía cerrada para el público.

—¡Qué barbaridad! —exclamó Paula, cuando Jonás y ella le siguieron hasta la trastienda—. Pero si esto es el puto País de las Maravillas...

El actor de cine había expuesto lo que tenía en el almacén sobre una gran mesa de madera, con más gracia de la que había invertido en arreglar el escaparate. Allí vieron varios portátiles, un par de columnas, varias pantallas, ratones, cargadores, altavoces como para montar una oficina y dos impresoras que parecían nuevas.

—Todo ilegal, ¿eh? —les dijo con una risita—. Estamos cometiendo un delito, que lo sepáis...

Jonás se atuvo al pie de la letra a las instrucciones que le había dado Julia Pardo y lo miró todo, pero no tocó nada, ni hizo el menor comentario que pudiera incriminarle.

Eran las cinco de la tarde de un día de perros y una pareja de motoristas entró en la tienda de Jaime Gutiérrez.

Fuera todo era agua, agua estrellándose contra el suelo como si conociera íntimamente la desesperación, agua que desafiaba la gravedad orbitando en ráfagas oblicuas, imposibles, agua más cruel, que repicaba contra el cristal del escaparate con la feroz ambición de hacerlo añicos. Dentro, el tendero, refugiado tras el mostrador y bastante miope, apenas distinguió las figuras que atravesaron una cortina de lluvia que parecía artificial, de tan perfecta, hasta que empujaron la puerta y entraron en su local sin quitarse el casco. Los dos llevaban pantalones y cazadoras de cuero negro. La mujer, tan alta que sólo pudo identificarla como tal por el relieve de sus pechos, avanzó hacia él esgrimiendo con la mano derecha una credencial del Cuerpo Nacional de Vigilantes, que cerró y se guardó en el bolsillo antes de que pudiera leer el nombre impreso en la tarjeta de identificación.

—Buenas tardes, pero... —luego todo pasó muy deprisa—. Oye, ¿qué haces?

Aquellas fueron las últimas palabras que pronunció. Mientras la mujer se acercaba a él, su compañero agarró la escalera que Jaime Gutiérrez ofrecía a quienes se interesaban por ver sus fotos de cerca y se subió en ella para girar la cámara de vigilancia hasta dejarla enfocada en el techo. Cuando el dueño del local intentó ir a detenerlo, el cañón de una pistola le cortó el paso. Sin dejar de apuntarle con el arma, la vigilante rodeó su cuerpo para taparle la boca desde atrás con un trozo de cinta americana.

Después de cambiar la orientación de la cámara, el asaltante bajó la persiana del escaparate y le dio la vuelta al letrero que hasta ese momento había proclamado que la tienda estaba abierta. Luego se llevó la escalera hasta la esquina opuesta del local, pero antes de volver a subirse en ella para manipular la segunda y última cámara, se acercó al mostrador y tiró de un cable blanco que corría por debajo de la madera, en la parte interior.

—Vale —sólo entonces la mujer habló—. Ahora pórtate bien, vamos a terminar enseguida.

En ese momento, los ojos de Gutiérrez se agrandaron, y no sólo de miedo. La tarde en la que Julia Pardo Aguirre acompañó a Elisa Llorente hasta el obrador de la Pastelería Duarte, el asombro no había dilatado menos los suyos.

No sabía muy bien qué esperaba, pero lo que encontró no se parecía a nada que hubiera sido capaz de imaginar. El Monte era una extravagante organización donde alternaban tres jubilados con dos chicos de veinte años. Además había una mujer joven, que le estaba dando una papilla de frutas a un bebé cuando la saludó, y otras cuatro personas que habrían encajado mejor con sus expectativas si el pastelero oficial del MCSY, famoso por sus tartas con formas de palacios y cuarteles, no hubiera sido el anfitrión de aquella reunión. Y sin embargo, lo que tenía delante era lo que había. Esas once personas habían puesto Madrid boca abajo un sábado del último mes de abril. Cuando se detuvo a tomar aire, se regañó a sí misma porque no tenía motivos para dudar, sólo para admirarles.

—Hola, yo me llamo Julia y soy vigilante, ya os habrá contado Elisa, ¿no? —volvió a repasarles con la mirada, uno por uno, como, si a pesar de todo, aún no fuera capaz de creer en lo que estaba viendo—. Creo que voy a poder conseguiros una impresora, pero antes tengo que saber algunas cosas. ¿Quiénes son los que fueron a la tienda del Rastro?

El operativo no lo diseñó ella. Cuando volvió a Los Peñascales, fue directamente a casa del subcomandante Sosa para informarle, y se llevó dos sorpresas seguidas. La primera fue que al antiguo inspector de la Policía Nacional no le inquietó la heterogeneidad de los conspiradores del obrador. Le pareció tan sorprendente como suelen ser las familias, las pandillas, los grupos de gente que se forman en el mundo real, y precisamente por eso le gustó. Julia no se atrevió a llevarle la contraria cuando le escuchó decir que habría desconfiado infinitamente más de la docena de hombres con uniformes de agentes del FBI, traje oscuro, camisa blanca y corbata negra, que a ella le habrían tranquilizado tanto. La segunda sorpresa, abrupta y más importante, fue que decidió ponerse personalmente al mando.

—No te ofendas, Julia, pero tú no tienes experiencia. No hace falta que te diga que me pareces una policía excelente, porque ya lo sabes. Eres inteligente, astuta, valiente y capaz de tomar decisiones acertadas sobre la marcha, pero todavía no has acabado el máster. Yo trabajé en la calle durante más de veinte años y resolví asuntos mucho más complicados que este, que va a ser pan comido, ya lo verás.

—Pero, señor... —su protegida tuvo que hacer una pausa porque, al pensar en lo que iba a decir, un escalofrío recorrió su espalda—. Eso sería cruzar la raya.

—Claro —él lo reconoció sin inmutarse—. Tú la has cruzado ya, ¿no? Y si quieres participar en la operación, que imagino que sí, tu compañero y tú seréis los únicos que avanzarán sin remedio hacia el otro lado. No te preocupes por mí porque, además... —volvió a mirar a Julia y sonrió—. Las rayas están para cruzarlas. ¿Para qué servirían, si no?

En la reunión del obrador, mientras el pastelero y su ayudante movían los dedos a la vertiginosa velocidad de los prestidigitadores para hacer unos huesos de santo perfectos sin perder ripio de lo que se hablaba, la agente Pardo había insistido mucho en que Jonás y Paula, aquella inofensiva madre del potito de frutas que había resultado ser al mismo tiempo la hacker capaz de romper la red legal, le contaran exactamente lo que le habían dicho al actor de cine en su primera visita. Cuando estuvo segura de que ninguno de los dos había hablado de impresoras, les felicitó.

—Y la próxima vez que le veáis, es muy importante que tampoco declaréis vuestras intenciones. Porque si se entera de que queréis una impresora, os denunciará, y aunque nosotros asaltemos la tienda antes de que los vigilantes... —lo que acababa de decir le sonó tan raro que tuvo que rectificar—. O sea, antes de que otros vigilantes monten un operativo para cazaros, la denuncia subsistirá y os convertiréis en sospechosos. Lo mejor es que eso no llegue a pasar nunca, así que, cuando quedéis con Gutiérrez para que os enseñe lo que tiene, no digáis nada que pueda servirle para denunciaros. Si entre lo que os enseña hay impresoras, mejor que mejor. Y si no hay, ya veremos lo que hacemos, pero que no se dé cuenta de qué es lo que queréis, ¿de acuerdo? Ponéis su colección por las nubes, decís ¡ay, qué envidia!, hacéis un poco el friki, lo miráis todo, no tocáis nada —levantó en el aire el dedo índice de la mano derecha para subrayar esta última advertencia—, pero nada de nada, ¿de acuerdo? —esperó a que ambos respondieran con un movimiento de la cabeza—. Pues eso, no tocáis nada, le dais mucho las gracias y os largáis.

—Vale —Jonás asintió con la cabeza—, pero te digo yo que por lo menos una impresora tiene, eso seguro. La foto de la gala de los Goya en la que salgo yo con él parece de la semana pasada y tiene más de quince años. Me estuve fijando en otras, todas antiguas, y están como nuevas. Debe de tenerlas archivadas en el ordenador, y cada vez que una se pone amarilla o pierde color, hace una copia, no hay otra explicación.

—¡Anda! —Paula se le quedó mirando con la boca abierta—. ¿Y a mí por qué no me habías contado eso?

—Bueno —Jonás sonrió—, cada uno sabe de lo que sabe...

El domingo siguiente, por la mañana, Julia Pardo le pidió a Elisa Llorente que la acompañara al Rastro. Era un día templado, soleado, y Cascorro estaba de bote en bote, como en los buenos tiempos. Hasta en la tienda de Jaime Gutiérrez había más gente de la que él era capaz de atender, un éxito que le tenía en vilo, mirando a su alrededor constantemente, más preocupado por que no le robaran que por cerrar las ventas que tuviera entre manos. Las nuevas clientas se repartieron el trabajo. Mientras Elisa dedicaba miradas anhelantes a los relojes Casio repartidos por las vitrinas, objeto de deseo universal para jóvenes y adolescentes en la última temporada, Julia se paseó por la tienda como si no le interesara nada en particular. Observó que había dos cámaras de seguridad situadas en el techo, en esquinas opuestas, vio la escalera que necesitarían para manipularlas, localizó la entrada a la trastienda y estudió el espacio. Estaba segura de que en alguna parte tenía que haber una instalación eléctrica conectada posiblemente a unos micrófonos y con toda seguridad a un botón de alarma, pero no la encontró a simple vista y esperó a que Elisa entretuviera al tendero para buscarla en el único sitio que le faltaba por revisar.

—¿Y este cuánto cuesta? —mientras Jaime Gutiérrez abría la vitrina, se coló detrás del mostrador—. ¿Tanto? Joder, es tan caro como el dorado. Debería ser más barato, ¿no? —y allí estaba todo, el cable y el botón, un pulsador de color rojo incrustado en un cajetín blanco de plástico—. Bueno, sácamelo, que me lo voy a probar, pero me parecen carísimos, ¿eh?

—Bueno, tía —después se acercó a Elisa, improvisó un resoplido de impaciencia y le hizo saber que ya había averiguado todo lo que le interesaba—. ¿Te vas a comprar alguno o no?

—No lo sé —ella respondió tal como habían acordado—, la verdad es que me encantan, pero no me llega el dinero.

—Pues vámonos ya, que eres una pesada.

Aquella misma tarde, Elisa volvió a acompañar a Julia a casa de Rodrigo Sosa. Aunque la vigilante le contó que iba a ser una reunión informal y que necesitaba que asistiera para que pudiera contactar con Jonás y Paula e informarles de lo que hubieran decidido, la perspectiva le impresionó tanto que estuvo a punto de rajarse. De hecho, se ofreció a esperar a Julia en la puerta para que le diera instrucciones sin más, pero la agente Pardo no cedió, porque sabía que el subcomandante tenía muchas ganas de conocerla. Sosa, que de cerca impresionaba bastante, no tanto por su físico como por el aura de autoridad que desprendía, estuvo pendiente de ella en todo momento, derrochando una simpatía casi paternal. Sin embargo, al salir de su casa, Elisa confirmó que le habría gustado más no estar presente en aquella reunión en la que otros tres vigilantes, todos hombres, jóvenes, amigos de Julia, la trataron con un respeto casi reverencial, como si fuera una persona importante. Aquella sensación, tan desconocida como agradable, se disipó en el instante en el que empezaron a hablar en serio.

Aquella noche, Elisa Llorente apenas logró dormir. Pensó mucho en su padre, en sus artículos, en las circunstancias de su muerte, pero la mina antes inagotable de la que había sabido extraer fortaleza en los momentos más difíciles ya no daba mucho de sí. Lo que más la angustiaba no era lo que había oído, la naturalidad con la que los vigilantes habían hablado delante de ella de las armas que iban a necesitar, del inevitable desenlace del asalto, de las medidas que deberían tomar para que pareciera un simple atraco, de la manera de desprenderse del supuesto botín. Lo que la asustaba de verdad era el papel que le habían asignado en aquella operación en la que nunca iba a dejar de ser ella misma, una simple estudiante universitaria inexperta en casi todo, torpe, ingenua, incapaz de encontrarse a gusto dentro del traje con el que acababan de vestirla. Mientras daba vueltas y vueltas en la cama, pensó en Yénifer Mejía, en Enrique Duarte, en la hija de Mónica Hernández, todos tan resueltos, tan valientes, tan seguros de los pasos que habían dado, y cada vez se sentía más pequeña, más inútil, más segura de que nunca llegaría a estar a su altura. En aquella larguísima, insomne madrugada, Elisa Llorente se definió a sí misma como una impostora, un fraude espontáneo, incluso bienintencionado, que no la dejaría descansar hasta que consiguiera hacerlo público de alguna manera. Aferrada a ese compromiso, se durmió cuando la luz del día se filtraba ya por las persianas de su dormitorio. Al cabo de un par de horas, se despertó, se levantó e hizo lo que tenía que hacer sin la menor vacilación.

—Buenos días, ¿Paula Tascón? Mira, te llamo por lo del puesto de canguro...

Aquella misma tarde fue a Lavapiés, cogió a Adriana en brazos, la sentó en su sillita para darle de merendar y comprobó que no la rechazaba, que hasta le dedicaba una sonrisa de vez en cuando. Mientras tanto, le fue contando a Paula y Jonás que la operación estaba en marcha, que los vigilantes ya sabían cómo lo iban a hacer y que Jonás debería llamar a Jaime Gutiérrez lo antes posible para contarle que había entregado su currículum y quería ir a la tienda a ver su colección. Quedaron en que Elisa debutaría como canguro del bebé el mismo día en que hicieran aquella visita y así, a la vuelta, podrían contarle si habían visto impresoras o no, para que ella informara a los amigos de Julia. La idea de su jefe, les contó, era asaltar la tienda lo antes posible. En ningún momento pronunció en voz alta el nombre del subcomandante. Sus anfitriones tampoco se lo preguntaron y, al despedirse, Elisa ni siquiera se acordó de que no era más que una impostora, al contrario. Salió a la calle tranquila, satisfecha, de buen humor. Y no volvió a pasar una mala noche.

Tal vez, a Jaime Gutiérrez se le salieron los ojos de las órbitas al pensar que era mucha casualidad que hubieran entrado a robarle menos de veinticuatro horas después de haberle enseñado los tesoros de su trastienda a Jonás González Vergara. Tal vez lo pensó más tarde, cuando tras amordazarle e inutilizar los sistemas de seguridad de su tienda, los dos motoristas le inmovilizaron las manos por delante del cuerpo con una brida de plástico y le dijeron que iban a llevarse las dos impresoras que tenía en la tienda. Tal vez sólo entonces vio el carrito de la compra que el hombre motorista había traído consigo.

—Esto es muy sencillo —aunque fue ella quien llevó en todo momento la voz cantante—. Sabemos que tienes dos impresoras y nos las vamos a llevar, nada más, esto es un atraco de manual. No nos interesas tú, sólo las máquinas, ¿entendido? —el tendero asintió varias veces con la cabeza—. Muy bien, pues ahora ponte en marcha, muy despacio, sin olvidar que te estoy apuntando con una pistola, y enséñame dónde las tienes.

El actor de cine, atrapado al fin en un argumento digno de una de esas películas en las que jamás había actuado como protagonista, resultó tan mediocre en la realidad como en la pantalla, hasta el punto de que cuando le vio agitar las manos en el aire, moviéndolas entre sí para sugerir que le quitaran la brida, Julia se echó a reír.

—Pero ¿tú eres tonto? —y hasta hizo una pausa, como si Gutiérrez pudiera contestarle—. A ver, ¿por qué crees que te las hemos atado por delante y no por detrás, como Dios manda? Te lo voy a decir yo, para que puedas señalar dónde están. Así que tira, que no tenemos todo el día.

Antes de que tuviera tiempo de dar el primer paso hacia la trastienda, un golpe seco obligó al dueño del local a girar la cabeza. El otro motorista, o vigilante, o lo que fuera, acababa de destrozar el cierre de una vitrina de metacrilato con la culata de una pistola y estaba vaciando su contenido en una mochila. Julia se dio cuenta de que aquel detalle le tranquilizaba, como si confirmara la verdadera naturaleza del asalto, y esperó un par de segundos antes de empujarle con el cañón de la pistola.

—Vamos —por un instante, su voz sonó casi dulce—, anda.

El subcomandante Sosa tenía razón. El operativo fue pan comido, aunque masticarlo les costó un poco más de trabajo de lo que esperaban, porque Gutiérrez decidió hacer honor a su profesión y desplegó toda una serie de trucos malos para entorpecer a Julia, hasta que ella decidió cortar por lo sano y disparó contra el cerrojo que aseguraba una simple puerta de madera con tal de ahorrarse su numerito de mimo amordazado.

—¿Qué pasa? —preguntó Max Rodríguez desde la tienda, donde seguía desvalijando una vitrina tras otra.

—Nada —gritó Julia, mientras recogía el casquillo y se lo guardaba en un bolsillo—. Tráete el carro —después se encaró con Gutiérrez, bajó la voz—. Mira, chaval, este almacén es muy pequeño, pero está lleno de cosas, así que tenemos dos opciones. O me enseñas de una puta vez dónde están las impresoras y no tengo que volver a disparar, o sigues haciendo el gilipollas y te reviento primero una rodilla, luego la otra, luego... No sé, ya veré. Esta pistola es muy antigua y tiene un silenciador de los de antes, de los buenos, así que...

En ese momento, el actor de cine renunció definitivamente a su oficio y ni siquiera le dejó terminar la frase. Entró en el almacén por delante de ella y no sólo señaló las cajas que debía apartar para encontrar las impresoras, sino que a continuación, sin que Julia se lo pidiera, la guio por los estantes hasta las cargas de tinta que hacían funcionar una de las impresoras y los tóners que necesitaba la otra. No era demasiado, calculó ella mientras vaciaba el carrito de la verdura que habían comprado antes de entrar en la tienda, pero sería suficiente.

Jaime Gutiérrez se limitó a mirarlos mientras guardaban las impresoras, los recambios de tinta, un portátil y algunos cachivaches más, en el fondo del carrito, para amontonar encima unos manojos de puerros, otras tantas matas de apio, dos lechugas y una malla con dos kilos de naranjas. Hasta que vio algo que no supo interpretar. El hombre, que apenas había abierto la boca y se había comportado en todo momento como subordinado de la chica, le tendió con la mano izquierda el asa del carrito y, con la otra mano, la pistola que hasta entonces sólo había usado para romper los cierres de las vitrinas. No dijo nada, pero su víctima comprendió que pretendía intercambiarla por la de su compañera.

—Ni hablar —ella dejó el carrito a un lado y cerró el puño alrededor de su arma.

—Sí —él siguió insistiendo, estirando hacia ella la mano derecha con la pistola encima—. Lo siento, pero son órdenes.

Jaime Gutiérrez no sabía nada de armas, pero, si no hubiera estado tan nervioso, tal vez se habría dado cuenta de que aquellas dos pistolas no se parecían. La que se estaban disputando era más grande, más antigua y, aparte de que tenía encajado un silenciador, parecía más sólida, incluso más letal que el arma reglamentaria del Cuerpo Nacional de Vigilantes, la pistolita que la agente Pardo acabó aceptando a regañadientes. Jaime Gutiérrez no comprendió que se estaban rifando su muerte. Un instante después, mientras seguía intentando analizar el significado de lo que acababa de escuchar, el hombre estiró el brazo derecho y le disparó en la cabeza con un movimiento limpio, escueto, tan elegante como si su acción formara parte de una coreografía. Si hubiera podido contemplar el resultado, habría disfrutado de su interpretación, porque cayó muy bien. Apoyado en el quicio de la puerta que separaba la tienda y la trastienda, parecía dormido, casi en paz.

—No era un inocente —protestó Julia, después de que Max la liberara de la ejecución del tendero contra su voluntad—. No era una víctima colateral, ni un transeúnte equivocado. Era un enemigo, un confidente colaboracionista, lo sabemos, los dos hemos leído su expediente —clavó sus ojos en los de Max, hizo una pausa y añadió algo más—. Estoy hasta el coño de que me protejáis.

—Me lo imagino —Max también recogió su casquillo antes de devolver a la agente Pardo su pistola original, como una muestra de buena voluntad—. Tienes razón, Julia, pero tú todavía no has matado a nadie y esta operación era demasiado importante como para... —no se atrevió a decir lo que estaba pensando, pero el silencio no impidió que su compañera pudiera leer la expresión «crisis nerviosa» sobre su frente—. Lo único que pretendía el jefe era asegurarse de que todo iba a salir bien, porque disparar a una persona no es fácil, créeme.

—Pues sí, a ver qué remedio... Tendré que creerte, porque a este paso no voy a descubrirlo nunca.

—De todas formas... —Max prosiguió con cautela—. En este momento ya no somos dos agentes sujetos al reglamento y al escalafón. A este lado de la raya, como diría Sosa, las acciones son mucho más importantes que nosotros mismos, nuestros derechos o nuestras aspiraciones. Da lo mismo quién haya disparado. Gutiérrez tenía que morir y está muerto. Y lo que tenemos que hacer es largarnos ya de aquí.

—Vale —ella asintió con la cabeza, le puso una mano en el brazo, aceptó un abrazo apresurado—. Ahora eres tú el que tiene razón.

A continuación procedieron como estaba previsto. Apagaron todas las luces, abrieron la puerta que comunicaba el local con el portal del edificio, miraron hacia un lado, después hacia el otro, y no tardaron ni un minuto en estar en la calle. La lluvia había amainado un poco, pero seguía cayendo con la fuerza suficiente como para mantener las aceras llenas de charcos y vacías de curiosos. Seguramente, en una tarde soleada, con vecinos asomados a los balcones y porteras barriendo el mismo metro cuadrado de acera sin cansarse jamás, aquellas dos figuras embutidas en cuero negro que avanzaban con los cascos puestos, tirando de un carro de la compra, hacia el parque del Casino de la Reina, habrían llamado la atención de alguien. Pero aquella tarde todos los balcones estaban cerrados, los portales desiertos. La lluvia, que en Madrid siempre es una bruja sucia, incómoda, les amparó como la inmaculada capa de un hada madrina mientras avanzaban hacia una furgoneta blanca, sin letreros ni marcas de ningún tipo, aparcada junto a la entrada del parque.

—¿Ya? —Elisa bajó con Juan de la furgoneta mientras Juanito encendía el motor.

—Ya —Julia le tendió el asa del carrito como cualquier hermana mayor que acabara de hacerle la compra a su hermana pequeña—. Ten cuidado con la verdura, no se te vaya a caer.

Se despidieron con dos besos y Elisa volvió con el carro a toda prisa a la furgoneta. Juan entró tras ella, como un novio colaborador y complaciente, dispuesto a asumir la incomodidad de un trayecto con la compra entre las piernas, y los motoristas no esperaron a que el vehículo se perdiera de vista bajo la lluvia. Después de hacer la entrega, volvieron sobre sus pasos y se separaron pronto. Habían ido hasta el Rastro en moto, pero cada uno había aparcado la suya en una calle distinta.

La muerte de Jaime Gutiérrez no fue noticia. Ningún informativo recogió el hallazgo de un cadáver en incipiente estado de descomposición dentro de una tienda de antigüedades tecnológicas de la calle Rodas. El local llevaba dos días cerrado, pero los vecinos no avisaron a las autoridades hasta que les alertó una inesperada pestilencia. El difunto había sido actor de cine, ¿sabe usted?, declaró la portera a instancias de los investigadores, y tenía horarios muy caprichosos. No era la primera vez que cerraba dos días sin dar explicaciones, pero luego, claro, el olor...

El escenario del crimen dejaba poco espacio para la imaginación. Las vitrinas de metacrilato, que habían custodiado las piezas más valiosas, habían sido desvalijadas a conciencia, con la excepción de unos pocos objetos, descartes de los atracadores, que los vigilantes encontraron tirados por el suelo. La cerradura del almacén de la trastienda había sido reventada de un balazo, por lo que parecía evidente que parte del botín debería proceder de allí, pero los investigadores no lograron establecer qué faltaba exactamente. Como todos los comerciantes del Centro Comercial el Rastro, Jaime Gutiérrez estaba obligado a facilitar a las autoridades un inventario completo y actualizado de todos los bienes que se encontraran en su tienda en cada momento, pero en ese aspecto no había sido menos caprichoso que en la aplicación de los horarios comerciales. No era la primera vez que los agentes que se ocupaban del caso se enfrentaban a una situación semejante. Aunque el actor de cine tenía licencia para comerciar con productos informáticos y tecnología previa al Gran Apagón, la propiedad de objetos ilegales comportaba una declaración exhaustiva, que incluía números de serie de *hardware* y *software* destinados a poder seguir la pista de un equipo, o de cualquiera de sus componentes, desde el instante en que saliera de la tienda. Pero los comerciantes decidían ahorrarse a menudo un requisito que les impedía hacer negocios al margen de la ley, con dispositivos que alcanzaban precios altísimos en el mercado negro. Preferían hacer el recorrido inverso, vender el equipo, denunciar al comprador y quedarse con el dinero, alegando que la mercancía acababa de llegar a sus manos y no les había dado tiempo a inventariarla todavía.

Todo esto estaba muy claro, y sin embargo, algunos detalles del atraco a la tienda de la calle Rodas llamaron la atención de los investigadores. Todo lo que lograron averiguar fue que el arma homicida había sido una vieja pistola reglamentaria de la antigua Policía Nacional, un objeto en teoría inexistente en la España del MCSY, que seguramente tendría el número de serie borrado, aunque habría sido imposible rastrearla incluso si no fuera así, y eso sin contar con que el asesino se había molestado en recoger los dos casquillos que había utilizado, uno para descerrajar una puerta, el otro para reventar la cabeza de la víctima. La científica no había sido capaz de encontrar ni una sola huella dactilar, ni siquiera la impresión parcial de un zapato, nada en absoluto. Tanta perfección evidenciaba la presencia de profesionales en la escena del crimen, pero, a aquellas alturas, los investigadores tampoco podían estar seguros de la clase de profesionales a los que se enfrentaban.

—En resumen —al cabo de unos días, José Federico Miralles llamó por teléfono a Rodrigo Sosa para ponerle al corriente de sus inquietudes—, la hipótesis más sólida entre las que estamos barajando es que un grupo de antiguos miembros de las Fuerzas y Cuerpos de Seguridad del Estado, de los que no quisieron integrarse en el Cuerpo Nacional de Vigilantes, hayan podido formar una banda de delincuentes conservando sus propias armas, que obviamente tampoco entregaron cuando habrían debido hacerlo.

—Pues en ese caso —el subcomandante Sosa se mostró solidario y muy preocupado—, tenemos un problema muy serio, Fede.

—Lo sé —la voz del director general transmitía fielmente su pesadumbre—. Ahora el atraco es lo de menos. Nuestro principal problema consiste en intentar anticiparnos al próximo golpe.

—Tenemos que ser proactivos, sí. Un día de estos voy a verte y miramos qué se puede hacer.

Cuando colgó el teléfono, Rodrigo Sosa Ramírez estaba muy tranquilo. El operativo había sido un éxito incluso en detalles que no se habría atrevido a imaginar. Nadie en el Cuerpo Nacional de Vigilantes dudaba de que el asalto a la tienda de la calle Rodas hubiera podido ser algo distinto de un atraco, y en el inventario de los objetos robados sólo figuraban con certeza los artículos expuestos en las vitrinas, el botín que aquella misma noche, de madrugada, Max Rodríguez enterró en el jardín de su casa. Aquel operativo también lo había diseñado su jefe. Unos días antes del asalto le había prestado su ahoyador, un taladro vertical con el que logró cavar un hoyo tan profundo que, al día siguiente, acogió sin problemas al laurel joven que el subcomandante Sosa le llevó de regalo, para que lo plantaran juntos mientras se calentaba la barbacoa. Los vigilantes buscarían infructuosamente, durante meses, los relojes digitales Casio y los *smartphones* que irían oxidándose lentamente mientras se dejaban abrazar por las raíces del laurel, hasta fundirse con ellas en una inextricable maraña de naturaleza imposible, metálica y vegetal a partes iguales, que sólo volvería a ver la luz si algún día arrancaban el árbol. El arma homicida tampoco iba a aparecer. La vieja pistola reglamentaria del inspector Rodrigo Sosa, miembro de la Brigada de Delitos contra las Personas de la Policía Nacional de la democracia, dormía bajo llave, limpia y bien engrasada, en un cajón secreto del escritorio del despacho que el director de la Academia del Cuerpo Nacional de Vigilantes tenía en su casa de Los Peñascales. Eso era todo lo que necesitaba saber para conservar la calma.

Por lo demás, no invirtió ni un segundo en resolver un presunto dilema moral que en la realidad nunca había llegado a existir. Él había estado en contra del MCSY desde el primer momento, aquella Operación Regreso en la que le había tocado trabajar a las órdenes del jefe de seguridad del antiguo WiZink Center. Durante esas dos semanas, había sido capaz de anticipar lo que iba a pasar con una precisión que aún le sobrecogía, y nunca lo había olvidado. Por eso, cuando Julia Pardo le contó que había visto a Elisa Llorente tomando nota de la publicidad de las pantallas del Centro Comercial de El Escorial, quince días antes de que saltara el anuncio del Monte, no se lo pensó. No habría podido dejar pasar la oportunidad de contactar con un grupo de resistentes sin sentir que se estaba comportando como un cobarde, un traidor a sí mismo. Esa era la única lealtad que le obligaba. Su relación con el Estado al que servía siempre había sido un asunto de mera supervivencia, y aunque era consciente de que no habría podido hacer otra cosa, lo que hacía se había ido convirtiendo en la fuente de un malestar permanente que sólo empezó a disiparse al otro lado de la raya. Dentro de un uniforme tan irrelevante como un disfraz, Rodrigo Sosa Ramírez no había dejado de considerarse un hombre libre, sin más compromiso que el de cuidar de sí mismo y de su gente por el bien de todos. Era demasiado inteligente, también lo bastante desconfiado, como para pensar en integrarse en El Monte. Julia, cuya amistad con la hijastra del portavoz del Cuerpo era tan conocida por sus compañeros que ya había algún imbécil diciendo por ahí que eran novias, estaba en una situación inmejorable para hacer de enlace con el obrador de la Pastelería Duarte. A partir de ahí, él sólo intervendría cuando su apoyo fuera imprescindible, aunque no renunciaba a imponer ciertas directrices. Cuando las impresoras estuvieron en poder del grupo, fue él quien decidió que deberían dejar pasar tres meses antes de usarlas. Tampoco lo habrían logrado en menos tiempo.

—Nosotros tenemos un colega, que trabaja en una tienda de cómics, en el Centro Comercial Aluche, que nos ayudaría a repartirlos, seguro.

—Sí —Juanito apoyó la propuesta de su amigo—, está muy de fiar.

—Bueno —Mónica Hernández intentó rebajar a tiempo la temperatura de una reunión que se había desparramado a los cinco minutos de empezar—, pero antes de contar con vuestro colega de Aluche, tendríamos que tener los textos, y antes de eso, deberíamos decidir qué queremos comunicar exactamente.

Después de más de seis meses de inactividad, el ambiente serio, grave, que había pesado en todos los semblantes la última vez que se vieron, se había disuelto en un inmanejable guirigay de voces que gritaban a la vez para proponer cualquier cosa y su contraria. Cuando Mónica intentó poner orden, los miembros del Monte, que no habían tenido la oportunidad de disfrutar de su éxito en común, estaban peligrosamente eufóricos, tan dispersos y excitados como los niños de una guardería cinco minutos antes de la hora de salida. Lo único en lo que todos se pusieron de acuerdo fue en delegar la escritura de los textos en ella, que era guionista, que había tenido un canal en YouTube, que estaba acostumbrada a escribir. Pero más allá de la confortable unanimidad que resultó de delegar toda la responsabilidad sobre unos hombros ajenos, resultó que cada uno tenía su propio e insuperable criterio sobre el contenido de los folletos y ninguna intención de ceder ante las ideas de los demás. Cuando aquella reunión se empezó a parecer a un debate en la sede de barrio de algún viejo partido de ultraizquierda, Jonás tomó el control.

—¡Basta ya! —aunque primero tuvo que gritar para lograrlo—. Un poco de silencio, por favor. Vamos a hacer lo mismo que hicimos con la publicidad de las pantallas, ¿de acuerdo? Dentro de tres semanas, volvemos a reunirnos aquí y que cada uno traiga una lista de los temas que cree que deberíamos explicar en los folletos. No tenemos por qué hacerlo todo de una vez. Yo creo que tenemos tinta para imprimir, al menos, tres tiradas de unos cien panfletos cada una —sus últimas palabras levantaron una marea de desaprobación a la que le costó trabajo imponerse—. Si os parecen pocos, le damos una vuelta, pero yo creo que es mejor hacer varios distintos, aunque sean pocos, que muchos iguales.

—Y cuando se acabe la tinta —Enrique Duarte solía intervenir tan poco que aquella tarde no se molestó siquiera en pedir la palabra—, podemos intentar fabricarla aquí. Tendríamos que estudiarlo y hacer pruebas, pero si acertamos con la proporción, los colorantes que usamos tal vez sirvan para imprimir sobre papel —una nueva marea de murmullos, esta vez admirados, satisfechos, creció sobre el eco de sus palabras—. De todas formas, estoy de acuerdo con Jonás. Mejor tiradas cortas de pocas unidades que una más larga con el mismo texto. Y de paso, os diré que también estoy de acuerdo con Mónica. Yo empezaría con el mordisco del perro, desde luego...

No fue fácil. La precariedad de los medios con los que contaban lastró las posibilidades del aparato de propaganda del Monte desde el primer momento, pero a base de ingenio, de improvisación en improvisación, lograron salir airosos de la mayoría de los problemas que se fueron presentando.

Fue su segundo éxito, mucho menos espectacular que el primero, pero más sostenido en el tiempo.

Si hubieran sabido que la partida se estaba desplazando a un tablero mucho más grande y complejo, en el que apenas llegarían a cumplir la función de un simple peón, tal vez no se habrían sentido tan satisfechos.

Rodrigo Sosa Ramírez no sabía exactamente quién le había invitado a comer.

Tres días después de asumir las funciones de su nuevo cargo —la Dirección General del Cuerpo Nacional de Vigilantes que la muerte de José Federico Miralles había dejado vacante—, el ministro de Seguridad Nacional en persona le llamó por teléfono.

—El Gran Hombre quiere verte —se limitó a anunciar—. Me encantaría acompañarte, pero no he sido invitado. ¡Suerte!

Diez minutos más tarde, su secretaria entró en el despacho con los detalles, marisquería del barrio de Salamanca, al día siguiente, a las dos y media de la tarde. Anita, cuarentona, pizpireta y muy cotilla, le había introducido en ese despacho que ahora ocupaba cuando fue por primera vez al Cuartel del Conde Duque a ver a Miralles y en todas sus visitas posteriores. Siempre le había caído bien y, en el entierro de Fede, le había dado un abrazo que se prolongó en un acceso de llanto que él no supo cómo atajar y les unió, durante un instante, en una intimidad improvisada y rarísima. Al heredar el cargo de su difunto jefe, decidió conservarla en su puesto y no se arrepintió. Aquella mañana, antes de que volviera sobre sus pasos y a riesgo de quedar como un paleto, un advenedizo insignificante en un despacho que no era de su tamaño, comprendió que haber enjugado sus lágrimas le daba derecho a hacerle cierta clase de preguntas.

—Oye, Anita, perdona un momento... —empleó otro para escoger las palabras que iba a decir—. Yo no soy más que un vigilante, ya lo sabes. Es la primera vez en mi vida que ocupo un cargo en el gobierno, y estoy muy orgulloso, por supuesto, pero hay demasiadas cosas que no sé y... ¿Quién es este señor que me ha invitado a comer?

—¡Uf! —su secretaria resopló—. Pues yo tampoco lo sé muy bien, bueno, lo que sí sé es que es el puto amo, como si dijéramos. Es el fundador del MCSY y, por lo que se cuenta, el verdadero jefe de Megan García.

—El que toma las decisiones —recapituló Sosa en un murmullo, para sí mismo.

—Entre otras cosas —concluyó ella, sin querer ser más explícita, antes de dejarle solo.

Juan Francisco Martínez Sarmiento, conocido como el Gran Capitán antes de convertirse sencillamente en el Gran Hombre, era algo más bajo y bastante más corpulento que Rodrigo Sosa, pero no dejaba de tener un aspecto imponente. De la edad incierta de todas las personas muy bien conservadas, podía aparentar cualquiera entre los cincuenta y pocos y los sesenta y muchos años, gracias a la habilidad con la que había sabido gestionar la herencia del tiempo que había vivido. Tenía las sienes plateadas, las cejas grises, de un espesor que suspendía una sombra casi temible sobre los ojos para completar la ilusión de un rostro de ave rapaz presidido por la curva de su gran nariz, y dos arrugas profundas que enmarcaban su boca como cuchilladas, pero ninguna de estas señales bastaba para degradar la energía juvenil que impregnaba todos sus movimientos, desde la fuerza con la que estrechó la mano del recién llegado hasta la franqueza con la que le miró directamente a los ojos.

—Tenía muchas ganas de conocerte —aquel tuteo no transmitía superioridad, sino un anhelo de confianza—. La muerte de José Federico ha sido una tragedia para mí. No sólo era un amigo, sino un compañero leal al cien por cien, un colaborador valiosísimo...

La muerte de Federico también había sido una tragedia para Sosa, que habría dado casi cualquier cosa por evitarla. Había sido un caso de verdadera mala suerte. Que aquel hombre tan torpe, que sólo se enteraba de las cosas cuando se las explicaban, que nunca había parecido capaz de anticiparse a los acontecimientos, hubiera escogido ese momento y esa coyuntura concreta para hacer la máxima exhibición de sagacidad de su vida, le seguía pareciendo inexplicable, y sin embargo, eso era lo que había ocurrido. He descubierto una cosa que me preocupa mucho, Rodrigo... Ya habían pasado seis meses, el plazo prescrito para archivar una investigación infructuosa, desde el atraco a la tienda de la calle Rodas. Fede debería haber estado ocupado en otras cosas, seguramente tenía muchos asuntos que resolver, pero no se le ocurrió nada mejor que revisar personalmente el dosier antes de firmar la orden que lo relegaría para siempre a una caja de cartón, en el sótano de la Dirección General. Entonces vio algo que no había visto nadie, lo vio precisamente él, que nunca había visto más allá de sus narices. Sosa sintió un escalofrío cuando le contó que en el parque del Casino de la Reina había una cámara camuflada en un muro recubierto de hiedra, una instalación que usaban los ornitólogos para estudiar las migraciones de los pájaros. El día del atraco, esa cámara estaba encendida y había grabado unas imágenes de muy mala calidad, por la lluvia y por el ángulo desde el que las había captado, que no le habían parecido interesantes a nadie excepto a Miralles. Sosa le pidió que se las mandara y su jefe le dijo que no, que prefería que se pasara por su despacho para que las estudiaran juntos. Mira, le dijo, girando la pantalla para que pudieran verla los dos a la vez, ya sé que las imágenes no son claras, pero esta chica que sale de la furgoneta... Fíjate en su pelo, en su cuerpo, en su manera de andar, ¿no te suena? No puede ser, dijo Rodrigo para sí mismo, no puede ser, y se cagó en la hostia, en los muertos de Miralles, en sus propios muertos, mientras miraba a su interlocutor con cara de póquer. Pues no me suena, no, dijo después en voz alta, frunciendo el ceño como si se estuviera concentrando en verla mejor. La verdad es que no se ve nada, Fede, una silueta borrosa por la lluvia, grabada desde mucha altura. No creo que, en el caso de que la identifiques, tenga valor de prueba ante un tribunal, y por cierto, añadió a tiempo, ¿esto qué tiene que ver con el atraco? Pues no lo sé... José Federico Miralles estaba tan poco acostumbrado a su brillantez que la reacción de Sosa bastó para hacerle vacilar, pero se recompuso muy deprisa. No lo sé, pero este parque está bastante cerca de la calle Rodas, y si miramos las imágenes de después... Ahí, mira, ¿ves a esa motorista que llega con un carro de la compra? Sosa asintió mientras se cagaba en los muertos de todas las generaciones que le habían precedido desde el principio de los tiempos. ¿A ti no te parece que podría ser...? ¿Quién, Fede? Es una mujer que lleva un casco y va completamente vestida de negro. Desde este ángulo, cuando se levanta la visera ni siquiera se le ven los ojos, así que... ¿Quién crees tú que puede ser? Miralles bajó los párpados, se frotó la frente, tomó aire y firmó su sentencia de muerte. Pues te va a parecer una locura, Rodrigo, pero yo apostaría a que la chica que sale de la furgoneta es la hijastra de Víctor Lafitte, y la motorista podría ser Julia Pardo. Sosa levantó mucho las cejas y le miró como si acabara de revelarle que en realidad era Napoleón Bonaparte, pero su jefe no desistió. No puedo estar seguro, pero igual merece la pena investigarlo porque, no sé, ese carro de la compra, con tanta verdura por encima, ¿qué podría tener dentro? Ya sabes que los del Monte han empezado a hacer propaganda en papel, o sea, que tienen una impresora, y aunque no sabemos nada... Mi hija Blanca siempre dice que Elisa se volvió muy rara desde que mataron a la chica hondureña que trabajaba en casa de Santisteban. Antes eran muy amigas, pero ahora ya no se trata con nadie, sólo con Julia Pardo, y que las dos aparezcan en una grabación la misma tarde del atraco, pues... ¿Las dos?, Rodrigo Sosa gritó, sonrió, fingió a continuación un ataque de risa. Perdóname, Fede, se disculpó después de aparentar haberse recompuesto, perdóname, pero es que todo esto me parece un delirio, una alucinación... Su cerebro funcionaba como una máquina de vapor sometida a tanta presión que los tornillos ya estaban a punto de salirse de las tuercas cuando se le ocurrió lo que iba a decir. Pero vamos a suponer que tienes razón, fue lo que dijo. Vamos a suponer que estas dos personas son las chicas que tú crees que son. Vamos a suponer incluso, por suponerlo todo, que dentro del carrito de la compra no había sólo verdura, sino el botín del atraco a la tienda del actor de cine. Miralles le miró, asintió a sus palabras con un gesto grave. ¿Tú te das cuenta, prosiguió Sosa, de la magnitud del ridículo que harías si te atrevieras a acusar sólo con estas imágenes a la hijastra del portavoz del Cuerpo y a una agente que está a punto de licenciarse como número uno de su promoción? Sería el fin de tu carrera, Federico, porque la verdad, perdona que te lo diga, es que objetivamente aquí no se ve una puta mierda. Unas imágenes grabadas desde más de cuatro metros de altura, en un ángulo oblicuo, mientras caía el diluvio universal... ¿Y tú hablas ya de las dos, como si cada una llevara un letrero con su nombre encima del pecho? Espero por tu bien que no le hayas enseñado esta grabación a nadie más. Las palabras, el tono, el gesto de su interlocutor acojonaron a Miralles hasta el punto de que negó con la cabeza y mucha vehemencia, como si hubiera dejado de confiar en la eficacia de sus cuerdas vocales. ¿Seguro?, preguntó Sosa. Seguro, contestó él con una hebra de voz estrangulada por los nervios. Muy bien, pues te voy a decir lo que vamos a hacer. Déjame que investigue un poco, discretamente, para averiguar dónde estaban la hijastra de Lafitte y la agente Pardo aquel día, a aquella hora. Si logramos descartarlas, se acabó la historia, ¿de acuerdo? Y si no, habrá que continuar, pero esto no puede salir de aquí, esto tiene que quedar entre tú y yo. Es una información demasiado sensible, con una base demasiado frágil, como para que empiece a circular por ahí. Ya nos hemos metido en bastantes chapuzas. No podemos permitirnos ni una más. Su jefe le prometió formalmente que no hablaría con nadie del asunto, y así se despidieron.

—Ya sé que erais muy amigos —el Gran Hombre asintió con la cabeza mientras estrenaba la fuente de quisquillas, gordas como dedos pulgares, que un camarero acababa de dejar sobre la mesa—. José Federico me lo contaba todo, ya te lo he dicho. Siempre me habló muy bien de ti, hasta el punto de reconocer que le habías sacado varias veces del atolladero. Por eso te elegí para que le sucedieras en el cargo —Rodrigo Sosa se atragantó al escuchar esa frase, pero su anfitrión siguió hablando como si ni siquiera se le hubiera ocurrido que pudiera existir una relación de causa y efecto entre sus palabras y el accidente que espurreó el plato del flamante director general con el agua que no había logrado tragar a tiempo—, porque se aproximan tiempos complicados, en los que la unidad y la lealtad van a ser más valiosas que nunca. Eso es lo que espero de ti, que logremos trabajar en equipo con la misma confianza, la misma eficacia con las que trabajaste con José Federico.

Rodrigo se paró a pensar, asintió con la cabeza y optó por una fórmula para salir del paso.

—Puede usted contar conmigo, señor.

—¿Señor? —Martínez Sarmiento sonrió—. No, hombre, llámame Juan Francisco, por favor.

El subcomandante Sosa buscó una manera de salvarle la vida a José Federico Miralles con un empeño cercano a la desesperación. Él había sido quien decidió que no podían correr el riesgo de dejar a Jaime Gutiérrez con vida, pero esto era distinto. A pesar de los trajes de motorista, de los cascos que Julia y Max no se quitaron en ningún momento, el actor de cine habría podido identificarlos por sus voces, por su forma de moverse, por cualquier detalle tonto, de esos que se le escapan siempre a todo el mundo y podría habérseles escapado también a ellos, como se les escapó la puta cámara de los ornitólogos del Casino de la Reina. Cuando planeó el operativo, Rodrigo no contaba con que los investigadores le dieran tanta importancia a la procedencia del arma homicida. Pensó que la profesionalidad de los atracadores, la limpieza con la que habían ejecutado su plan, los empujaría a buscarlos entre sus propios compañeros, y en una rueda de reconocimiento con trajes de motorista y cascos, Gutiérrez habría tenido posibilidades de acertar. Por eso le condenó a muerte sin vacilar, para salvar a sus agentes y el futuro del Monte, pero le dolía el estómago cada vez que pensaba que Miralles podría correr la misma suerte. No era una cuestión de méritos, mucho menos de afecto. El subcomandante siempre había trabajado muy bien con el director general, porque sabía tirar de los hilos precisos para manejarlo como a una marioneta, pero no le consideraba un amigo. Saber que Fede sí le contaba entre los suyos no representaba un vínculo que se sintiera obligado a respetar. Si Gutiérrez no era inocente, Miralles lo era muchísimo menos, y sin embargo no le gustaba nada la idea de quitarlo de en medio. Durante varios días, y sus noches, analizó el problema desde todos los ángulos que se le ocurrieron, pero no encontró una solución. Él mismo había impuesto a su jefe que mantuviera la grabación en secreto. Aunque si conseguía robarla, o inutilizarla, se estaría acusando a sí mismo, estaba dispuesto a correr ese riesgo, pero todas las tentativas que hizo en esa dirección fracasaron. Sin explicarle las razones, le pidió a Javier Viñas que solicitara el dosier del atraco por conducto oficial y le respondieron que era material clasificado. Max Rodríguez no fue capaz de encontrarlo cuando se coló en el despacho del director general, mientras él participaba, junto con el subcomandante Sosa, en un acto de la Academia. Aquel día, cuando se despidieron, Rodrigo le dijo que le llamaría pronto, en dos o tres días, para ponerle al corriente de sus avances, pero cuando se cumplió ese plazo, aún no había hecho ninguno. Entonces comprendió que no le iba a quedar otro remedio que eliminarlo. No le gustaba ser responsable de dos cadáveres en poco más de seis meses, no le gustaba la tensión que la muerte del director general provocaría en el Cuerpo Nacional de Vigilantes, no le gustaba la idea de trabajar a las órdenes de otra persona con la que difícilmente se llevaría igual de bien que con su predecesor, no le gustaba mancharse las manos con la sangre de alguien tan cercano, no le gustaba nada de lo que iba a tener que hacer, pero cuando pensaba en Julia Pardo y Elisa Llorente con las manos esposadas, entrando en un coche patrulla, camino de la comisaría, comprendía que lo que a él le gustara, o le dejara de gustar, había dejado de tener importancia. Por eso renunció a la última, descabellada idea de hablar con Fede para explicarle que, en efecto, había reconocido a las personas que aparecían en las imágenes, contarle que Elisa había ido al parque con unos amigos, que Julia le había llevado unas cosas que le había encargado, que eran ellas, que estaban allí, pero que no tenían nada que ver con el atraco. Ese relato, que a él le habría salvado la vida, era demasiado endeble como para no condenar a las chicas que, con toda seguridad, habrían sido detenidas e interrogadas antes de que les pasara cualquier cosa, ninguna buena. Rodrigo Sosa Ramírez, que se había mostrado convencido de que las rayas sólo sirven para ser cruzadas, asumió las consecuencias de sus palabras y decidió que actuaría solo, sin poner en peligro a nadie más. Al día siguiente de tomar la decisión, telefoneó al director general a primera hora de la mañana. Me han dado un chivatazo, Fede, le dijo. Por lo visto, esta mañana se ha presentado en la comisaría de Los Peñascales un guarda forestal que ha descubierto, cerca de la valla del Canto del Pico, un alijo de productos que no ha sido capaz de describir con exactitud, pero que podrían encajar con el botín del atraco de la calle Rodas. Quien los llevó hasta allí no debió de tener tiempo de enterrarlos bien. Me he tomado la libertad de ordenar en tu nombre que nadie toque nada antes de que podamos ir a echar un vistazo. Tal vez no encontremos huellas, ni ADN, pero nunca se sabe...

—España se nos está yendo de las manos, Rodrigo —con el bogavante, llegó el momento de las grandes revelaciones—. Jamás pensé que pudiera ocurrir tan pronto, ni que llegáramos a tener tantos frentes abiertos a la vez, pero esa es la verdad contra la que tenemos que luchar. Hemos vivido unos años buenísimos, y justo ahora, cuando ya parecía que todo se había estabilizado... Por una parte está El Monte, que al principio no nos pareció peligroso, ¿verdad? Los hijos de puta son muy listos, sus eslóganes buenísimos, pero no hacían nada más que propaganda, darle a la gente un motivo para pintar las paredes con espráis de colores. Eso creíamos, y sin embargo, después de la muerte de Miralles...

—Verás, Juan Francisco —el flamante director general, que nunca había tenido a España entre las manos, se atrevió a intervenir en aquel momento—, a lo mejor esto te suena raro, pero la verdad es que no estoy seguro de que los asesinos de Fede hayan sido los mismos que lanzaron el anuncio del Monte en las pantallas de los centros comerciales. El éxito de aquel mensaje consistió, como tú muy bien has dicho, en motivar a la gente. El Monte les proporcionó un logotipo, un nombre, un símbolo al que puede acogerse cualquiera, desde un gamberro que se aburre hasta un delincuente que pretende camuflar su identidad detrás de unas siglas con las que no tiene nada que ver. Es evidente que los activistas originales tienen que ser personas con una formación tecnológica muy elevada, puesto que lograron colarse en la intranet de la Administración del Estado. Me inclino a pensar que los folletos que han empezado a circular también son obra suya. He analizado los textos y están muy bien escritos. Son contundentes, eficaces y hasta ingeniosos, propios desde luego de alguien acostumbrado a escribir. Por eso creo que el núcleo original del Monte estuvo, o está todavía, integrado por intelectuales, y no me imagino a esa clase de gente capturando, secuestrando o apretando el gatillo para ejecutar a un alto cargo del gobierno. Igual me equivoco, pero tengo la impresión de que El Monte se ha convertido en un paraguas bajo el que puede caber cualquier cosa, una especie de marca comercial de la subversión. Eso es lo que lo hace tan peligroso, que cada una de las acciones que reivindica puede ser obra de todos, de unos pocos o de ninguno, no sé si me entiendes.

—Te entiendo —el Gran Hombre asintió varias veces con la cabeza—, claro que te entiendo, pero si lo que dices es verdad... Estamos bien jodidos.

—Sí —Sosa le dio la razón—, pero eso no quiere decir que no podamos capturarlos. Antes o después daremos con ellos, porque es mucho más fácil rastrear el origen de la propaganda impresa que encontrar a un hacker ilegal. Esa es mi apuesta, y mi esperanza.

Vamos a hacer las cosas bien... Cuando Fede Miralles llegó en su coche al lugar donde le había citado el subcomandante Sosa, ni siquiera le preguntó si había subido andando. El director de la Academia le estaba esperando de pie, en medio del monte, y después de saludarle, no tardó ni un minuto en ponerse unos guantes de látex, con la habilidad de quien ha tenido que repetir ese movimiento muchas veces, durante muchos años. Es por aquí, un poco más adelante, sígueme, le dijo, pero se volvió de repente, como si acabara de darse cuenta de que se había olvidado de algo. Toma, sacó otro par de guantes del bolsillo y se los tendió, vamos a hacer las cosas bien. ¿Tú crees que hace falta?, Miralles intentó resistirse, mira que a mí esto se me da... Rodrigo Sosa ya sabía que se le daba muy mal, por eso le había pedido que se pusiera los guantes. Cuando el director general todavía no había sido capaz de encajarse el izquierdo, se situó tras él y le disparó por la espalda, en la nuca, el lugar que los cobardes suelen elegir para ejecutar a sus víctimas. Él nunca había sido cobarde y el único motivo de su elección había sido ahorrarle a Miralles el máximo sufrimiento posible. Pretendía que Fede no se diera cuenta de nada, que se desplomara en el suelo sin llegar a experimentar por un instante el miedo, la angustia de quien comprende que va a morir de un momento a otro, y lo consiguió. Consiguió también ahorrarse su última mirada, el balbuceo lastimero de quien suplica por su vida y alguna pregunta a la que no habría querido contestar.

Después, con su vieja pistola reglamentaria de la Policía Nacional aún caliente, en la mano, se sentó en una peña y respiró hondo. Había estudiado obsesivamente todos los detalles de una escena que no había terminado todavía, pero... Aunque estaban en medio de ninguna parte, en una zona del monte que no se veía desde ningún lugar habitado ni figuraba en las rutas diarias de control de la guardia forestal, decidió que no le apetecía estar allí ni un segundo más del tiempo imprescindible. Se acuclilló sobre el cadáver, retiró con delicadeza el guante a medio poner que seguía en la mano izquierda, recuperó el otro, se los guardó en un bolsillo del pantalón y le dio la vuelta al cuerpo para dejarlo boca arriba, sin olvidar ni por un momento la cámara de los ornitólogos que los había llevado hasta allí. No estaba dispuesto a cometer ningún error, y no lo hizo cuando se sacó del bolsillo delantero de la camisa un folio doblado en cuatro. Había meditado mucho el paso que estaba a punto de dar. Un director general del Cuerpo Nacional de Vigilantes no era lo mismo que un tendero del Rastro. A Sosa le interesaba mucho que se mantuviera viva la leyenda de los exagentes de las Fuerzas y Cuerpos de Seguridad del Estado de la democracia que habían formado una banda de delincuentes, pero el asesinato de José Federico Miralles tenía que parecer forzosamente un crimen político. Eso había representado un problema hasta que se le ocurrió elaborar la teoría con la que acabaría impresionando al Gran Hombre unas semanas más tarde, en una marisquería del barrio de Salamanca. La hipótesis del Monte como paraguas universal, marca genérica de la subversión, capaz de encubrir la identidad de cualquier grupúsculo recién nacido, le parecía mucho más sencilla, más limpia, más eficaz que la invención de una nueva banda orientada a la lucha armada. Cuando desdobló la hoja de papel en la que él mismo había dibujado una cordillera deliberadamente torpe, cruzó los dedos para que el sucesor de Miralles resultara tan fácil de convencer como el pobre Fede. Luego colocó el dibujo sobre el pecho del cadáver, le puso una piedra encima para sujetarlo y se quitó los zapatos.

Aquella mañana había entrado en su despacho con las botas reglamentarias, pero, antes de acudir a su cita con Miralles, se las había cambiado por unas zapatillas deportivas corrientes, que dejaban unas huellas más tenues sobre el suelo. De todas formas, las fue borrando con una rama mientras andaba descalzo, de espaldas, hasta desembocar en un sendero en cuyo extremo había aparcado su coche. Al llegar hasta allí, dejó las zapatillas en el maletero, volvió a ponerse las botas y condujo hasta la Academia de Vigilantes de Los Peñascales. Desde su despacho, a las dos y diez de la tarde, llamó a la Dirección General. Pues no sé dónde está, le respondió Anita. En su agenda no hay ninguna cita para comer, sólo está apuntado tu nombre a la una. Por eso he llamado, respondió Rodrigo Sosa, porque no ha venido a la cita, debe de haberle surgido algo. La secretaria le dijo que no se preocupara. En cuanto venga por aquí, le regaño por haberte dado plantón... El subcomandante Sosa le dio las gracias y se fue a comer. No contaba con volver a hablar con ella, pero al día siguiente, a las ocho de la mañana, Anita volvió a llamarle para contarle que don Federico había desaparecido, que nadie le había visto desde la mañana del día anterior, que no había ido a su casa a dormir ni contestaba al teléfono. Estaba muy nerviosa y no sabía qué hacer. Cuando llamó a casa de Miralles para hablar con su mujer, descubrió que estaba todavía peor, así que se ofreció a acercarse en persona a la comisaría de Los Peñascales para cursar una denuncia. Eso era lo último que había previsto que tendría que hacer cuando se resignó a matarlo, pero le impresionó mucho más la ambulancia que vio aparcada frente a la puerta de su casa cuando pasó por delante al volver de la comisaría. Su mujer había tenido una crisis respiratoria unos minutos antes. No era la primera, y los médicos ya le habían advertido que su organismo tal vez no sería capaz de recuperarse de la siguiente. Rodrigo Sosa Ramírez nunca había creído en nada, mucho menos en el karma, pero no pudo evitar la sospecha de que el destino le había castigado.

—Yo no entiendo a los españoles, de verdad te lo digo —el Gran Hombre pidió un tocino de cielo de postre, mientras su invitado se conformaba con un café—. ¿Ya no se acuerdan de cómo eran las cosas antes de que el MCSY llegara al poder? Yo me acuerdo perfectamente, las encuestas que hacía aquel engendro que se llamaba CIS sobre las preocupaciones de los españoles, el paro, la crisis económica, la independencia de Cataluña, la polarización política... ¿Y ahora? Hemos arreglado todo eso. Tenemos la casa reluciente, prácticamente pleno empleo, unos niveles de consumo y bienestar material que ni nos habríamos atrevido a soñar en la democracia, paz social a todos los niveles, y por si eso fuera poco, hemos recuperado miles de pueblos abandonados, hemos impulsado la agricultura y la ganadería, hemos invertido en los servicios públicos de todos los territorios para igualar las condiciones de vida en todo el país... ¿Y qué más quieren? ¿Libertad? ¿Y qué les impide ser libres, vamos a ver? ¿Es que serían más felices viviendo como antes, con un Parlamento fragmentado en una docena de partidos concentrados en tirarse los trastos a la cabeza, todos contra todos, para enmascarar su propia corrupción con la corrupción de los demás? —atacó el dulce con un gesto de amargura que a Sosa le impresionó por su autenticidad—. Cuando yo empecé con todo esto, estaba convencido de que los españoles serían mucho más prósperos, más felices, viviendo en un país que funcionara como una empresa capaz de cumplir criterios de excelencia. Ese fue mi objetivo y no era fácil, pero lo conseguí. ¿Para qué? Pues para que ahora la prosperidad les estorbe, para que sientan nostalgia de la bronca, del desorden, de las colas del hambre que han desaparecido, de las chabolas que ya no existen, de los putos teléfonos móviles a los que estaban todos enganchados como borregos, del desastre que era este país hace nada. ¿Tú lo entiendes?

Rodrigo Sosa esbozó con prudencia algo parecido a un movimiento negativo con la cabeza mientras removía el café con mucha parsimonia.

—Y sin embargo —se atrevió a apuntar a continuación—, el problema más grave al que nos enfrentamos no es, a mi modo de ver, el que acabas de plantear. Como tú mismo has dicho, tenemos varios frentes abiertos, y el más peligroso proviene directamente de los años de la democracia... —hizo una pausa que el Gran Hombre no quiso rellenar y completó la frase él mismo—. Me refiero a la ultraderecha.

—Mira, de esos ni me hables —Juan Francisco Martínez Sarmiento se mesó los cabellos con los dedos como si estuviera representando al protagonista de una tragedia clásica—. ¡Por supuesto que son los peores! Todo el santo día dando la murga con la patria de los cojones, como si España fuera el jardín de su casa, como si los demás fuéramos unos parias que no tuviéramos donde caernos muertos. Y lo peor es que los tenemos dentro, que esos no se esconden, al contrario, todos los fines de semana montan algo, caravanas, verbenas, los Sábados por la Patria... ¿Patriotas ellos? ¡Me cago en su puta madre! —y se indignó tanto que levantó la voz—. ¡Patriota yo, que estuve a punto de arruinarme, de perderlo todo para arreglar este país! Vamos, no me jodas...

Cuando apareció el cadáver de José Federico Miralles, Rodrigo Sosa Ramírez estaba en el hospital. Lola seguía en la UCI, estabilizada, pero con un pronóstico aún peor que cuando ingresó. Su marido, sentado junto a ella, repartía su atención entre las gráficas que se iban dibujando en la pantalla a la que estaba conectada y las débiles señales que la vida lograba emitir aún sobre su cuerpo, el ritmo de la respiración bajo la máscara de oxígeno, el leve vaivén de su pecho descarnado, frágil como una caja de huesos, los párpados secos, de piel tirante, que de vez en cuando parecía intentar abrir, sin conseguirlo del todo. Rodrigo llevaba muchos años estudiando a Lola, al principio con la ilusión de que algo cambiara, después con la esperanza de que todo siguiera igual, siempre con el pánico a que llegara el momento de decidir si tenía sentido mantenerla con vida o había llegado la hora de desconectarla para despedirse de su gran amor, su pequeña alegría de todos los días. Era consciente de que se engañaba. La hora de la desconexión se había extendido, minuto a minuto, a lo largo de los últimos años, desde que los neurólogos claudicaron, desde que le advirtieron que ya no podían hacer nada por ella. Y sin embargo, mientras Lola siguiera viva, él podría seguir durmiendo a su lado, aferrándose a una mano inmóvil, pero caliente, para ver la televisión por las noches, contemplar su rostro cada mañana al despertarse. A veces pensaba que era un egoísta, que no tenía derecho a prolongar indefinidamente la existencia de ese cuerpo que ya no era Lola Álvarez, aunque desde luego siguiera siéndolo, pero enseguida contraatacaba con éxito para hacer tablas consigo mismo. Mientras ella estuviera estable, se decía, mientras pudiera salir en su cama al jardín para ver el cielo, el juego del viento con los árboles, para escuchar el barullo de los pájaros, mientras él pudiera lavarla, peinarla, acariciarla, ¿acaso no estaba mejor viva que muerta? Atrapado una vez más en esa negociación antigua, estéril, condenada al equitativo fracaso de sus deseos y la realidad, ni siquiera se dio cuenta de que el teléfono que estaba sonando era el suyo. La mirada feroz de una enfermera le disuadió de atenderlo allí mismo, pero al salir al pasillo devolvió la llamada al subsecretario del Cuerpo Nacional de Vigilantes, el segundo de Fede Miralles, que le informó de que su jefe había aparecido muerto en las inmediaciones del Canto del Pico. Ya me he enterado de lo de tu mujer, Rodrigo, añadió, y lo siento muchísimo, de verdad. Por supuesto no hace falta que vengas, sólo quería que supieras... No, no, el subcomandante respondió con firmeza, por supuesto que voy a ir, Fede era mi amigo y... Intentó callarse a tiempo, pero no pudo evitar que el llanto le empastara la voz. Voy para allá, logró decir a duras penas, así me despejo. Cuando aparcó su coche al borde de la zona perimetrada que protegía el escenario del crimen, los vigilantes presentes se fueron acercando a él para darle la mano, o un abrazo, impresionados todos y cada uno por la devastación que parecía haber consumido su rostro, hundiendo sus rasgos hacia dentro en unas pocas horas. Él se limitó a agradecer esas muestras de afecto con leves movimientos de cabeza y se dirigió al oficial que estaba al mando. ¿Qué tenemos? El director general llevaba muerto más de veinticuatro horas. En una inspección preliminar, el forense había fijado la muerte hacia la primera hora de la tarde del día anterior. El arma homicida era una antigua pistola reglamentaria de la Policía Nacional, esta vez sin duda alguna, porque habían encontrado el casquillo, que ya estaba en manos de la científica. El asesino había disparado al señor Miralles en la nuca, causándole la muerte de forma instantánea. Por lo demás, no habían encontrado indicios, ni huellas, ni rastros, nada. Solamente una hoja de papel con el símbolo del Monte dibujado con rotulador negro y una piedra encima para sujetarla. ¿En serio?, el subcomandante abrió mucho los ojos. Y tan en serio, le respondieron. ¿Y qué hacía Fede Miralles en este sitio tan inhóspito?, preguntó Sosa, ¿cómo llegó hasta aquí? En su propio coche, le contaron, la grúa acaba de llevárselo. Habrá que procesarlo, pero a simple vista tampoco hemos encontrado ninguna señal sospechosa. Da la sensación de que llegó hasta aquí, se bajó del vehículo y le dispararon. O sea, concluyó el subcomandante, que conocía a su asesino... Ayer había quedado conmigo, añadió a continuación. Íbamos a vernos a la una de la tarde en Madrid, pero no se presentó. A las dos y pico llamé a su secretaria y me dijo que no tenía ninguna cita para comer apuntada en la agenda. Lo sabemos, el oficial al mando asintió con la cabeza, hemos hablado con ella. El subcomandante Sosa miró el reloj, le pidió que le mantuviera informado y le dijo que tenía que volver al hospital. Aquella noche se quedó en un sillón, al lado de la cama de Lola, y no llegó a dormir ni dos horas seguidas, pero una enfermera le despertó a las cinco y media de la mañana. La doctora Álvarez acababa de morir y él ni siquiera se había dado cuenta. Tres semanas después de su entierro, el ministro de Seguridad le llamó por teléfono para informarle de dos decisiones que acababa de tomar el Consejo de Ministros. La primera era su as censo al grado de comandante del Cuerpo Nacional de Vigilantes. La segunda, su nombramiento como director general del Cuerpo en sustitución de José Federico Miralles. Rodrigo Sosa estaba todavía tan aturdido por la muerte de su mujer que durante un instante no fue capaz de reaccionar, pero fue sólo un instante. Lo primero que hizo al llegar a su nuevo despacho fue pedirle a Anita que le llevara los últimos expedientes en los que había estado trabajando Fede. Cuando tuvo encima de la mesa el dosier del atraco a la tienda de la calle Rodas, levantó con la punta de una tijera la pestaña de la carcasa que contenía las imágenes grabadas en el Casino de la Reina, cortó la cinta, la sacó entera y la guardó para quemarla. Después firmó la orden de archivo del caso. ¡Pobre Fede!, dijo para sí mismo mientras depositaba la carpeta en la bandeja de los documentos para archivar sin dejar de pensar en Lola, que había muerto por su cuenta como si se hubiera cansado de su cobardía, o para liberarle de la decisión de desconectarla de aquellas máquinas que él echaba tanto de menos.

—Por eso es tan importante que trabajemos bien juntos —el Gran Hombre se tranquilizó después de comprobar que su estallido de cólera no había llamado demasiado la atención—, porque el único órgano autónomo y reconocible de los ultras es la Legión Española. Los líderes políticos son todos miembros del MCSY, algunos desde la fundación del partido. Han ido ganando poder en la sombra, y no conseguimos detectar su ambición a tiempo. Pero la Legión apareció antes, marcó el camino, como suele decirse. Y no podemos perderlos de vista.

—Nunca lo he hecho —le tranquilizó Sosa—, pero son un enemigo escurridizo. Aunque a menudo incurren en actos de indisciplina, que el Cuerpo tiene la potestad de condenar, siempre aparece a tiempo un alto cargo del gobierno que intercede a su favor, alegando que una simple gamberrada no puede castigarse con dureza. Ese es el procedimiento al que recurren, calificar cualquier insubordinación como una gamberrada, una chiquillada, una broma sin importancia. Y el problema es que frente al poder político tenemos las manos atadas —miró a su interlocutor e hizo una pausa significativa—. Al menos, hasta que no cambien las cosas.

Juan Francisco Martínez Sarmiento guardó silencio, miró al camarero, escribió en el aire para pedirle la cuenta.

—Para que cambien las cosas... —añadió al rato, en un susurro tan tenue como si temiera al sonido de su propia voz—, para tener una oportunidad de que las cosas cambien, mejor dicho, haría falta que estallara una nueva epidemia, y no me atrevo. Todavía no.

Rodrigo Sosa Ramírez se preguntó si había escuchado bien lo que aquel hombre acababa de decir, y no tuvo más remedio que responderse que sí.

En ese momento presintió que su aventura en el gobierno del MCSY acabaría mal, pero eso no le sorprendió tanto como descubrir que le daba lo mismo.

Laura Caballero se lo encontró una mañana encima de la mesa de su despacho.

Aquel folio estirado con mucho cuidado debajo de una pila de carpetas había sido doblado muchas veces, por la mitad, en cuatro y hasta en pliegues más pequeños, para formar una retícula de arrugas que había llegado a romper el papel, abriendo en las intersecciones agujeros pequeños, tan delicados como los orificios de un encaje antiguo. Laura se levantó para cerrar la puerta con llave antes de estudiarlo con atención. Era un ejemplar de la primera tirada que hicieron, cuando aún disponían de tinta verdadera, la historia del perro que mordió a una mujer en un chalé de la Ciudad Puerta de Hierro y no le transmitió el virus, aunque no estaba vacunada. No había vuelto a ver aquellos folios desde que la dejaron mirar lo que estaba saliendo de la impresora, y la emocionó volver a encontrarlo, tan leído, tan usado, tan viejo.

Laura había sido uno de los canales de difusión más constantes de la propaganda del Monte. Podía permitírselo, porque en el centro de menores donde trabajaba, el gobierno del MCSY nunca había contado con grandes apoyos. La dureza de unas políticas de inmigración que no distinguían entre mayores y menores de edad, y la facilidad con la que varios de sus internos habían sido expulsados del país de un día para otro, en ocasiones incluso antes de cumplir los dieciocho, habían alistado a la mayoría de sus compañeros en la oposición antes de que esta llegara a existir. Siempre fue muy cautelosa, de todas formas. Cuando tenía un nuevo documento que repartir, se levantaba a las cuatro de la mañana, tres horas antes de que llegaran las limpiadoras, y entraba en el centro por la puerta trasera. Las taquillas del personal estaban en el pasillo principal. Pasaba por delante de las cuatro primeras, el director, su secretaria, la directora académica y el jefe de seguridad, y metía un folleto en todas las demás, excluyendo solamente la suya y las que correspondían al personal auxiliar. La operación nunca duraba más de cinco minutos, y siempre estuvo segura de que estaba sola en el edificio, pero una vez, al menos, se equivocó.

—Oye, Laura —Valle, la limpiadora que hacía el turno de mañana, la abordó discretamente cuando estaba a punto de salir del baño—. ¿A ti te importaría darme a mí también uno de esos papeles que dejas en las taquillas?

Muchos meses después, la propaganda del Monte empezó a desprender un misterioso perfume, a grosella, a frambuesa, a arándanos, mientras la consistencia de la letra impresa adelgazaba como si la tinta se hubiera diluido en agua. Era más bien zumo. El perfume desapareció cuando tomaron la precaución de almacenar las octavillas durante unos días en una habitación bien ventilada. La palidez de la tinta se incrementó, pero cualquier precaución estaba justificada, porque, a aquellas alturas, el obrador de la Pastelería Duarte se había convertido en una pequeña industria de reciclaje de cartuchos que, a la larga, acabarían inutilizando las impresoras, aunque les permitieron tenerlas en funcionamiento durante casi un año. Los textos de Mónica Hernández, con el tiempo más breves, pero más contundentes, terminaban siempre con el mismo colofón.

NOS CUESTA MUCHO ESFUERZO PUBLICAR ESTOS BOLETINES.
POR FAVOR, NO LOS TIRES. DÁSELOS A ALGUIEN
QUE NO LOS HAYA LEÍDO.

Así, un buen día, Laura Caballero se encontró con un panfleto sobado, lleno de dobleces y arrugas, sobre la mesa de su despacho, toda una victoria que se apresuró a compartir con los demás.

El segundo éxito del Monte, mucho menos espectacular pero más sostenido en el tiempo que el primero, también salió más caro. Los vigilantes empezaron a hacer registros aleatorios, en el metro, en los autobuses, en los centros comerciales, que les permitieron detener a muchas personas por estar en posesión de propaganda ilegal, un delito menor que habitualmente se saldaba con una multa y la privación del derecho a participar en el Día de Compras durante un periodo de uno a tres meses.

El amigo de Juan y de Juanito tuvo peor suerte, porque le acusaron de distribución y le condenaron a dos años de cárcel. Si hubiera sabido quiénes se encargaban de imprimir las octavillas que encontraba de vez en cuando, en paquetes muy bien envueltos con papel de estraza, en la puerta de su tienda, seguramente los habría denunciado, porque le pegaron mucho. Pero, después de hablar con Julia Pardo, sus antiguos compañeros del centro de menores renunciaron a hablar directamente con él.

Eso los salvó a todos.

7
La Transición

—¿Y a ella? ¿Le viste el brazo? Como estamos casi en verano... —Megan García quiso hacerle una broma, aunque, al ver la mueca de su cara, se dio cuenta de que no había escogido un buen momento—. Nunca supimos si iba a durarle mucho la cicatriz.

A Megan no se le había olvidado nunca aquel episodio de la mordedura, la tragedia nacional protagonizada por un perro salvaje y doña Marina Martín, la tercera esposa de Jaime Riera i Casasús. El ataque imprevisto de un animal hambriento contra una mujer afortunada que tomaba el sol sin la parte de arriba del biquini en su mansión de lujo. La supervivencia de un animal en búsqueda y captura y el sueño impostor de un mundo feliz. Fue el primer eslabón roto en la cadena de milagros que había puesto en marcha el MCSY. No poder exterminar a todos los animales domésticos fue menos grave que haber procurado remediar aquella desgracia con la locura de unos asesinatos descontrolados. La muerte del médico y sus consecuencias supusieron un trago amargo, pero lo que había preocupado de verdad a Megan fue la conciencia de que iba a ser muy difícil controlar los alrededores del Cuerpo Nacional de Vigilantes. Pasados los años, seguían pareciéndole menos peligrosos los panfletos del Monte que los legionarios.

Se imaginó a la viuda de Riera i Casasús en el entierro vestida con un traje de luto veraniego y le dio por pensar en el brazo, tal vez cubierto por una gasa elegante o tal vez al desnudo, orgulloso de su buen color y despreocupado de la cicatriz que le habían dejado unos colmillos hambrientos y saludables, sin rastro de contagio según los análisis médicos que circularon por unas cuantas manos elegidas y un incalculable número de ojos y oídos preguntones. No pudo evitar hacerle la pregunta irónica a Juan Francisco Martínez Sarmiento, aunque se arrepintió porque la tristeza provocada por la pérdida de Riera i Casasús, el empresario poderoso que le había ayudado en sus inicios, un mentor y un amigo, era más fuerte en su jefe que el parpadeo irónico que solía despertarle la aparición de doña Marina en las conversaciones.

—Hablé más con su hijo que con ella —respondió el Gran Capitán y volvió a su silencio—. Se parece poco a su padre.

Juan Francisco Martínez Sarmiento estaba cansado. La muerte del empresario le había hecho daño porque aquella pérdida era una lluvia sobre mojado. Se sintió empujado a tomar conciencia no sólo del paso del tiempo sobre su mentor, sino de la pérdida de sentido de una ilusión oxidada como la sonrisa de sus protagonistas y la armazón hueca de su vocabulario. Se alegraba de no haber programado una nueva pandemia para seguir dándole cuerda a una relojería con la que ya era difícil marcar la hora. Se alegraba de haber nombrado como sustituto de Miralles a Rodrigo Sosa Ramírez, un policía de la vieja escuela poco partidario de los modos y el espíritu de Cuerpo Nacional de Vigilantes. Se alegraba de la confianza con la que habían hablado en sus últimas conversaciones de la necesidad de controlar el extremismo ideológico de los legionarios y de abrir las puertas poco a poco, con una prudencia activa, para devolverle a la gente la ilusión de la política sin arruinar las saludables costumbres económicas que se habían establecido. Tanta alegría significaba en realidad una inmensa tristeza.

Quizás hubiese suerte y su alianza con el éxito no llegara a quebrarse antes de tiempo. Pero el éxito era una receta poco compatible con el autoengaño, cerrar los ojos frente a las nuevas situaciones y los oídos ante el tono de algunas llamadas telefónicas o algunas preguntas que navegaban cada vez con más frecuencia en su círculo de empresarios fieles. Le preocupaba sobre todo su propio cansancio, lo sentía como un amigo pegajoso y molesto. Esta sombra incómoda de una vejez acelerada se acentuó en el entierro de Jaime al abrazar a su galería de fantasmas imprescindibles. Allí estaban Carlos Alcocer, Francisco Segarra, Antonio Méndez López, el bárbaro de Dimas Romero, Víctor Lafitte, José Luis Santisteban y una Ana Goicoechea que ya no se esforzó en camuflar sus años ante el coro de esposas, hijos y nietos que se agolparon en la puerta de la iglesia y alrededor de la sepultura cubierta de coronas de flores. Las frases en las bandas de esas coronas le estallaron en la cabeza como un tiro de gracia. El pésame de algunas instituciones convertidas en palabras solemnes y mezcladas sobre la tumba con el consabido testimonio familiar, TU MUJER Y TU HIJO NO TE OLVIDAN, acabaron de hundir el ánimo del Gran Capitán.

—¿Qué murmuras, jefe? No te preocupes. —Megan había necesitado pocas veces animar a Martínez Sarmiento—. Ahora no vamos a tener miedo. Todo está controlado.

—No tengo miedo, pero estoy cansado.

El lenguaje con el que habían convivido durante años, un espíritu nacional surgido del piso de Príncipe Vergara para caminar de forma arrebatadora por las calles, los discursos, los anuncios y las informaciones, le parecían ahora tan dignos de un buen entierro como el cadáver de su amigo. Todos reunidos en un cementerio para despedir a nuestro buen compañero el Movimiento Ciudadano ¡Soluciones Ya! y encomendar a la piedad y a la memoria eterna o al olvido el Gran Apagón, la Libertad ilimitada para elegir, la consigna de Familiarizarse con el Futuro, los Encuentros para Mejorar, el Aplauso para Mejorar, el Cuerpo Nacional de Voluntarios de Repoblación de la España Vaciada, el Plan Nacional de Vacaciones, la Gran Terapia, el Cuerpo Nacional de Terapeutas... Todo, todo, todo va a mejorar.

—Pero ¿qué murmuras?

—Pues lo que ya no se cree ni el hijo de Riera i Casasús.

Somos los responsables de una lengua envejecida. Sí, he visto hoy mordeduras de perro, pero no en el brazo de Marina, sino en nuestras palabras, esas que hemos utilizado durante dos décadas. Es difícil no desanimarse cuando unos dejan de creer en lo que se les ha regalado y otros conspiran para hacerse con el poder y quitarnos de en medio. Por lo visto somos una autoridad poco dura y poco patriótica.

Tampoco le había sido fácil mantener el ánimo a Rodrigo Sosa, porque pisar un cementerio suponía volver al entierro de Lola, recordar que su vida tenía poco sentido, que estaba marcada por la debilidad. Se dedicaba a existir desde fuera de las cosas, como un espectador poco comprometido con el teatro de la realidad. Ni siquiera le quedaba el estímulo de cuidar el cuerpo de su mujer, de aprovechar el regalo triste de su enfermedad, un no renunciar al presente por precario que fuese, una existencia en pausa, una razón de vida con la que se había engañado durante meses para no darse por vencido. De forma mecánica, sin vincularse a sus movimientos, se despertaba antes de que sonara el despertador, se levantaba, duchaba, vestía, desayunaba, bajaba a la calle, entraba en el coche oficial, luego en el despacho, saludaba, abría las carpetas, llamaba por teléfono, participaba en reuniones, decidía estrategias, compartía restaurantes, veía atardecer desde los ventanales de la Dirección General y regresaba a su casa para no mirar la televisión, para tomarse un vaso de leche y leer en la cama alguna novela hasta quedarse dormido.

Pero esta falta de vinculación con la vida no enturbió su inteligencia. El frío con el que observaba las cosas favorecía la precisión descarnada de cada una de sus decisiones y ayudaba a encontrar argumentos para ser convincente a los ojos de los demás. La distancia, un requisito que había valorado mucho a lo largo de su carrera cada vez que necesitó analizar un caso complejo, se había impuesto como la única realidad vital en el estado de ánimo de Rodrigo Sosa. Aplicaba a los acontecimientos lo que los acontecimientos exigían, movía su frío ante los hechos igual que una lupa y se comportaba con una lógica sentimental y ética que tenía más que ver con las ideas y los compromisos de su pasado muerto que con los afectos del presente. Sentía que sus actos formaban parte de su posteridad.

—Me preocupan más Dimas Romero y los movimientos de los legionarios que el ejército de Marruecos. Muros no es todavía el problema.

El Gran Capitán había decidido confiar en Rodrigo Sosa después de su tercera cita. Le gustaba escuchar los datos, el análisis de la situación y el dibujo de la personalidad de cada protagonista, ya formase parte del aparato del Estado, de la disidencia o del mundo de los negocios. Cada vez que quedaban a comer, Juan Francisco Martínez Sarmiento podía comprobar que los platos elegidos, el vino y los asuntos tratados acababan en una buena digestión. Comprendió así que la posibilidad de un cambio de dirección en la política de Soluciones Ya debía relacionarse con una reacción ante el autoritarismo de extrema derecha que había brotado en un sector muy activo del Cuerpo Nacional de Vigilantes.

—Usted no quiso que la pandemia y la necesidad de cuidarnos supusiera una complicación para la eficacia económica del país —Sosa pasaba del tú al usted con una frecuencia meditada. Barajaba el respeto y la confianza en sus opiniones. Tampoco era casual la forma con la que utilizaba el nosotros a la hora de hacer algunas afirmaciones—. Conseguimos hacer de la sociedad una gran empresa. Ahora hay que evitar que la empresa pierda su eficacia al servicio de una ideología. Reconozcamos que hemos impuesto una dictadura de buenas intenciones. La mejor manera de salir de esto es presentarnos como los salvadores de un nuevo peligro, una degradación de los principios. Vamos a ser de nuevo la voz de la gente.

Rodrigo Sosa presentó un análisis minucioso de la situación en la que resultaba necesario combatir en dos frentes: El Monte y los legionarios. La cuestión era que los legionarios representaban el peligro de una organización cada vez más sólida, con un lenguaje propio, la dignidad de la patria, el sentido de pertenencia a una nación, el honor de la bandera antes que la libertad de elegir..., y El Monte no suponía en realidad un lugar, tenía razón su nombre o su eslogan. Era una voluntad de protestar, un gesto de rebeldía abierto a cualquier tipo de disidencia, un sentimiento que se relacionaba más con la gente normal que con una organización peligrosa. Y el ejército de Muros iba a dejar de ser un peligro en cuanto cambiasen las cosas en el interior. Por eso no le costó trabajo a Juan Francisco Martínez Sarmiento asumir que El Monte podía convertirse incluso en un aliado. Resultaba conveniente manipular su presencia pública para encarnar un deseo de apertura y una reacción contra las conspiraciones de Dimas Romero. Y Megan García no se sintió mal por la imprevisible confianza que Sosa había despertado en el jefe, estaba también demasiado mayor para sentir celos de alguien con el que estaba casi de acuerdo. Lo que no estaba era cansada de trabajar, así que se limitó a interpretar cada palabra, cada detalle de los asuntos que iban surgiendo, con una meticulosidad que no tardaría mucho en hacer saltar las alarmas, pero que en el día del entierro de Riera i Casasús era compatible con el deseo de tranquilidad que su jefe le estaba confesando.

—Pues sin miedo. Nos hemos ganado el derecho a descansar y a tomar el sol como doña Marina para que se nos borren las cicatrices. Ya hemos trabajado lo suficiente. Así que hay que ponerse a trabajar más que nunca, casi como al principio, para dejar pronto de trabajar.

—¡Qué razón tienes! —el Gran Capitán sonrió, agradeciéndole una lealtad de años y una complicidad en la que no había que dar muchas explicaciones para entender las prioridades en los asuntos pendientes—. Empieza a hacer una lista de citas necesarias, encuentros con asesores, secretarios y subsecretarios, buenos amigos, amigos dudosos y enemigos posibles, y también con los nombres más destacados del círculo empresarial. Muchos de ellos quieren volver a hacer negocios en Marruecos.

—Será que Marruecos nos pilla muy cerca, jefe. A ellos pensar con más ambición les resulta una molestia.

—Nosotros estaremos muy pendientes también de la evolución de Europa. Ya me dirás las reuniones en las que conviene que yo esté presente. Y la lista de imprescindibles para quedar a comer.

Tampoco habían faltado las reuniones en la pastelería de Enrique Duarte y las convocatorias para participar en unos exquisitos talleres de cocina. Las informaciones que Julia les había pasado con una sinceridad tan cómplice como medida, habían generado la ilusión de que el activismo de EL MONTE NO ES UN LUGAR, sus irrupciones en las pantallas de las grandes superficies y sus panfletos, que pasaban de mano en mano, habían merecido la pena. La sustitución de José Federico Miralles por Rodrigo Sosa abrió desde luego un nuevo marco, en el que tenían una misión importante que cumplir, y no sólo por su capacidad de diálogo con los exiliados y los movimientos que se estaban organizando en el norte de África, sino también por un nuevo aire general en la población, cansada de obedecer unas consignas de felicidad que ya no resultaban creíbles. La información controlada, los servicios no pedidos, las terapias inútiles contra la soledad, el miedo al aire libre, con amenazas cada vez menos convincentes y más difíciles de soportar, habían agotado sus reservas y parecían un pozo seco en las costumbres de las personas normales. La desconfianza pasó con ritmo acelerado de la vida cotidiana, las citas, los códigos impuestos, los programas y las terapias, a las instituciones.

—Pues yo tengo que agradecerle mucho a los Encuentros para Mejorar. No hay que ser desagradecidos.

Era el chiste que Paula repetía cada vez que la niña se quedaba por fin dormida y Jonás y ella se daban prisa en desnudarse y follar. Dejaba que la respiración se le calmara, apoyaba la cabeza en el pecho de él y celebraba la obligación de unos encuentros estúpidos y programados que les habían cambiado la vida.

—Podíamos habernos conocido en otro lugar, en tu tienda, en una fiesta, en un bar, yo qué sé, estábamos predestinados...

—O no, quién sabe, por si acaso yo no me arriesgo a cambiar el argumento que me ha dado una hija, un amante maravilloso y un ordenador en el que volver a poner con libertad mis dedos. ¡Benditos Encuentros!

—Y a mí nadie me va a quitar tus tetas.

—Qué elegante eres, cariño.

El amor de Paula Tascón y Jonás González Vergara había resistido a la convivencia familiar, el nacimiento de Adriana, los horarios laborales y el miedo propio de sus compromisos con una actividad clandestina. A través de los momentos altos, bajos o estancados, aquella historia había definido sus verdaderas amistades y sus modos de vida. El deseo seguía apareciendo en sus miradas y sus provocaciones, los empujaba de un rincón a otro de la casa, hacía que ella galopara sobre él en una de las butacas del salón, que las duchas se transformasen en una rocambolesca actividad compartida, un día nos vamos a matar, cariño, o que la cama fuese un puerto tomado por las corrientes atlánticas para aprovechar los conocimientos cada día más exactos y experimentados de la piel y la fauna submarina. Un cuerpo no se puede programar como una máquina, pero es posible sistematizar sus reacciones, conocer su funcionamiento, fijar una matemática de respuestas. Por eso era tan importante encontrar la grieta que rompiese cualquier previsión, que desordenara el sistema e hiciese que todo comenzara de nuevo.

—Así nos vamos a pasar el resto de la vida.

Era un buen programa para Paula, que había encontrado la felicidad. Sólo tenía una deuda pendiente con el pasado. Le costaba trabajo olvidar la herida que Javier Oliva y el Oso habían abierto en su orgullo de hacker. Quizás tuvieron razón al despreciarla, porque ella no era así, ni entonces ni ahora, no se veía tan enviciada por la soberbia o la avaricia como para participar en esa canallada que su profesor preferido había llamado la Solución Final después de un mal polvo y antes de una despedida sin escrúpulos en la habitación de un hotel de la Glorieta de Atocha. Vaya solución, vaya final, vaya miseria. Participar en ese infierno no le hubiera permitido volver a pasear con orgullo por las calles de Villalfeide, ni disfrutar de la sincera felicidad que había logrado compartir con Jonás y su hija. Pero la posibilidad de vengarse de Javier y el Oso estaba unida de manera inevitable a su compromiso con las reuniones en la pastelería y los actos de denuncia contra todas las trampas mezquinas de Soluciones Ya.

—¿Podremos introducir en los mensajes acusaciones contra los responsables de haber provocado el Gran Apagón? Tal vez sea —comentó Paula— una buena manera de convencer a la gente de la necesidad de un cambio.

Julia había pedido prudencia, mirando sobre todo hacia la esquina que ocupaban Juan y Juanito, y había explicado que era un momento decisivo, se avecinaban los capítulos memorables de la historia. Algunos miembros importantes de la Academia de Vigilantes, incluso cercanos al gobierno, habían comprendido que ya se daban las circunstancias para propiciar un cambio y querían preparar el terreno con nuevos panfletos del Monte y nuevos mensajes en las pantallas de los centros comerciales. El propio sistema iba a facilitar el camino para que los compradores y los paseantes volviesen a recibir las noticias de un mundo diferente, una existencia libre, alejada de las ofertas mentirosas de bienestar que repetían las consignas de Soluciones Ya. El olor a chocolate de la pastelería se fundió con la alegría de un aplauso revuelto en una salsa de felicitaciones. Los conspiradores se sintieron orgullosos al saber que el camino que habían abierto podía ser utilizado para colocar unas cargas de profundidad que tendrían una extensión más ancha y destructiva cuando explotasen. Ellos, gracias a su coraje y a sus reuniones, más cercanas a una comunidad de vecinos que a un movimiento político, habían abierto una grieta en los mecanismos del confinamiento, los vigilantes y la obediencia ciega. Era el momento de recibir la recompensa. La recompensa de sentirse útiles.

—No sé, Paula, eso tengo que consultarlo —Julia abrió las manos y las movió arriba y abajo con lentitud para indicar una duda que no era fruto de su decisión personal, sino la obligación de acordar acciones, tiempos y movimientos en un plan más complejo—. Lo consulto y ya me dirán.

—¿Quiénes?

—Pues los mismos que prepararon el robo de las impresoras en la tienda de Jaime Gutiérrez. Ya sabes que no les faltó valor.

Paula Tascón relacionaba la libertad con el deseo de amargarles la fiesta a Javier y al Oso allí donde estuviesen escondidos. Sobre todo quería hacerles llegar que no eran tan listos. Pero mandarles un mensaje no ya contra su falta de ética, sino contra la perversión de su trabajo, abría también un nuevo tiempo, un nuevo modo de entender los retos y los compromisos con el mundo digital, el mundo en el que iba a crecer su hija Adriana. La fascinación por las redes había sido una promesa de comunicación y libertad antes de hundirse en un miserable mecanismo de dominación.

—No te olvides de preguntarlo, por favor. Y si puedes enterarte, dime qué ha sido de los responsables del Gran Apagón. Te lo agradeceré.

Elisa Llorente entendió la necesidad de Paula de cerrar cuentas con el pasado. Ella también quería dedicar el triunfo que les anunciaba Julia a su padre, a la memoria que había recreado de su padre, Javier Llorente, la primera voz alzada contra la infamia que unos sinvergüenzas disfrazados de defensores del bien común habían puesto en marcha. Pero sobre todo quería llenar las pantallas con la fotografía de Yénifer, denunciar que Yénifer Mejía Flores había sido asesinada, que no la habían dejado volver a Honduras, que se había comportado de manera más digna que los dueños de la casa en la que servía cuando la mataron, don José Luis Santisteban y doña Rocío, los miserables que guardaron silencio después de que unos matones vestidos de policía acabaran con ella. Elisa no pidió la palabra para proponer que en los anuncios de los centros comerciales apareciesen las fotos de algunas víctimas, la foto de Yénifer, la foto del médico Alejandro Fernández, que tuvo la mala suerte de ser especialista de enfermedades infecciosas, la foto de tantos hombres y mujeres que iban a merecer sin duda un recuerdo por haber perdido la vida bajo las sonrisas y los halagos distribuidos por los altavoces del Movimiento Ciudadano ¡Soluciones Ya! Tenía razón Mónica Hernández, los antiguos partidos políticos de la democracia pudieron llegar a ser insufribles, lentos, llenos de lastres y recovecos, de promesas no cumplidas, pero nunca hubieran alcanzado la temible irresponsabilidad y las crueldades del Movimiento Ciudadano.

Elisa recordó la noche del asesinato de Yénifer, su cuerpo arrodillado, la violencia de los vigilantes que le hundieron la cabeza en el agua hasta asesinarla. Recordó también la lejana impotencia de Julia Pardo, silenciosa, sobrepasada por los acontecimientos, negándose a participar de la hazaña mezquina de sus compañeros. Pensó que era mejor no proponer todavía la aparición de la imagen de Yénifer en los nuevos mensajes desestabilizadores. Mejor hablarlo a solas con Julia. Pero desde luego, cuando todo acabase, tenía pendiente pedir cuentas dentro y fuera de Los Peñascales. Y un viaje con Cristal a Honduras para conocer al hijo y a la madre de Yénifer. Se merecían una explicación.

—¿Y con los genios de la informática qué hacemos? —Era la última pregunta que Megan García iba a plantearle esa tarde a su jefe. La respuesta marcaría sin duda los tiempos del regreso a la normalidad—. Creo que deberíamos volver a reunirlos.

—Sí, búscalos en el mar Egeo, en Nueva York o donde sea —Juan Francisco Martínez Sarmiento recordó el interés que Rodrigo Sosa había mostrado por ellos en la última cita—. Habrá que reunirlos otra vez en la villa de Corralejo. Que introduzcan en las comunicaciones los anuncios que vayamos pasándoles. Que preparen un programa convincente por si hace falta salir del Gran Apagón para que nuestros queridos compatriotas vuelvan a disfrutar de internet.

—Punto y aparte.

—Pero no punto y final. Nuestro querido director general del Cuerpo Nacional de Vigilantes tendrá después que cerrarles la boca. Megan, vamos a dejar los detalles para otro día. Por hoy, ya está bien de entierros.

Decidió hablar antes con Megan García. No es que tuviese confianza en que fuera posible buscar una solución pacífica, esquivando la autoridad final de Juan Francisco Martínez Sarmiento, pero estaba convencido de que era ella quien había puesto a la policía y al Gran Capitán tras la pista de su doble militancia. Tardó poco en decidir que no iba a contarle todo lo que sabía, que iba a callarse su conversación con Mónica, pero tampoco iba a inventarse una coartada exculpatoria, un disfraz de lealtad, algo que no hubiera sido difícil en aquellas circunstancias. Mejor contarle la verdad de sus planes a la persona que estaba poniendo en marcha todas las decisiones sobre el tiempo nuevo, el beneficioso horizonte de libertad que se aproximaba, las bondades de la Transición y los graves peligros del Giro Autoritario. La gente debía poder por fin hablar con libertad en las pastelerías, en las tiendas de ropa, en los puestos del Rastro o en los almacenes de materiales electrónicos. Algunos de los panfletos que llevaba semanas distribuyendo El Monte por los rincones de la ciudad alertaban de manera clara sobre el riesgo de un Giro Autoritario en la cúpula de Soluciones Ya.

El director general del Cuerpo Nacional de Vigilantes había suministrado a los conspiradores de la Pastelería Duarte tres impresoras y un buen cargamento de cartuchos de tinta en cuatro colores. A espera de golpes más llamativos, los panfletos siguieron cobrando vida al amparo de las pastas de té que Enrique y Juan elaboraban dos tardes por semana bajo un rumor de im-

465

prenta enloquecida. Con un diseño cada vez mejor, los folios repetían las noticias del Sáhara Occidental, las sospechas de que internet funcionaba en otras partes del mundo y las maniobras de los legionarios para detener las aspiraciones naturales de la población, enterrándolas bajo consignas patrióticas que sólo servían para consolidar la peor versión del poder de siempre. El pueblo quería hablar, estaba incluso dispuesto a gritar.

—Esto es una locura, Enrique —Laura estaba empezando a tener miedo de verdad, y lo que al principio era un chiste, ahora sonaba a advertencia—. Ni los sacos de harina del obrador, ni los zócalos señoriales de la tienda, ni los sofisticados dulces de los escaparates, van a ocultar por mucho tiempo el verdadero pastel. Tardará poco en descubrirse esta locura.

Todo se mezclaba en el corazón de Laura cada vez que su hijo Mateo volvía de la escuela o corría con otros amigos por el parque. La certeza de que las generaciones siguientes merecían una vida más decente, sin los drones, las mallas isotérmicas, las escafandras, las amenazas y las mentiras que ellos habían sufrido, se mezclaba con sus recuerdos familiares, la niña sin madre, sin padre, refugiada en el cariño de un abuelo viudo que también había soportado sus propias catástrofes familiares. Mateo no iba a poder contar con nadie si algo salía mal. Como las cosas se torcieran, como las promesas de un futuro mejor acabasen por ser una farsa con escándalo y detenciones, la familia entera iba a sufrir las consecuencias de haber estado haciendo al mismo tiempo grandes tartas para los responsables del Régimen y reuniones clandestinas con la intención de amargarle la inocencia a los usuarios de los centros comerciales. Las buenas causas y el miedo se enlazaron en las conversaciones de Laura hasta conseguir que su marido accediese a imponer al grupo una prudencia mayor, más calma, menos reuniones, una vez por semana, cada quince días...

El miedo estaba ahí, pero las cosas evolucionaron rápido y por su cuenta, más allá de las conspiraciones ralentizadas de la pastelería. Empezaron a repetirse en las pantallas las frases propuestas por Mónica Hernández, discutidas por todos y aceptadas por Julia. Más tarde las consignas de protesta se confundieron ya con el tono de los anuncios oficiales ante los ojos cada vez menos sorprendidos del público. Laura y Enrique comprendieron que el cambio iba en serio y que había otra gente con un poder superior en las redes al de Paula Tascón. Alguien en las alturas estaba comprometido con el entramado de la nueva realidad que se iba imponiendo. TODO HA EMPEORADO, LA FELICIDAD NO PUEDE PROGRAMARSE, ¿QUIÉN MANDA?, ¿QUIÉN NOS REPRESENTA?, ESTAR EN LIBERTAD NO SIGNIFICA SER LIBRE, AHORA SÍ QUE TODO VA A MEJORAR...

Fue una de esas frases, «Estar en libertad no significa ser libre», la que llamó la atención de Megan García. De pronto recordó los tiempos anteriores a la pandemia, cuando trabajaba por quinientos euros como documentalista para una profesora de historia que se dedicaba a divulgar teorías sobre el franquismo y la democracia en un canal de YouTube. Un día Mónica Hernández habló de un poeta que había sido un preso político famoso durante veinte años y explicó con mucha elocuencia que al salir de la cárcel tampoco pudo vivir en libertad, porque la sociedad española no era libre y resultaba inviable disfrutar de libertad incluso fuera de las prisiones. Megan había pensado entonces que eso ocurría también en cualquier tipo de vida, que su madre no era libre limpiando pisos y que la libertad de enamorarse de un idiota se parecía bastante a la rutina de vivir en una celda o en una dictadura al aire libre. Votar cada cierto tiempo no te hace libre cuando tienes que regresar a casa de tus padres sin trabajo y con treinta años, abandonada e impotente, porque te falta el dinero para pagar el alquiler de un piso. Fueron pensamientos confusos propios de una mala racha vivida antes de conocer a Juan Francisco Martínez Sarmiento, quien le había hecho olvidar sus dudas sobre el orden, los negocios, la libertad y su propia existencia. Pero tantos años después, al dar su consentimiento para que en las pantallas de anuncios programados se afirmase que ESTAR EN LIBERTAD NO SIGNIFICA

SER LIBRE, Megan se había acordado de la profesora Mónica Hernández, la exmujer de Carlos Alcocer, la buena persona que había querido ayudarla en un momento difícil. Por eso decidió buscarla.

A Rodrigo Sosa no le había recordado nada la frase, una más de las que pasaba Julia a propuesta de sus amigos del Monte. Pero sí había tenido la prudencia de estudiar la vida de Megan García, una joven poco atractiva, poco soñadora y muy eficaz, víctima de un extraño noviazgo con Borja Álvarez, el campeón de bádminton que aspiró en una época a la presidencia del PP. Antes de ser fichada por Juan Francisco Martínez Sarmiento había trabajado de documentalista en un programa de televisión y en el canal de YouTube de Mónica Hernández, la mujer de la que se separó Carlos Alcocer cuando empezó a tener éxito y a ser conocido como el Mago de la sociología y la publicidad. Su distanciamiento de las organizaciones progresistas y su fama, cada vez más notable en el mundo empresarial y en los partidos conservadores, provocó la ruptura con Mónica y el inicio de una nueva vida con otra mujer más joven, hijos pequeños y un chalé de lujo en la Ciudad Puerta de Hierro. Alcocer había sido una pieza fundamental en el éxito del MCSY.

Sosa estudió también la carpeta de la hija de Alcocer y Mónica Hernández, una estudiante comunista obligada a integrarse en el Cuerpo Nacional de Voluntarios para la Repoblación de la España Vaciada, donde había desempeñado un buen papel hasta conectar con Francisco Sevilla y huir de España en una fuga muy bien dirigida en la playa de Barbate. Una familia fichada y seguro que en el punto de mira de los vigilantes, con la discreción y la benevolencia exigidas por el papel que el padre jugaba todavía en el MCSY. Incluso podían proceder de él algunas de las frases con más éxito en las pantallas y en los medios de comunicación, frases que no habían pasado ni por sus manos ni por las puertas de la Pastelería Duarte. Cuando se sintió vigilado al salir de algunas citas o reuniones de trabajo, tuvo la intuición de que Megan había sospechado de Camila Alcocer y que esa sospecha la había conducido hasta Julia Pardo, la agente que todo el mundo reconocía como su mano derecha. Era muy posible que ya conociese las entradas y salidas de la pastelería, unas reuniones de las que él no había informado, aunque estuviera implicada una persona fundamental en su equipo.

—Ten cuidado, Julia, creo que te están siguiendo. Díselo también a Max.

—¿Qué has notado?

—Que a mí también me vigilan —la cara de miedo de su colaboradora le obligó a quitarle importancia al asunto—. Es sólo una posibilidad, la vieja costumbre de ser precavido.

Pero la verdad es que decidió pronto que debía visitar a Mónica Hernández para advertirle del peligro. Más que el éxito de un proceso bien encaminado, le preocupó la factura que pudiesen pagar algunas personas. Poco tardó en comprender que necesitaba actuar con celeridad. Se disipó cualquier duda al enterarse de lo sucedido en la villa de Corralejo, en Fuerteventura, donde el Gran Capitán y Megan habían vuelto a reunir a los hackers responsables del Gran Apagón. Lo que le sorprendió no fue la noticia, ni las fotografías de la masacre. No le sorprendió ver a Jacinto Perezagua en el suelo, inmenso como un oso y con dos disparos reconocibles en la cabeza, ni a Javier Oliva, sentado en una butaca, con las manos atadas y asesinado sin piedad. En el reportaje periodístico también aparecían los cadáveres de otro hombre y de dos mujeres. Cinco cadáveres en un ajuste de cuentas de bandas antisistema relacionadas con el espionaje cibernético, una escena costumbrista de la venganza y el horror. El fotógrafo y el corresponsal sabían hacer desde luego su trabajo.

No le sorprendió el final del equipo que había contratado Megan para acabar con las comunicaciones libres y dejar a la gente en manos de un control informativo absoluto. El horror y el desamparo se habían impuesto de forma inmediata, porque las sociedades nunca se daban cuenta del peso de sus dependencias y sus rutinas hasta que estallaban las crisis. La imposibilidad de conectarse resultó más agresiva que las ruidosas comunicaciones que habían desacreditado a los partidos democráticos y a las instituciones. Ahora se vivía un regreso suave, sin muchos ruidos, a la información, pero la naturalidad del cambio exigía decisiones rotundas. La escena de la sangre en Fuerteventura estaba justificada para borrar pistas y extender el relato de la batalla entre bandas, una dinámica de espionajes e intereses que enfrentaba, en los márgenes de la autoridad, a los diversos enemigos del sistema.

Lo que sorprendió a Rodrigo Sosa es que nadie le hubiese informado de la puesta en marcha de un plan que él había ayudado a idear. Después de programar el regreso a la libertad en las redes, más que agradecer una vez más con buenos regalos la complicidad insustituible de sus artes y su conocimiento, convenía cerrar la boca de los expertos y quitarles los ordenadores para que no cayesen en la tentación de crear futuros problemas. Pero Rodrigo sintió que había quedado fuera de juego. Después de hacerse cargo de la situación, de pensar cada detalle en una noche larga, refugiado en la soledad de su casa de viudo, decidió llamar a su despacho a Julia Pardo y Max Rodríguez.

—Sentaos —al verlos entrar, les señalo las dos sillas vacías que había delante de su mesa.

—Gracias, director, por no habernos enviado a supervisar lo de Corralejo —el comentario de Julia salió de sus labios de forma tan agradecida como apresurada—. Las fotos son terribles. Aunque sean cosas necesarias, no me acostumbro.

—Pues ya va siendo hora —Max decidió hacer una broma, pero se dio cuenta de que el director no estaba dispuesto a reírse.

—Bueno, otro capítulo cerrado. Los acontecimientos se están precipitando y necesito que salgáis estar tarde en secreto para Marruecos. Os paso ahora el contacto del lugar de Tarifa en el que irán a recogeros. José Luis Muros, ahora llamado el coronel Muros, os estará esperando. Llevaos ropa porque la estancia puede alargarse. Intentad que nadie note vuestra desaparición.

—Pues va a ser difícil, porque tenía razón, nos están vigilando —mientras Max comentaba que había comprobado la permanente presencia de compañías no deseadas, Julia hizo movimientos afirmativos con la cabeza—. Pensaba decirte que tal vez era conveniente suspender la cita de esta tarde en la Pastelería Duarte. ¿Va todo bien?

—Sí, pero hay demasiados nervios en el aparato político. A mis dos agentes preferidos no les será difícil quitarse de en medio a sus perseguidores. Y tú, Julia, no vayas a decirle a Mónica Hernández que puedes llevarle un recado o una caja de bombones a su hija. No quiero despedidas. Por lo demás, todo bien. Ya os haré llegar noticias.

No iba todo bien, pero necesitaba salvar a Julia y Max de la situación que estaba a punto de desatarse. En Marruecos estarían a salvo de cualquier decisión que pasara por cerrarles la boca y publicar una nueva noticia de ajuste de cuentas entre la extrema derecha y los leales a la autoridad dentro del Cuerpo Nacional de Vigilantes. Quería evitar que sus fotos ilustrasen la triste historia de dos de los mejores alumnos de la Academia, ya profesionales contrastados, que habían sufrido la venganza de unos porteros de discoteca, ungidos de autoridad por una mala decisión del gobierno. Rodrigo Sosa no iba a permitir que Julia y Max fuesen las víctimas propiciatorias. Mejor que la víctima fuese el coronel Santisteban.

Cuando esa noche Julia le llamó para decirle que no se encontraba muy bien y que al día siguiente llegaría tarde al trabajo, Rodrigo Sosa se alegró del malestar de su cómplice, un malestar que iba a tenerla alejada y a salvo durante un periodo largo, y volvió a repasar todo lo que necesitaba decirle a Megan García. Quería explicarle el modo en el que deseaba ser ejecutado. Pero antes necesitaba cerrar otra deuda pendiente.

—Pero no se fíe usted de ella, por desgracia no debemos fiarnos —le advirtió Mónica Hernández a Rodrigo Sosa.

La desconfianza había sido el estribillo de Mónica a lo largo de la conversación en la que ella y Sosa encontraron el modo de ser sinceros sin contarse toda la verdad. Cuando el policía preparó el encuentro con ella para advertirle que su participación en El Monte había sido descubierta, Mónica cerró la boca, se quedó mirando y esperó a que el visitante le diera explicaciones. Y las explicaciones fueron rebajando la desconfianza, porque pudo comprobar que aquel hombre lo sabía todo y que era la autoridad con la que Julia Pardo había hecho de puente. La carta de presentación no dejaba dudas al repasar uno a uno los nombres de sus amigos, los miembros del Monte que se reunían en el obrador, la muerte de Yénifer, la aparición de Elisa Llorente, los anuncios, las impresoras, los panfletos, la complicidad que había surgido con Jonás en una reunión de trabajo y la historia de cómo se había preparado el asalto a la tienda de Jaime Gutiérrez. Sabía incluso que Julia llamó la tarde anterior para suspender la reunión de la pastelería, una sorpresa que incomodó y preocupó a Mónica por la novedad que quería contarle.

—Tengo que reconocer que lo sabe usted todo. ¿Y de mí? ¿Qué sabe de mí?

—Que ha sido la responsable de las mejores frases del Monte..., y que tiene dos hijos, Hugo y Camila, que él vive con su padre y ella se exilió a Marruecos, y que Carlos Alcocer cometió la mayor equivocación de su vida cuando la abandonó.

—No tenía mucho interés en que siguiera conmigo, pero gracias por el piropo.

—Sé que la madre de Megan García trabajó como limpiadora en su casa —el inagotable catálogo de datos no le quitaba seriedad a cada una de las afirmaciones con las que el policía necesitaba conseguir un sentimiento de confianza—. Que usted le dio trabajo en su canal de YouTube a Megan García, que ahora trabaja usted en el canal Historia de España, que no se lleva muy bien con su jefa. Tampoco me importa confesarle que yo fui el que preparó con Julia el robo de las impresoras. Sé también que me va a creer si le digo que estoy de su parte, que Megan García ha descubierto no sé cómo las reuniones de su grupo, que nos están vigilando, y que usted es ahora la que mejor puede avisar a sus compañeros y desmantelar el grupo para evitar que puedan detenerlos, aunque no creo que suceda, porque están bastante convencidos de que a estas alturas es mejor dejarlos en paz. Representan a la sociedad que exige cambios.

—Yo también sé algunas cosas. Megan se presentó ayer por la mañana en mi casa —le dijo de repente Mónica.

La sorpresa se la llevó entonces Rodrigo Sosa García. Estaban en uno de los cafés de Malasaña que habían recuperado su vitalidad, a la espera del anuncio definitivo de que el virus dejaba por fin de ser una amenaza y que su poder era menos dañino que el malestar de una gripe antigua. Resultaba necesario tomárselo con tranquilidad y creer al cuerpo de epidemiólogos. La atención con la que Rodrigo, desde que se habían sentado, observaba los alrededores de la mesa en la que estaban y la puerta de la calle en busca de algún espía, se relajó de golpe ante aquella confesión. Había utilizado toda su experiencia policial para librarse de cualquier perseguidor, pero ya daba igual que alguien los estuviera vigilando. Se dedicó a escuchar. Mónica le contó detalles de la visita, la amabilidad de ella cuando recordaron la colaboración como documentalista para su canal de historia. Le contó que Megan había vivido aquel trabajo con una incomodidad íntima, como el regalo solidario de una progre a la que le sobraba el dinero. Un capricho hermoso, un detalle, debía tener un gesto de caridad con la hija de la señora que le limpiaba la casa. Eso confesó ella.

Mónica le contó que Megan habló de su vida con una extraña sinceridad, su implicación con el MCSY, su convencimiento de que las actividades del Monte representaban a muchos que se habían negado a perder la libertad y que iban a traer de nuevo a España las comunicaciones y la democracia. Le contó la incredulidad con la que escuchó las palabras de su vieja conocida, maldita Megan, cuando afirmó que todos ellos merecían su respeto, que no tuvieran miedo, que podían estar seguros de que iba a seguir rodando hasta el final la bola que habían puesto en marcha. Mónica le contó las explicaciones que había resumido para afirmar que el nuevo gobierno y los viejos dirigentes del MCSY eran los más interesados en que se cumpliera con éxito la Transición, explicaciones que ella había escuchado sin abandonar una desconfianza triste, amarga, escondida detrás de su sonrisa. Y le contó que le había agradecido mucho la visita y la generosidad de decirle al mismo tiempo que los habían descubierto, pero que ya no tenían nada por lo que temer. Aun así, era urgente que dejaran de reunirse en la pastelería.

Lo que Mónica no le contó a Rodrigo Sosa es que Megan había sospechado de ella porque cometió la torpeza de repetir una frase, «Estar en libertad no significa ser libre», que una vez había usado años antes al hablar de la salida de la cárcel del poeta Marcos Ana. Tampoco le contó que el motivo de la visita de Megan y de la vigilancia a la que la había sometido no fue la sospecha de aquella frase, una sospecha que Megan dejó correr en el arroyo de los acontecimientos con una complicidad melancólica. Ahora estaba en condiciones de devolverle la generosidad que en su día Mónica había tenido con ella. Una generosidad que, en las nuevas circunstancias políticas, no suponía una traición a su jefe.

—¿Te dijo para quién trabajaba? —preguntó Rodrigo Sosa.

—Pues no, pero me habló de Francisco Segarra, un hombre feo y seductor con el que debíamos tener cuidado. Pertenece a los círculos del poder, un mandamás del Cuerpo Nacional de Terapeutas del que no hay que fiarse.

Megan le contó que Paco Segarra se había aprovechado de la edad de Domingo Caballero Pérez, un viejo asiduo al Casino Militar. Y no es que Domingo fuese un delator, sino que bajaba la guardia ante un terapeuta empeñado en ayudarle. Era importante no sentirse un trasto viejo, no acomodarse al aburrimiento, a la soledad. Buenos consejos, consignas de amor propio, remedios para el orgullo herido. Con el paso del tiempo, acabó por creer que era un amigo. Domingo comprendió primero que debía callarse, sintió un nudo en el estómago al verse expuesto al peligro de hablar; después se le deshizo el nudo y declaró orgulloso ante el amigo Segarra que estaba jubilado, pero sabía cumplir con la misión de ser el jefe de su edificio. Segarra insistía, cercaba a la víctima dudando de sus capacidades para desarrollar tanta actividad. Y al cabo de unos meses, Domingo se atrevió a comentarle que era viudo, y que tenía un biznieto bien guapo, y una nieta maravillosa, a la que había criado, casada con el pastelero Enrique Duarte, y que le sobraba vida para no echarse atrás cada vez que se reunían con otros amigos en el obrador para denunciar las mentiras del gobierno e imprimir unos panfletos que luego rodaban de mano en mano.

Fue la información de Segarra la que determinó la visita de Megan a su antigua protectora. Las cosas podían írsele de las manos. Cuando Mónica escuchó la historia de Domingo, no vio en su vecino a un delator, sino a alguien que había caído en las trampas de su edad y en la confianza de una amistad falsa, tanto quizás como la que ahora pretendía Megan. Decidió avisar a Laura y a Enrique. Nada de eso le contó a Rodrigo Sosa. Era un secreto que iba a esconder entre los pliegues de la camaradería.

—Con Segarra por medio, necesito avisarte. No puedo mirar para otro lado. Sabemos lo que habéis estado haciendo —le advirtió Megan a Mónica.

—Ya sé que sabes lo que he estado haciendo —reconoció Rodrigo Sosa cuando se sentó delante de la mesa de ella con una carpeta azul en la mano.

La meditada decisión de callarse su encuentro con Mónica iba a ser bien cubierta con otro tipo de confesiones. Quería contárselo todo a la mano derecha del Gran Capitán, porque necesitaba que apoyara su plan.

—Yo maté a Miralles. Ahora vengo a pedirte que tú y tu jefe me matéis a mí.

Los ojos de Megan perdieron la luz de autosuficiencia con la que habían estado mirando a Sosa cuando entró en el despacho, después de hacerlo esperar más de veinte minutos en la sala de su secretaría. Se había preparado para recibir a alguien que iba a intentar engañarla y se encontró con una declaración más grave que el simple reconocimiento de las colaboraciones de su equipo con El Monte. Estaba segura de que había detectado la vigilancia sobre él, que había puesto sobre aviso a Max Rodríguez y a Julia Pardo, pero la sorpresa de una declaración tan inesperada convirtió sus ojos y sus oídos en un túnel abierto en el centro de la muralla de su poder, un túnel por el que fue entrando la historia del asesinato de Yénifer Mejía vista por Julia, el contacto con Elisa Llorente Frías, la preparación del asalto con muerte en la tienda de Jaime Gutiérrez y la mala suerte de una cámara imprevista que grabó las peligrosas imágenes que habían acabado en manos de Miralles.

—Me vas a creer si te digo que hice todo lo posible para evitar su muerte. Pero hay putadas que son inevitables, como las sufridas por tus amigos de Corralejo —la cara de Megan había recobrado poco a poco la tranquilidad, mientras Sosa confesaba la historia sangrienta de su activismo conspirador—. No podía dejar que la investigación de aquel robo siguiese adelante.

—¿Y por qué me lo cuentas ahora?

—Porque Julia y Max están ya en Marruecos, porque supongo que comprenderás la utilidad que los miembros del Monte tienen todavía para vosotros y porque sé que ahora mi asesinato es tan inevitable como lo fue la muerte de Miralles. No tengo muchas razones para vivir, pero me gustaría que mi muerte fuese útil. Quiero que convenzas a Juan Francisco Martínez Sarmiento de que debe hacerme caso. El plan que voy a proponerle dentro de una hora es lo mejor para todos.

Resultaba necesario detener ya a Dimas Romero. Dentro de dos días Rodrigo Sosa iba a presidir los actos que el Cuerpo Nacional de Vigilantes tenía programados en Toledo. Un atentado contra el director general era sin duda la mejor excusa para desmantelar la organización ultraderechista. Para que no hubiese más víctimas de las necesarias, se podía pensar en un disparo en la cabeza a la salida de un bar de carretera en el que pediría entrar debido a una visita urgente al baño. Dos agentes en una moto, una fuga sencilla y una muerte rápida. Mientras adelantaba el plan dejó sobre la mesa la carpeta azul que llevaba en la mano.

—Aquí te dejo el nombre de mis dos asesinos y un estudio detallado de la trama de legionarios de Dimas. Algunos de sus proyectos, sus modos de actuación, sus aliados en los sectores más significativos de vuestro mundo. Hay que tomárselos en serio porque pueden llegar a ser muy peligrosos. Conviene cortar por lo sano. El peligro no vendrá de fuera, sino del mundo que habéis creado.

—Se agradece la sinceridad —Megan no abrió la carpeta, la dejó dormir sobre la mesa. Intentaba aparentar que la información ofrecida no iba a ser nueva para ella—. Tal como están las cosas, tu plan resulta atractivo. Tal vez pueda convencer al jefe.

No te fíes de ella, había repetido Mónica Hernández. No me fío de ti, se dijo Sosa mientras se levantaba, daba media vuelta y se dirigía en silencio a la puerta del despacho. Era posible que Megan provocase su detención antes de que llegase la hora de la cita con Juan Francisco Martínez Sarmiento. De ser así, un error por su parte. Pero tampoco importaba mucho. Rodrigo Sosa creía no haber dejado suelto ningún cabo, y a nadie que le importara a los pies de los caballos.

—Pensaba ofrecerle a usted la posibilidad de pasar a Marruecos, pero supongo que ya no tiene mucho sentido.

—No, la verdad es que prefiero quedarme aquí. En mi casa, y bajo el control del jefe de mi edificio.

—Allí está su hija Camila.

—Y aquí Hugo. Me temo que ahora le voy a hacer más falta a él —Mónica Hernández le resultó envidiable, tenía motivos para seguir ligada a la vida, para buscarle un sentido a la realidad—. Y si es verdad que las cosas cambian, prefiero celebrarlo con mi hermosa pandilla.

—Adiós, Mónica. Ahora me toca hablar con Megan García.

—No sé qué tiene que decirle, pero le deseo suerte. Que le vaya bien. Y ya sabe, no se fíe de ella.

No era un mal consejo, aunque en aquella ocasión la mano derecha del Gran Capitán se comportó de manera correcta. Supo convencer a su jefe de la mejor decisión.

Rodrigo Sosa se alejó de Mónica Hernández y meditó sus pasos mientras se acercaba a Megan García. Rodrigo Sosa se alejó de Megan García y meditó sus pasos mientras se acercaba a Juan Francisco Martínez Sarmiento. Rodrigo Sosa se alejaría un poco después del coche oficial en un bar de carretera y meditaría sus pasos mientras se acercaba a un tiro de gracia. Dentro de él llevaba al muchacho que muchos años antes se había alejado del grupo de amigos que preparaban un robo, para cambiar de vida. A su mujer, que lo estaba ya esperando, le había gustado siempre que recordase esa historia. Pensó en Lola, pensó en el sentido de sus propios actos, en la luz, en la sombra, en la carta que les había dejado a sus hijos, y no le importó mucho despedirse de ellos.

Domingo Caballero levantó la copa para brindar por el cumpleaños de su biznieto Mateo. La casa se había llenado de gente y de regalos, de conversaciones cruzadas y de sonrisas. Las bromas empezaron antes de que llegaran los invitados, cuando el padre del niño apareció en casa del abuelo con un xilófono pequeño y precioso, una hilera de láminas metálicas de colores brillantes y dos baquetas de madera rematadas por una bolita del mismo material. Traía también un camión de bomberos. Laura, que estaba terminando los preparativos de la fiesta, empezó a reír y mirar, miró a su marido con ternura, luego a su hijo, luego a su abuelo, otra vez a su marido, y aseguró divertida que el niño no tenía ya edad para camioncitos de bomberos, que tampoco le pronosticaba un buen futuro como músico o como mago de las pastelerías, pero que daba gusto verlo jugar al fútbol los sábados por la mañana. Mejor no cargarlo con el pasado de nadie.

—Si no me has engañado, querida Laura, yo soy su padre, así que tendrá que cargar conmigo. Es inevitable. Contigo también, y no sé qué es peor, cariño mío.

Fue el inicio de una celebración de alegrías y complicidades cada vez más tumultuosa entre copas, trozos de dos tartas diferentes, abrazos, chistes y carcajadas. Se celebraba algo más que un cumpleaños y sólo la autoridad de la edad, la mano temblorosa y la voz cascada de Domingo Caballero pudieron imponer un poco de calma.

—Vamos a brindar. Un momento, un momento, y tú, Enrique, deja ya de ver la televisión.

Sonia, la vecina curiosa y no invitada, había visto desde el balcón a mucha gente normal acercarse por la calle, detenerse, llamar por el telefonillo y entrar en el edificio. Una tarde común de la ciudad en un día cualquiera. Vio a un matrimonio con una niña, a una mujer vestida con ropa juvenil, una anciana de moño alto cogida de la mano de un anciano y luego a dos hombres con aspecto ambiguo y un perro, quizás obreros, quizás hijos rebeldes de una buena familia. Conforme entraron en casa de Laura y Enrique esas personas anónimas que despertaron la curiosidad de Sonia, no invitada a la fiesta de su vecino militar, conquistaron sus nombres. Fueron recibidos como Paula, Jonás, Adriana, qué guapa está y qué mayor, Elisa, Nicolás, Queti, pero si cada día parecéis más jóvenes, Juan y Juanito, ¿y ese perro?, regalo para Mateo, no, qué locura, es un galgo.

—Cobro tasas de entrada al Centro Comercial Domingo Caballero.

Mónica Hernández no entró por el portal, sino que bajó al piso de Domingo desde la azotea, adonde había subido con su hija Camila para enseñarle el mirador particular, el lugar desde el que había observado el mundo, primero con escafandra y después a pulmón abierto. Parecía mentira el miedo que llegó a dar un cielo azul, incluso cuando se perdió el respeto a las falsas cámaras de los drones. Esa, hija, es la terraza en la que Enrique tocaba el violín. Cada cual con su música, sus ausencias y sus miedos.

Camila decidió volver a Madrid en cuanto el gobierno de la Transición, «El cambio que asegura nuestras conquistas», aprobó la amnistía general antes de convocar elecciones. Necesitaba abrazar a su madre, vivir desde dentro lo que estaba pasando, convencerse de que las intervenciones violentas a las que se había opuesto una y otra vez en Marruecos, rodeada de gente mucho más decidida, hubieran supuesto un callejón sin salida, una opción peor. El camino elegido estaba abierto y se había llenado de pasos. No era una cobarde, al fin y al cabo la hija de Alcocer, una mimada, una tímida, una mujer poco comprometida. Pues no, era una militante a la que la historia de su vida y sus trabajos en la Repoblación de la España Vaciada le habían enseñado que la valentía sólo resulta útil cuando negocia con la realidad.

La que no quiso apresurarse a volver fue la teniente Julia Pardo. Prefería estar segura del comportamiento que iban a tener dentro del nuevo país algunos de sus antiguos compañeros del Cuerpo Nacional de Vigilantes. Imaginaba que muchos de ellos no se habían tragado la historia oficial del asesinato de Rodrigo Sosa Ramírez, una muerte que le dolía como una devastación personal. La tristeza, el rencor, la mala conciencia, la admiración y la debilidad se mezclaban al recordar la última conversación que Max y ella habían tenido con Sosa. Estaba claro que les había engañado, que no les había querido contar la decisión de su sacrificio.

Cuando Muros informó de que Rodrigo Sosa había sido asesinado, empezó a darle vueltas al asunto. La almohada fue para ella un lugar mucho más agitado que las conversaciones. Primero pensó que la orden de salir rápido de España tuvo que ver con la inminencia de un peligro del que Sosa quería salvarlos. Después comprendió que él podría también haberse salvado, huir de ese peligro. Quedarse fue un intercambio, un modo de asumir responsabilidades para facilitar la mejor solución. Al final acabó por convencerse, conocía muy bien a Rodrigo Sosa, estaba segura de que había planeado su propia muerte.

Leyó el informe con atención. Un viaje a Toledo para participar en la celebración oficial del día del Cuerpo Nacional de Vigilantes, pocas precauciones, una parada imprevista en un bar poco frecuentado, un lugar idóneo para darse a la fuga por estar al lado de un cruce de carreteras, un disparo en la nuca, investigación rápida y detención inmediata de Dimas Romero y de un grupo de legionarios, el mismo grupo que Max había investigado mientras ella hacía de enlace con el obrador de la Pastelería Duarte. Una putada de buenas consecuencias.

—Y una mierda, Max. Deberíamos habernos dado cuenta de lo que tenía decidido cuando nos mandó aquí. La misión fue llegar y no hacer nada, un puesto en un ejército cuya misión era estarse quieto, esperar hasta enterarnos de su muerte.

—¿Y qué hubiéramos podido hacer? ¿Discutirle una orden? ¿Convencerlo de que tenía la obligación de salvarse, de seguir viviendo?

Seguir viviendo, resistir, llamar por teléfono, esperar que alguien o algo te conteste. Julia Pardo recordó el asesinato de Yénifer, las veces que llamó a Sosa para contarle lo que estaba ocurriendo, el silencio, el ruido del agua de la piscina, el disparo, el rojo de la sangre, la voz enfurecida de los que habían matado a la doncella de doña Rocío, a la sirvienta del comandante Santisteban, su propia impotencia, los ojos de Elisa Llorente cuando intentó acercarse a ella, acercarse a la vida, unir las razones de su uniforme a la verdad de la gente. Rodrigo Sosa Ramírez había sido un buen ejemplo. Él descansaba en paz, ella no.

—Un momento, silencio, vamos a brindar —Domingo Caballero consiguió apaciguar las conversaciones, y el silencio sirvió para que se escapara de la televisión la música de un anuncio electoral—. Venga, Enrique, apaga el televisor de una vez. Pareces el niño con su móvil.

—Es que va a salir ahora el partido de mi primo Richi. ¡Se presenta a las elecciones!

—Vamos, vamos, a freír puñetas con Richi. Quiero brindar por la hija de Mónica, porque es la primera vez que viene a esta casa. Bienvenida. Quiero brindar por todos vosotros. Y, sobre todo, quiero brindar por mi biznieto Mateo y por la vida que le espera. Señoras, señores, ríanse ustedes, pero ahora sí, ahora *todo va a mejorar*.

Nota final
de Luis García Montero

Almudena tenía la costumbre de trabajar las ideas de sus novelas y fijar el proceso de redacción en cuadernos escritos a mano. La elaboración de Todo va a mejorar *quedó condensada en dos cuadernos. La página inicial del primero recoge un dibujo sencillo de 3 montes y las siguientes anotaciones:*

1 de abril de 2020
19 día de confinamiento.
17 día de estado de alarma
Año Galdós
Sin título.

Después tachó con dos rayas cruzadas la última afirmación y escribió: Todo va a mejorar.

Este primer cuaderno, en el que adelantó sus ideas para el argumento, posibles capítulos, planes de estructura, cronologías y perfiles de personajes, lo completó el 27 de abril. Se trata de un cuaderno de 252 páginas, así que escribió de manera muy animada el esbozo general y los detalles de lo que debía ser la novela. Encerrada en casa, con la única cita diaria de salir al balcón para aplaudir a los sanitarios y a las sanitarias que se arriesgaban a combatir contra la muerte en los momentos más difíciles de la pandemia, se volcó en la idea de esta nueva novela.

Interrumpió así el plan de escribir la sexta entrega del ciclo Episodios de una Guerra Interminable. Después de publicar en febrero de 2020, justo antes del estallido de la pandemia, La madre de Frankenstein, *faltaba la preparación de* Mariano en el Bidasoa, *una historia en la que pensaba acercarse a la experiencia de los topos de larga duración, la emigración económica interior y los veinticinco años de paz. Quería así completar el dibujo del tiempo en el que la vida de sus personajes se vio envuelta por las ilusiones de la República, la tragedia bélica desatada por el golpe militar de 1936 y los alargados y sombríos años de la dictadura.*

Pero la llegada del confinamiento a causa de la pandemia y las discusiones que enseguida se desataron en los enfrentamientos políticos y sociales le hicieron interrumpir sus Episodios para escribir una ficción en la que abordar las tensiones establecidas entre la libertad y los cuidados. Es el tema de nuestro tiempo. Una amenaza como la que representaba el covid nos enfrentó de golpe a las dinámicas de definir la libertad como la ley del más fuerte, en la línea marcada por el neoliberalismo, o de diluir los cuidados en la represión y el borrado de la conciencia individual, en la línea de las dictaduras, o de apostar por el difícil empeño de equilibrar los deseos particulares con el respeto a la convivencia. El presente es un territorio literario en el que conviven pasado y futuro. Si la voluntad de ser cronista de su generación le había hecho volver los ojos desde los años de la Transición democrática hacia la memoria histórica, la pandemia y sus reacciones supusieron una incitación para pensar en el futuro de unas sociedades democráticas que habían entrado en el vértigo del desprestigio político y de la conversión de las identidades nacionales en supermercados. La realidad de la vida en común y de la necesaria salvación colectiva podía despertar recelos en los partidarios de entender la economía no como un bien social, sino como la eficacia de un mercado dispuesto a sustituir y falsear la lógica de las instituciones públicas. Por eso se sentó a escribir Todo va a mejorar, *aprovechando que los compromisos propios de la promoción de su novela anterior,* La madre de Frankenstein, *quedaron cancelados por el confinamiento. Que la vida se sometiera de pronto a la rutina de las mascarillas y las calles vacías era una invitación a meditar en los tejidos de la ciencia ficción.*

Una anotación de su segundo cuaderno da testimonio de que los dos primeros capítulos, «104 folios de ordenador», quedaban escritos el

486

29 de julio de 2020. La siguiente anotación es del 15 de octubre: «Ayer me dieron el primer ciclo de quimio. Hoy, después de casi un mes, he vuelto a escribir». El cáncer apareció en nuestras vidas en una revisión ginecológica que Almudena se había hecho en septiembre. Desde enton- ces la escritura de Todo va a mejorar *convivió con la enfermedad. En diciembre de 2020 se sometió a una operación. Vivimos la noche de Fin de Año en una habitación del Hospital Jiménez Díaz con la esperanza de que lo peor había pasado.*

Volvió al trabajo cuando le dieron el alta. Su costumbre de escritora disciplinada consistía, además de en la preparación de las estructuras y los argumentos de manera precisa, en releer constantemente lo escrito. Cada vez que acababa un capítulo, releía todos los anteriores antes de comenzar el siguiente. El 22 de junio de 2021, más o menos cuando nos comunicaron que la enfermedad se estaba reproduciendo, con preocupantes huellas en el hígado, Almudena vivía envuelta en la redacción del capítulo 6, «La canción del vigilante». Consiguió terminarlo en septiembre de 2021, mes en el que tuvo que cancelar su participación en la Feria del libro de Madrid. Por culpa de la pandemia la Feria se había desplazado de la primavera al otoño. Para disculpar su ausencia en una de las citas que más había disfrutado en sus treinta y dos años de escritora, decidió publicar en El País Semanal, *el 9 de octubre de 2021, un artículo titulado «Tirar una valla». Se trató de una conversación consigo misma y con sus lectores que no me resisto a copiar aquí:*

He tenido que escribir algunos artículos muy complicados a lo largo de mi vida. Ninguno como este.

Todo empezó hace poco más de un año. Revisión rutinaria, tumor maligno, buen pronóstico y a pelear. En aquel momento no quise dar la noticia porque necesitaba estar tranquila, confabularme con mi cuerpo y conmigo misma, pero en un año pasan muchas cosas. Tendría que habérseme ocurrido, pero no reaccioné a tiempo.

El cáncer, que es una enfermedad como otra cualquiera, desde luego un aprendizaje, pero nunca una maldición, ni una vergüenza, ni un castigo, me ha acompañado desde entonces. Y me encuentro muy bien en general. Estoy en las mejores manos, segura, confiada, fuerte, y sin embargo, hace unas semanas tuve un tropiezo, tiré una valla, como les ocurre hasta a los atletas keniatas en las carreras de obstáculos de larga duración. Mientras los altavoces de la Feria del Libro de Madrid lanzaban a los cuatro vientos los nombres de los autores que estaban firmando en las casetas, entre ellos el mío, yo estaba en el hospital con una complicación intestinal, que no era grave pero sí pesada de resolver. Así comprendí que mi silencio había tenido un precio.

Yo ya sabía que soy una mujer afortunada porque hay mucha gente que me quiere. Ahora lamento que algunas de esas personas hayan estado tan preocupadas por mí, por una ausencia que debería haber explicado antes para ahorrarles el mal rato. He llegado a percibir su inquietud desde mi cama del hospital, y quiero pedirles perdón, contarles cómo me siento. Y disculparme de paso, de antemano, por mi silencio y mis ausencias futuras. Porque no me gustaría que alguien pudiera volver a preocuparse por no encontrarme en un lugar donde hayamos coincidido otras veces.

Mis lectores y lectoras, que me conocen bien, saben que son muy importantes para mí. Siempre que me preguntan por ellos respondo lo mismo, que son mi libertad, porque gracias a su apoyo puedo escribir los libros que quiero escribir yo, y no los que los demás esperan que escriba. También saben que la escritura es mi vida, y nunca lo ha sido tanto, ni tan intensamente como ahora. Durante todo este proceso he estado escribiendo una novela que me ha mantenido entera, y ha trazado un propósito para el futuro que me ha ayudado tanto como mi tratamiento. Ahora necesito devolverle tanto como me ha dado, encerrarme con ella, mimarla, terminarla, corregirla. Por eso voy a seguir desaparecida una buena temporada, y no devolveré mensajes, no contestaré llamadas, no daré noticias. Imagino que muchas personas lo comprenderán. Supongo que otras quizás no lo hagan, pero confío en que respeten mi decisión. Hasta que vuelva, aunque sólo sea para mirar frente a frente el cielo de Madrid una vez más, antes de volver a esconderme.

No sé cuándo será. Tal vez reaparezca con pelo, quizás sin pelo, con una melena rizada o con el peinado de mi querida Josefina Báquer, como la llamaba mi abuela, aquella que la vio bailar con una falda de plátanos cuando las dos eran jóvenes. Pero prometo solemnemente que volveré a sentarme en una caseta para firmar ejemplares y mirar a los ojos de mis lectores, de mis lectoras. Entre todos los personajes que existen, mis favoritos son los supervivientes, y no voy a defraudarme a mí misma, mucho menos a mis propios protagonistas.

Y seguiré estando aquí, escribiendo un artículo en esta misma página cada dos semanas, y en la contraportada del diario todos los lunes. Ese espacio, sagrado para mí, porque me permite mantener el contacto con mis lectores en cualquier circunstancia, nos permitirá encontrarnos, saber de nosotros, permanecer juntos.

En este artículo tan raro, tan difícil de escribir, tal vez no haya cabido todo lo que me hubiera gustado decir, pero al menos me ha permitido contar algunas cosas que necesitaba explicar.

A partir de ahora, seguiré escribiendo sobre los pájaros de Finlandia y otros libros memorables, sobre lo que pasa en el mundo, sobre la ficción y la realidad, lo justo, lo injusto, la vida de tantas personas que tienen mucha menos suerte que nosotros, o más, vete a saber. Pero no quiero despedirme sin agradecerles que hayan leído este artículo que es tan importante para mí.

Dentro de dos semanas, nos vemos por aquí.

Me gusta pensar que de alguna manera tenía razón. Ella sigue estando aquí.

Almudena murió un mes y unos días después, el 27 de noviembre. Releído ahora el artículo reconozco muchas cosas: su hasta luego suena inevitablemente a despedida. En el artículo conviven su compromiso con los lectores, la alianza profunda entre la literatura y su vida, la voluntad optimista de resistir, de seguir cultivado una esperanza, y el sentimiento de que esa esperanza se iba apagando. Tal vez la ausencia podía derivar hasta ese capítulo final en el que miraría el cielo de Madrid una vez más, frente a frente, antes de esconderse para siempre.

Dedicó el mes de octubre a releer lo que había escrito y terminar el capítulo 6. Le faltaron fuerzas para emprender el último capítulo planeado, «La Transición». Durante sus tres últimas semanas de vida, cuando la muerte se convirtió en una realidad, me explicó cómo quería acabar la novela, leímos juntos las anotaciones de los cuadernos, hablamos de las posibilidades y me pidió que escribiese yo lo que iba a quedar sin concluir. Quería que sus lectores conociesen el final de la historia que ella había imaginado.

Eso es lo que he procurado hacer en el último y breve capítulo de este libro. No he pretendido, desde luego, estar a la altura narrativa de Almudena, sino escribir, como ella quería, unas páginas que siguiesen sus indicaciones. Espero no haber traicionado el amor que sintió por sus lectores, sus lectoras y sus personajes.

Los personajes

Alejandro Fernández (Álex), doctor, especialista en enfermedades infecciosas de la Clínica de la Concepción de Madrid, es quien atiende a Marina Martín por la mordedura presuntamente infecciosa de un perro. Muere en atentado reivindicado por un desconocido Frente Popular Antisistema.

Altagracia, dominicana, trabaja en Los Peñascales como sirvienta en casa del capitán Ramírez.

Ana Goicoechea, primer gran amor de Juan Francisco González Sarmiento. Presidenta del consorcio siderometalúrgico más importante de España. Forma parte del grupo de empresarios impulsores del MCSY.

Ander Istúriz López, arquitecto bilbaíno y coordinador de Reconstrucción de la provincia de Segovia. Pareja de Camila Alcocer Hernández cuando a esta la envía el Cuerpo Nacional de Voluntarios para la Repoblación de la España Vaciada al pueblo de Caballar, en Segovia.

Ángela Echevarría, cardióloga en el hospital infantil del Niño Jesús, es la mejor amiga de Alejandro Fernández.

Antonio Menéndez López, presidente del Gobierno de España con el MCSY.

ARANCHA TOMÉ, jefa de JONÁS GONZÁLEZ VERGARA y de MÓNICA HERNÁNDEZ en el canal Historia de España de la Televisión Pública.

ASUNCIÓN, cocinera en casa de los SANTISTEBAN. Está casada con JUAN ANTONIO, chófer de los SANTISTEBAN.

BLANCA MIRALLES, hija de JOSÉ FEDERICO MIRALLES, amiga de ELISA LLORENTE FRÍAS.

CAMILA ALCOCER HERNÁNDEZ, hija de MÓNICA HERNÁNDEZ y de CARLOS ALCOCER, y hermana melliza de HUGO ALCOCER HERNÁNDEZ. Estudiante de la Facultad de Ciencias Políticas de la Universidad Complutense, militante del Nuevo Partido Comunista de España. Es seleccionada para integrarse en el Cuerpo Nacional de Voluntarios para la Repoblación de la España Vaciada.

CARLOS ALCOCER, sociólogo, publicista y promotor, conocido como «EL MAGO». Jefe de la campaña electoral y jefe de Comunicación del MCSY.

CATI, DOÑA, dueña de la herboristería Hierbas Latinas.

CECILIA TOLEDANO, actriz aficionada, repartidora en bicicleta, madre soltera de un hijo biológico y otro adoptado, número 3 del MCSY por Madrid. Fichaje de MEGAN GARCÍA.

CRISTAL, salvadoreña, trabaja como sirvienta en casa de VÍCTOR LAFITTE.

CRISTINA FRÍAS, exmujer de JAVIER LLORENTE y madre de ELISA LLORENTE FRÍAS. Funcionaria del Ministerio de Exteriores. Vive con VÍCTOR LAFITTE.

CUCA, mujer de JUAN FRANCISCO MARTÍNEZ SARMIENTO. Hija única de un banquero de provincias.

Dimas Romero, secretario de Estado de Seguridad impuesto por el ala ultraderechista del MCSY.

Domingo Caballero Pérez, jubilado, teniente coronel del Cuerpo Jurídico Militar, padre de José Luis Caballero y abuelo de Laura Caballero, que vive con él. Vecino y jefe de casa del edificio donde vive Mónica Hernández.

Elisa Llorente Frías, hija de Cristina Frías y de Javier Llorente. Amiga de Cristal y de Yénifer Mejía Flores. Estudiante de Ciencias Sociales.

Enrique Duarte García, regenta la pastelería familiar Duarte, casado con Laura Caballero. Hubiera querido ser músico, pero después del bachillerato no va a la universidad ni al conservatorio, sino que comienza a estudiar repostería.

Francisco Segarra, psicólogo del Cuerpo Nacional de Terapeutas desde su fundación, es el terapeuta de Ángela Echevarría. Posteriormente, supervisor especial del Cuerpo Nacional de Terapeutas. Marido de María Antonia Gómez.

Francisco Sevilla, «Pancho», fundador y codirector de la Cooperativa Segoviana. Huye a Marruecos.

Hugo Alcocer Hernández, hijo de Carlos Alcocer y de Mónica Hernández. Hermano mellizo de Camila Alcocer Hernández. Vive con su padre y con la segunda mujer de este en Ciudad Puerta de Hierro.

Isidoro Pérez, alumno de la Academia del Cuerpo Nacional de Vigilantes, participa en el interrogatorio de Yénifer Mejía Flores.

Jacinto Perezagua, «el Oso», exalumno de Javier Oliva y hacker contratado por Megan García Silvestre para el MCSY.

JAIME GUTIÉRREZ, al cargo de una tienda en el Centro Comercial el Rastro en la que se pueden encontrar artículos electrónicos ilegales.

JAIME RIERA I CASASÚS, empresario catalán que guía los primeros pasos de JUAN FRANCISCO MARTÍNEZ SARMIENTO. Su tercera esposa es MARINA MARTÍN.

JAVIER LLORENTE, director de un periódico digital, crítico con el MCSY y el nuevo estado que se está creando. Padre de ELISA LLORENTE FRÍAS.

JAVIER OLIVA, profesor universitario del doble grado de Matemáticas e Informática, trabaja como hacker junto con EL OSO.

JAVIER VIÑAS, compañero de JULIA PARDO en la Academia del Cuerpo Nacional de Vigilantes.

JESÚS, jefe de JONÁS GONZÁLEZ VERGARA en la productora audiovisual. Tiene una amante, LUCÍA.

JONÁS GONZÁLEZ VERGARA, creador de animaciones digitales, trabaja con MÓNICA HERNÁNDEZ en el canal Historia de España.

JOSÉ FEDERICO MIRALLES (FEDE), director general del Cuerpo Nacional de Vigilantes, sección Policía Nacional.

JOSÉ LUIS MUROS, capitán del Ejército de Tierra y luego, con el mismo grado, en la División Militar del Cuerpo Nacional de Vigilantes. Huye de España a Marruecos y funda con otros oficiales disidentes el Ejército Español del Sáhara Occidental.

JOSÉ LUIS SANTISTEBAN, coronel de la Guardia Civil, luego, comandante en jefe del Cuerpo Nacional de Vigilantes. Marido de DOÑA ROCÍO.

JUAN ANTONIO, chófer en casa de los SANTISTEBAN, marido de ASUN-CIÓN, la cocinera.

JUAN CARLOS SANSEGUNDO, novio de OLGA, alumno de la Academia del Cuerpo Nacional de Vigilantes.

JUAN FRANCISCO MARTÍNEZ SARMIENTO, «EL GRAN CAPITÁN», empresario de éxito de origen humilde. Creador e ideólogo del Movimiento Ciudadano ¡Soluciones Ya! (MCSY).

JUAN Y JUANITO (JUANITO es rumano, en realidad se llama Catalin), ingresan juntos en el centro de menores donde trabaja LAURA CABALLERO. Al cumplir los dieciocho años, empiezan a trabajar en el obrador de la pastelería de ENRIQUE DUARTE GARCÍA gracias a la mediación de su mujer, LAURA CABALLERO.

JULIA PARDO AGUIRRE, alumna destacada del máster en la Academia Nacional de Vigilantes. Hija de PEPE PARDO, policía nacional, y ROSA AGUIRRE, policía nacional en el departamento de Protección Ciudadana.

LAURA CABALLERO, vive con su abuelo paterno, DOMINGO CABALLE-RO PÉREZ. Trabaja en un centro juvenil del Ayuntamiento, con menores inmigrantes, chicos con adicciones... Mujer de ENRIQUE DUARTE.

LETICIA, terapeuta personal de JONÁS GONZÁLEZ VERGARA en el programa del MCSY la Gran Terapia.

LOLA ÁLVAREZ, doctora, mujer de RODRIGO SOSA RAMÍREZ, con quien tiene dos hijos. Representante del personal de la UCI del Severo Ochoa durante la Primera Pandemia.

MANUEL ÁNGEL SÁNCHEZ SÁNCHEZ, empleado en una agencia de publicidad, encargado de recibir las propuestas iniciales de los creativos de la agencia y reenviarlas a la Dirección General de

Centros Comerciales para que pasen los anuncios en los centros comerciales.

MARÍA ANTONIA GÓMEZ, psiquiatra. Mujer de FRANCISCO SEGARRA.

MARINA MARTÍN, la tercera esposa de JAIME RIERA I CASASÚS. Es atacada por un perro salvaje.

MARUJA, mujer de DOMINGO CABALLERO PÉREZ.

MATI, SEÑORITA, hija de DOÑA MATILDE y tía de DOÑA ROCÍO.

MATILDE, DOÑA, abuela de DOÑA ROCÍO. Fue la primera mujer para la que trabajó YÉNIFER MEJÍA FLORES como cuidadora.

MAX RODRÍGUEZ, compañero de JULIA PARDO en la Academia del Cuerpo Nacional de Vigilantes.

MEGAN GARCÍA SILVESTRE, mano derecha y asesora de JUAN FRANCISCO MARTÍNEZ SARMIENTO en la ejecución y creación del Movimiento Ciudadano ¡Soluciones Ya! (MCSY), del que será la presidenta nacional. Había trabajado a tiempo parcial como documentalista en el canal de YouTube de MÓNICA HERNÁNDEZ.

MELANIA CARVAJAL, escritora de bestsellers románticos.

MÓNICA HERNÁNDEZ RODRÍGUEZ, había sido profesora de Historia de España en un instituto de educación secundaria, trabaja como documentalista en el canal Historia de España. Madre de CAMILA ALCOCER HERNÁNDEZ y HUGO ALCOCER HERNÁNDEZ. Exmujer de CARLOS ALCOCER.

MONTSERRAT/MONTSE, SEÑORITA, niñera en casa de JOSÉ LUIS SANTISTEBAN y su esposa, DOÑA ROCÍO.

NICOLÁS, amigo de DOMINGO CABALLERO PÉREZ. Jubilado, teniente coronel de Artillería.

OLGA, joven polaca, trabaja como sirvienta junto con YÉNIFER MEJÍA FLORES en la casa de los SANTISTEBAN.

PAULA TASCÓN ESTÉBANEZ, alumna destacada en la asignatura de Seguridad en Redes y Sistemas que imparte JAVIER OLIVA. Trabaja como asesora en una gran tienda de tecnología. Mujer de JONÁS GONZÁLEZ VERGARA.

QUETI, jubilada, amiga de NICOLÁS. Se conocen en Málaga, adonde van NICOLÁS y DOMINGO CABALLERO PÉREZ gracias al Plan de Vacaciones para Mayores. Tiene una hija que trabaja de enfermera en el Hospital Clínico, que está junto a la Clínica de la Concepción, donde se atendió a MARINA MARTÍN de una mordedura de perro.

RAMÍREZ, CAPITÁN, un hombre atractivo, todavía joven, casado, con dos hijos y modales de caballero antiguo.

RICHI, primo de ENRIQUE DUARTE GARCÍA, antiguo guardia civil, trabaja en el Cuerpo Nacional de Vigilantes.

ROCÍO, DOÑA, mujer de JOSÉ LUIS SANTISTEBAN.

RODRIGO SOSA RAMÍREZ, policía nacional, en 2020 era el subinspector más joven de la Brigada Central de Investigación de Delitos contra las Personas. Director de la Academia Nacional de Vigilantes, en la zona de máxima seguridad de Los Peñascales. Casado con la DOCTORA LOLA ÁLVAREZ, con la que tiene dos hijos.

SANTANA, SARGENTO, en la Academia del Cuerpo Nacional de Vigilantes, ordena y está al mando del interrogatorio de YÉNIFER MEJÍA FLORES.

Santiago Santisteban, hijo de José Luis Santisteban.

Soledad Flores, madre de Yénifer Mejía Flores.

Sonia, vecina del edificio donde viven Mónica Hernández y Domingo Caballero Pérez.

Susana Puig, exnovia de Jonás González Vergara.

Varela, subcomandante, jefe de operaciones especiales en el Cuerpo Nacional de Vigilantes.

Víctor Lafitte, portavoz del Cuerpo Nacional de Vigilantes. Forma parte del núcleo duro del MCSY. Se casa con Cristina Frías.

Yénifer Mejía Flores, hondureña. Después de trabajar como cuidadora de Doña Matilde, trabaja como sirvienta en la casa de José Luis Santisteban y Doña Rocío, su esposa, en el área de residencia especial Los Peñascales.